130

BARON DE LA TOUSCHE D'AVRIGNY

MESSIEURS
DE
LA ROCHEJAQUELEIN

Présentation par
Jean-François CHIAPPE

Librairie Académique Perrin
8, rue Garancière
PARIS

© Editions Emile-Paul, 1948, pour *Monsieur Henri* et
Librairie Académique Perrin, 1985, pour la présente édition.

ISBN 2-262-00355-6

Ce volume réunit le livre du baron de La Tousche intitulé *MONSIEUR HENRI,* second grand prix Gobert de l'Académie française, et les travaux inédits de l'auteur ayant trait aux frères du héros.

Jean-François CHIAPPE

L'UNIVERS D'UN GENTILHOMME

Benjamin Guitonneau dont l'histoire de la presse a
retenu les dessins et les critiques sous le nom de Ben
descendait d'un capitaine de paroisse ayant servi sous
Henri de La Rochejaquelein. Un soir, le maître de la
satire nous rapporta cette étrange anecdote : « Au sortir
d'un estaminet, trois manouvriers passaient, à Saint-Aubin-
de-Baubigné, devant la statue, œuvre de Falguière, représentant le jeune général dans sa tenue légendaire : chapeau
à cuve, col ouvert, redingote, écharpe, sacré-cœur et sabre
droit. L'un des journaliers, *qui n'était pas du pays*, crut
plaisant de questionner :
— Qui est-ce ?
— C'te bonne blague ! Pardi, c'est M'sieur Henri !
— Qui est-ce, M'sieur Henri ?
Le dialogue ne s'éternisa point ; indignés, les deux
compagnons commencèrent de rosser si vigoureusement
l'audacieux qu'il fallut le leur tirer des mains. »
Et Ben concluait :
« C'était un peu comme si, à Rouen, place du Marché,
quelqu'un avait affecté d'ignorer l'identité de Jeanne
d'Arc. »
Cette histoire n'est pas vieille et gageons qu'il ne ferait
toujours pas bon, à Saint-Aubin, nasarder l'enfant de la
Durbelière.

De tous les chefs de la Vendée militaire, M. de La Rochejaquelein apparaît comme le plus pur. C'est fâcheux pour un biographe car il risque de tomber dans la fadeur. Le baron de La Tousche, pour retracer la vie d'une colombe, ne s'est pas laissé prendre au filet de l'oiseleur. S'il aimait son héros au point de lui vouer la quasi-totalité de son temps, il ne sombrait jamais dans les travers de l'hagiographie.

A l'accoutumée, les auteurs, leur livre achevé, s'écrient volontiers à l'instar de l'abbé de Vertot :

— Mon siège est fait.

Pour le baron, au contraire, le siège n'avait jamais pris fin. Lorsqu'il eut publié son célèbre *Monsieur Henri,* il consacra, au prix d'efforts intellectuels et pécuniaires que d'autres qualifieraient d'insensés, vingt-deux cahiers à Henri de La Rochejaquelein.

Ainsi, parvenu dans ses automnes, M. de La Tousche s'occupait-il encore — et avec quelle minutie — de retrouver les moindres détails d'une vie interrompue à vingt et un ans, quatre mois et vingt-neuf jours.

Jean de La Tousche d'Avrigny s'était, mais par hasard, donné la peine de naître à Saint-Même, en Bas-Poitou. Qu'il ait vu le jour dans le pays dont M. de Charette fut roi n'influença nullement sa vocation. Sa famille s'en était venue vivre à Poitiers où, très tôt, il s'enthousiasma pour l'étude de la féodalité. Il croyait trouver là son époque. Le comte Ghislain de Diesbach ne le verra-t-il point s'attendrir, en 1950, sur la confiscation par la Couronne de la terre d'Avrigny... au XVIᵉ siècle ?

Retranché derrière ses chartes, ses blasons et ses heaumes, Jean de La Tousche ne se souciait guère de l'épopée en sabots lorsqu'il obtint la main d'une jeune fille dont le nom est demeuré célèbre dans les fastes de notre marine et nos luttes en faveur des Insurgents d'Amérique : Mlle de Ternay. Elle demeurait à un jet de pierre de ce bourg du Louroux-Béconnais où fut, par les Bleus, capturé Noël Pinot. Le futur bienheureux, on le sait, devait gravir les degrés de la guillotine revêtu de ses habits sacerdotaux en prononçant sans trembler ces simples mots : *Introïbo ad altare Dei.*

La nouvelle Mme de La Tousche aimait passionnément son pays, le connaissait si bien qu'elle en faisait aisément parler les pierres. Elle entraîna son mari sur les grands et les petits chemins de l'aventure.

De châteaux en chaumières

La féodalité reculait, la Contre-Révolution populaire gagnait du terrain. M. de La Tousche commençait de passer la revue. Ce n'était plus les paladins antiques s'en retournant chez les châtelaines, les goujats élargissant de la dague le défaut de la cuirasse non plus que les moines enluminant les cantilènes. C'étaient des paysans, des artisans, vouge au point, des cavaliers montés sur des chevaux de labour, avec des cordes pour rênes, des artilleurs servant des troncs de chênes cerclés comme des tonneaux en guise de canons.

Au-dessus de ces « paroisses » flottent des draps de lit sur lesquels ont été hâtivement cousus des lys empruntés à des chasubles. Dans le poudroiement du printemps de la Liberté se distinguent quelques généraux, hier lieutenants ou capitaines, parfois colporteurs ou savetiers. MM. Cathelineau, Stofflet, Forestier, princes de la roture, M. de Talmont, prince à la véritable couronne fermée, le pieux et froid marquis de Lescure, le jovial seigneur de Marigny. Voici venir les deux inventeurs de la Grande Armée Catholique et Royale ; le riche et spirituel chevalier de Bonchamps, le pauvre et triste sieur d'Elbée. Du Marais arrive M. de Charette, un marin dissipé dont le génie se révélera bientôt. Voici le bon Sapinaud, commandant de la Vendée centrale, dont le sabre vaut mieux que la cervelle, le vicomte de Scépeaux, stratège de la rive nord, présent dans l'Histoire mais oublié dans la Légende.

11

Deux futures étoiles scintillent déjà parmi les amateurs d'épopée franche et de politique plus subtile : le gros (et grand) Georges Cadoudal et le fluet (et non moins grand) Pierre Mercier. Restait l'énigmatique comte de Puisaye, taxé d'Orléanisme et même de Fédéralisme, qu'on ne voyait jamais mais dont on convenait qu'il avait su — au prix de quels efforts ! — fédérer la Bretagne.

Converti par Mme de La Tousche aux fastes vendéens, qu'allait faire le baron ?

A la vérité, il apparaissait relativement facile d'emprunter une plume au panache de l'un de ces grands hommes pour restituer la guerre des géants.

M. de La Tousche allait adopter un autre parti ; il avait distingué parmi ces chevaliers un être irréel, à peine sorti de l'adolescence, jeune homme au teint pâle et à la chevelure blonde, aux manières anglaises et au maintien réservé, au masque crispé dans la bataille et à la figure d'ange au conseil.

C'était le comte Henri de La Rochejaquelein.

Pourquoi cette préférence ?

Roger de La Tousche, père de notre biographe, avait pris pour femme Alix de Chevigné dont la mère était née Durfort. Or, la mère de Victoire de Donissan, marquise de Lescure puis de La Rochejaquelein, procédait elle aussi de cette même maison de Durfort.

Certes, c'était une parenté fort ténue puisque Victoire, la célèbre mémorialiste, n'avait été, en épousant Louis, que la belle-sœur posthume de Monsieur Henri. Si l'héroïne toutefois avait plus proposé qu'accordé sa main au puîné du feu généralissime, c'est que, tout honnête femme qu'elle fût, elle ne s'était pas montrée, surtout après la mort de M. de Lescure, insensible au charme du jeune homme à figure d'ange.

Ainsi, pour M. de La Tousche venait s'ajouter à ce lointain cousinage une véritable parenté de cœur.

Que le baron ait consacré sa vie aux La Rochejaquelein par amour pour son épouse et par dévotion pour une

alliance ancienne nous confirme la noblesse de son caractère. M. de La Tousche présentait toutes les qualités
d'un homme d'autrefois. Sa diction même évoquait les
temps disparus. Ne prononçait-il pas, à la manière des
anciens prélats de l'Ouest : *Une* enfant (pour un garçon),
une homme, *une* éditeur ? C'est assez dire qu'une intimité
telle avec le passé eût pu lui rendre difficile le contact
avec le présent, et plus encore la résurrection de ce passé
dans des termes accessibles à nos contemporains. Le baron
possédait une force singulière ; il aimait à convaincre. Afin
que d'y parvenir, il chaussait de gros souliers pour arpenter
les rudes chemins de Galerne. La nuit close, au retour de
ses épuisantes randonnées, il prenait sa plume et, tel
Machiavel, s'enfermait avec les héros.

Ce fut un incroyable labeur, non point que M. de La
Tousche manquât de dons mais parce qu'il entretenait
envers lui-même et plus encore à l'égard de ses personnages des exigences sans bornes.

Nombre de manuscrits en attestent ; le recoupement
d'une date, d'un horaire, la critique externe et interne d'un
document font l'objet d'une foule de notes et d'apostilles.

Avant M. de La Tousche, Monsieur Henri ne s'était pas
trouvé sans biographe mais nul ne devait aller aussi loin
dans l'exploration de cet esprit et de cette âme.

Vous allez, Cher Lecteur, le rencontrer tel qu'il fut.
Est-ce à dire que le baron ne cède point quelquefois,
comme son émule Jacques Nanteuil, aux admirations un
rien excessives ? Il serait inhumain de ne pas témoigner
de quelques faiblesses. Ainsi gomme-t-il l'incroyable distraction de Henri, faisant, au Mans, parquer son artillerie
en dépit du bon sens et réserve-t-il ses sévérités à M. de
Marigny, coupable seulement d'avoir appliqué les consignes.
Ainsi, dans les querelles — oh ! pas bien méchantes —
entre le généralissime et M. de Talmont, le prince est-il
rejeté dans les ténèbres extérieures. En revanche, malgré
sa parenté Durfort, M. de La Tousche révèle les erreurs du
marquis de Donissan et contredit les assertions trop aven-

turées de la belle Victoire, moins soucieuse parfois d'éclairer la Grande Guerre que de broder une tapisserie à la gloire de sa famille.

Les événements de quelque conséquence, M. de La Tousche le savait, s'expliquent par le haut et non par le bas. Pour autant, le baron, en un temps où l'on se préoccupait peu de l'histoire des mentalités, s'est soucié des sans-grades de l'épopée. S'il aimait les châteaux, il fréquenta les chaumières, interrogea les anciens, puisa dans leurs souvenirs. Et les gens d'en face ? Eux aussi méritaient la vérité. L'écrivain, pour Blanc qu'il fût, s'efforça de comprendre les Bleus. A ce livre brûlant de passion mais exempt de passions la critique réserva bon accueil.

Monsieur Henri fut salué par une presse unanime. Le duc de La Force, dont on n'a point oublié les terribles exigences de forme et le goût prononcé pour l'imparfait du subjonctif, avait donné cette jolie préface qu'on retrouvera parmi les annexes. Le cher Henry Bordeaux, le duc de Lévis Mirepoix, magnifique connaisseur des guerres de l'Ouest, et le général Weygand clamèrent leur enthousiasme. Honneur rarissime, probablement unique, pour un auteur publiant son premier livre, Jean de La Tousche reçut de l'Académie française le second prix Gobert.

C'est alors que le lauréat décida de poursuivre son enquête et donna les vingt-deux cahiers. M. Pierre Gaxotte applaudit à cette entreprise. Inlassablement, le baron portait la bonne parole. On le vit au collège de Sorèze dont ce cancre de Henri demeure la plus haute illustration, à Paris, bien sûr, à Saint-Florent-le-Vieil, à la Durbelière où, légitimement, il se sentait un peu chez lui.

Il s'occupait peu de ses autres textes, laissant manuscrits son *Printemps de l'âme française, Etude sur le Moyen Age* ainsi qu'un *Saint André Hubert Fournet* joliment sous-titré *Le Diamant de Dieu.* Ce livre, rapportant l'aventure spirituelle du fondateur des *Filles de la Croix,* laissait un souvenir pénible à son rédacteur ; il avait sollicité de La

Varende une préface mais le maître du Chamblac, ayant moins de foin dans les bottes que de parchemins dans le chartrier, n'avait accepté que sous une condition, l'assurance que le livre fût édité. On a daubé sur cette attitude. Peut-être est-ce à tort. Le vicomte discernait l'approche de la Camarde et voulait la certitude, non point d'être payé mais d'être lu.

Au pays des Blancs

Les La Tousche avaient quitté leur manoir gris du Rabot, à Saint-Aubin-de-Baubigné, dont la porte s'ornait de l'écusson des La Rochejaquelein et habitaient Angers. Clio, par l'un de ces gracieux pieds de nez dont elle se montre coutumière, avait envoyé le chantre de La Rochejaquelein habiter... rue Kléber. Le baron ne s'en offusquait point car s'il déplorait, comme tous les gens de bien, qu'une voie ne soit point consacrée au général du Roi, il trouvait normal que le plus subtil et le plus loyal des chefs républicains fût à l'honneur. Les Alréens, plus heureux que les Angevins, se sont donné, voisines l'une de l'autre, une rue Georges-Cadoudal et une rue Lazare-Hoche.

M. de La Tousche poursuivait ses investigations.

Sa connaissance prodigieuse de l'âme et de l'action de Monsieur Henri l'amena tout naturellement à vouloir en connaître mieux des frères du héros. Ils se prénommaient Louis et Auguste et, l'un comme l'autre, avaient, en toutes circonstances, accompli leur devoir. A l'instar de leur aîné, ils devaient essuyer les caprices de la Providence. A l'égard de Henri, la Parque s'était montrée sévère mais Bellone, elle, l'avait à jamais consacré.

Pour Louis, son histoire est celle d'un complexe. En dépit de son allant, de son courage, de sa connaissance des affaires provinciales, nationales et même européennes, il ne sera que le frère de son frère. Il en souffrira, bien sûr,

15

mais ne s'en révoltera point. C'était un gentilhomme issu d'une maison presque illustre. Il tenait de son père et de sa mère — une Caumont — un sens aigu de ses devoirs. Si la France avait continué son bonhomme de chemin tracé depuis 987, Louis aurait servi sans heurt, collectionné pensions et cordons. Il se serait battu selon les règles du temps, aurait développé modérément les qualités de sa race et terminé benoîtement ses jours.

A son propos, on eût pu chanter, anticipant sur un refrain fameux : « Ah ! quel malheur d'avoir un frère ! » Henri, en moins de vingt et un ans, en moins d'un an de vie publique, avait empli la France, c'est-à-dire le monde, de ses exploits. Louis, son cadet de cinq ans, s'était senti comptable d'une telle gloire. On l'avait vu mêler ses lumières à celles de la charmante duchesse de Duras — égérie de Chateaubriand — dans le complot d'Ussé, château de la Belle-au-bois-dormant. On l'avait vu s'activer à Bordeaux aux côtés du comte Lynch lorsque la grande ville revint aux Bourbons.

Après quoi, il avait été couvert d'honneurs. Louis XVIII, dont la qualité majeure n'était point la reconnaissance, l'avait nommé capitaine-lieutenant dans la Maison. Les grenadiers de La Rochejaquelein devenaient les égaux de ces *Rouges,* chers au poète Aragon, où servaient Lamartine, Géricault et Vigny. Le jeune seigneur, sans que ce fût d'obligation, pouvait chaque jour partager la côtelette du Très-Chrétien. Bref, le Roi-Fauteuil, s'il acquittait distraitement sa dette envers les familles d'Elbée et de Bonchamps, rendues marquisales, des Cadoudal, déclarés maintenus de noblesse, des Stofflet anoblis, comblait les La Rochejaquelein.

A certains cela parut abusif et, quand fondit l'Aigle, les autres généraux de l'Ouest s'interrogèrent sur les capacités de ce Louis, imposé par le Roi. Alors que, rive droite, l'entente entre M. de Sol, pourtant vieilli dans les prisons de l'Empire, et Joseph de Cadoudal, moins expert mais plus efficace, donnait d'heureux résultats, l'Anjou comme le Poitou menaient une guerre fâcheusement engagée.

Sans doute, cette quatrième Vendée ne révélait-elle pas le caractère inexpiable des précédentes. Comme le revenant de l'île d'Elbe se voulait aussi bon catholique que Louis XVIII, les motifs religieux tombaient d'eux-mêmes. Restait la conscription, dont une partie des départements de l'Ouest, longtemps exemptée, redevenait tributaire. Demeurait aussi, en dehors des causes occasionnelles, un profond attachement pour les Bourbons renforcé par l'aversion éprouvée pour ce Corse qu'on avait supporté tant qu'il restaurait l'ordre et rempierrait les chemins mais qu'on tenait à nouveau pour un ogre. Plutôt que de laisser les gamins s'en aller entre deux gendarmes pour se faire tuer aux frontières, il paraissait plus sain de clouer sur place la maréchaussée. En 1799, lors de la troisième campagne, le souvenir des férocités de la Convention avait parfois paralysé les plus braves dans leur mouvement contre le Directoire puis le Consulat. Avec le temps, les images les plus cruelles s'étaient estompées.

Voilà pourquoi, en dépit de certaines maladresses des Bourbons, la Vendée se retrouvait militaire comme aux plus beaux jours.

Les effectifs sont considérables, plus importants que ceux qu'on alignait quinze ans plus tôt.

Les paysans et les artisans ont, le plus souvent, vu le feu. Leurs capitaines connaissent le métier. Les Blancs sont en droit d'espérer beaucoup. L'affaire, pourtant, leur donnera peu de satisfaction. Pourquoi ?

Tout avait mal commencé.

A la nouvelle du retour de l'Empereur, les princes du sang s'étaient vu confier par le Roi la mission de tenir les provinces ; Artois, son fils Berry, son cousin Orléans n'avaient, à Lyon, dû leur salut qu'à la fuite. A Bordeaux, la duchesse d'Angoulême (le seul homme de la famille, ironisera Napoléon) reculait d'un rien l'échéance. Son mari, en revanche, allait mener une magnifique campagne sur les arrières bonapartistes mais, trahi, cerné, se verra contraint de capituler à La Palud devant les Impérialistes menés par le comte de Piré. Ce même personnage, ancien Chouan et non des moindres, s'était distingué précédemment en soulevant la garnison de Rennes contre Louis-Stanislas de La Trémoïlle, commandant supérieur des 4ᵉ, 12ᵉ et 18ᵉ divisions militaires. Frère de Talmont, intime de Frotté, bon général de guerre civile et conspirateur de haut vol, Louis-Stanislas était trop pénétré de légitimité pour la faire cohabiter avec la légalité, notion à ses yeux trop nouvelle.

Traqué, il avait vainement tenté de rejoindre le duc de Bourbon, installé vaille que vaille dans Angers sur l'injonction de Louis XVIII. Fils de Condé, père d'Enghien, un rien paralysé entre tant de gloire et tant d'infortune (ou entre tant d'infortune et tant de gloire), ce prince quelque peu dissolu mais à l'accoutumée résolu s'était laissé déjà berner par un colonel Noiraut (son fils avait été, lui, conduit de Strasbourg à Vincennes par un lieutenant Noirot) et s'était retiré.

A Nantes, le comte Foy, pourtant comblé par la Restauration, a, deux jours après M. de Piré, imité l'exemple de Rennes. Paradoxe, l'Ouest royal s'est replacé sous les ailes de l'Aigle avant Toulouse la rouge ou Marseille la fédéraliste ; l'aimable maréchal de Pérignon, stimulé par le subtil baron de Vitrolles, et son homologue le prince d'Essling, retenu par sa prudence naturelle et le souci de ses intérêts financiers, auront tenu plus longtemps que les Royalistes à chaux et à sable.

Les Bourbons, Louis XVIII à l'esprit plus ouvert que le cœur, Monsieur au cœur plus ouvert que l'esprit, tenaient en suspicion la Vendée militaire ; ils l'aimaient assurément mais ils s'en méfiaient plus encore. Ces princes légitimes, remarquera M. Alain Decaux, s'étaient coulés dans le moule napoléonien. Après tout, l'usurpateur n'apparaissait-il pas comme un prodigieux bâtard de Louis XIV ? Au-delà de la sinistre parenthèse ouverte par Danton, remplie par Robespierre et fermée par Barras, le Corse ne représentait-il pas, en dépit du meurtre de Frotté, la continuité de l'Etat ?

En mars 1815, alors que Louis de La Trémoille et quelques anciens de la lande quittaient Paris pour Rennes et proposaient vainement de transférer en Ouest les arsenaux et le Trésor, n'avait-on pas entendu le ministre de la Maison du Roi, comte de Blacas, déclarer au baron de Vitrolles pour le moins interloqué :

— Ce serait un grand malheur si le Roi n'avait d'appui que les Chouans.

Or, M. de Blacas, en dépit de sa roideur surannée, n'avait rien d'un sot. Il appartenait à cette coterie des honnêtes gens plus amis du gendarme que du voleur, respectueux de l'ordre et fort marris de ne trouver pour défendre leur cause que des Vendéens trop proches à leurs yeux de la subversion et, pis, des Chouans dont on savait la dilection pour l'enlèvement des caisses publiques et le brûlement des bureaux de recettes. Certains dévots du Trône, débordant Blacas lui-même, étaient allés jusqu'à conseiller à leur maître de limiter les levées « constitutionnellement » en réservant commandements et responsabilités aux officiers et sous-officiers du cadre régulier.

On sait l'aboutissement de ces extravagantes précautions ; alors que le bon sens imposait la création d'un réduit de l'Ouest, les importants, ayant préféré la comédie légaliste, on tombait dans la tragédie royaliste. Qu'avaient dit les Cadoudal (frères de Georges), les La Rochejaquelein (frères de Henri), les La Trémoille (frères de Philippe) ? Ils s'étaient récriés — et le dessein demeure clair — qu'il importait de préserver les bonnes vieilles terres de l'Ouest de la marée napoléonienne. Mieux, ils savaient que ce Napoléon-là n'était plus l'initiateur fascinant, encore qu'impérieux, de la réconciliation nationale mais l'expression, voire la marionnette, de la revanche jacobine. Déjà, il ne s'agissait plus de conserver l'ancienne Vendée militaire mais de la reconquérir. Pour quoi faire ? Pour rendre

19

aux Bourbons un territoire avant que la décision vînt d'ailleurs ? Pour marcher sur Paris ? Pour fixer sur place une partie de la nouvelle armée impériale ? Finalement, ce dernier objectif prévaudra sans qu'il ait fait l'objet d'une détermination précise. Comme à l'accoutumée, on attend un prince. Comme à l'accoutumée, il ne viendra pas. Il est vrai que la guerre sera brève et qu'Angoulême, au demeurant tenu par la capitulation de La Palud, ne disposera point du temps nécessaire pour rejoindre. Ce bossu-là, nul dans la vie civile mais plus qu'estimable dans le militaire, supportait son infirmité non moins joliment que le maréchal de Luxembourg.

La décision demeurait entre les mains des généraux blancs. Deux n'avaient jamais servi, sinon en sous-ordre : Louis et Auguste de La Rochejaquelein. Le passé des trois autres les autorisait à bien augurer du présent. C'était du moins le sentiment de MM. de Sapinaud, d'Autichamp et de Suzannet.

Comme à l'habitude, sauf en 1799 et pour peu de temps, la Vendée militaire se garde bien d'unifier son commandement. Des cinq provinces deux ne bougent pas ou peu : la Normandie et le Maine. La Bretagne, réduite au Morbihan et au sud d'Ille-et-Vilaine, mènera, fraîche et joyeuse, la jolie campagne où s'illustreront les écoliers de Vannes. L'Anjou de rive droite, sous le général d'Andigné, travaillera bien. L'Anjou de rive gauche et le Poitou payeront un tribut plus lourd à la Liberté mais sortiront de l'épreuve vaincus et déchirés. Vaincus, c'est grave. Déchirés, c'est plus triste encore.

Cet échec de la quatrième Vendée, en ses sources vives, sur les lieux mêmes où les déments de la gloire — Monsieur Henri, le prince de Talmont, le chevalier Charette — avaient reculé vingt et un ans plus tôt les limites de l'impossible, paraissait scandaleux à M. de La Tousche. A la vérité, il ne supportait pas, n'acceptait pas la défaite, en recherchait l'explication au soir de sa vie. Bien sûr, il trouvait dans les données économiques et sociales, dans ce que l'on nomme l'histoire des mentalités, passablement de réponses mais, en psychologue, il étudiait le comportement des chefs. Tous apparaissaient honorables et pas sots. Sans doute, s'attacha-t-il à M. de Sapinaud, successeur de Louis comme généralissime, la réputation d'avoir bien fait parler la poudre sans l'avoir inventée. La déclaration de M. de Marigny, l'instant de tomber sous les balles des Royaux, le poursuit :

— Si je suis ainsi sacrifié c'est pour satisfaire l'ambition d'un brutal valet de chiens, celle d'un imbécile, celle d'un homme à toilette qui n'est qu'un fourbe sans talent.

Seulement, le brutal valet de chiens — c'était Stofflet — est mort en martyr au champ de Mars d'Angers, et l'homme à toilette — c'était Charette — a succombé, place Viarnes à Nantes, écrasant de sa superbe royaliste et de sa modestie catholique ses pâles persécuteurs. Le terrible Bas-Poitevin avait rédigé son dernier message à l'intention de M. de Sapinaud.

Au printemps de 1815, Charles Henri de Sapinaud de La Rairie atteint cinquante-cinq ans. Sa bravoure et sa bonté l'élèvent très haut cependant que son caractère influençable le ravale un peu. En 1797, il a pris pour épouse Marie-Louise de Charette, nièce du grand Maraîchin.

Ancien lieutenant au régiment de Foix il est parvenu jusqu'à la direction de la petite armée du centre par les disparitions successives de M. de Royrand, puis de l'oncle Sapinaud, chevalier de Bois-Huguet, qu'on nommait La Verrie. C'était un homme, rond de visage et de manières, à peine rustique et fort poli. Lassitude, dégoût de l'impossible, il n'avait pas chaussé ses bottes en 1799, mais, les tenant graissées sous l'Empire, venait de les reprendre en 1815. Surnommé, parce que ses gens arrivaient souvent en retard, le général de l'armée de la vaisselle, il ne veut plus la nettoyer mais la casser. A la tête du 2ᵉ corps, mince fer de lance de la vieille Vendée centrale, il peut, comme autrefois, œuvrer utilement mais pas seul.

La quatrième guerre achevée, M. de Sapinaud, devenu

comte, pair de France, commandeur de Saint-Louis, coulera des jours heureux.

Charles d'Autichamp, pour n'avoir exercé de grand commandement qu'après la première guerre, présente plus de relief que son aîné. De haute noblesse, fils d'un officier général, gouverneur d'Angers, parent des Bonchamps et des Scépeaux, et témoin au mariage du châtelain de La Baronnière et de Marie-Marguerite, il avait été cadet gentilhomme à douze ans, savait tout du métier militaire et rien des autres. Il servait déjà comme capitaine aux dragons de Condé lorsque commença la tourmente, et, démissionnaire pour refus de serment aux institutions nouvelles, vint s'engager dans la Garde constitutionnelle. Au 10 août, il défendit Louis XVI en compagnie de Monsieur Henri, du chevalier Charette, de MM. de Marigny, Bessière et Bertrand, avant de se réfugier, rue de Harlay, chez les Bonchamps en compagnie du jeune La Rochejaquelein. En Vendée, il doubla rapidement le prestige de son nom par l'éclat de sa personne. De silhouette bien prise, doté d'un regard profond et de lèvres minces traduisant moins la cruauté que le scepticisme, il devint, avec M. de Fleuriot, le grand second de M. de Bonchamps ; lorsque le maître des bords de Loire était blessé, et c'était fréquent, son cousin le remplaçait. Souvent victorieux, M. d'Autichamp assure la tête de pont de Varades et d'Ancenis, permettant le passage de la Grande Armée outre-Loire après la défaite de Cholet. A Saint-Florent, c'est à lui que revient l'honneur d'apporter la grâce consentie par son chef agonisant aux cinq mille prisonniers bleus.

Dans la réorganisation de Fougères, il se voit confier, sous M. de Fleuriot, le corps de Bonchamps qu'il manie bien. En troisième, en second, il montre des qualités rares. Lorsqu'il devient premier à l'armée d'Anjou, il ne fait rien sinon laisser l'abbé Bernier s'agiter plutôt qu'agir. Pouvait-il s'y prendre mieux ? Ce n'est point assuré.

En 1799, en revanche, quand la troisième guerre retrouve l'ampleur de la première, il se fait battre aux

Aubiers par l'ancien comédien Dufresne. Chez les Blancs :
500 tués, 1 500 blessés... un prisonnier. Aussitôt, il
s'effondre, devient avec M. Bernier l'homme de la trêve,
de l'armistice puis de la paix. Il sera le premier à la
signer.

A l'inverse du curé, il ne demande rien au Consulat puis
à l'Empire et, en 1815, chef du 1er corps (Anjou), rameute
son monde. Le 24 mai, il prendra même Cholet.

Son rôle, durant cette campagne, a suscité des appré-
ciations contradictoires et nous allons en mieux connaître
grâce à M. de La Tousche.

Après cette quatrième guerre, lorsqu'au sang versé
succédera l'encre épandue, Charles d'Autichamp défendra
son action, conservera la faveur royale, mènera campagne
en Espagne, comme commandant de la 1re division du
1er corps, quittera Bordeaux pour Saint-Cloud lors des
événements de Juillet, accompagnera Charles X sur le
chemin de l'exil, prendra part à la cinquième Vendée (avec
un courage non exempt de pessimisme) puis, retour d'exil,
se fera relever d'une condamnation à mort par contumace
et s'éteindra, chez lui, au château de Rochefaton, le 6 octobre 1859, l'an que Napoléon III entrait dans Milan. Il
atteignait quatre-vingt-dix ans. Bref, ce fut un grand
homme non sans petits côtés. A l'inverse de Turenne,
l'audace, en lui, ne s'était pas développée en vieillissant.

C'est à M. d'Autichamp que notre baron réserve le
principal de ses sévérités. Il se montre à peine plus
indulgent pour le chef de la 3e division, celle du Marais-
Bas-Poitou, celle, pour tout dire, qu'avaient immortalisée
le grand Charette et M. de Suzannet.

En 1815, le chevalier Constant de Suzannet atteint
quarante-trois ans. Assez grand, pas très beau, le poil noir
et le teint pâle, un peu « chien battu », il a connu l'honneur
d'être distingué par le roi de la Vendée. Prenons garde,
cet entraîneur prodigieux joue à la manière de Victor
Hugo, haïssant ses compétiteurs mais balançant l'osten-
soir aux pieds de gens incapables d'offusquer sa gloire.

De même que l'auteur de *Notre-Dame de Paris* tiendra pour rien MM. de Lamartine, de Musset et de Vigny mais encouragera d'obscurs poètes, de même M. de Charette, ayant vilipendé MM. d'Elbée et de Bonchamps, tenté d'insolenter le prince de Talmont et Henri de La Rochejaquelein, aimait assez (exception faite pour les comtes de Bourmont et de Rochecotte) consacrer des gens d'avenir destinés à le rester.

M. de Suzannet appartenait-il à cette catégorie ? Ancien de Sorèze, comme Monsieur Henri, officier aux Gardes françaises puis au régiment d'Hervilly, il avait connu l'enfer de Quiberon et s'était honorablement comporté durant la fin de la première guerre et au cours de la deuxième. Contraint par Hoche de s'exiler en Suisse, il en était revenu pour préparer le grand assaut de 1799. Après quelques jolis succès, il est blessé grièvement à Melay. Dans les débuts, il ne s'en affecte pas trop. Homme d'ordre et de tradition, hanté légitimement par les rivalités de naguère, il recommande à son second, M. Grellier du Fougeroux, de « ménager l'amour-propre de tout le monde et de faire en sorte que la plus grande union règne parmi les chefs, officiers et soldats ».

Tout cela paraît bien vu mais voici qu'au Directoire du général Barras succède le Consulat du général Bonaparte. Le premier se voulait assez civil, le second demeure férocement militaire. Le chevalier de Suzannet, contre son père venu de Londres pour ranimer l'enthousiasme, ira jusqu'à déclarer :

— Fusillez-moi, je préfère la mort, même donnée par mes compagnons d'armes, à la triste obligation d'exposer sans espérance leur fortune et leur vie.

La fin de l'armée de Charette allait connaître, pour des raisons moins conjoncturelles qu'historiques, un profond retentissement. M. de Suzannet, berné par Bernier, victime du mythe de la réconciliation nationale entretenu par l'artilleur d'Ajaccio pour des fins toutes personnelles, allait-il en demeurer là ? Il se rendit compte de sa bévue ;

c'était un peu par sa faute que les irréductibles de rive droite, Georges, Bourmont et Frotté, avaient perdu tous trois la guerre, et le dernier la vie.

La concentration des forces consulaires en Italie allait-elle permettre de secouer le joug ? Pierre Mercier, le plus jusqu'au-boutiste des généraux blancs, garde sa confiance au chevalier de Suzannet, lui donne les fonds nécessaires pour assurer une nouvelle prise d'armes. La victoire de Marengo vient à différer le projet, celle de Hohenlinden à l'anéantir.

Le nouveau César, guère dans l'humeur de plaisanter, fait appréhender M. de Suzannet, alors à Paris, rue Saint-Thomas-du-Louvre. Interné dans les prisons d'un régime peu préoccupé de celui de ses pensionnaires, il ne s'y prend qu'à deux fois, en compagnie de Fortuné d'Andigné, pour s'évader du fort de Joux. Il se terre un moment puis obtient du Premier consul une simple assignation à résidence. Lors de l'affaire de Georges, on veut l'arrêter de nouveau. Il se sauve puis s'explique. Il peut errer librement en Europe. En 1806, il rentre à la Chardière, épouse Mlle d'Auteroche, joue ostensiblement au whist et plus discrètement contre un Napoléon moins sévère pour les ci-devant depuis qu'une porphyrogénète partage sa couche. 1814, c'est le bonheur : couronne de comte, plaque de Saint-Louis. 1815, il importe d'être constant et le porteur de ce beau prénom reprend le commandement de l'armée du Marais-Bas-Poitou. A quarante-trois ans, fort de sa bonne connaissance du pays, il accepte les conseils sans admettre les ordres. Le baron de La Tousche va nous entretenir, on le sait, de cette guerre où, étrangement, les généraux du Roi vont tourner contre eux-mêmes leurs propres qualités.

Il nous appartient, pour Constant de Suzannet comme pour Charles-Henri de Sapinaud ou Charles d'Autichamp, de rapporter la suite. De suite, hélas, il n'en est point. C'est à Rocheservière, dix-sept jours après le sacrifice de Louis de La Rochejaquelein à la ferme des Mattes, que le soleil s'éteindra pour ce chien battu capable à l'occasion de battre les autres.

Le cas d'Auguste de La Rochejaquelein ne présente pas moins de complexité. Presque enfant dans la marine de Sa Gracieuse Majesté, il a, jeune homme, servi dans la cavalerie du petit Corse. Il est, lui, le frère du frère du frère. Il est aussi le seul des généraux du moment à s'être battu sous les Aigles. Le comte de Bourmont les sert très provisoirement, le vicomte de Scépeaux n'a pu rejoindre Auguste. Il se dépense très convenablement à Thouars mais on demeure en droit de s'interroger sur les raisons de sa présence en ce lieu. Pour M. Pierre Salesne, premier lecteur de cette *Vie de Louis de La Rochejaquelein,* il semble qu'Auguste, sans goût pour les opérations combinées par des hommes dont il déplorait une insubordination fatale à son frère, ait souhaité à son tour faire cavalier seul. Peut-être doutait-il en outre des capacités de ses camarades.

La tourmente passée, Auguste reprendra du service dans la maison du Roi, épousera la princesse de Talmont, belle-fille du héros et fille de cette Claire de Kersaint, duchesse de Duras, dont la notoriété fut constante à travers son affection pour Chateaubriand, et renouvelée par la réédition de ses jolis romans. La dernière fête, celle de 1832, fut trop brève pour le comte Auguste. Il s'en était allé chercher des armes et des munitions en Hollande pour faire sauter quelques Philippards lorsqu'il apprit la fin de l'aventure. Le légitimisme devenait un article d'exportation. Auguste s'exporta, rejoignit le maréchal de Bourmont au Portugal, vit mourir l'aîné de son neveu. On ne sait comment il jugea le cadet lorsque ce jeune homme, de caractère impulsif mais généreux, entreprit de déborder Louis-Philippe sur sa gauche et finit, au grand scandale de Guizot, par accepter de se produire au Sénat impérial dans un rôle réduit à la figuration intelligente. Auguste s'était toujours montré bon royaliste. Dans son grand âge il s'occupa plus du ciel que de la terre.

Tels sont les Blancs qu'il importait de connaître avant
de suivre le baron de La Tousche au cœur du Marais
comme aux tables de conférences. Ils furent avec MM. du
Peyrat et de Saint-Hubert — dont le rôle en revanche
ne revêtit jamais un caractère politique — les protagonistes
de la tragédie de 1815. Ils ne se battirent non plus qu'ils
ne tentèrent de s'entendre avec les automates, ces Bleus
qu'on nommait désormais les Impérialistes ou moins noblement les Bonaparteux.

Ceux d'en face

Si les serviteurs de Napoléon offraient d'évidence leur
propre personnalité, ils possédaient une caractéristique
commune ; alors que les Blancs, sauf le lieutenant général
Canuel, major de Louis, et Auguste, bien malgré lui, n'ont
jamais servi l'Empire et encore moins la Révolution, tous
les Bleus ont rallié la Monarchie restaurée. En ces temps
incertains, cette situation les gêne-t-elle ? A lire leur
correspondance, on ne décèle point d'embarras mais il
importe de compter avec cette prudence qu'inspirent Napoléon et plus encore son ministre de la Guerre, le prince
d'Eckmühl, aussi chauve que rigoureux. Il ne doit rien
aux Bourbons et, n'ayant jamais changé de drapeau, entend
imposer le sien. Pour nombre de ces messieurs, la position est simple. Ils sont à la disposition du gouvernement
quel qu'il soit dès lors qu'il siège à Paris. Ils commençaient
de s'irriter devant les exigences de l'Empereur et l'ont
laissé choir au printemps de 1814 mais, depuis lors, ils
ont déploré la disparition des rentes sur le grand livre, les
dotations sur les Etats satellites et plus encore, pour les
moins impurs, l'inimitable manière du Petit Caporal lorsqu'il voulait créer le mouvement en marchant.

Lorsque les Blancs crient *Vive le Roi*, il s'agit moins de
souhaiter à Louis XVIII des jours longs et heureux que
de proclamer un principe. Lorsque les Bleus clament *Vive*

l'Empereur, peu leur chaut que se portent bien l'aimable Joseph ou le chétif roi de Rome ; ils forment des vœux pour celui que Paul Raynal nommera si justement Napoléon l'unique. L'exilé de Gand apparaît, si pragmatique soit-il, comme une doctrine. Le revenant de l'île d'Elbe mérite, lui, la définition de Goethe : *Etre inaccessible, abrégé du monde.* Le royalisme incline vers une famille, le bonapartisme, encore en gestation, honore, idolâtre même un homme. Napoléon, en organisant le sacre puis en créant la noblesse impériale, a brouillé les cartes. Si ses comtes et ses barons ne sont que des fonctionnaires coiffés de toques à raison de leur zèle ou plus encore de leurs grades civils ou militaires, ils n'en portent pas moins des titres, sinon semblables, du moins similaires à ceux des gens d'en face. Durant des années on a réclamé d'eux qu'ils imitent les ci-devant et ouvrent leurs rangs aux *comtes refaits.* Pour se vouloir impériaux ils ont quitté la sans-culotterie, souvent pris femme dans l'ancienne société. Moins confiants que naguère dans le génie du *patron,* les plus lucides appréhendent une nouvelle chute. Sans en connaître encore de l'unité nationale, il leur répugne un peu de faire tirer sur des Français. A quelques exceptions près, ils préféreraient jouer à cache-cache que se replonger dans une guerre dont ils savent le caractère implacable. En revanche, ils apprécient médiocrement qu'on les contraigne à stationner dans cette Vendée maudite alors que leur souverain s'apprête à mener de sa personne la lutte contre la coalition reformée. A cela, deux raisons : la première procède du patriotisme. La seconde, moins glorieuse, s'inspire du sentiment très ancré dans les armées napoléoniennes qu'il faut, pour cueillir des dignités, servir sous les yeux du maître.

Le premier commandant supérieur, lieutenant général comte Delaborde, se voit confier les 12ᵉ, 13ᵉ et 22ᵉ divisions militaires sises respectivement à Nantes, Rennes et Tours parce qu'il vient, à Toulouse, de neutraliser les commissaires royaux, MM. de Vitrolles et de Damas-Crux.

Il a déjà porté les armes dans l'Ouest et s'est illustré sur passablement de théâtres mais n'a pu préserver sa réputation financière. A soixante ans passés, il s'est dégoûté des bottes et préfère les escarpins, voire les pantoufles. Chambellan de l'Empereur, il n'est pas mécontent de son rappel à Paris, signifié dès le 28 mai. Il s'en va siéger pour quelques jours à la Chambre des pairs puis sera sauvé par la déclaration d'incompétence d'un tribunal présidé par M. de Lauriston : on avait cité *Laborde* et non point *Delaborde*. Réintégré par Louis-Philippe, il survivra un an à son successeur dans la Vendée de 1815, Jean-Maximilien de Lamarque.

Surtout connu par ses funérailles, prétexte à l'insurrection sanglante des gauches contre Louis-Philippe dont le maréchal de Lobeau ne vint à bout qu'au prix de huit cents morts, ce Gascon méritait mieux. Fils d'un conseiller du Roi, procureur au sénéchal de Saint-Sever et député par le tiers de la généralité d'Auch aux Etats généraux, il présentait tous les traits de sa province : nez au vent, discours pour chacun, épée pour tout le monde. Capitaine sous La Tour d'Auvergne, général sous Joseph du temps que ce prince paisible dansait sur le volcan napolitain, il avait forcé sir Hudson Lowe, dont le nom n'imprimait encore aucune mémoire, à reconnaître que Capri c'était fini. Général de division, il convoitait le titre de comte, fit tout à Wagram pour décrocher une toque à cinq plumes, n'en obtint que trois et s'en dépita fort. En Calabre puis en Espagne, il tint tête, non sans bonheur, à la guérilla, se faisant apprécier d'un supérieur aussi talentueux et objectif que le duc d'Albufera. Rallié, bien sûr, à Louis XVIII, et chevalier de Saint-Louis comme tout le monde, il enrage de se retrouver dans l'Ouest et veut en finir prestement afin que de monter plus haut. Napoléon dira de lui :

— Il fit merveille et surpassa mes espérances.

Et l'Empereur d'ajouter dans son second exil qu'il eût souhaité élever Lamarque au maréchalat dans le même temps que Foy, Clauzel et Gérard. En le créant comte, Charles X comblera ses vœux mais Louis-Philippe ne saura point se l'attacher. Il subira ses harangues enfiévrées jusqu'au moment où le choléra fera son œuvre. Etrange, effronté même, ce Lamarque aurait, au duc de Duras lui parlant de repos offert par les Bourbons, répondu :

— Du repos ! Une halte dans la boue.

L'échange, il est vrai, se serait produit (et c'est encore plus grave) sous la première Restauration.

Prudent et ménager du sang de ses soldats du temps qu'il exerçait des commandements d'importance, il était devenu belliciste en vieillissant. Taine écrira : « Venons-en au sérieux, à l'anecdote. » Qu'on nous pardonne celle-ci : le deuxième comte Lamarque, infatigable Nemrod, entretenait dans son domaine de Saint-Sever des chiens d'humeur sérieuse mais obéissant à leur maître. Ses dogues, affirmait le chasseur, lui témoignaient tant d'attachement qu'ils pouvaient le reconnaître même sous la dépouille d'un sanglier. On se récria. Pari fut pris. M. Lamarque, dissimulé sous une fourrure ensanglantée, pénétra dans le chenil, fut mangé. Ses obsèques présentèrent moins de tumulte que l'enterrement de son père.

Si l'on se tourne du côté des exécutants, tous soumis — ce n'est point le cas en face — à leur général en chef, on distingue tout d'abord l'honnête Travot. Statue en pied à La Roche-sur-Yon, buste par David d'Angers, le Jurassien, ancien caporal dans les rangs d'Enghien-Infanterie, nous est bien connu. Ses traits, fortement accusés, dénotent l'apparence de la résolution. Sa gloire, et elle n'est pas mince, réside tout entière dans la capture de Charette. Il n'a rien fait auparavant, rien après sinon décroché la troisième étoile, la cravate de la Légion d'honneur et un tortil en allant, sous le duc de Dalmatie, tenter d'assujettir les Portugais puis les Espagnols en leur brûlant la plante des pieds. Sa prétendue compréhension à l'égard de son illustre prisonnier procède de la plaidoirie de ses avocats lorsqu'ils le défendront, en mars 1816,

devant un tribunal présidé par le général Canuel. Louis de
La Rochejaquelein savait l'homme fragile et, au lendemain
d'Aizenay (dimanche 21 mai 1815), où pourtant le baron
bleu l'avait emporté sur le marquis blanc, Travot recevait
cette lettre : « Comme commandant en chef de la Grande
Armée de Vendée, je vous ordonne de vous rendre auprès
de moi afin de prendre mes ordres. Vous serez puni
comme traître et rebelle si vous persistez dans votre
défection. »

Il se garde bien d'obéir sans mesurer les conséquences
de ses actes ; en cas d'échec bonapartiste, la mansuétude
des Bourbons, en 1814, l'autorise à considérer qu'il en
bénéficiera tout autant après cette guerre. Pourquoi pas ?
Il n'a nullement conspiré, s'est contenté d'observer les
consignes. Après les Cent-Jours, il va rentrer chez lui. Les
affaires semblent tourner comme il le souhaite. Il ne
figure pas sur la liste de l'ordonnance du 24 juillet 1815
et son chef lui-même, le général Lamarque, est seulement
placé dans la deuxième catégorie, celle des gens voués à
l'exil mais dont le cas ne relève point des cours prévôtales.
Il vit d'autant plus tranquille qu'il a reçu du ministre de
la Guerre, ce Clarke, duc de Feltre, qu'on surnommera,
le bâton venant, *le Maréchal d'encre,* une lettre l'assurant
d'une pension de retraite *accordée à ses services.* Pour
apparaître politique la mesure défie la morale et elle
choque celle des pauvres vieux à cocarde blanche occupés
d'obtenir un bureau de tabac pour les aider à panser les
blessures reçues durant quatre campagnes sous le drapeau
blanc. C'est vrai, mais pourquoi persécuter un personnage
de seconde zone, assez humain et pas foncièrement méchant ? Travot n'était qu'un général de guerre civile et
le tort de ses adversaires fut de se ravaler au même
rang. Clarke, toujours prêt à faire donner les pelotons
pour favoriser l'ouverture de son parapluie, prescrivit d'instruire contre le vainqueur de Charette à la veille du
jour (12 janvier 1816) où devait être promulguée la loi
d'amnistie. L'ordre n'arriva point à temps mais il permit

de considérer l'action comme engagée. Le lieutenant général — et incessamment maréchal — de Viomesnil, de bon soldat devenu aveugle persécuteur, nomme Canuel président de la cour de Rennes. C'était un choix discutable. Si ce militaire avait mérité la confiance du grand Kléber en personne et n'avait point, comme on l'a répandu, martyrisé la Vendée, il appartenait néanmoins au monde toujours un rien suspect des ralliés. Major général de Louis de La Rochejaquelein durant la campagne de 1815, il se chamaillait avec M. d'Autichamp. Le procès s'engage mal. L'avocat de Travot est exilé par le comte de Viomesnil jusqu'à Bordeaux en vertu des pouvoirs quasi discrétionnaires que s'arroge le commandant de la 13e division militaire. Trois autres défenseurs se présentent, M. Coatpont, inspecteur d'académie, ainsi que MM. Bernard et Lesieur. Ils établissent une consultation avec treize de leurs confrères. Cette fois, le futur maréchal s'abstient de recourir à la manière forte. Assez maladroitement, l'accusé récuse le président sous prétexte qu'il l'a battu. C'est beaucoup dire et ne manque pas d'agacer un soldat plus ambitieux que méchant. Le tribunal passe outre. Le dossier de Travot pèse lourd. Il trouve cependant une aide précieuse en la personne du lieutenant général Rivaud de La Raffinière. Ancien des Côtes de Brest, de Rivoli, d'Austerlitz et de passablement d'endroits où les canons élevaient la température, baron de l'Empire et comte de la première Restauration, il s'était montré, durant la quatrième Vendée, un ami fidèle du marquis de La Rochejaquelein. Il n'en est que plus à l'aise pour tenter de sauver Travot. Le rapporteur, chevalier de Jouffroy, commet l'épaisse sottise de déclarer :

— La modération ne fut point l'une des armes les moins redoutables entre ses mains. La clémence elle-même fut un de ses moyens de succès.

Finalement, le vainqueur de Charette est condamné par cinq voix contre deux (celle de Rivaud, bien sûr, et peut-être celle de O'Mahony à moins qu'il ne s'agisse de Canuel lui-même) à la peine de mort. Les avocats sont inquiétés et M. Coatpont perd son inspection d'académie. Louis XVIII commue la peine en vingt ans de détention. La baronne Travot suit son époux au fort de Ham. Le général sombre dans la folie et sa femme obtient son transfert à Paris dans la maison de santé du docteur Cuzin. Il existe une bonne porte à laquelle il suffit de frapper, celle de monseigneur d'Angoulême. Le 2 janvier 1819, le prince, en guise d'étrennes, fait accorder au condamné de Rennes (encore un) son entière liberté. Le bénéficiaire aura-t-il conscience du bienfait d'une altesse royale très brave et très bossue dont le cœur de soldat ne connut jamais la haine ? On ne sait. Le général baron Travot était entré dans une région incertaine où le souvenir des morts côtoie l'action des vivants. Il trépassera le 7 janvier 1836 à Chaillot avant d'être, cette même année, inscrit au côté ouest (forcément) de l'Arc de triomphe. C'est un peu beaucoup. Gageons que la prise de Charette a moins compté qu'un procès illégal et mal dirigé.

Travot demeure connu. Delaage-Saint-Cyr ne l'est pas. L'un comme l'autre se sont démenés pour capturer le roi de la Vendée et Delaage est baron de Saint-Cyr pour marquer le souvenir de sa victoire de Saint-Cyr-en-Talmondais sur le Maraîchin. L'un comme l'autre ont repris du service contre les Blancs en 1815. Travot s'était battu contre Louis, Delaage contre Auguste et pourtant le divisionnaire connaîtra les infortunes que l'on sait alors que le brigadier (en disponibilité puis pensionné sous la seconde Restauration) retrouvera même le commandement du Maine-et-Loire au début du régime de Juillet. Qu'un fonctionnaire ait subtilisé lorsqu'il le fallait une directive ou négligé de recopier un nom sur une liste, qu'un notable local ait fait preuve de courage ou plus simplement modéré son zèle, cela suffisait pour combler la distance entre les matins blêmes et les soirées en chaussons de lisière.

Valable pour Delaage, cette constatation l'est encore plus pour le maréchal de camp Jean-Baptiste, baron Estève.

33

Ce perruquier provençal avait abandonné la poudre blanche des merlans pour la noire des gendarmes nationaux. Evadé d'un ponton de Cadix, toujours blessé, jamais vaincu, commandant de la Loire-Inférieure en ce printemps enfiévré de 1815, il se mesure à Louis devant Saint-Jean-de-Monts et, le mardi 20 juin, sert sous Lamarque à Rocheservière le jour que tombe M. de Suzannet. Sanction ? Aucune, sinon une mise à la retraite suivie d'une brève *réactivation* sous Louis-Philippe. Décidément, on se perd en conjectures...

Un bleu de bleu, c'est le baron Grobon. Breton, grognon, ancien de Quiberon, adjoint de Bisson — le plus éclairé des gastronomes et des dégustateurs de l'armée — il revient sur les lieux de ses crimes et, commandant des gardes nationales actives de Nantes, trouve la mort victime du reflet de sa lunette dans un clocheton. C'était à Saint-Gilles-sur-Vie, non loin de Saint-Jean-de-Monts. De nos jours encore, on chante la ballade du général Grobon.

On a gardé le souvenir du général Brayer. Il nous advint de lui consacrer une pièce radiophonique où M. Bernard Blier incarnait le personnage, M. Jacques François, Macdonald. En 1815, le douaisien Michel Brayer atteint cinquante-trois ans. C'est un homme de « la génération des vingt ans en 1789 ». A la tête d'une division de jeune garde, il vient, sous Lamarque, commander le Maine-et-Loire et se battre à Rocheservière. Son passé répond de son action présente. Divisionnaire, comte de l'Empire, commandant de la Légion d'honneur, on l'a vu sur tous les champs de bataille de l'Europe. En 1813, c'est appuyé sur des béquilles qu'il a guidé ses gens à travers la Saxe. Pourquoi se retrouve-t-il en Vendée ? A cela, deux raisons. Il a longuement opéré tant au Portugal qu'en Espagne et comme tel passe pour un spécialiste de la guérilla. Sous la Révolution, on envoyait les anciens de Corse contre la Vendée. Durant les Cent-Jours, et pour les mêmes raisons de compétence, on puisait parmi les ex-occupants de la péninsule. Seconde raison : M. Brayer est le dos au mur. A Lyon, le 10 mars 1815, il a fait passer ses troupes à Napoléon puis a tenté vainement d'empêcher le maréchal Macdonald de se dégager, allant jusqu'à prendre son cheval par la bride. Le 22, il entrait à Paris à la tête de ses troupes et se voyait donner — excusez du peu — le gouvernement des palais impériaux de Versailles et de Trianon plus la pairie. Selon ses amis politiques, il montre durant cette campagne de 1815 beaucoup de modération. Dès la seconde abdication de Napoléon, il gagne la fameuse armée dite des Brigands de la Loire dont le maréchal Davout, prince d'Eckmühl, a pris le commandement. Paraît l'ordonnance. Le général est inscrit dans la première catégorie. Davout, prié de gagner sa terre de Louviers et de n'en plus sortir, sera remplacé par le fidèle Macdonald, duc de Tarente. Brayer ignore encore sa proscription. Le maréchal-duc, lui, apprend que des gardes du corps en civil viennent d'arriver pour appréhender le défectionnaire de Lyon. Comme le procédé l'écœure et qu'il n'a jamais perdu le sens de la solidarité militaire, il fait appeler son subordonné, le prévient, lui donne de l'argent et ses propres chevaux. Le général se jette aux pieds de son supérieur. L'autre coupe à tout remerciement :

— Fuyez.

Lorsque le premier conseil de guerre, à l'unanimité, condamne à mort le général Brayer, il est loin. Il va se battre en Argentine, attend que s'apaisent les colères, et, dès 1821, retrouve ses dignités et sa retraite. Louis-Philippe, bien sûr, le gâtera quelque peu ; cordon rouge et, de nouveau, pairie.

Dès 1823, le public a connu les stipulations du testament de Sainte-Hélène. Les legs individuels vont aux compagnons de captivité mais aussi, propagande oblige, aux victimes de la Restauration. Ainsi, Brayer se voit-il inscrit pour cent mille francs — cela représente huit années de traitement — et *le vertueux général Travot* (première dictée) pour cette même somme. Pour le deuxième codicille, on orthographie *Traveaux* et ses enfants sont dotés de cinquante mille francs encore. Grâce à l'insistance de Montholon, aux efforts de Dupin l'aîné, et en dépit d'une attitude assez ambiguë du très libéral banquier Laffitte, dépositaire de la fortune impériale, les bénéficiaires percevront quelques sous. Plus heureux que les Napoléonides, recevant tantôt un glaive et un gilet de flanelle, tantôt un collier et un caleçon, ces citoyens se verront compter quelques louis qu'ils appelleront, quoi de plus normal, des napoléons. A noter que l'Empereur, assez au courant, dans sa résidence de Longwood, des proscriptions ayant suivi son aventure des Cent-Jours, parle de Brayer en tant que personne, mais sachant Travot sombré dans la démence, entend encourager sa postérité.

Napoléon et la Vendée

L'Empereur, figé par les Anglais dans sa nuit du bout du monde, n'oubliait rien et surtout pas ses serviteurs en Vendée.

Du temps qu'il jouait les Washington pour lequel il avait ordonné trois jours de deuil mais dont la pointure était trop juste pour lui, le Premier consul avait tenté de séduire les Vendéens, réservant aux Chouans ses fureurs dès lors que ces messieurs de la lande continuaient de le combattre. Devenu souverain, il s'était départi de cette attitude. Aux Cent-Jours, son opinion, du moins ce qu'il lui plaisait d'en laisser percer, s'était modifiée. S'il continuait, bavardant sous l'orme de Longwood, de tenir des propos aimables sur Henri de La Rochejaquelein et d'honorer Charette par la fréquence des questions posées à Las Cases, il condamnait désormais les Angevins et les Poitevins mêlés aux batailles du printemps de 1815. Pourquoi s'étaient-ils révoltés ? Ne lui devaient-ils pas le rétablissement du culte, l'exemption, partielle il est vrai, de la conscription, et un système fiscal moins absurde que celui qu'avaient tenté d'imposer la Convention et le Directoire ? N'apparaissait-il pas scandaleux qu'ils aient repris le sabre et la vouge ? En 1793, on les agressait, en 1799, on les scandalisait. Soit, mais en 1815 de quoi pouvaient-ils se plaindre ? Du départ d'un roi qu'ils avaient laissé s'en aller et du retour d'un empereur qu'ils avaient regardé rentrer ? Pas sérieux. Non ? Dans son palais de bois, Napoléon, grand lecteur de gazettes et prestigieux initiateur de la propagande, n'avait pas entendu sans chagrin les défenseurs de Travot, de Brayer et de Lamarque lui-même, vanter leur modération et leur méritoire opposition aux rudes desseins de leur maître. C'est alors qu'il se défendit. Il créa de toutes pièces, mais avec quel talent, une légende destinée à protéger sa gloire ; s'il avait perdu la campagne de Belgique, c'est que l'armée de Lamarque avait manqué. Acceptable pour la défaite de Waterloo, l'explication ne tient pas si l'on se réfère au dénouement. Les experts ont redonné cent fois l'assaut au mont Saint-Jean et tous, sauf M. Thiers qu'un génie prudhommesque portait de temps à autre à l'extravagance, ont reconnu le caractère irrémédiable du revers. Avec ou sans Lamarque, à Waterloo, en avant, en arrière de Bruxelles, l'armée du Nord ne pouvait l'emporter. Au mieux, peut-on considérer que la présence des effectifs de la Loire aurait empêché la débâcle encore que, chacun le sait, la panique déclenchée par le recul de la Garde fut, dans la suite, conjurée par le maréchal de Grouchy procédant, avec un rare sang-froid, au rassemblement et à l'évacuation des troupes et les ramenant en bon ordre sous Paris.

*

Une tendance à l'anachronisme empêche nos contemporains d'apprécier avec sérénité les positions adoptées par leurs arrière-parents. Ainsi se demandent-ils pourquoi tant d'officiers civils et militaires sont retournés à Napoléon. Une double réponse mérite d'être proposée. Premièrement, il faut compter avec le magnétisme de l'Empereur. Secondement, nombre de ralliés, peu renseignés sur la situation de la France et de l'Europe, prêtaient à l'aventure des lendemains heureux. Après tout, le retour de l'île d'Elbe apparaissait comme un miracle. Pourquoi n'eût-il pas duré ? Côté blanc, on peut aussi s'interroger. Pourquoi ces messieurs, Auguste de La Rochejaquelein et Joseph de Cadoudal en tête, vont-ils s'unir aux Bonapartistes pour s'opposer à l'occupation alliée ? S'ils n'en voulaient pas, pour quelle raison ont-ils affronté les gens de Delaborde et de Lamarque ? A nouveau, il faut prendre garde. Les Vendéens et les Chouans ne considéraient point la Coalition comme un tout. Savaient-ils qu'à Vienne, le prince de Talleyrand avait ramené dans notre camp l'Angleterre et l'Autriche contre la Russie et la Prusse ? Probablement pas, sauf peut-être Louis et M. d'Autichamp assez en cour pour avoir eu vent de ce triomphe diplomatique. Quoi qu'il en soit, l'événement était dépassé dès lors que, devant le retour de l'Aigle, les mêmes oiseaux, noir en Prusse, bicéphale en Autriche et en Russie, s'étaient réunis au vieux lion du roi fou d'Angleterre pour en finir avec un personnage, entré naguère dans la famille des rois mais venant de reprendre des attitudes plus proches de Vendémiaire que d'Erfurt. Au vrai, les messieurs n'avaient pas connu l'invasion de 1814 et, partant, ignoraient la brutalité des cosaques et de la postérité quelque peu dégénérée du grand Frédéric. Ils s'entendaient bien avec les Anglais, si corrects à Quiberon, avec les Russes, si généreux pendant l'Emigration et lors de leur entrée à Paris, mais n'avaient jamais compris pour quel motif on se colletait avec les habits blancs. En revanche, les sujets des Hohenzollern n'avaient jamais aidé les royalistes. Préfigurant la politique de Bismarck ils s'étaient appuyés sur la gauche plutôt que sur la droite, sachant bien qu'une France unie et libre sous les Bourbons constituerait un barrage à leurs ambitions.

Telle avait été du moins leur attitude après leur sortie rapide du conflit lors du traité de Bâle puis tout au long du Directoire, du Consulat et du début de l'Empire. Dans la suite, Napoléon avait commis une erreur ; très proche des Prussiens, admirateur du despotisme éclairé, répétant par ses allures et le dépouillement de ses uniformes, par le port d'une redingote et d'un petit chapeau, l'exemple de fausse modestie donné par feu Sa Royale Majesté, l'Empereur avait été horriblement déçu par l'attitude des Teutoniques en 1806. Il s'était alors comporté d'une façon si passionnée qu'elle excluait son habituel génie. Implacable à l'égard de la reine Louise, il avait déchaîné ses dogues. M. le maréchal Lefebvre, duc de Dantzig, s'était régalé du feu de ses pelotons, M. le maréchal Davout, prince d'Eckmühl, s'était diverti par la contemplation de ses gibets. Résultat : les Prussiens, soutenus en sous-main par les bonnes paroles d'Alexandre et les guinées du cabinet de Saint-James, s'étaient réveillés. Durant la campagne de France, ils avaient retrouvé, sous le vieux Blücher, la roideur des reîtres d'antan. La pondération de leurs partenaires et la diplomatie de Louis XVIII s'étaient conjuguées pour les remettre à la raison. L'an suivant, la promenade inattendue de Golfe-Juan à Paris assombrit encore leur humeur. Non seulement l'Ogre était revenu mais encore le roi de France avait porté le comble à l'incapacité, ne faisant rien, sinon fuir dans sa berline, cependant que son compétiteur allait de la Méditerranée à la Seine sans brûler une amorce. A Waterloo, les soldats de Frédéric-Guillaume III étaient arrivés pour l'hallali mais, n'en déplaise à l'alerte Blücher et au savant Gneisenau, n'avaient pas emporté la décision, préparée, sinon acquise, par l'opiniâtre Wellington. Ainsi, les Prussiens déferlaient-ils comme des gagne-petit de la victoire et, d'évidence, se montraient plus tatillons, plus acariâtres que leurs compères de la Coalition.

C'est alors que Vendéens et Chouans comprirent la nécessité de faire pièce à ces gens-là. Pour utiliser les termes en vogue en ce dernier quart du XXe siècle, ils se croyaient *libérés* et ne furent qu'*occupés*. Ainsi s'explique le fait que les amis des Anglais se soient hérissés devant les Prussiens.

Les Angevo-Poitevins, toujours malheureux, n'en tirèrent rien sinon le bénéfice moral de leur élégance. Les Bretons, toujours plus efficients, devaient obtenir, en septembre, l'exemption de la présence prussienne dans trois départements, le Morbihan, d'où Georges était parti pour l'épopée, les Côtes-du-Nord, chères à Mercier, et le paisible Finistère, où jamais on n'avait « chouannisé un peu en grand ».

Si l'on voulait réduire au jugement des spécialistes du XXe siècle la tragédie de 1815, on en reviendrait à considérer qu'une fois de plus les deux France s'opposèrent sans faillir à l'honneur. De nos jours, les guerres de la Révolution et de la Contre-Révolution ne se présentent plus dans les mêmes termes. Les luttes civiles se sont tellement développées à travers le monde, et singulièrement en Europe, que la rupture d'une union nationale ne choque plus. L'unité, chère aux rois Bourbons comme à la IIIe République, n'apparaît plus comme une valeur constante. Certains rêvent d'une décentralisation voisine du morcellement, d'autres — et parfois les mêmes — songent à figurer dans un vaste conglomérat. Hors ces nouveaux clivages est venu s'en constituer un autre, celui de la lutte des classes dont on s'est passablement servi pour sonder quelques aspects particuliers des études vendéennes. Si l'on ne refait pas l'Histoire, on l'accommode à la sauce de son propre temps. Le baron de La Tousche figure au nombre des exceptions à cette règle. Il dit ce qu'il pense, raconte ce qu'il sait, vit plus qu'il ne rapporte l'existence de ses héros. Se moquant des préjugés, ignorant les écoles et peu soucieux d'en créer une, il parcourt les chemins de la grande aventure pour rencontrer les morts sans le moindre regard complice pour les vivants. L'étonnant, le merveilleux, c'est qu'un tel détachement des contingences, loin de rebuter les lecteurs, les a captivés. Puisse cette nouvelle présentation de ses textes, publiés, comme la vie de Monsieur Henri, inédits, comme les biographies de Louis et d'Auguste, rencontrer l'adhésion des gens d'esprit et de cœur.

Jean-François Chiappe.

Je suis un Bleu. Il ne m'en coûte pas de dire que si, pour les royalistes, Henri de La Rochejaquelein est un martyr, pour tout cœur français, c'est un héros.

Jules SIMON.

LIVRE PREMIER
MONSIEUR HENRI

HENRI DE LA ROCHEJAQUELEIN

1772-1794

laisser passer pierre moillon de niort à tournère
qui depres aller à niort pour fer affaires, fait
à poitiers le compte de vingt neuf 1793

Delarochejaquelein

Monsieur Gillard maitre cornonier de l'armée catholique
nous à Delarr... à... friche M.... quot marchons de fer
faitr... de... de enfcu... fourfaire des quequelen qui
à entemi jo... quate... à thcum... le 9 may 1793

Delarochejaquelein

Autographe de Henri de La Rochejaquelein.

CHAPITRE PREMIER

L'EVEIL A L'HEROISME

1

LA FLEUR DU PASSÉ

Il est peu de régions peut-être, où l'automne soit aussi tendrement poétique qu'en Poitou. La nature qui, généralement, y respire le calme, la fraîcheur et la retraite, un je ne sais quoi d'intime et de triste, s'enveloppe alors d'un renouveau d'une prenante mélancolie.

Au souffle de cette incantation du terroir, les souvenirs montent en foule, emplissent l'âme, la bercent comme une musique très douce au rythme des évocations du passé, l'emportent dans une atmosphère de rêveries et de méditations. Charme obsédant que ressentaient profondément aux XIe et XIIe siècles les chevaliers troubadours Guilhem VII et Guilhem VIII d'Aquitaine, et dont la vertu magique a fait éclore des poètes et affiné tant d'âmes.

C'est comme l'assoupissement de cette « terre de passage » où se sont heurtés au cours des siècles tant de flots humains... le repos de cette marche entre Nord et Midi, perpétuellement sollicitée par deux courants opposés et dont les habitants semblent se complaire « dans des soubresauts déconcertants ». Les plus splendides efforts,

« les envolées pleines d'espérance » étant suivies de chutes et de profonde décadence.

Mais combien de fois le Poitou, de par sa situation, au point de contact d'Etats rivaux ou de civilisations ennemies, n'a-t-il pas été obligé de « choisir » ?

Il est « la bataille, le champ clos où s'est décidé à plusieurs reprises le sort même de la France, à l'époque franque, au moment de l'invasion arabe, pendant le conflit anglo-français, puis au temps de l'âpre mêlée calviniste et catholique [1]... »

A ces luttes épiques, la noblesse poitevine, passionnément batailleuse et remuante, aussi farouchement enracinée dans ses us et ses traditions que dans ses manoirs délabrés, pauvre, mais influente, a pris une part maîtresse. Les intendants de Louis XIV la signalaient encore comme la plus inquiétante du royaume et le Roi-Soleil l'avait prise en aversion : « Entendrai-je donc toujours parler de la noblesse du Poitou ! » s'écriait-il. Le Régent déclarait en un langage plus brutal : « La noblesse du Poitou est la plus méprisable du royaume. »

Quel précieux appoint cependant, aux heures critiques, constituait cette cohue turbulente entre les mains de qui savait s'en servir ! Elle avait fait merveille aux côtés d'Henri IV. En 1791 encore, tous ses membres étaient entrés dans la fameuse coalition du Poitou [2]. Le drame de Varennes et ses conséquences ont découragé tout le monde et accéléré le mouvement d'émigration.

En cette année 1792, le décor somptueux de l'automne reste vide de cette aristocratie rustique et charmante qui l'égayait naguère si prodigieusement. Les quelques gentilshommes demeurés dans cette vaste province, si rares, si dispersés, terrés dans leurs manoirs, offrent un aspect presque fantomatique dans leur terrible isolement, véri-

---

1. P. Boissonnade, *Le Caractère poitevin : centre-ouest de la France*, p. 120.
2. Marquis de Roux, *La Révolution à Poitiers et dans la Vienne*.

tables épaves oubliées par le flux de l'émigration. Les uns n'ont pas quitté la terre-mère, d'autres sont revenus vers elle portés par des courants divers. Tous goûtent, pour l'heure, ce calme bref, effrayant, qui précède les grands orages.

Instants étranges où les souvenirs assaillent l'âme, lui prodiguent tour à tour les caresses et les amertumes du passé révolu.

En un site sauvage du bocage, à quelque deux lieues au sud de Bressuire, un vieux château que flanque une futaie majestueuse regorge, par contraste, d'une mesnie disparate : provinciaux casaniers, officiers de l'Ancien Régime, grands seigneurs de Versailles. C'est le château de Clisson en la paroisse de Boismé (un bourg de sept cents âmes) propriété des marquis de Lescure.

Dans la campagne environnante, toute sillonnée de chemins creux, étroits et bordés de haies très fortes soutenues de chênes, d'ormes, de frênes, de châtaigniers, un jeune cavalier se meut avec aisance. Lui ne risque guère de s'égarer dans l'enchevêtrement de ces chemins qui serpentent, se rejoignent en un décevant carrefour, vous font brusquement aboutir à une ferme qu'un lacet dérobe soudainement à vos regards. Originaire du Bocage, il sait s'orienter dans ce dédale.

C'est un garçon de vingt ans, de haute taille — cinq pieds, sept pouces, six lignes (plus d'un mètre quatre-vingt-un) — extrêmement mince et svelte.

Aux dires de la châtelaine de Clisson, dont il est l'hôte, il n'a pas « de jolis traits ». Mais les femmes ont parfois d'étranges conceptions de la beauté. Et puis son avis n'est pas celui de Mme de Cambourg qui lui trouve « un beau visage », non plus celui des paysans qui le disent « joli, bien joli » et qui, dans leur affection passionnée, déclareront plus tard n'avoir « jamais vu un homme né si beau ni si bon ».

Joli est le mot, car ce garçon n'a pas une figure fortement masculine. Son teint blanc et « pâle », son air

49

« timide », sa physionomie « très douce, très noble, assez sérieuse » offrent une image quasi féminine qu'adoucit encore l'encadrement de ce visage par une abondante chevelure « d'un blond cendré » hérissée de mèches folles. Un « joli nez aquilin » et « les yeux bleus des Caumont d'Ade », des yeux « très vifs et très fendus » font oublier « le menton aplati et allongé par un coup de pied de cheval reçu dans l'enfance ». C'est l'image exquise d'un adolescent parvenu sans flétrissure à l'épanouissement de la jeunesse. Image qui, éclairée par un regard hardi, serait idéale, si, soit timidité, soit souci de se rendre impénétrable, cet adolescent ne « tenait ordinairement ses yeux baissés [1] ».

Henri du Vergier de La Rochejaquelein vient d'atteindre ses vingt ans. Il est le fils aîné de Henri Louis Auguste, marquis de La Rochejaquelein, seigneur de la Durbelière en la paroisse de Saint-Aubin-de-Baubigné, en Poitou, et de Constance de Caumont d'Ade, la fille d'un chef d'escadre.

De ce grand-père, Henri tient peut-être ce regard profond, légèrement empreint de mélancolie, des marins habitués à contempler les vastes horizons ; de lui, sans doute aussi, ce calme, ce sang-froid déconcertants au milieu des plus tragiques « tempêtes » de la vie, ce commandement paternel aux inférieurs dépouillé de la moindre morgue.

Il est l'hôte de Clisson depuis la fin d'octobre [2], après avoir vécu dans la capitale ensanglantée des jours de cauchemar. Ni intellectuel ni homme du monde — il est plutôt taciturne en société — il fait encore figure de rêveur à certains moments. Sa distraction préférée consiste à se promener à cheval puisqu'on ne peut plus chasser. Et Dieu sait s'il est bon chasseur ! et, d'une manière générale, adroit et leste, comme tous ceux pour qui les exercices

---

1. Archives mss. du château de Clisson. Notes de la marquise de La Rochejaquelein. Cf. aussi Joseph Clemanceau.

2. La marquise de Lescure dit qu'elle mit au monde son premier enfant le 31 octobre, peu de jours après l'arrivée d'Henri à Clisson.

du corps, « le sport » dirions-nous aujourd'hui, ont une attirance invincible ; il émerveille la marquise de Lescure : « Nul n'est maître de ses chevaux comme lui, il leur fait faire tout ce qu'il veut », mais « il se tient mal », « et n'a pas davantage de grâce dans sa démarche ».

Son âme, fortement trempée, vibre avec une intensité d'autant plus forte qu'il tient de sa mère [1] cette sensibilité vraie et à fleur de peau, si rare à cette époque où la sécheresse des âmes, comme l'écrivent les Goncourt, cherchait à se tromper par la sensiblerie. Le cœur, vierge de toute passade amoureuse, déborde d'une bonté franche, affectueuse et primesautière qui émeut. Le degré de valeur de ce bel adolescent, d'où s'exhale ce charme dont les trouvères ont auréolé les chevaliers de la Table ronde, demeure seul une énigme vite résolue par les esprits superficiels ou malveillants. Sa « nullité » est pour eux évidente. En réalité, son intelligence est refoulée au-dedans de lui-même, comme ligotée par une incoercible modestie d'où la timidité n'est point absente. Il ne faudra rien moins que de grands événements, une atmosphère d'épopée médiévale pour faire éclater cette âme de feu qui ne fut dénuée ni « d'idées personnelles », ni « d'amour-propre », ni « d'initiative ». Cette âme douée d'une rare intelligence et qui, en cet automne de 1792, rentrée au fond de l'être et comme assoupie, semble rêver sous les ombrages de Clisson.

La haute futaie resplendit des teintes diaprées de son feuillage mourant et la nature en fête chante sa douce mélopée. La chante-t-elle au cœur de Henri de La Rochejaquelein, la magique enchanteresse ? Sollicite-t-elle cette sensibilité frémissante, ce caractère méditatif ? Reflue-t-elle en son âme les souvenirs évanouis de sa jeunesse ? Ce que nous connaissons de sa nature autorise à le penser.

---

1. Quatre ans après la mort d'Henri, la marquise écrira : « Louis (son second garçon) n'est pas aussi sensible que je pouvais m'y attendre étant mon fils. »

Le 30 août 1772, si l'on eût appris au marquis de La Rochejaquelein que le fils qui venait de lui naître à la Durbelière ferait parler de lui la France entière, il aurait au moins accueilli la prophétie d'un sourire sceptique, sinon railleur. Unique hériter mâle de la vieille famille des du Vergier, entré dans l'armée dès l'âge de seize ans comme porte-drapeau au régiment de cavalerie de Berri, il était alors premier lieutenant de la Compagnie des Gendarmes de Monsieur. Marié en 1769 à sa cousine, issue de germain, Constance Lucie Bonne de Caumont d'Adé, une fille lui était née l'année suivante. L'enfant qu'on venait de baptiser le jour même de sa naissance en l'humble église de Saint-Aubin était son premier garçon.

Sa famille était certes posée dans la région bressuiraise qu'elle n'avait jamais quittée depuis son existence. A défaut des archives, le blason que son aïeul avait fait sculpter sur la porte d'entrée du château attestait l'ancienneté de sa noblesse d'épée. La croix d'argent chargée d'une coquille de gueules et cantonnée de quatre coquilles d'argent eût rappelé la présence des ancêtres aux Croisades, au moins à celle de 1248. Néanmoins il s'en fallait que La Rochejaquelein égalât les grands noms du royaume.

Ce nom, lui-même, ne rappelait la gloire d'aucune ville, même tombée à l'état de bourgade, tout au plus un vieux manoir à demi ruiné, perdu dans un coin banal du Bressuirais, un débris de forteresse — d'ailleurs inhabitable — hérité de la famille Le Mastin, par François du Vergier, à la fin de ce XVIᵉ siècle, où s'étaient élevées dans la France entière tant de demeures fastueuses.

Le logis agréable et commode qu'y avait fait construire François [1] pour abriter les siens n'était qu'une humble

---

1. Il songea à s'établir à La Rochejaquelein vers 1565. La garenne mesurait plus de deux hectares et entourait le château de tous côtés, sauf celui de la rivière. On pouvait y prendre au piège, d'après les évaluations d'Olivier de Serre, environ

gentilhommière (elle existe encore), sans guère plus d'importance que celles du Vergier, ou de Ridejeu successivement habitées par ses ancêtres. Au sein de la noblesse poitevine peuplée de gentilshommes pauvres, du Vergier faisait bonne contenance, le meilleur de son avenir n'en reposait pas moins sur sa charge de conseiller et maître d'hôtel de la reine Jeanne d'Albret, non qu'il fût pauvre, mais parce qu'à cette époque où la noblesse, dont les revenus fonciers étaient fixés par les coutumes à un taux immuable, se trouvait cruellement atteinte par la dépréciation de l'argent produite par l'afflux de l'or du Nouveau Monde sur le marché européen, rien ne valait encore pour se maintenir une situation de Cour. Quand François mourut, il légua la sienne, acquise à l'époque où Antoine de Bourbon détenait le commandement des provinces situées au sud de la Loire, à son unique fils, Louis.

Enragé batailleur, huguenot comme son père, mais doté d'une bonne tête et d'un cœur à toute épreuve, un gaillard à faire son chemin, Louis s'était lancé dans le sillage du futur Henri IV avec toute l'ardeur d'une adolescence éclose en pleine guerre de religion.

« La Roche », comme l'appelait le Béarnais, n'avait pas tardé à devenir l'ami de son royal maître. Chargé par lui de missions importantes, recevant des billets émaillés de mots charmants, il était réellement devenu un ancêtre ; c'était lui le premier La Rochejaquelein. Aussi ses héritiers conservaient-ils avec orgueil les lettres que le Béarnais lui avait écrites. « Vous savez que de vous j'estime tout bon même les morceaux [1] », peut-on lire sur la lettre reçue par Louis après avoir été blessé à Arques. Et sur cette autre : « Je m'en remets à votre bonheur de jeu-

---

1 600 lapins dans l'année. Joseph Salvini : *La Vie dans un manoir du Bas-Poitou pendant un siècle. La Rochejaquelein*. Bulletin des antiquaires de l'Ouest, 1er trimestre 1929, p. 306.

1. Cette lettre est conservée dans la vitrine du salon de Clisson. Elle est datée de 1580. D'après M. Salvini, archiviste de la Vienne, Louis devait alors avoir quinze ou dix-huit ans.

nesse pour l'avoir vu germer non moins en prudence qu'en dévouement et porter fruits avant fleurs. » Le jeune gentil-homme avait été chargé par cette lettre d'enquêter sur les maladresses du duc d'Epernon, gouverneur de la Saintonge. En 1625, Louis XIII avait encore fait appel à ses services devant la menace grandissante du soulèvement protestant en Aunis et Saintonge [1], tant était grande son influence.

Mais Henri IV n'était pas généreux. Louis était mort dans son manoir sans y avoir rapporté autre chose que la gloire, des cicatrices et des dettes, du moins avait-il, en mourant, légué aux siens la foi catholique recouvrée [2].

Rejetée dans l'ombre, sans situation de Cour, la lignée de Louis avait réussi à se maintenir dans une situation de fortune très au-dessus de la moyenne, au prix de quels heurts ! L'avarice ne régnait pas chez les héritiers du compagnon d'Henri IV. Prodigalités, gestions désastreuses avaient plus d'une fois dressé l'épouse contre le mari, contraint la mère à défendre, au prix des procès les plus pénibles, l'avenir menacé de ses enfants. Louis du Vergier avait vu sa seconde femme obtenir contre lui l'interdiction comme prodigue et son fils René connut le même sort. En un mot, une famille riche, sans connaître l'opulence, glorieuse sur les champs de bataille, sans parvenir à la célébrité, possédée par une furieuse passion de la terre, parfois même de la construction, au grand dam de la bourse familiale. La famille transportée de La Rochejaquelein à La Touche-Beugnonnet au XVIIe siècle, l'attitude de son chef avait prodigieusement amusé les paysans. On le voyait fort occupé dans sa cuisine à la fabrication de différents torchis aussi peu satisfaisants les uns que les autres. Les paysans pouffaient : « Il mourra la truelle à la main [3]. »

L'installation, au début du siècle suivant, à la Durbe-

---

1. *Revue de Saintonge et d'Aunis*. T. XL., 1942, p. 72.
2. Louis XIII lui concéda enfin, en 1614, sur son épargne, une pension de 2 000 livres.
3. « Le Chartrier de la Durbelière ». Publ. des *Archives historiques du Poitou*.

lière, vaste demeure des Meulle, héritée de Marie-Anne du Vergier, veuve sans enfants de François de Rorthais, avait accru avec la fortune la situation sociale des La Rochejaquelein, sans modifier leurs goûts. L'attachement au terroir était demeuré plus fort que l'attrait de Versailles, la vie familiale plus appréciée que celle de représentation.

Le marquis a bien sollicité en 1771 l'honneur d'être admis à monter dans les carrosses du Roi, fourni, selon l'usage, ses preuves de noblesse que Chérin a remis au duc de La Vrillère, non sans faire remarquer à ce ministre « que cette famille était recommandable par ses services », mais l'intéressé n'ambitionne qu'une brillante carrière militaire et pour rien au monde ne consentirait à déserter la Durbelière qu'il se hâte de réintégrer à chaque congé semestriel. Comment, loin de la Cour, la famille pourrait-elle « percer » ?

La Durbelière, en dépit des efforts faits au XVIIe siècle pour l'égayer, avait gardé sa sévérité de forteresse du XVe. Entourée de douves, avec des corps de bâtiments séparés entre eux par d'épaisses murailles, elle apparaît bien en 1771 comme la demeure de quelque opulent provincial.

L'allée bordée de chênes séculaires qui conduit à cette demeure vient buter contre un mur de quatre-vingts mètres de long, garni d'échauguettes en ses extrémités et percé d'une seule porte donnant accès à une cour immense à gauche de laquelle s'élèvent les servitudes. Parmi elles, un manège où Henri reçut ses premières leçons d'équitation. D'autres servitudes en arrière. Tout au fond, le château jaillit de ses douves, étale sa façade remaniée sous Louis XIII au goût de l'époque. Des ponts de pierre ont remplacé les ponts-levis, la porte d'entrée a été transformée en 1621 ; une balustrade posée le long des douves dix ans plus tard, l'entablement des murs refait. Un étrange essai de modernisation.

Derrière le château, un étang splendide qu'ombrage, à droite et à gauche, une double rangée de tilleuls, offre aux

55

yeux un cadre reposant. Mais cette forteresse privée d'horizon est flanquée « de toutes parts » d'une garenne « épaisse » avec des percées à travers de grands buis, comme autant de « tunnels impénétrables aux rayons du soleil [1] ».

Nulle atmosphère de tristesse cependant, ne hante cette demeure d'un autre âge. La campagne respire la joie de vivre ; elle retentit des chants des laboureurs dont les pleines voix rivalisent de puissance d'un guéret à l'autre, de ces chansons au charme « inexprimable » que lance la bergère occupée à « brocher », des cris joyeux des gars et des filles jouant à colin-maillard ou à la bague-bergère. Bruyants éclats du bonheur des simples, aujourd'hui éteints dans une campagne devenue silencieuse. Le dimanche, les cabarets s'emplissent. On boit beaucoup dans la future Vendée, particulièrement à Saint-Aubin [2]. On boit avant la messe, et si le premier coup de cloche de l'église vide l'estaminet comme par enchantement, on y retourne après la messe et encore après les vêpres que personne ne manque, sans que les prédications du curé puissent rien contre cette habitude.

Du château tout proche, tous les villageois connaissent le chemin, surtout les déshérités. C'est plus qu'un visage familier dont la présence amie ferait partie intégrante de la vie du pays. Il en est le cœur. Le noyau, dirait Jean Yole. Il pullule d'une domesticité dont l'hérédité explique la multiplication [3].

Jamais peut-être le bonheur n'a été si complet au foyer des La Rochejaquelein. Après tant de tiraillements familiaux, de prodigalités et de deuils, c'est l'âge d'or de cette maison, son épanouissement dans cette société du XVIIIe siè-

1. **Notes inédites sur la Durbelière avant la Révolution,** recueillies par Françoise de Chabot. Archives du colonel de Beaucorps.
2. Abbé Th. Gabard, monographie de la paroisse de Saint-Aubin.
3. Quarante domestiques.

cle où il fait si bon vivre avec le cortège de ses joyeuses réunions, ses délicatesses, ses élégances ; parfums exquis dont aucun relent de libertinage ou de philosophisme ne vient ici déflorer la saveur. Les réunions sont fréquentes à la Durbelière. On y arrive « à toute heure » et la table du marquis, plutôt frugale suivant les traditions des vieilles familles poitevines, n'en est pas moins « toujours servie et ouverte à tous ».

Pas une ombre à la félicité de ce foyer. A Henri succèdent bientôt six enfants dont deux garçons. La marquise les nourrit tous. C'est une femme d'une éclatante santé. Amazone émérite, raffolant des chasses à courre, ses enfants « sucent avec son lait le goût des exercices violents » que ses maternités interrompent à peine. Nourrit-elle un enfant en période de chasse ? En ce cas, elle se fait apporter le nourrisson à un endroit convenu par un domestique et « l'allaite toujours sans descendre de cheval [1] ».

La chasse. Dès le plus jeune âge, on y emmène les garçons. Le plus jeune frère d'Henri n'a pas six ans quand il commence à les suivre sur un petit mulet. Anne, la seconde fille, est délicate. A huit ans, son père la met sur un cheval dressé par lui. Jusqu'à douze ans, on la fait vivre continuellement au grand air. Le marquis est, lui-même, « d'une vigueur peu commune ». De lui, Henri tient sa force de résistance, sa hardiesse, la sûreté de son coup de fusil, ses aptitudes de cavalier. Une de ses prouesses équestres resta longtemps célèbre dans le pays. Ne l'avait-on pas vu sauter d'un seul bond, avec son cheval, un des chemins du bocage avec ses deux haies latérales ! Certain matin d'hiver on le surprit à naviguer sur un glaçon, au clapotis des eaux de l'étang voisin de Chanay [2].

Rien de gourmé dans cette existence. Les enfants jouis-

---

1. Vicomte Charles de Beaucorps, archiviste-paléographe, *La Famille de La Rochejaquelein*. (Inédit.)
2. A un kilomètre au sud-ouest de la Durbelière.

sent de la plus grande liberté, sans que soit le moins du monde négligée leur éducation. Leur enfance est d'ailleurs enveloppée par les traditions de simplicité, de cordiale serviabilité envers tout le monde, sans oublier cette autre : le culte de l'éternelle fleur du passé qui, dans cette famille, « n'a cessé d'être recueillie et semée ».

Le compère de Henri IV est l'orgueil de la famille. En 1780, d'Hozier écrit au marquis pour lui demander de faire un mémoire des services de Louis du Vergier. Henri est, à cette époque, un insouciant bambin de huit ans qui gambade dans les champs où son plus grand plaisir est de grimper aux arbres et de sauter sur le premier cheval qu'il aperçoit dans une prairie. Son père a un bel avenir devant lui. Colonel en 1785, il recevra, trois ans plus tard, le brevet de maréchal de camp, à l'âge de trente-neuf ans. Si quelqu'un de la famille a jamais réussi à « percer » depuis Louis du Vergier, c'est lui. Charmant en société, il laisse des regrets dans les garnisons qu'il quitte et son fils aîné ne paraît pas précisément marcher sur ses traces à mesure que s'effeuillent les jours et les années de l'éphéméride pré-révolutionnaire.

1782. Henri a dix ans. Il est mis en pension à Sorèze, dans le Languedoc, l'une des douze écoles militaires créées par Louis XVI en 1776. Celle-ci était dirigée par les bénédictins qui, à eux seuls, en possédaient six : Sorèze, Tiron, Rebais, Beaumont, Pontlevoye, Auxerre. Trois étaient tenues par les oratoriens : Vendôme, Effiat et Tournon, les trois dernières, Brienne, La Flèche et Pont-à-Mousson, par des chanoines réguliers.

Deux mille trois cent quatre-vingt-onze élèves s'y pressaient en 1787, dont 603 élèves du Roi, 983 gentilshommes et 729 roturiers. Quand Henri entra à Sorèze, le corps des officiers de l'armée française comptait déjà près de 4 000 roturiers. Cette affluence de candidatures roturières à la seule profession permise à la noblesse explique la décision royale du 22 mai 1781, de réserver les sous-lieutenances à ceux qui feraient la preuve de quatre degrés de noblesse. Dure mesure, mais que légitimait l'édit de 1614, toujours en vigueur, rendu à la requête même des députés du Tiers, interdisant le commerce à la noblesse.

Un inspecteur qui visita les douze écoles, en 1785, qualifia d'excellent le collège de La Flèche, donna sa préférence à Pont-à-Mousson mais trouva négligé celui de Sorèze. L'exercice physique y était en tout cas poursuivi de la manière la plus large. « Il faut surtout rendre les enfants vertueux et instruits, mais aussi les rendre forts, agiles et bien tournés », disait dom Ferlus, le supérieur. L'enseignement de l'escrime, de la danse, de la natation deux fois par jour pendant l'été n'y était pas négligé, non plus que les courses militaires qui consistaient à s'en aller sac au dos et fusil sur l'épaule, « donner des fêtes à cinq ou six lieues de là ». C'est qu'il s'en faut et de beaucoup, comme l'a fait remarquer Pierre Gaxotte, que l'époque de Louis XV n'ait été qu'un siècle de fadeurs et de grâces de bonbonnières. Plus tard, lorsqu'il errait à pied, dans le Bocage et les Mauges aux sombres jours de janvier 1794, Henri dut se rappeler plus d'une fois les longues marches de Sorèze.

Si ses études ne furent pas couronnées de succès, sa culture apparaît néanmoins soignée. Les rares pièces qu'on possède de lui sont d'une langue correcte, d'une écriture élégante, reposante à l'œil, et, par surcroît, correctement orthographiées, ce qui n'est pas courant à l'époque. Est-ce à Sorèze qu'il puisa ces sentiments de piété sincère, mais discrète, qui rayonnent, comme malgré eux, au cours de sa vie, cette « sévérité sur ses devoirs » qui lui valurent durant sa vie de garnison « des railleries toujours accueillies avec indifférence [1] » ? Les bénédictins n'eurent, en tout état de cause, qu'à parfaire l'éducation religieuse qu'Henri avait reçue de sa mère. Mme de La Rochejaquelein avait à cœur que ses enfants fussent de bons chrétiens plutôt

---

1. Baguenier-Désormeaux, *Choses de Vendée*, p. 301.

que des dévots, et de les empêcher d'attacher du prix
à des minutes [1]. Ce sont ses propres expressions.

De son enfance, on ne sait rien. L'historien fouille et
retourne les archives privées, avide de trouver quelqu'une
de ces anecdotes susceptibles d'éclairer les années obscures
du héros, de faire deviner l'homme dans l'enfant. En vain.
Seules, d'ailleurs, une épouse, une mère aiment à faire
revivre ces souvenirs. Or, l'épouse manque ici, la mère est
morte dans un pays lointain sans laisser d'autres écrits
que les lettres échangées avec sa fille Anne, demeurée
en Angleterre. Toute l'enfance du paladin qui fit rêver
tant d'âmes reste enveloppée de mystère. Seules ont été
conservées de misérables glanes.

1785. Henri a treize ans. Il sort de Sorèze et revêt avec
bonheur l'uniforme de sous-lieutenant de cavalerie : l'habit
bleu à la française à parements cramoisis, la culotte de
peau nuance naturelle, la veste chamois, le manteau gris
piqué de bleu à col blanc, coiffe le tricorne noir à cocarde
également noire des cavaliers. Le voilà immatriculé au régiment Royal-Pologne-Cavalerie acheté par son père l'année
précédente. Dès juin 1786, il figure, en effet, sur l'état
du régiment dressé au lendemain d'une revue, sous le
nom de sous-lieutenant du Vergier, dans la compagnie de
Cely. Certain enseignement technique ne pouvait être reçu
qu'au régiment. Henri dut vraisemblablement faire le
service de bas-officier. L'admission comme sous-lieutenant
avant l'âge de quinze ans avait été interdite par Montbarrey.
En pratique, tout dépendait des chefs de corps. Les jeunes
nobles promus sous-lieutenants faisaient une sorte d'appren-
tissage du métier militaire sous l'égide d'un mentor, leur
père, la plupart du temps. Sous ce rapport, Henri était à
bonne école. Le marquis était « exact » au service. Pas
un passe-droit, aucune faveur ne fut tolérée par lui à l'égard
de son fils [2].

---

1. Archives du colonel de Beaucorps.
2. *Ibid.*

Toutes les histoires ont rapporté le trait suivant : aux premières manœuvres, Henri fit une culbute avec son cheval. Les soldats voulurent s'arrêter en voyant tomber le fils de leur colonel. « Au galop ! » commanda La Rochejaquelein. Et tout le régiment passa. On a dit que l'enfant n'eut aucun mal. Ce n'est donc pas dans cette circonstance qu'il reçut un coup de sabot au menton.

Landrecies, où résidait le Royal-Pologne, était cotée comme une de ces garnisons de misère n'attendant d'autre distraction que « dormir et jouer aux cartes ». Dans les petites villes de Flandre, écrit le baron de Sirot, il y a peu de bourgeois qui sachent le monde.

Garnison passagère, comme toutes à cette époque, en raison de la fréquence des changements que subissaient alors les régiments. En 1787, Royal-Pologne est transféré à Niort puis à Libourne. Mais, en 1788, le marquis cesse de le commander. Breveté maréchal de camp par Louis XVI, le 21 septembre, il le passait au duc d'Aiguillon (Armand-Désiré Vignerot du Plessis de Richelieu). Par une curieuse coïncidence, Henri-Louis-Auguste est le dernier breveté de Louis XVI avant 89, comme si la destinée eût voulu anthumer dans le père, distingué par le souverain, la récompense des futurs services du fils.

Ce n'est pas près de ce père, pourtant, que Henri put puiser des sentiments de fanatisme pour la monarchie. Le marquis était acquis à ces idées libérales dites monarchiennes et le fit bien voir.

Mars 1789. M. de La Rochejaquelein s'est mis en devoir de gagner la capitale du Poitou. Elu, le 21 de ce mois, commissaire de l'élection de Châtillon pour la rédaction des cahiers de la noblesse, conjointement avec le marquis de l'Epinay et le baron de Mortagne, il entre en séance le 24 mars avec ses collègues dans la grande salle de l'université de Poitiers. Séance houleuse, au cours de laquelle un clan bruyant, vite dénommé par les effarés « parti démocrate », provoque les colères de la majorité. Son chef n'est autre que La Rochejaquelein.

61

Avec le marquis de Reignon, il se signale par une violente opposition « à ce qu'on reconnaisse les dettes de l'Etat et les emprunts faits sur les édits ». Cet avis est repoussé avec indignation à la Commission où l'on trouve que « l'idée d'une banqueroute proposée par la noblesse » est quelque chose de révoltant ; le marquis s'obstine. Il fait remarquer qu'à l'aide d'un édit qui avait permis d'emprunter quatre-vingts millions, il en avait été emprunté deux cents et que la noblesse ne pouvait consacrer cette opération. La discussion, très vive, se perd au milieu du bruit. Profitant d'une accalmie, le chevalier Henri Filleau, secrétaire, essaie de combattre cette proposition. Le marquis le rabroue « avec humeur ». Filleau en jette sa plume de colère, en criant que l'Ordre n'a qu'à chercher un autre secrétaire, et l'assemblée, exaspérée par la prétention d'un commissaire de la minorité à faire valoir une opinion repoussée par la Commission, le soutient avec chaleur. Vainement, M. de Reignon, venant au secours du marquis, réclame la mise aux voix. La proposition La Rochejaquelein est repoussée par 350 voix contre 16 et 74 abstentions.

Mais l'assemblée n'était point quitte avec La Rochejaquelein. Le 30, on l'entendait encore, cette fois pour réclamer — contrairement au règlement — qu'on donne les noms de ceux qui ont réuni le plus de voix afin de guider l'assemblée dans son vote. Et l'assemblée déjà mal disposée à son égard commençait à se déchaîner de nouveau contre lui quand le duc de Luxembourg apaisa l'orage en déclarant « que le règlement n'était pas une loi de rigueur et qu'on pouvait s'en écarter... ». Le duc était étranger au Poitou. Désirait-il se ménager les bonnes grâces de ce terrible interrupteur ? Toujours est-il que l'irritation reprit devant la constatation que sur cinq députés du Poitou déjà élus, trois étaient étrangers à la province : Crussol, La Châtre et le duc lui-même. La lutte n'en devint que plus chaude pour l'élection au septième siège brigué par Lambertie, à qui La Rochejaquelein opposa le marquis de La Roche du Maine, le châtelain du Fou, en Haut-Poitou.

Le premier tour de scrutin, le 31 mars, donna résultat nul. Le 2 avril, à huit heures du matin, Lambertie l'emportait par 288 voix sur 528. Le « parti démocrate » arguant de l'insuffisance de fortune de Lambertie pour habiter Versailles, réussit à arracher un troisième tour à l'assemblée. Il n'aboutit qu'à confirmer l'élection de Lambertie. La Roche du Maine dut se contenter de la position de député suppléant, et encore par 253 voix seulement sur 434 votants, en cas de décès d'un des élus, ou encore au cas où Crussol ne pourrait remplir ses fonctions [1].

« De Lambertie se ruinera,
 La Roche du Maine attendra »,

chantaient les étudiants dans les rues de Poitiers. Mais le père de Monsieur Henri méritait-il vraiment le qualificatif de démocrate dont l'avaient affublé ceux que le marquis de Roux [2] a justement appelés : « les effarés » ? Il avait réclamé pour le Poitou des états sur le modèle de ceux du Dauphiné, proposé — le premier — de vendre (et non d'abandonner comme le proposeront les étourdis du 4 août) ses droits féodaux. Il n'en avait pas fallu plus pour effaroucher tant d'« insensés gentillâtres » qui peuplaient l'assemblée de la noblesse de Poitou. Le terme est du roi Louis XVIII.

En revanche, la scène qu'on vient de voir est révélatrice d'un caractère. L'homme s'y rencontre au naturel, d'une fermeté tenace, d'une opiniâtreté qui ne s'est point démentie dans le cours de sa vie privée. On le verra, en 1793, entraîner avec lui sa femme aux Antilles, la séparer de ses enfants...

Et l'on songe à ces lignes de la marquise de Lescure : « Henri avait dans ce temps-là (fin 1792), l'air fort timide...

---

1. Antonin Proust. Arch. de l'Ouest. Op. électorales de 1789, n° 1, *Poitou*, pp. 77, 78.
2. *La Révolution à Poitiers et dans la Vienne.*

il tenait ses yeux baissés. » Les garnisons maussades ne suffisent pas à expliquer cette attitude de contrainte. Le père de cet adolescent, s'il était profondément bon — on l'adorait à Saint-Aubin — n'en était pas moins très ferme [1]. Les insuccès de collège d'Henri furent-ils cause d'un redoublement de sévérité ? Force est de constater que le jeune homme ne s'est épanoui qu'en prenant conscience de lui-même au contact de ses premières réalisations.

La carrière de son père, elle, touchait à son terme. Nommé le 12 août 1790 inspecteur de sept régiments de cavalerie et d'infanterie en Bretagne, Aunis, Saintonge et Poitou, il revit Poitiers le 3 novembre de cette même année, pour passer l'inspection de Roi-Cavalerie et de Royal-Roussillon. Mais, quand à la fin de novembre, il écrivit au ministère de la Guerre pour solliciter un commandement dans la troupe, il ne reçut, le 10 décembre, qu'un accusé de réception. Sa carrière était close.

Le 28 novembre, il mariait sa fille aînée, Constance, au chevalier Jacques de Guerry de Beauregard, alors capitaine de la Couronne, veuf de Mlle de Maubreuil, dont il avait un fils déjà âgé de sept ans. L'enfant s'illustrera à sa manière, sous le nom de sa mère, au siècle suivant. Dernière fête familiale. Avec l'année 1791, les événements s'aggravent. Henri était-il toujours en service ? On ne sait. Depuis le 19 février 1789 il avait quitté le Royal-Pologne pour les chasseurs de Flandre comme officier de remplacement [2]. Est-ce au sein du 3ᵉ régiment — comme il s'appelle à présent — que l'a surpris le décret de l'Assemblée constituante ordonnant aux officiers de prêter le serment de n'obéir qu'aux ordres « donnés en consé-

---

1. Le 23 janvier 1791, quatre-vingts habitants de Saint-Aubin se portèrent sur Châtillon pour se plaindre au district « qu'on ne payait point leur curé... qu'on mettait les prêtres dans l'impossibilité de soulager les pauvres et qu'on ôtait tout à leur seigneur ».
2. Archives de la Guerre. Dossier Henri de La Rochejaquelein ; carton : officiers généraux des armées royales de l'intérieur.

quence des décrets de l'Assemblée » ? Les sous-lieutenants n'étaient pas astreints au serment individuel. Le prêta-t-il ? Pour réserver l'avenir ? Ou bien avait-il, comme tant d'autres, les Lescure, les d'Autichamp et les Bonchamps, quitté l'armée ? On ne l'imagine guère consentant à prêter le serment, même collectif, des officiers subalternes.

Sa sœur Anne avait envoyé, le 26 août 1791, son nom à la *Gazette de Paris,* dont le directeur, M. de Rosoi, avait ouvert, le 11 juillet, une liste d'otages volontaires qui consentissent à se porter caution pour la famille royale prisonnière de l'Assemblée depuis Varennes. Il en avait demandé deux cents, les noms ne cessaient d'affluer par milliers, grands seigneurs ou anciens soldats, prêtres ou paysans. Rosoi ayant interrompu un moment la publication des noms par mesure de prudence, s'était vu, à la reprise de celle-ci, sur l'injonction de ses lecteurs, obligé d'y consacrer seize colonnes de son journal. « Je suis pauvre, mais je porte un cœur français, je vendrai mes boucles et ma montre pour subvenir aux frais du voyage », déclarait un cultivateur de Château-du-Loir. La sœur de Henri proclamait avec feu qu'elle s'estimerait « trop heureuse si, en perdant la liberté et même la vie, elle pouvait contribuer à la rendre à la famille royale à qui, écrivait-elle, on l'a si indignement ravie [1] ».

Le marquis n'était pas homme à se griser de formules et de souscriptions. Celle de Rosoi n'aboutissait à rien — son auteur ne put même pas la faire parvenir au président de l'Assemblée. Autour de lui ce n'étaient que départs pour l'émigration, il eût peut-être suivi l'exemple si ses illusions ne l'avaient retenu. Monarchien, il pouvait concevoir des espérances nouvelles de l'acceptation de la Constitution par le Roi (13 septembre), la fin de la Révolution, le rétablissement de la paix intérieure. Bouclant ses malles, il partit avec sa femme pour Paris.

---

1. Ed. Biré. *Journal d'un bourgeois de Paris,* I, p. 265 et suiv.

***
***

« Me voilà encore icy, mes enfants, sans savoir quand j'en partirai, ce qui m'ennuie bien, car j'ai grande envie de vous voir, surtout Constance. Je voudrais bien la savoir accouchée. Son mari m'a mandé qu'il lui avait écrit deux fois. Il se portait bien le 28 : il a grande envie de revenir avec nous. Si nous passons l'hyver icy, j'irai sûrement vous chercher.

« Les nouvelles ne sont toujours point stables. Un jour on a de l'espérance et le lendemain elle est détruite. Nous sommes toujours dans les plus grandes craintes pour Saint-Domingue. Il y a sûrement les plus mauvaises nouvelles à en attendre...

« Si l'aumônier des Pechardières fait des difficultés pour venir vous dire la messe, priez M. des Champs de permettre que l'abbé X... ou Le Merle [1], vienne vous la dire. Il fait grand froid. Que Constance se ménage bien et qu'on fasse un bon feu dans sa chambre... Mille amitiés à vous tous, mes chers enfants, je vous aime de tout mon cœur. J'ai grand besoin de vous revoir. Nous nous portons très bien. Tout notre ménage vous fait bien des amitiés. »

Ces lignes, pleines de tendresse, datées du 1er novembre 1791, dépeignent mieux que toute description la mère douce et affectueuse qu'était la mère d'Henri de La Rochejaquelein. A Paris, tout son ménage, comme elle dit si joliment, se composait de son mari, d'Henri et de Louis, ce dernier en train de poursuivre des études cahotées déjà dans deux collèges à celui d'Harcourt. Les transes qui accompagnent les décisions délicates se doublaient chez elle de l'inquiétude de sa fille sur le point d'être mère. En réalité, Mme de La Rochejaquelein était grand-mère depuis l'avant-veille. Elle ne pouvait le savoir encore. Heu-

---

1. L'abbé Lemerle, vicaire de Saint-Aubin est mort curé de cette paroisse sous la Restauration. Le premier nom est illisible.

reuse de donner à la jeune maman des nouvelles de son mari émigré (Jacques de Guerry), elle se préoccupait légitimement des difficultés de ses enfants à se procurer la messe d'un prêtre insermenté. Quelques jours avant la Trinité, le curé légitime de Saint-Aubin avait dû fuir avec ses deux vicaires, et les La Rochejaquelein (y compris Anne-Henriette), craignant le pire, avaient fui jusqu'à la Chardière, en Vendée, chez les Suzannet. L'un des vicaires, l'abbé Lemerle, était demeuré caché sur la paroisse. Il devait lui être relativement facile de venir dire la messe dans l'une des deux chapelles de la Durbelière. Quant à Saint-Domingue, dont l'aimable épistolière touchait un mot à ses enfants, ce nom seul évoquait à présent, pour elle, un projet, une idée de son mari, débattue en ménage, on le devine, et qu'elle écartait de toutes ses forces comme une vision de cauchemar, une affaire, hélas, déposée jadis par ses parents dans sa corbeille de mariage et dans laquelle son époux avait placé de gros espoirs et... beaucoup d'argent.

Le vendredi 26 novembre, elle écrit ce laconique et mystérieux billet : « Enfin, mes chers enfants, je pars demain. Envoyez-moi des chevaux, mercredy, à Angers, j'y arriverai ce jour-là et, vraisemblablement vendredy, j'aurai le plaisir de vous embrasser. Portez-vous bien en attendant et soyez sûrs que je serai bien contente de vous voir. »

Les La Rochejaquelein venaient de se décider à quitter la France. Or, cette lettre coïncidait curieusement avec la publication dans la « Feuille du jour » de la liste des officiers de la Garde constitutionnelle où figurait le nom de Henri qui, le 30, devait être avisé officiellement de cette nomination par le commandant lui-même, Cossé-Brissac. On sait que la désignation des officiers de cavalerie de cette garde était l'œuvre de la Reine [1]. Avec quel

---

1. Correspondance secrète de l'abbé de Salamon avec le Saint-Siège. Tirée des Archives vaticanes par le vicomte de Richemont. *Correspondance de Marie-Antoinette, Fersen, Barnave*, par O. de Heidenstam.

soin elle avait « épluché » les états des divers régiments de l'arme ! Ainsi s'était-elle rattrapée du mode de recrutement de l'infanterie choisie dans les gardes nationales des départements. Que de discussions d'ailleurs, non seulement dans la désignation des hommes, mais encore le choix des uniformes, du drapeau que la Reine refusait tricolore.

Oui, elle est vraiment troublante, cette coïncidence du retour de Mme de La Rochejaquelein en Poitou — pour y chercher ceux de ses enfants restés à la Durbelière — avec la nomination d'Henri. Le doute plane sur le consentement du père, et de fait, la réponse du destinataire à l'appel de Cossé-Brissac sera encore en suspens à la date du 16 décembre, ainsi qu'en témoignent ces lignes du ministre de la Guerre, de Narbonne, au sous-lieutenant de La Rochejaquelein : « Rien ne s'oppose à ce que vous soyez rendu à votre destination avant le 1er janvier [1], vous aurez soin, monsieur, de me faire savoir au plus tôt le parti que vous aurez pris... » On mendiait les concours.

Précisément, si l'on se rapporte au journal intime d'Anne-Henriette de La Rochejaquelein, sœur du châtelain de Saint-Aubin, on constate que la marquise n'est repartie de la Durbelière, avec ses enfants, que le 15 décembre.

Monsieur de La Rochejaquelein et ses deux aînés avaient-ils accompagné la voyageuse dans ce retour vers le foyer ancestral que la mère revit pour la dernière fois dans cette froide soirée du vendredi 3 décembre 1791 à la fois si impatiemment et si douloureusement attendue ? Ces quelques mots tracés par Anne-Henriette à la date du 15 : « Départ de toute la famille de mon frère, de son gendre et de ses enfants », le laissent à penser sans en fournir la

---

1. C'était la date à laquelle on espérait mettre la nouvelle garde en service. La lettre est adressée à M. Henri de La Rochejaquelein, sous-lieutenant au 5e régiment de cavalerie (c'était l'ancien Royal-Pologne). Il était donc demeuré inscrit sur les registres du régiment dans lequel il était revenu après son court passage aux chasseurs de Flandre. Le colonel de ce régiment, M. de Menou, fut arrêté le 23 août 1792, à Lyon, avec ses officiers. Presque tous furent massacrés le 9 septembre.

preuve formelle, tout en apportant, à défaut d'éclaircisse-
ment, une explication au moins plausible du silence d'Henri.

Ce qui est prouvé, ce sont les hésitations des parents.
Hésitations affreuses, qui ne datent pas d'hier — elles
se sont révélées dès l'année dernière — et qui se traduisent
par des mouvements désordonnés. D'abord, cette sorte
d'émigration manquée que fut en 1790 un voyage de toute
la famille à Spa, suivi d'un retour à la Durbelière, puis le
départ des parents pour la capitale en septembre 1791,
après l'acceptation de la Constitution par le Roi à l'instar de
ces quelques gentilshommes fidèles et dévoués qui se
refusaient encore à suivre le flux de l'émigration, enfin
ce nouveau retour à la Durbelière, point de départ du
saut à l'étranger. Et ces hésitations que l'incessante proli-
fération d'événements chargés d'imprévisibles et redoutables conséquences ne pouvait que contribuer à rendre
plus angoissantes, devenaient torturantes à présent que
venait de tomber dans la balance des considérations la
désignation, par une auguste main féminine, du sang de
leur sang pour la défense du trône en péril. Suprême
honneur, pleinement ressenti par la mère plus encore que
par le chef même, plus réaliste, d'un nom sans tache.

Son fils. Allait-il, lui, le père, le laisser à un monarque
promis et résigné visiblement à un martyre auquel il vouait
d'avance tous ses fidèles ? Le lui sacrifier à l'heure où
lui-même s'apprêtait à rejoindre cette armée de la coalition
du Poitou dont il faisait partie, déjà toute reformée à
cette heure sous le commandement intérimaire du chevalier
Duris, à Tournai, où elle n'attendait plus que l'arrivée de
son commandant en titre, le marquis d'Escars, et qui l'appelait dans ses rangs par la voix de l'honneur ? Lui. Mais
aussi, son fils. Tout donne raison à l'assertion de Maurice
Valette appuyée sur on ne sait quelle tradition, il décida
d'emmener Henri.

Seulement l'adolescent ne voulut pas. Et l'on sait que
ce père, si entier dans ses idées, n'en laissait pas moins
à ses enfants la plus entière liberté. De l'autre côté de la

69

frontière, Louis, le second fils, sera laissé libre d'aller avec les officiers d'un autre régiment que celui de son père. La voiture qui emportait les émigrés « laissa » donc Henri à Paris [1]. Avec une mâle et douce énergie, le jeune homme séparait sa destinée de celle des siens pour servir sous la cocarde blanche. Sans s'en douter peut-être, il venait d'engager, à ce grave tournant de l'Histoire, la destinée de sa maison.

Manqua-t-il de peu d'engager celle de son père ? On est tenté de le croire, à voir, dès le début de 1792, celui-ci revenir à Paris avec Louis, puis pousser jusqu'en Poitou. En février il est de retour à la Durbelière. Le voici à Saint-Laurent-sur-Sèvre, chez le curé, l'abbé Brin. Pour lui confier Louis. Quel dessein le guide ? Quel mobile ? Quel drame intime, profond, se joue dans l'âme de cet homme ? A vrai dire, peut-il, sans déchirement, quitter la terre adorée de ses ancêtres ? Les événements doivent pourtant avoir dissipé ses illusions, fait écrouler ses rêves.

L'ultime vision qu'offre le seigneur de la Durbelière dans le cadre de sa vie heureuse, de ce gentilhomme dont un pastelliste a fixé vers cette époque les traits déjà ravagés, mais toujours beaux d'énergie, est celle d'un homme douloureux penché sur une insolente paperasse : une lettre du commissaire à Châtillon du directoire départemental des Deux-Sèvres, adressée le 21 février 1792 au citoyen Duvergier — titres, particules, noms de fiefs ont été abolis — en tant que membre de la municipalité de Saint-Aubin, dans laquelle le citoyen commissaire lui demande « si selon la promesse qu'il lui a faite le samedi précédent et réitérée par sa lettre du même jour, ladite commune est rentrée dans l'ordre, et si la municipalité dont il est membre a repris ses fonctions [2] ».

La Garde constitutionnelle n'est pas encore entrée dans

---

1. *Mémoires de Mme de La Rochejaquelein*, édition Bourloton, 1889 (la veuve de Lescure et de Louis de La Rochejaquelein), p. 457.
2. Archives des Deux-Sèvres. L. 99.

les siennes. Enfin, le jeudi 16 mars, après bien des difficultés, elle prête le serment ordinaire par devant... la municipalité de Paris présidée par Jérôme Pétion, et commence « aussitôt » son service concurremment avec la Garde nationale au milieu du son des instruments qui jouaient le *Ça ira*[1]. Le Roi fit un discours « constitutionnel » de remerciements à sa garde qui plut à la foule. De l'aveu de l'abbé de Salamon, peu suspect de tendresse pour la Révolution, la cérémonie se passa avec beaucoup de décence. Les rixes ne devaient commencer que le lendemain.

Le marquis assista-t-il à l'entrée de son fils au service du Roi, dans cet uniforme, arrêté dès décembre 1791, bleu à revers jaunes ? Rien n'est plus probable, si l'on songe que le 13 du même mois, trois jours avant, il était à Paris, signant une lettre de change à deux négociants pour un prêt de dix-huit mille francs que ceux-ci lui consentaient.

Ici s'arrête, d'ailleurs, la trace de ses derniers pas sur le sol de France où déjà Henri-Louis-Auguste n'apparaît plus que comme une silhouette du passé. Une ombre. Cependant qu'un adolescent au profil de camée, son fils, monte la garde au palais du Roi de France, fier d'avoir sauvegardé un avenir qu'il croit enfin réalisé.

Dieu lui en a réservé un tout autre, dont celui-ci n'est que l'étape.

---

1. Correspondance de l'abbé de Salamon.

2

LE JEUNE GARDE DU ROI

Un homme de trente-huit ans, précocement vieilli par les catastrophes, en dépit de son impassibilité, le masque douloureux toujours empreint de son inaltérable expression de bonté, ainsi que devait le peindre Ducreux quelques semaines plus tard au Temple, telle est l'image qui, pour la première fois, s'offrait de son Roi au jeune Henri de La Rochejaquelein.

La Reine, dont les cheveux sont blancs depuis le retour de Varennes, les yeux sans cesse embués de larmes, mais énergique et demeurée belle jusque dans son calvaire, met un rouge considérable pour ne pas laisser voir les ravages de sa douleur [1]. La semaine même de l'inauguration de la nouvelle garde la voit encore aller en promenade à Bagatelle dans un cortège de quatre voitures. Que d'alarmes lui a causées le recrutement de cette Garde constitutionnelle ! C'est elle qui a « présidé à tout le travail. Elle n'a voulu partir de l'appartement qu'après que toutes les nominations furent faites et signées [2] ». L'honnête Barnave, son conseiller secret, dévoué mais perdu d'illusions libérales, l'a aidée de son mieux non sans la contrarier plus d'une fois. Il voulait le drapeau tricolore. Elle l'a refusé. Et l'uniforme ! Comme il ressemble « à celui de Coblence » ! Près d'elle, le Dauphin, amour d'enfant aux boucles blondes, montre une « attention charmante à suivre des yeux les mouvements de ses parents pour adresser un sourire à ceux que la famille royale regarde en ces jours malheureux comme ses plus fidèles serviteurs [3] ».

---

1. Correspondance secrète de l'abbé de Salamon avec le cardinal Zelada. Secret d'Etat du Saint-Siège, publiés par le vicomte de Richemont. Lettre du 28 novembre.
2. Corresp. de l'abbé de Salamon.
3. Comte d'Hêzeques. *Souvenirs d'un page de la cour de Louis XVI.*

La vision de la famille royale dut produire sur l'âme émotive de Henri une impression profonde, bien de nature à annihiler celle que pouvait lui causer l'affreux séjour de Paris en 1792. Il était d'ailleurs là par l'effet de sa seule volonté, ce qui n'était peut-être pas sans inquiéter sa famille, visiblement sceptique sur les résultats d'une décision prise dans un accès de juvénile emballement. Les parents tenaient à honneur que l'engagement fût tenu sans défaillance, et la sœur du marquis, Anne-Henriette, restée à Saint-Aubin, se chargea de les tenir au courant de la conduite du jeune homme. De la plume, qu'elle avait terriblement imprudente, au désespoir de Mme de La Rochejaquelein, la vieille demoiselle entreprit aussi de stimuler son neveu. Et ceci, sans même attendre semble-t-il la sortie de France du marquis. « Je l'exhorte à se bien conduire en tout », écrit-elle le 23 mars à son frère, qui lui déclare être « content d'Henri ». Exhortations superflues. Le sang héroïque de Louis du Vergier refluait au cœur de son descendant qui rêvait de la cohue batailleuse « pressant » le Vert-Galant en des jours troublés.

La Cour débarrassée des parasites est réduite à une poignée de « héros » dévoués corps et âme. Mais le Roi veut-il encore être roi ? Laissera-t-il les révolutionnaires de tout poil continuer à « travailler [1] » les fantassins de sa garde, les délations pleuvoir, les clubs hurler contre ses officiers ?

Comme beaucoup de camarades, Henri a mis à son bras gauche un crêpe en signe de deuil de l'empereur Léopold, frère de la Reine, mort le 1er mars. Il n'en faut pas plus pour provoquer la colère des Jacobins. Le 11 mars, un garde national a « froissé », contre un mur, le duc de Brissac ; le 27, ce sont trois officiers qui, vers trois heures de l'après-midi, sont menacés par vingt-cinq Jacobins, coiffés du bonnet rouge, parce qu'ils portent un crêpe.

---

1. Abbé de Salamon, *loc. cit.*

Et dans la même journée, vers quatre heures, un autre officier a son uniforme déchiré pour la même raison.

Le 23 mai, à l'Assemblée, les parlementaires de gauche entament une campagne furibonde contre la Garde. En six jours, le but est atteint ; dans la nuit du 28 au 29 mai, la Garde est dissoute par décret de l'Assemblée.

D'Hervilly accourt près du souverain, lui propose de tenter un coup de force dans les deux heures pour le sauver. Il refuse, paraphe la décision de l'Assemblée après une velléité de résistance. La Garde est désarmée dans la journée du 29, ses officiers livrés aux insultes de la populace. Au fond, Louis XVI espère le rétablissement de sa Garde, mais ne veut surtout pas donner prise aux accusations portées contre ses officiers, d'être de connivence avec les émigrés. Aussi leur ordonne-t-il « de rester à Paris et de continuer leur service en costume de ville ».

Coup terrible pour la Reine qui s'efforce de retenir les gentilshommes en mal d'émigration. C'est ainsi qu'en février, elle a empêché le marquis de Lescure, ex-capitaine du Royal-Piémont, de continuer son voyage avec sa jeune femme, tranchant toutes objections d'un mot à l'emporte-pièce : « Les défenseurs du trône sont toujours à leur place auprès du Roi. » Mais le Roi est à présent sans défense et les quelques jeunes gentilshommes que l'émeute du 20 juin fait accourir du fond de leur province, comme le marquis de Bonchamps qui s'installe rue de Harlay, ne sauraient contrebalancer efficacement l'afflux de cette pègre qui ne cesse d'inonder Paris. Le 26, c'était « les Brestois », le 30, ce sont « les Marseillais » dont le sot manifeste du duc de Brunswick scelle, le 1er août, l'union un instant douteuse avec les premiers. Le 4 août, la Cour est prévenue d'une attaque imminente contre les Tuileries ; puis, sur le bruit qu'elle est remise au 12, chacun compte si bien sur cette date que, dans la soirée du 9, peu de gentilshommes prêtent attention au tocsin qui retentit soudain au faubourg Saint-Antoine. Lescure et son beau-père, le marquis de Donissan, de même que Marigny, arriveront trop tard [1] pour pénétrer dans les Tuileries, dont les portes se referment sur deux cents gentilshommes, trente gendarmes à pied, six cents gendarmes à cheval et les Suisses.

Henri de La Rochejaquelein n'a pas été dans les derniers à accourir. Il s'est joint à ses camarades de la garde dissoute. Tous, en habit noir, munis de pistolets, épée de ville au côté, entourent leur ancien commandant, M. d'Hervilly, cependant que les anciens gardes à pied se groupent autour du baron de Pont-l'Abbé. Les gendarmes à pied ont pris position au petit escalier du Roi, les gendarmes à cheval, place du Louvre ; les Suisses occupent leurs postes ordinaires.

« Sire, supplie d'Hervilly, je conjure Votre Majesté de m'autoriser à aller reprendre à l'arsenal les armes retirées à sa garde lors de sa dissolution. » Louis XVI répond par une dénégation, s'enferme après le souper dans la chambre du Conseil où vient le rejoindre Roederer, procureur syndic du département, tandis que la Reine se prodigue près de ses défenseurs. Il en sort à onze heures, gagne de sa démarche dandinante ses appartements. Une véritable veillée funèbre.

A minuit, des coups de feu dans le lointain. Le tocsin sonne aux Cordeliers. Les gentilshommes s'exaspèrent, demandent impérieusement à M. de Mandat, commandant de la Garde nationale, de faire sortir ses troupes. Sur son refus, M. de Vioménil éclate : « Mais nous serons pris comme dans une souricière ! » « Je sais ce que j'ai à faire », réplique Mandat piqué au vif. La lecture d'un pli qu'on vient de lui remettre à ce moment interrompt l'altercation. Réclamé par la municipalité, il part imprudemment pour l'Hôtel de Ville, démentant par sa conduite même l'affirmation qu'il vient de lancer à Vioménil. La Chesnaye prend le commandement en son absence.

---

1. Des futurs chefs de la Vendée, seuls La Rochejaquelein et Charette étaient présents le 10 août aux Tuileries.

Henri est dans la salle du Trône. Il y a là, outre Vioménil, MM. de Choiseul, d'Haussonville, de Paroy, de Montmorin, du Puget. Soudain, le baron de Bachmann, major des gardes suisses, y pénètre en coup de vent : « Messieurs, je vois d'avance le château comme une vaste bière, si le Roi veut y rester ! » « Le Roi n'a qu'à monter en voiture du côté du jardin avec la famille royale et filer sur Rambouillet, coupe Vioménil... Tous, nous formerons une masse assez considérable pour n'être pas enfoncés par la populace, et une fois dehors, on sera le plus fort. » La proposition chaleureusement approuvée des résistants est sitôt portée au Roi par d'Haussonville qui ne tarde pas à reparaître découragé. Le souverain préfère demander à l'Assemblée de députer quelques-uns de ses membres près de lui pour aviser en commun aux mesures à prendre. Mais les heures passent sans qu'aucune réponse soit apportée au palais. Le Carrousel est déjà rempli d'hommes et de femmes à faces sinistres, armés de piques, et dès six heures les Tuileries sont virtuellement bloquées. Lorsque Louis XVI, en habit violet, — le deuil des rois — sort inspecter les troupes à l'extérieur, les canonniers ont déjà déserté leurs pièces que d'Hervilly encloue lui-même. Mais il ne faut rien moins que cette piteuse inspection pour décider le monarque à organiser enfin la défense qu'il confie au vieux maréchal de Mailly.

Deux compagnies sont aussitôt formées. Celle dont Henri fait partie, sous le commandement de Vioménil et d'Hervilly, enfile la galerie des Carraches reliant le pavillon de Flore à celui de l'Horloge où elle est partagée en trois pelotons de douze hommes de front sur trois de profondeur. On en place un à la sortie de la chambre du Conseil. C'est celui où figure Henri. Tous les gentilshommes mettent l'épée à la main.

A sept heures, la porte s'ouvre à deux battants. Le Roi paraît et La Chesnaye, s'avançant vers lui, rend compte de la disposition de ses troupes. Il a garni la salle des Gardes et l'escalier, on fera une sortie si nécessaire...

« C'est très bien, répond Louis XVI, mais je désirerais avoir aussi près de moi la Garde nationale. »

La Chesnaye court chercher deux files de grenadiers qui se placent sur deux rangs, baïonnette au canon, dans un silence solennel et Louis XVI les harangue avec une telle bonté que tous lui répondent par des cris délirants de : « Vive le Roi ! » » « Vive la Garde nationale ! » répondent les gentilshommes qui aussitôt se mêlent à eux et leur serrent les mains.

Mais ces acclamations ont été entendues de la populace qui au-dehors fraternise avec les gardes passés de son côté. Elle députe un de ses chefs près du maréchal de Mailly pour réclamer l'expulsion des gentilshommes. « Tous, nous n'avons pas d'autre ambition que de partager les périls de la Garde nationale, répond Mailly, et placés aux portes où il y aura le plus de risques à courir, nous ferons voir comment on meurt pour son Roi ! »

Au même moment, une colonne d'émeutiers, conduite par Westermann, un ancien écuyer des écuries du comte d'Artois, vient bloquer les grilles et Roederer [1], exécuteur insoupçonné des ordres de la franc-maçonnerie, s'il faut en croire les mémoires d'un maçon anglais, se fait annoncer au Roi, bien décidé à obtenir de lui qu'il se rende à l'Assemblée législative. Il n'est pas seul, des membres du département l'accompagnent, qui, pour arriver jusqu'à la chambre du Conseil, défilent entre les deux haies de grenadiers et de gentilshommes. Le Roi s'enferme avec eux. Une courte délibération d'un quart d'heure. Puis la porte s'ouvre à nouveau et Louis XVI, s'avançant au milieu de ses défenseurs, leur annonce qu'il va se rendre à l'Assemblée. Il s'est arrêté tout près de Henri de La Rochejaquelein, le touche presque. Henri n'y peut plus

---

1. De Robinson. — Roederer, présenté par M. Pierre Gaxotte comme royaliste, taxé de républicanisme par l'abbé de Salamon, ne s'est tant acharné, d'après Maurice Talmeyr, à persuader Louis XVI de se rendre à l'Assemblée que pour le livrer à la Révolution.

tenir. « Fou de colère et de douleur », éjecté de son enveloppe de timidité, il brandit son épée en criant d'une voix vibrante : « Suivons tous le Roi ! »

« Halte, crie Roederer, en se retournant vers le jeune homme, le Roi ne doit être accompagné que par la Garde nationale [1]. »

Mais une véritable fureur s'est emparée d'Henri. Dressé « de toute la hauteur de sa taille », il clame que ni lui ni ses amis n'abandonneront leur maître et tous font écho à ses paroles. Louis XVI, élevant la voix, ordonne alors que seule la Garde nationale lui serve d'escorte. Les grenadiers enveloppent d'une double haie la famille royale et le cortège s'ébranle. Mais Henri, en proie à une rage folle, s'est élancé à sa suite. « Suivons le Roi, suivons le Roi ! » La Reine se retourne, majestueuse : « Restez, messieurs, il le faut, nous allons revenir. » Les portes se referment, laissant les gentilshommes frappés de stupeur. Henri se retourne vers eux : « Puisque le Roi nous ordonne de rester et qu'il doit revenir, restons, hurle-t-il ; nous devons, s'il en arrive autrement, nous défendre et partager le même sort. Jean-foutre qui cherchera à s'enfuir pour se sauver ! »

Le Roi parti, la populace force les grilles, obligeant les Suisses à se replier sous le pavillon de l'Horloge. Un coup de feu claque, et aussitôt c'est la fusillade, à laquelle les Suisses ripostent par un feu de peloton qui met en fuite les assiégeants. En un instant la cour est vidée, les canons des Marseillais sont raflés par les Suisses, qu'une nouvelle colonne du faubourg Saint-Antoine, survenant à ce moment, rejette de nouveau à l'intérieur du château, où ils se retranchent. C'est alors que l'ordre est donné, ordre stupéfiant s'il en fut, non pas comme le veut la légende, par d'Hervilly au nom de Louis XVI (que ce

---

1. Ce récit, emprunté à M. Baguenier-Désormeaux, a été extrait par lui des *Mémoires* du comte de Paroy, des *Dernières Années du règne et de la vie de Louis XVI*, par François Hüe, des *Mémoires* de la duchesse de Tourzel, etc.

gentilhomme ne put réussir à approcher), mais selon toute vraisemblance par le comte d'Affry, colonel de la Garde suisse, de cesser le feu.

Une seconde félonie, d'un gentilhomme celle-là, neutralisait la vaillance des héros des Tuileries « à ce moment psychologique » où, de l'aveu de Bonaparte, la Révolution allait être facilement écrasée [1].

Dans le vieux palais de Catherine de Médicis secoué par les décharges d'artillerie, règne à présent une terreur horrifique. Les interjections se croisent haletantes : Où aller ? Comment sortir ? Les gentilshommes n'ont qu'un cri : « A l'Assemblée rejoindre le Roi ! » Une foule bigarrée composée d'habits noirs, d'uniformes rouges ou tricolores se rue vers la porte du pavillon de Flore, afin de gagner la terrasse des Feuillants. La grille du Pont-Royal fermée à clef ne résiste pas à la poigne de fer des Suisses qui marchent en tête ; le premier qui la franchit est abattu « dans le passage » même par un feu de mousqueterie. Le second s'écroule sur le corps de son camarade. On enjambe les cadavres pour gagner au plus vite le jardin. M. de Vioménil entraîne les survivants. Sa petite troupe est happée par le flot des émeutiers, noyée, disloquée. Qu'est devenu Henri ? On le retrouve au bord de la Seine sautant dans un bateau pour gagner l'autre rive. Il n'a pas été remarqué, aussi peut-il s'engouffrer dans l'hôtel de la Grande-Bretagne, rue Jacob, au faubourg Saint-Germain, où

---

1. Jamais, faisait remarquer Maurice Talmeyr (*Libre Parole* du 9 août 1909), Louis XVI n'a donné l'ordre de cesser le feu. Choudieu témoigne d'ailleurs que « personne ne s'est approché du Roi à la Législative », ni d'Hervilly ni aucun autre. Seul Bachmann, accouru à l'Assemblée après la bataille, reçut de Louis XVI, qui le lui fit porter par d'Abancourt, ce simple billet : « Ordre aux Suisses de déposer leurs armes et de se retirer dans leur caserne. Louis. » Le comte Louis-Auguste d'Affry, membre de la loge du Contrat-Social, devait, après le 10 août, dénoncer Bachmann, qui fut massacré, être porté en triomphe par les Jacobins pendant les sanglantes orgies de septembre et recevoir, le 30 août, des félicitations civiques insérées au *Moniteur*.

il occupe un appartement. Dénoncé comme un « chevalier du poignard », il lui faut promptement l'abandonner.

Dans quelle retraite fut-il rejoint par son camarade Charles d'Autichamp, échappé des griffes de la populace, le visage en sang, les cheveux arrachés, les vêtements en lambeaux ? D'Autichamp l'entraîne rue de Harlay, chez Bonchamps, son cousin germain, qui les accueille à bras ouverts. Bonchamps est dénoncé à son tour, comme « détenant de la poudre non déclarée » ; sa maison va être fouillée. Il faut fuir.

Les deux amis ne savent plus « comment se dérober au danger qu'ils courent ». Comment, après huit jours de tribulations, découvrent-ils les Lescure, cachés rue du Faubourg-Saint-Germain avec leurs beaux-parents, chez une ancienne femme de chambre ? Ceux-ci, qui avaient rencontré par hasard l'ancien gouverneur du marquis, un nommé Thomassin, devenu par snobisme commandant dans la Garde parisienne, s'apprêtaient à quitter Paris sous la protection de cet homme resté sincèrement attaché à son ancien élève. Ils font dire aux deux proscrits de revenir le lendemain. Thomassin leur procurera des passeports. Hélas ! l'un des deux témoins de rigueur, à grand-peine trouvé, se récuse dans le bureau même du district. Le 25 août, les Lescure quittent Paris, laissant Henri et d'Autichamp dans leur effroyable situation.

Enfin, un ancien avocat au Parlement, M. Fleury, apprenant l'horrible position de ces deux jeunes gens « qu'il ne connaissait pas », leur offrit asile dans sa maison, rue de l'Ancienne-Comédie. Il fallut rester là plus d'un mois, la Commune de Paris faisant garder toutes les issues de la capitale, dans l'espoir de parquer dans son enceinte tous les suspects qu'elle se promettait d'égorger. Seule la menace de la famine fit lâcher prise à la bête révolutionnaire au lendemain des affreux massacres de Septembre. Une loi rétablissant la libre circulation des personnes et des grains rouvrit enfin les portes de la cité-prison.

Les deux proscrits gagnèrent Orléans, mais la route s'était révélée si périlleuse qu'ils continuèrent leur voyage au fil de la Loire, déguisés en bateliers. Ils gagnèrent ainsi le château de Sainte-Gemme, dans le Saumurois, propriété des d'Autichamp où Charles retrouvait sa mère. Sur l'invitation de cette dame, Henri passa quelques jours à Sainte-Gemme, puis prit le chemin de Saint-Aubin-de-Baubigné. Il y retrouvait deux sœurs de son père, Anne-Henriette, qui habitait le Rabot, une grande maison édifiée par elle en 1785, sur la place de l'Eglise, et Agathe, religieuse à Niort, venue se réfugier près d'elle. Le Rabot était un asile où Anne-Henriette recueillait de petites orphelines [1]. Henri s'alla loger à la Durbelière.

Ignorait-il donc le soulèvement de la région châtillonnaise, sitôt noyé dans le sang ? C'est peu probable. Mais la terre des ancêtres lui apparaissait protectrice.

Lescure, ayant appris son arrivée, ne l'entendit pas ainsi. Il lui fit dire de venir à Clisson dont la campagne, étrangère à cette révolte, jouissait d'une tranquillité parfaite. Là du moins il retrouvait un foyer.

3

UN HÔTE MÉDITATIF

L'accueillant foyer de Clisson offre un aspect bien différent du sien.

La Durbelière retentissait des cris de la bande joyeuse de ses frères et sœurs ; jeune et bruyante société dont

1. Douze en principe. Mlle de La Rochejaquelein les éduquait pour être des servantes de ferme, puis les remplaçait. Une place vide était comblée aussitôt. Mlle de La Rochejaquelein n'était pas rigoriste. Il lui arriva de loger bien plus de douze fillettes à la fois. Quand les lits manquaient, elle utilisait ses tiroirs de commode comme couchettes.

raffolait le grand aîné, qui en a gardé, avec une nature très jeune, une vraie passion pour les enfants.

Ici, l'heure des repas groupe autour de la table familiale onze silhouettes compassées ou banales. Une atmosphère triste et vieillotte assombrit ce foyer, comprimant les élans naturels de ses éléments jeunes noyés au milieu de mines graves ou ennuyeuses.

La figure du jeune maître de la maison — il n'a que vingt-sept ans — est empreinte d'une gravité précoce qui s'harmonise bien avec cette atmosphère dont cependant il souffre. Orphelin de mère en naissant, délaissé par un père libertin, il ne doit qu'à lui-même ses hautes vertus, sa culture intellectuelle, sa fortune même, reconstituée à force d'économies. Sa femme, Victoire de Donissan, filleule de la fille de Louis XV du même nom et de Monsieur, frère du Roi, l'a un peu épanoui. C'est que, formée aux belles manières de Versailles, berceau de son enfance, elle déborde d'une vie intense qui se traduit par « la plus charmante conversation », une amabilité exquise, des reparties enjouées. Mais autour de ce couple s'élargit un cercle de têtes peu réjouissantes.

C'est d'abord la longue figure au regard terne du « peu communicatif » marquis de Donissan, ancien écuyer d'honneur du comte de Provence ; puis l'impressionnable Françoise de Durfort, sa femme, nerveuse à l'excès, naguère dame d'atours de Madame Victoire (d'où les parrainages de sa fille). C'est sur la demande de sa belle-mère que Lescure a envoyé chercher près d'Angoulême sa tante, Mme de Durfort, abbesse de Sainte-Auxonne, pour l'amener à Clisson. Près de ces deux acteurs attitrés des splendeurs de Versailles apparaissent des silhouettes très provinciales, un vieillard craintif comme on l'est à son âge, M. d'Auzon, père adoptif ou presque du jeune châtelain ; M. Désessarts, voisin sans fortune, avec sa fille Angélique, dont le caractère est loin de l'être au témoignage de la châtelaine ; un petit homme bedonnant, d'une cinquantaine d'années, recueilli par charité, M. de La Cassai-

gne, bigot ridicule, à la figure niaise, et par surcroît tordu
de peur ; un ancien commandant du parc d'artillerie de
Rochefort, Gaspard de Bernard de Marigny, cousin germain de Lescure. Celui-là seul apporte une bouffée d'air
frais. Naguère, on s'arrachait dans les châteaux ce colosse
de trente-neuf ans, un peu rouge, mais de belle figure,
parlant haut, buvant sec, adorant faire des niches. Le jour
des Rois de cette année 1792, la jeune marquise de
Lescure s'est divertie à lui verser des rasades de vin. Les
préoccupations causées par les événements ont chassé son
entrain, moins cependant que les physionomies graves qui,
autour de lui, restent tendues par l'inquiétude.

Henri, « assez timide » dans le monde, se montre ici
réservé. La maîtresse de maison peut dévisager à loisir
cette figure « très douce, très noble, assez sérieuse » que
tout le monde trouve « intéressante ». Henri ne s'épanouit
pas ; et ses yeux baissés, dont on remarque cependant la
vivacité, se dérobent à tout regard scrutateur. Aimable,
poli, mais peu prolixe, il demeure impénétrable.

D'un naturel « gai sans exubérance, aimant rire et
s'amuser avec l'enjouement de son âge », il ne découvre
pas pour autant ses sentiments, s'exprime dans un langage
laconique qui n'est pas précisément le fait des expansifs ;
et s'il est uni à Lescure par un lien de parenté, d'ailleurs
loin d'être rapproché (les deux grands-pères des deux
jeunes gens étaient cousins germains), il ne semble pas
que Lescure ait été le confident fraternel, le mentor
intime que nous dépeint sa veuve. Cet homme, dont la
jeunesse avait été sans joies, s'émouvait au contact de la
fraîcheur d'âme, de la radieuse jeunesse de son cousin.
Pour des raisons qui seront exposées plus loin, il y a fort
à parier que l'amitié de Henri n'a pas dépassé les limites
d'une affection purement sentimentale, non sans que le
caractère entier de Lescure, son intelligence à œillères
n'aient plus d'une fois mis à rude épreuve « la grande
douceur » de son parent.

De la conduite révélatrice du jeune homme aux Tuileries,

83

nul ne sait rien. Au vrai, on en cherche vainement trace dans les écrits laissés par la châtelaine de Clisson douée cependant d'une formidable mémoire. Il est vrai qu'à l'inverse de Chateaubriand qui parle intarissablement de lui aux dépens des autres, La Rochejaquelein n'aime à vanter que les autres pour n'avoir pas à parler de lui. Et de fait, l'action seule incendiant soudain les traits pâles et irradiant le regard forcera cette âme à livrer la ferveur de ses sentiments, et lui arrachera, sous l'intensité de ses bouillonnements intérieurs, de ces phrases brûlantes qui, parce qu'elles sont profondément senties, font vibrer ceux qui les reçoivent.

Comme l'observe judicieusement Baguenier-Désormeaux, le général vendéen, chez Henri de La Rochejaquelein, procède directement du garde constitutionnel de Louis XVI. Il n'est pas douteux que cette nature frémissante et sensible n'ait puisé, au cours de la fiévreuse veillée d'armes du 9 août 1792, de l'héroïsme pour sa vie entière.

A cet âge où, selon le mot de Lacordaire, « le cœur se donne et reçoit tant », l'intensité du choc reçu ne pouvait être qu'immense. Quand parvient, à la mi-décembre, la nouvelle de la mise en accusation du Roi, Henri vit dans un état de fièvre, veut partir pour Paris. Un mouvement se produira sûrement en faveur du Roi. Puis la raison reprend ses droits. Quels renseignements peut-on avoir au fond de la province ? La mort de Louis XVI le plonge dans la douleur et la colère. Il pleure. Les larmes, cette « eau du cœur », lui viennent d'ailleurs facilement aux yeux. C'est là le privilège de ceux à qui une vie intérieure intense vaut d'éprouver plus profondément des chocs qu'amortit chez d'autres une certaine superficialité de l'âme.

S'il est à l'âge de l'héroïsme, pour employer le joli mot de Paul Claudel, tout son être n'en jouit pas moins d'un parfait équilibre. Chez lui, rien de l'exalté. La mort du champ de bataille a pour lui l'attraction d'un martyre. Son âme irradiée par une jeunesse pure n'éprouve nulle crainte de la mort. Mais cette folie du cœur laisse libre sa tête et ne lui fait jamais perdre de vue le souci des vies humaines confiées à ses jeunes mains. On est surpris de constater combien son coup d'œil « pénétrant » conserve et même semble acquérir toute sa sûreté dans le feu de l'action, jusqu'au milieu des situations les plus désespérées. Il n'a « d'abandon » que pour sa personne.

Mais quand toute activité est vaine, toute discussion inutile, il se replie sur lui-même, médite en silence en « s'abandonnant à ce que développera l'avenir ». L'âme vendéenne est secrète, nous dit Jean Yole, il faut écouter pour la surprendre. Peu de chefs de la Vendée reflètent aussi excellemment qu'Henri de La Rochejaquelein cette âme sans relief de l'héroïque terroir, mystérieuse et brûlante de foi, humble et silencieuse en son activité journalière, mais débordante de force morale.

On trouverait plus d'une fois Henri, si l'on rentrait dans sa chambre, dans l'attitude où devait le surprendre plus tard un de ses officiers : accoudé à sa fenêtre, le regard perdu au loin. Un rêveur ? Non pas. Un méditatif.

A Clisson, au cours de ses mornes soirées d'hiver, il se passionne pour un seul livre : *La Vie de Turenne,* que Mme de Lescure le voit « lire et relire sans se lasser ». A son âge, le futur maréchal Marmont lisait la vie de Charles XII de Suède, qu'il rêvait d'imiter. Quelle âme d'adolescent n'a la hantise du héros de son choix ? Mais pour Henri, la vie de Turenne semble avoir été beaucoup plus qu'une monomanie sans lendemain. Il y a visiblement puisé d'utiles leçons : l'idée de se défendre par l'offensive, l'inutilité de la guerre de siège et jusqu'à la manière de prendre ses hommes par l'affection, de se les attacher par cette sollicitude affectueuse et continuelle qui devait baigner sa mémoire dans ce culte attendri dont seuls bénéficient les grands cœurs, et lui valoir comme au capitaine de Louis XIV le surnom de père de ses soldats. On pourrait faire plus d'un rapprochement entre le grand Turenne et celui qui, pendant cinq mois d'une vie recluse, ne cessa de méditer sa vie, de s'imprégner de ses vertus d'homme privé, de se pénétrer de ses leçons.

C'est bien à tort que certains historiens ont jugé La Rochejaquelein comme un gamin dont l'intelligence fut inférieure à la bravoure et mis le désastre d'outre-Loire au compte de sa trop grande jeunesse. Tout d'abord, il y a lieu de tenir compte de la distinction qui s'impose entre un jeune saint-cyrien de nos jours, promu sous-lieutenant au sortir de l'école, et un sous-lieutenant d'Ancien Régime, de l'âge d'Henri, dressé presque enfant au métier militaire et possédant à vingt ans cinq années de service. La différence est sensible et s'impose [1]. La plupart des chefs marquants de la Vendée ne sont pas, d'ailleurs, d'un âge si différent du sien. Jean de Beauvollier, Forestier, François et Louis Soyer n'ont pas vingt ans. Amédée de Béjarry n'a que vingt-trois ans ; Monnier, vingt-deux ; Jean Soyer, vingt-deux ; Chantreau, vingt et un ; du Pérat, vingt-trois ; Herbault, vingt-quatre ; Chesnier du Chesne, vingt-quatre ; d'Autichamp, vingt-trois ; Solilhac, vingt-quatre (ne pas confondre avec Solérac) ; le célèbre Cadoudal, vingt-deux, et le fameux Jean Chouan, vingt-six. Sapinaud neveu atteint juste trente ans de même que Charette. Bonchamps en a trente-trois comme le brave et habile Piron, mais Talmont n'en a jamais que vingt-huit ; La Bouëre vingt-sept ainsi que Marsanges et Lescure ; et combien des plus actifs dans le Conseil supérieur n'ont pas trente ans, comme Bréchard et dom Jagault ! Les plus âgés des chefs : Stofflet, quarante ans ; d'Elbée, quarante et un ; Lyrot,

---

1. Cette remarque m'a été faite par l'éminent historien qu'était le marquis de Roux.

soixante ; Royrand, soixante et un, sont fort loin d'avoir été les plus habiles. Ils ne furent pas davantage les plus intrigants.

Il faut par ailleurs considérer que les mémoires du temps sont plus soucieux d'apologies personnelles que d'objectivité. Pas un de ces ouvrages n'est exempt de pointes de jalousie, encore moins de commérages. « Commandez, j'exécuterai », aurait, d'après Gibert, été une phrase habituelle d'Henri à ses collègues. Or, on ne voit pas que Gibert ait jamais fait partie du Conseil militaire du vivant du héros. Commissaire d'habillement, puis volontaire, il occupait pendant la campagne d'outre-Loire la bien modeste fonction de maréchal général... des logis, qui consistait à retenir les logements des chefs aux étapes. Mais le plus curieux est qu'on retrouve sensiblement la même phrase sous la plume de Béjarry : « Il (Henri) exécutait plus qu'il ne dirigeait. » On voit d'ici la scène, l'appréciation malveillante de Béjarry, colportée, puis convertie en phrase à l'actif de l'intéressé. Ces choses sont trop courantes dans la vie, il est superflu d'insister.

Nul mémoire, en revanche, ne nous dit que Henri se soit jamais exprimé « avec une sorte de petit bégaiement assez ridicule », comme l'écrit M. Gabory ; et l'éminent archiviste qui a fait sienne l'appréciation précitée de Gibert a visiblement confondu ici avec d'Elbée qui, nous dit Beauvais, « avait une espèce de bégaiement qui le forçait à s'exprimer d'une manière un peu ridicule [1] ».

Intelligence éminemment réaliste alliée à une grande finesse de psychologie, comme à un sens aigu de l'observation, praticien hors ligne, mais bien incapable de pâlir de longues heures sur les savants traités de la tactique et de la stratégie, Henri de La Rochejaquelein a été classé par le capitaine Devaureix, avec Bonchamps et Charette, comme formant avec ces deux chefs les trois seuls dignes

---

1. *Mémoires*, p. 237.

d'être retenus du point de vue des leçons militaires à dégager de la guerre de Vendée. Mais combien d'historiens ont tenu compte, pour juger le généralissime de vingt ans, des maux internes qui rongeaient l'insurrection ? Qu'eût fait le grand Condé, qu'eussent fait Marceau, Kléber ou Canclaux s'ils avaient commandé des paysans aussi indépendants, s'ils avaient dû surtout tenir compte des volontés de leurs chefs de corps ?

La révolte éclatée dans le district de Châtillon-sur-Sèvre, laisse flotter, dans la pensée de Henri, une idée vague, « éloignée », mais à laquelle ni lui ni aucun n'ose donner suite, « ne voyant aucun moyen raisonnable de réussir [1] ».

Qu'était au juste cette émeute ? Un acte de désespoir sans résultat. C'est tout.

Le 12 août, des prêtres réfractaires avaient célébré la messe dans un champ voisin de Moncoutant. Acte séditieux dont la municipalité chatouilleuse de la petite ville n'avait pas manqué de se saisir pour proférer les menaces coutumières. Mais le Poitevin « s'est toujours révolté contre les excès de l'arbitraire ». Le dimanche suivant, on s'était rendu en foule à ces messes clandestines et en armes de toutes sortes, fourches, faux, bâtons. Les esprits étaient exaspérés. A l'issue de la messe, les paysans s'étaient rués à l'assaut de l'hôtel de ville de Moncoutant et l'avaient pillé, ainsi que le domicile de l'administrateur départemental Puichaud.

Mais promptement dégrisés, épouvantés à la pensée des représailles que la chute de la monarchie ne pouvait que rendre plus terribles, les manifestants s'étaient résolus à répondre aux suggestions de révolte du maire de Bressuire,

---

1. Marquise de La Rochejaquelein. *Mémoires*. Edition originale, p. 98.

Delouche [1]. C'est ainsi que le 21 août éclatait dans ce petit coin du Poitou le premier de tous les soulèvements en faveur de la religion et de la monarchie renversées, dans l'espoir qu'il serait le boutefeu de l'insurrection générale.

Quel était le nombre des révoltés ? Six mille ? Plus ? En tout cas, il ne dépassait pas dix mille [2]. Avec eux, des gentilshommes du pays : Gabriel Baudry d'Asson, Richeteau, de Feu, Calais (ce dernier de la paroisse des Aubiers, voisine de Saint-Aubin-de-Baubigné, qui avait pris part elle aussi à la révolte).

« L'armée » se rassembla à Pugny, près Moncoutant, sous les plis d'un magnifique drapeau blanc fleurdelysé, aux armes de France encadrées d'un immense « Vive le Roi » en lettres brodées d'or, don du régisseur du château de Pugny [3], tandis que le conseil de guerre se réunissait chez un nommé Roi, où un sieur Bazin découpa des cocardes blanches dans un couvre-pieds de lit.

Ralliés par Delouche à la Forêt-sur-Sèvre, les insurgés entraient le 22 à quatre heures du matin dans Châtillon, drapeau claquant au vent, avec fifres et tambours.

Mais le lieutenant de gendarmerie Boisard, prévenu dès six heures du soir par un sieur Deschamps, de Châtillon, les rejoignait à la sortie de la petite ville, défaisait successivement leurs détachements malgré la belle résistance de quelques-uns, les expulsait de Rorthais où ils tentaient de résister encore et les dispersait.

Ils se reformèrent, se présentaient le 22 au soir devant Bressuire qu'ils cernaient le lendemain, malgré les assauts de la garde nationale. Boisard arrivant avec un puissant renfort et deux canons débloqua la ville alors qu'elle engageait avec de Feu des pourparlers de capitulation.

Baudry d'Asson et Calais, échappés de la bagarre, se cachèrent, le premier dans les souterrains de son château

---

1. B. Ledain, *Histoire de Bressuire*.
2. Célestin Port, *La Vendée angevine*. T. II. 1.
3. C. Puichaud, *Histoire d'un drapeau*. Revue du Bas-Poitou. XI, 1898, p. 328.

avec son fils, le second dans les bois. Delouche fait prisonnier s'évada. De Feu fut passé par les armes. Gendarmes et gardes nationaux, ivres de leur victoire, firent une boucherie des malheureux paysans, y compris ceux qui se rendirent. Plusieurs, coupant les oreilles des cadavres, les mirent à leur chapeau en guise de cocarde. Un nommé Balard, employé de commerce à Cholet, en emplit ses poches pour les porter à l'Assemblée.

Quand Henri, échappé de l'enfer parisien, arriva à la Durbelière, perquisitions domiciliaires, saisies d'armes, arrestations préventives battaient leur plein dans la région. Au 29 octobre, les emprisonnements se poursuivaient, « multipliés d'une manière effrayante [1] ».

4

L'INSURGÉ

On sait quel événement fit de Henri de La Rochejaquelein un insurgé.

Le mobile qui devait, le 12 mars, armer les bras des jeunes gens dans quelque quatre cent quatre-vingts paroisses des Mauges, du Bocage et du pays de Retz, le projeta, lui aussi, dans cette fournaise.

Il fait partie des conscrits que la levée extraordinaire de trois cent mille hommes décrétée le 23 février 1793 par la Convention a dressés face à elle. Il est, selon la strophe de la chanson fameuse, le « camarade » de ces milliers de jeunes paysans qui n'ont pas voulu « courber leurs fronts sous l'effort de la tempête ». De jeunes nobles répondront à contrecœur à la réquisition : La Ville-Baugé, Désessarts,

----

1. **Archives nationales F. 7. 3290. Lettre de Richou, député de l'Eure.**

Beauvollier et combien d'autres qui n'auront pas, comme ceux-ci, la bonne fortune de passer aux Vendéens. L'âme de Henri a tout envisagé, mais pas cela. Sa manière de voir, de sentir, de penser, est, au fond, celle de ces humbles paysans qu'il est appelé à commander.

« Répondre à la réquisition, écrit le marquis de Roux [1], partir dans les armées de la République, c'est, pour ces hommes, commettre le péché de sédition, exactement comme s'ils avaient consenti à se laisser enrôler dans les bataillons de la commune insurrectionnelle qui, le 10 août, marchait sur les Tuileries. Sujets, ils le sont toujours, et de l'enfant prisonnier au Temple. La Convention n'est pour eux que l'insurrection momentanément victorieuse. Servir dans ses armées, c'est se charger de la même faute dont se sont rendus criminels ceux qui ont déchaîné la Révolution. »

Mais, mieux encore, ce cas de conscience était posé avec une netteté souveraine par Mgr de Coucy, évêque de La Rochelle, dont relevait une grande partie du Bocage et la paroisse même de Saint-Aubin-de-Baubigné. « Servir dans les armées révolutionnaires, décide l'évêque, c'est pécher contre la justice et l'obéissance toujours dues au souverain. A l'égard des gens qu'on voudrait forcer de prendre les armes et de servir sous les drapeaux de la République, ils ne le peuvent en conscience. »

Les paysans de l'Ouest n'avaient pas besoin d'être encouragés. Ceux des Mauges avaient vu revenir en janvier, « hâves, épuisés, en haillons souillés [1] », les jeunes volontaires partis en 92. Et « pour aller sauver qui ? » « Ce n'était pas le Roi puisqu'il était prisonnier déjà, ce n'était pas la religion puisqu'elle était déjà foulée aux pieds... c'était donc l'Assemblée : la première, puis la seconde et tout ce ramas de novateurs qui, sous prétexte de tout réformer, ne s'appliquaient qu'à... tout détruire. » Ainsi

---

1. *Le Centre-Ouest,* les guerres de Vendée, 108.
1. Célestin Port, *La Vendée angevine.*

écrivait un habitant de Jallais, Lemercier, à Danton, le 15 août 1792, au sujet de ceux « qui s'enrôlèrent comme des dupes à la défense de la patrie ».

Il faut avouer que la lecture de l'article 16 du décret de réquisition était bien faite pour confirmer cette impression, par l'exemption qu'il accordait à tous les administrateurs, procureurs, maires, officiers municipaux, membres des tribunaux, greffiers, commissaires nationaux, juges de paix, receveurs de district et d'enregistrement, tous ceux, en un mot, qui formaient l'armature du nouveau régime. Seulement, c'était outrepasser les bornes d'une patience mise depuis plus de deux ans à rude épreuve. Aussi quelle explosion ! « Ce qu'on n'aurait jamais pu imaginer, écrit Joseph Clemanceau, alors juge au tribunal de Beaupréau [1], c'est l'ensemble, la violence du mouvement insurrectionnel ; tous disaient qu'il n'y aurait pas de tirage... Ils criaient avec fureur : " On veut nous enlever pour que nous fassions cause commune avec des impies, avec des hommes que nous détestons et qui voudraient nous rendre semblables à eux... Si nous sommes destinés à la mort, nous mourrons dans notre pays en défendant la religion et nos bons prêtres. " » L'insurrection des conscrits que soutint tout un pays avec cette unanimité propre au caractère vendéen, fut bien l'élan d'un peuple sur qui le jansénisme n'avait eu aucune prise, grâce à la durable évangélisation de Grignon de Montfort au début du siècle, pas plus que les tendances gallicanes qui avaient préparé la constitution civile du clergé. Et c'est cette dernière qui a provoqué la haine de la Révolution. Si les habitants de Saint-Aubin se sont joints avec ardeur à l'émeute d'août 1792, c'est que, dès le mois de juin de l'année précédente, le curé a dû fuir avec ses deux vicaires.

La mise à exécution des décrets votés par la Législative contre les prêtres réfractaires fut donc bien la cause profonde de l'insurrection ; mais, comme le note le marquis de

_____

1. Joseph Clemanceau, *Andegaviana*, dixième série, 160.

Roux : « Si l'inspiration de la guerre fut toute religieuse, ce fut la conception religieuse d'un devoir politique, celui de ne pas coopérer activement à soutenir un pouvoir jugé en conscience usurpateur contre le pouvoir légitime. »

Du 10 au 15 mars, la révolte éclate et se propage comme un incendie. Les gentilshommes non émigrés sont assaillis dans leurs demeures, sommés par des délégations d'insurgés de prendre le commandement de leur bande. C'est Bonchamps, près de Saint-Florent, Charette et Couétus, dans le pays de Retz, de Dommaigné, à Chanzeaux, Sapinaud, oncle et neveu, près de Mortagne, Royrand, à Saint-Fulgent, d'Elbée, près de Beaupréau. Ailleurs c'est un garde-chasse, ancien caporal comme Stofflet, un ancien sergent comme Paineau la Ruine. Puis ces bandes se joignent, s'agglomèrent en rassemblements compacts. Cathelineau, parti du Pin-en-Mauges avec vingt-sept hommes, en compte cinq cents à son arrivée à Jallais, deux mille quand il se présente devant Chemillé, cinq mille devant Cholet qu'il emporte le 14 mars.

Dans sa marche sur Vihiers, il draine tout le pays compris entre Sèvre et Loire, s'adjoint, le 19, d'Elbée déjà entré en rapports avec Bonchamps, et le sollicite de prendre le commandement en chef comme ancien officier. D'Elbée commence par mettre un peu d'ordre dans tout ce monde qu'il classe par contrées et par paroisses. Des officiers accourent à ses côtés : le comte de La Bouëre, ancien lieutenant d'Orléans-Cavalerie, M. de Dommaigné, revêtu de son uniforme des Rouges de la Maison du Roi. Sur un avis alarmant de Bonchamps, il entraîne cette troupe sur Chalonnes, le 20 mars, fait sa jonction avec lui à Saint-Laurent-de-la-Plaine. C'est une armée de vingt mille hommes qui consomme le 22, par la prise de Chalonnes, la libération des Mauges.

**

A cette date, les hôtes de Clisson, Henri tout le premier, en étaient encore à « tout » ignorer des événements dont cette région, voisine de la leur, venait d'être le théâtre. La région bressuiraise sera la dernière à s'insurger ; celle de Châtillon-sur-Sèvre, sans doute encore sous l'effet de la terreur produite par la sanglante répression dont elle a été l'objet à la suite de sa révolte d'août, n'a pas bougé. Mais elle ne bougera pas davantage après l'évacuation de sa garnison terrorisée à son tour par l'insurrection voisine, et la raison en est fort simple. Le directoire départemental des Deux-Sèvres a jugé prudent de différer l'exécution du décret de la Convention. Quant à l'insurrection elle-même, nul ne sait rien de précis, des bruits vagues, stupides, invraisemblables. C'est tout.

Le mardi 12 mars, M. Thomassin rentrant à Clisson d'un voyage d'affaires près des Sables-d'Olonne, raconta que, quelque deux heures après avoir traversé Les Herbiers, il avait été témoin d'une panique des habitants de ce bourg, courant après lui (on sait qu'il avait gardé son uniforme de commandant de la Garde parisienne) pour lui annoncer que Les Herbiers venaient d'être pris par dix mille Anglais débarqués. A son arrivée à Bressuire, il avait trouvé la ville nerveuse et gardée par deux cents volontaires sous les armes. Sa science s'arrêtait là. Le lendemain 13, un domestique du château nommé Motot, envoyé aux provisions habituelles à Bressuire, ne rapporta pas les précisions désirées, si ce n'est « qu'on avait battu les brigands, pris plus de huit cents d'entre eux et que la guillotine allait les mettre à la raison ». Il faut dire que Motot était révolutionnaire. Les deux jours qui suivirent virent affluer semblables nouvelles. Henri n'y tint plus et dès le samedi, bien résolu à savoir quelque chose, dépêchait à sa tante, à Saint-Aubin, l'un de ses deux domestiques muni d'un billet fort peu compromettant dans lequel il disait « renvoyer un de ses chevaux qui était malade [1] », mais

---

1. Marquise de La Rochejaquelein. *Mémoires*. Edit. de 1889, p. 103.

avec mission verbale « de savoir la vérité sur ces rapports inconcevables ». Fatale imprudence. Le lendemain matin, Clisson se réveillait, vers les sept heures, cerné par deux cents volontaires de Bressuire et cinquante gendarmes. Lescure courut à la chambre de Henri, le fit cacher, puis descendit recevoir le chef des gendarmes, le brigadier Baty, qui, sous les yeux stupéfaits de Lescure, exhiba son ordre d'arrêter La Cassaigne. Le châtelain n'eut pas de peine à rassurer Baty, répondit par écrit de son hôte au district et obtint la levée du siège de Clisson au prix de quelques réquisitions.

Le malheureux La Cassaigne crut devenir fou ; « tremblant au moindre bruit, se cachant sous les chaises et les tables », baisant les mains de Lescure à tout propos, sa « comédie » faisait rire, mais ne livrait pas la clef de l'énigme. Thomassin la donna deux jours plus tard. Le domestique, arrêté et fouillé sur la route de Châtillon, avait été trouvé porteur d'une lettre de M. de La Cassaigne adressée à Anne-Henriette et confiée en cachette au malheureux domestique, ainsi que douze sacrés-cœurs peints sur du papier. Des sacrés-cœurs, l'insigne des rebelles. L'auteur de la lettre [1], non content de manifester une impatience fébrile de revoir « sa chère cousine », l'assurait que « la dévotion au Sacré-Cœur est une dévotion très solide qui n'a jamais été plus nécessaire que dans les malheureuses circonstances... » Qu'elle fût « solide », les gendarmes n'en doutaient pas à en juger par l'insurrection d'à côté. Aussi avaient-ils estimé « nécessaire » d'arrêter à la fois l'auteur d'une lettre aussi suspecte et son messager. Mais le pire est que la sottise de ce pieux nigaud avait tourné contre le château la colère des patriotes de Bressuire. Par bonheur, les autorités venaient d'évacuer la ville sous la menace d'une insurrection « prodigieuse »,

---

1. Célestin Port l'a publié intégralement dans sa *Légende de Cathelineau*, pp. 186, 187.

disait Thomassin qui en avait profité pour rejoindre ses protégés.

Les infortunés n'étaient qu'au début de leurs tribulations. Le district réintégrait Bressuire le lendemain 19, « les rebelles » s'étant éloignés, paraît-il, déchaînant par son retour la panique à Clisson. Lescure appréhendait la convocation de la garde nationale de Boismé, dont il était chef. Et que faire en ce cas ? Il interrogeait tous ses hôtes, à commencer par Henri : « Jamais je ne porterai les armes contre les émigrés, j'aime mieux périr », lui répondit vivement Henri. La marquise de Donissan approuvait cette résolution, mais avec quel accent de désespoir ! Thomassin se sacrifia pour ses amis, repartit pour Bressuire au risque de sa tête, en compagnie d'un domestique qui, le lendemain, revenait dire aux châtelaines, déjà réfugiées dans une métairie, qu'elles pouvaient rejoindre sans crainte leurs maris en train de transformer inutilement Clisson en forteresse. C'est le dernier service que devait leur rendre le brave Thomassin, arrêté peu après et qui devait subir à Angoulême vingt-deux mois d'une détention fatale à sa raison.

Isolés du reste du monde, les reclus de Clisson n'osent plus s'aventurer maintenant au-delà des abords du château. Le 25 mars, Henri aperçoit dans la campagne des mouvements de troupes ; preuve qu'une révolte grondait non loin. Lescure décide d'apprendre à sa femme à monter à cheval et commence, avec l'aide de Henri, à lui donner des leçons. A présent, Motot ricane au nez de ses maîtres qu'on va venir arrêter La Cassaigne, Marigny et La Rochejaquelein. Une seconde visite des gendarmes cause un émoi vite apaisé. Ils n'en veulent qu'aux chevaux de La Rochejaquelein ; mais ils n'en déclarent pas moins que celui-là est « le plus suspect de tous ». Un jeune journalier de la Durbelière nommé Morin [1], âgé de dix-huit ans,

---

1. Morin travaillait à la ferme du Petit-Bouard jouxtant la Durbelière.

envoyé par Mlle de La Rochejaquelein prendre des nouvelles de M. Henri, est désolé de répondre à son jeune maître qu'il ne sait rien sur l'insurrection. Tout s'accumule pour surexciter les nerfs. C'est pourtant le plus visé qui reste le plus calme. Il faut forcer Henri à prendre des précautions. Avec les derniers jours de mars, le danger se précise. Le 29, une mission militaire arrive à Angers pour réprimer la rébellion. Le directoire des Deux-Sèvres est dans l'obligation de rendre exécutoire la réquisition si longtemps différée. Du moins se précautionne-t-il d'en prévenir les redoutables conséquences par des arrestations préventives.

« Monsieur Henri, on dit que vous irez dimanche tirer à la milice, à Boismé. C'est-il bien possible, pendant que vos paysans se battent pour ne pas tirer ? Paraissez et tout le pays qui vous désire se rangera sous vos ordres. » « Je te suis, mon ami ! » S'il fallait assigner une date à ce petit dialogue entre le jeune Morin réexpédié par Anne-Henriette à son neveu et M. Henri, j'opinerais pour le 2 avril. D'après Mme de Lescure, le décret fut connu un mardi à Clisson. Mais elle fait erreur en écrivant plus loin qu'elle et les siens furent arrêtés le 9 et que ce jour était un dimanche. Le dimanche de Quasimodo dont il s'agit ici tombait le 7 ; le 9 était le mardi de Quasimodo. D'où sa confusion entre les deux dates. Son arrestation eut bien lieu le dimanche 7, jour du tirage. Quant au jour du départ de Henri, situé par Mme de Donissan trois jours avant l'arrestation des châtelains, c'est-à-dire le jeudi 4 avril, il semble, en réalité, avoir eu lieu le 2, qui était effectivement un mardi, le mardi de Pâques. Le décret n'atteignait que Henri. Lui, seul de tous les hôtes de Clisson, se trouvait conscrit de la République qui avait supplicié son souverain. Point n'est besoin de dire qu'avant

97

même la venue de Morin le parti du jeune homme était pris : il n'irait pas tirer à la milice.

Des nouvelles avantageuses, comme la prise de Châtillon (qui n'avait pas dû donner grand mal, la ville étant vidée de sa garnison) et le soulèvement des paroisses voisines avaient précédé — comme s'il en était besoin ! — la demande adressée à M. Henri, elle-même marquée d'une pointe d'ironie bien paysanne. Cet « on dit » eût été presque insultant sans sa forme volontairement naïve [1]. Pas plus qu'il n'y prêta attention, Monsieur Henri n'accorda d'importance exagérée aux nouvelles de Morin dont il n'attendait qu'une chose, que celui-ci proposa lui-même : le sortir de ce pays frontière « à travers champs et par des chemins détournés pour échapper aux Bleus ». Un seul ennui : Morin déclarait qu'il fallait faire neuf lieues à pied. Faire neuf lieues en une nuit n'était pas impossible à Henri. Mais les deux interlocuteurs oubliaient que d'autres les écoutaient dont la tension nerveuse était terrible. Ce fut Lescure qui coupa l'entretien, en déclarant « qu'il partait aussi ». Henri l'en dissuada : « Si tu pars comme un fou, sans réfléchir, tu risques de faire massacrer tous les tiens... Au reste, tu n'es pas sujet comme moi à la milice... Je te ferai dire s'il est raisonnable de se joindre à cette guerre. » C'était parler le langage de la raison. Et puis « ne faut-il pas connaître au juste ce qu'est cette révolte dont on ne sait rien de positif ? Ton pays n'est pas révolté », lui faisait remarquer Henri. Plaidoirie d'égoïste, songeait Angélique Désessarts qui n'y put tenir et lança perfidement que « même le départ d'Henri allait les faire tous arrêter ». — « Je suis prêt à tout sacrifier à cette considération. » Cette calme réplique fit bondir Lescure. « Suis ton dessein ! » Henri se jeta au cou de son cousin : « Eh bien, je viendrai te délivrer. » Son âme insoupçonnée

---

1. L'hypothèse émise par Pierre de La Gorce (dans son *Histoire religieuse de la Révolution*) d'après laquelle Henri aurait songé à se rendre au tirage ne repose sur aucun fondement. Elle est démentie par le caractère même du héros.

venait de se révéler comme naguère aux Tuileries, secouant le corps métamorphosé par « une allure martiale », par la lueur, surtout, animant les yeux grands ouverts.

L'occasion était propice pour M. de La Cassaigne qui, depuis l'affaire des sacrés-cœurs, mourait d'envie de s'échapper. Il déclara qu'il partait aussi. C'est en vain qu'on lui fit remarquer qu'en quittant Clisson, il exposait à la prison M. de Lescure « qui avait répondu de lui au district corps pour corps » ; en vain que pendant deux heures, tandis qu'au-dehors une pluie battante giflait les vitres, les dames s'acharnèrent à le chapitrer. Qu'obtenir d'un vieillard qui sanglote en répétant « qu'on veut sa mort, que Dieu lui a donné des jambes pour fuir et que tant qu'il en aura il fuira » ? Lescure céda le premier ; cette scène l'écœurait. La lutte fut plus opiniâtre avec les dames qui dressèrent devant l'infortuné la vision des haies à traverser, des fossés à sauter, des patrouilles qui pouvaient le cueillir ainsi que Henri dont il allait gêner la marche. Le pauvre homme ne regardait pas si loin. Le parquet de Clisson lui brûlait les pieds. Tous ses efforts ne tendaient qu'à en déguerpir. « Mon cher ami, dit-il à Henri, dans le cas où nous entendrons du bruit, tu me laisseras et tu te sauveras. » — « Me crois-tu aussi poltron que toi, capable d'abandonner quelqu'un qui est avec moi ! » lui jeta Henri. Puis, se reprenant avec douceur : « Non..., je me battrai, je périrai avec toi ou nous nous sauverons ensemble. » La perspective d'un pareil garde du corps bouleversa le bonhomme d'émotion. Il couvrit de baisers les mains de Henri en répétant : « Il me défendra, il me défendra ! »

Vers onze heures du soir, « tous les domestiques couchés », M. et Mme de Lescure ouvrirent silencieusement une porte de côté aux voyageurs déguisés en paysans. Doucement, la porte se referma, tandis que s'éloignait dans la nuit leur futur libérateur.

CHAPITRE II

L'ENTRAINEUR D'HOMMES

1

« MONSIEUR HENRI »

Ainsi avait-on coutume d'appeler Henri de La Rochejaquelein à Saint-Aubin-de-Baubigné, son pays natal.

Parmi les paysans du Poitou, a écrit Béjarry, c'était une
marque d'estime et d'intime affection d'appeler quelqu'un
de son prénom à l'exclusion du nom de famille. L'appellation de « Monsieur Henri » donnée par eux à La Rochejaquelein avait ce caractère affectueux. Les vieux l'avaient
vu naître, les jeunes gens, compagnons des jeux de son
enfance, avaient grandi avec lui. De part et d'autre, un
courant d'affection s'était développé fait « de sa bonne
humeur toute naturelle et gracieuse, de familiarité respec-
tueuse et d'estime réciproque ».

En arrivant à Saint-Aubin, Monsieur Henri se rendit au
Rabot, la demeure de sa tante, longue maison de granit
édifiée par Anne-Henriette sur la place de l'église ou
plutôt du cimetière. L'église de Saint-Aubin, de forme
bizarre, s'élevait à l'extrémité ouest de la place actuelle,
moitié dans la cour de la cure d'aujourd'hui, moitié sur
la place. Faite d'une nef large et courte, environnée de

chapelles disposées irrégulièrement avec des fenêtres tantôt carrées, tantôt ogivales, un bas-côté voûté seulement en partie, un chevet plat couvert par une grande verrière en couleur, elle dressait, en guise de clocher, une tour carrée du XVIe siècle percée sur chaque face de deux baies cintrées [1]. La nouvelle église, construite en 1855, est venue masquer la vieille demeure d'Anne-Henriette épargnée par les colonnes infernales et à laquelle on accède par une petite cour. Le cimetière a été reporté hors du village. Dans cette transformation des lieux, il est impossible de ne pas regretter les remaniements profonds effectués intérieurement au siècle dernier par le dernier des La Rochejaquelein dans le Rabot, témoin de tant de choses.

Au matin du 3 avril, Henri commença par s'y décharger de la personne de M. de La Cassaigne entre les mains de sa tante. Le voici libre de ses mouvements, libre de sa personne, mais non pas de diriger à sa guise un pays qui n'est nullement à sa dévotion. Les vieux paysans sont méfiants, et les jeunes gens qui « désirent » tant Monsieur Henri ne sont pas à l'attendre sur la place. Plusieurs se sont joints le 11 mars à un rassemblement venu des Cerqueux [2] qui, après s'être emparé d'une quarantaine de fusils abandonnés par le poste de Maulévrier, s'est enfoncé dans le bois de Saint-Lezin, vers les Mauges, pour rejoindre finalement « le général Dalbet », ainsi que le racontait plus tard un témoin, dont la pittoresque orthographe écorchait tous les noms qu'il écrivait sans doute tels qu'il les prononçait : Dalbet pour d'Elbée, et La Rojaqulin pour La Rochejaquelein. Mais la plupart des jeunes gens errent dans la campagne par bandes. Quant au reste, le pays est fort calme ; il en est de même des Mauges, en si grande ébullition le mois précédent, de même encore de la région

---

1. Abbé Th. Gabard, *Monographie de la paroisse de Saint-Aubin-de-Baubigné.*
2. « Livre de la Gere que Pierre Devaud des Cerqueux a fait ant sa vie aux soutien des Bourbons, les Rois de France et de Navarre », p. 37.

centrale du Bocage. C'est une bande de la région du centre, commandée par M. de Royrand, qui avait causé la panique des Herbiers constatée par Thomassin, et une du centre encore, dirigée par Baudry d'Asson — l'insurgé réapparu en 1792 — qui avait déclenché la fuite des autorités de Bressuire. Henri, apprenant toutefois que M. de Royrand a établi son camp aux Quatre-Chemins de l'Oie, là où la route de Nantes à La Rochelle coupe le chemin de Cholet aux Sables, décide d'y partir sur l'heure.

Il est curieux de constater combien cette équipée de Henri à onze lieues de Saint-Aubin est restée ignorée longtemps. Béjarry qui appartenait à l'armée du centre fut le premier à la révéler dans ses souvenirs. M. de La Boutetière à son tour en publia une relation dans ses *Chefs vendéens du centre*. Henri venait chercher de la poudre, écrit Béjarry. Il venait offrir ses services comme aide de camp, raconte La Boutetière, qui ajoute : « Sapinaud devina un héros sous cette figure d'enfant et lui déclara : " Vous êtes fait pour commander, non pour être commandé. " »

La vérité paraît bien enjolivée. Mme de Donissan, qui affectionnait beaucoup Henri et fut peut-être la seule à lui arracher cette confidence, raconte qu'en réalité ce fut Royrand qui reçut le jeune homme. Mais à ses offres de service, le vieux militaire répondit ironiquement que « puisqu'il voulait défendre une si belle cause, il n'avait qu'à faire insurger la partie qu'il habitait[1] ». Il n'est pas inutile d'ajouter que vers le même temps, Charette, venu chercher secours au camp de l'Oie, n'avait pas trouvé meilleur accueil.

Que va-t-il faire, puisqu'on ne veut pas de lui ? Il ne peut que réintégrer son pays ; ce qu'il fait en compagnie du jeune Baudry d'Asson. Mais son retour est trop proche de la date fatidique du 7, aussi Henri se garde-t-il de

---

1. Archives du Ch. de Clisson. Mémoires inédits de la marquise de Donissan, p. 116. Ces mémoires sont inachevés. On sait que ce manuscrit n'est d'ailleurs qu'une copie.

paraître à Saint-Aubin. Gagnant une de ses métairies, il s'habille en jeune berger et se met paisiblement à garder les bestiaux [1]. La nuit, il va de ferme en ferme, s'agite. Peine perdue. Les soldats ne viennent pas, et le 12 avril, lorsqu'il essaie de rejoindre les insurgés des Mauges à nouveau rassemblés devant l'offensive déclenchée par la mission militaire d'Angers pour mater la rébellion, Monsieur Henri n'est suivi que d'une quarantaine de paysans.

Les deux journées du 11 et du 12 s'avèrent d'ailleurs désastreuses pour les insurgés. Cathelineau et d'Elbée, victorieux le 11 à Chemillé, sont en effet repoussés le lendemain sur Beaupréau faute de munitions ; Bonchamps est chassé de Saint-Florent par le général Gauvilliers ; Stofflet cramponné à Coron, de deux heures de l'après-midi jusqu'à dix heures le lendemain matin, refoulé lui aussi sur Beaupréau distant de sept lieues. Henri n'est pas encore arrivé à Cholet qu'il est saisi de cette triple défaite, et peu après rejoint par un métayer qui courait après lui pour annoncer à son jeune maître l'arrivée du général Quétineau aux Aubiers, à deux lieues de Saint-Aubin.

Par qui Henri apprit-il la défaite de l'armée des Mauges ? Des fuyards ? Plus probablement un de ces courriers de paroisse chargés de prévenir les bourgs et les villes de la marche de l'ennemi l'avait-il rencontré sur son chemin.

A entendre Mme de Lescure, Henri aurait poussé jusqu'à Beaupréau. Outre que son récit n'est pas conciliable avec celui d'un témoin authentique, il est bien difficile d'admettre que Henri, s'il était à Beaupréau, n'y fût pas demeuré avec les combattants plutôt que de s'en retourner « seul », « désespéré », sans but, à Saint-Aubin, comme l'écrit Mme de Lescure. Or, l'une des qualités maîtresses de La

---

1. Poirier de Beauvais, *Mémoires*, p. 34. Beauvais a, de son propre aveu, questionné beaucoup Henri sur le début de sa campagne.

Rochejaquelein, de l'aveu même de son aumônier dom Jagault, fut « de voir toujours par une sorte d'illumination subite, ce qu'il y avait de mieux à faire ». Les armées d'Anjou sont battues faute de munitions et Quétineau menace Saint-Aubin ! Eh bien, il n'y a qu'à s'emparer des munitions de Quétineau pour en pourvoir les Angevins. L'exécution était chose plus difficile.

« Suivez-moi et retournons promptement à Maulévrier. » Les paysans qui ne l'ont accompagné que dans le but de joindre les chefs d'Anjou ne font pas attention à son commandement. « C'est le fils de M. le marquis », hasarde quelqu'un. « Ça ne suffit pas », bougonne un autre. Comme Monsieur Henri va son chemin sans regarder en arrière — attitude qu'il observera toujours — quelques hommes se décident à le suivre ; puis finalement, toute la troupe court après lui.

A l'entrée dans Maulévrier, on se cogne dans un contingent de l'armée de Stofflet, égaré lors de la retraite de Coron. Bonne aubaine pour Henri qui le harangue aussitôt, expliquant sa résolution et l'urgence de marcher contre Quétineau. Le résultat est plus que pitoyable, ridicule. Les paysans contemplent avec ahurissement cette jeunesse de vingt ans qui prétend sauver la situation, puis haussent les épaules. « C'est un enfant ! Quelle confiance voulez-vous mettre dans un enfant ! » Infime est le nombre des recrues. Parmi elles, Louis Brard, jeune homme de dix-huit ans qui, au soir de sa vie, a rapporté tous ces détails à l'abbé Deniau. Mais cette fois le courage de Henri est brisé. C'est complètement démoralisé qu'il se retrouve le soir au Rabot, pleurant comme un enfant.

Sans le savoir, il touchait cependant à son but. Anne-Henriette étouffait de bonnes nouvelles les plus capables de remonter le moral de son neveu. Tout d'abord Quétineau était toujours aux Aubiers, car les bandes de deux gentilshommes du pays, Calais et des Nouhes, étaient tombées sur ses derrières alors qu'il tentait de marcher sur les Echaubroignes. Il avait mis trois heures à se dégager et à revenir à son point de départ. Enfin, enfin, les jeunes conscrits, lassés de mener une vie errante, se groupaient... Et c'étaient eux, eux les anciens compagnons de jeux de Henri, ses compatriotes, qui avaient rossé Quétineau. Anne-Henriette parlait encore que quelques-uns d'entre eux, revenus à Saint-Aubin, se présentaient au Rabot pour prier Monsieur Henri de faire un rassemblement.

A cette heure, dans une maison de Beaupréau, les chefs angevins, réunis pour la première fois en conseil de guerre dont La Bouëre nous a laissé la liste (d'Elbée, Bonchamps, Stofflet, le médecin Cady, Cathelineau, Duhoux d'Hauterive, Forestier et lui-même), décidaient, sur la proposition de Bonchamps, de battre en retraite sur Tiffauges et d'y attendre les événements.

Et voici que dans la nuit les cloches de Saint-Aubin sonnent à toute volée. D'autres leur répondent des clochers voisins de Nueil, de Saint-Clémentin, de Voultegon, des Cerqueux, de Somloire et d'Yzernais, de Rorthais et aussi des Aubiers : l'appel aux armes de Monsieur Henri. En homme bien élevé il a envoyé à Calais et des Nouhes une invitation à se trouver demain à la Durbelière. Comment a-t-il pu, lui, si timide... ?

Ce serait oublier l'irrésistible puissance d'une âme féconde en chauds mouvements, subjuguée par la nécessité. Quétineau, les munitions. Là et là seulement réside le salut de l'insurrection près d'être étouffée dans l'œuf. Plus encore qu'au 10 août, parce qu'il se sait ici et pleinement l'arbitre de la situation, Henri sent vibrer toutes les ressources de son être. Pour la première fois peut-être, en cette nuit du 12 au 13 avril 1793, il ressent la propre révélation de lui-même. Cette nuit historique décida de sa prodigieuse carrière.

Le lendemain, pressé, foulé dans l'immense cour du château de ses pères par quelque deux mille hommes, il garde cependant une maîtrise absolue de soi. Ce n'est pas l'officier qui attend, mais le gentilhomme aux manières douces qui accueille ses hôtes, et s'il ne peut leur servir que du pain bis, il se refuse à ce qu'on aille en chercher du meilleur pour lui-même. Quel éblouissement a frappé ces hommes ? Tous l'acclament pour chef, même Calais et des Nouhes [1] ; et sous le choc de ce courant d'affection, le masque se transfigure à nouveau, les yeux ont retrouvé « ce regard d'aigle » ; l'enfant a disparu. « Mes amis, si mon père était ici, il vous inspirerait plus de confiance. Pour moi je ne suis qu'un enfant, mais j'espère que je vous prouverai, au moins par ma conduite, que je suis digne d'être à votre tête. *Si j'avance, suivez-moi ; si je recule, tuez-moi ; si je meurs, vengez-moi !* »

D'après Béjarry, il aurait nié plus tard énergiquement avoir jamais prononcé les mots célèbres de la fin, forme sublime donnée à des termes simplement énergiques. Que faut-il retenir de cette dénégation ? Calais et des Nouhes n'ont pas plus démenti ces paroles fameuses que rapporté la moindre dénégation de la part de leur auteur, le général de vingt ans, entraînant vers Les Aubiers ses deux mille hommes, au murmure des *Ave* du chapelet, avec au cœur un mélange de crainte et d'enthousiasme.

2

LA PROMESSE DE CLISSON

Deux lettres bien différentes furent écrites en cette fertile journée du 13 avril qui vit arriver Monsieur Henri avec deux mille hommes, dont deux cents seulement avaient des fusils, en face d'une troupe gorgée de munitions, et possédant une respectable artillerie.

1. Note due à Mme la comtesse de Champagny, née des Nouhes.

« *Les Aubiers, 13 avril au matin.*

« J'entre aux Aubiers et je m'y établis. J'ai poussé des reconnaissances jusqu'à Nueil et sur la route des Echaubroignes ; partout j'ai rencontré les rebelles, partout je les ai mis en fuite. J'aurais continué pour aller vous rejoindre à Vihiers... mais, incertain du nombre des ennemis... et ne connaissant pas assez les localités pour risquer mes colonnes dans les chemins couverts, j'ai pris le parti de revenir à mon point de départ et de me retrancher aux Aubiers où j'attendrai des instructions ou les circonstances nouvelles.

« QUÉTINEAU. »

Précisons que Quétineau s'était établi en un champ élevé et découvert dénommé : les Justices de Cafard. Quant aux « instructions » attendues, elles devaient être devancées par les « circonstances ».

« *Bressuire, 13 avril au soir.*

« Une aventure incroyable m'est arrivée. J'avais pris la résolution vers midi de marcher en avant et de quitter Les Aubiers pour Echaubroigne, lorsque Les Aubiers eux-mêmes se sont trouvés remplis de rebelles. Tous les habitants sont insurgés. Nous les avions chassés, mais ils ont trouvé le moyen de se glisser par les jardins dans leurs maisons, et tous, à l'improviste, ils se sont rangés en bataille devant l'église... J'ai concentré mes forces, j'ai fondu sur l'ennemi ; mais à ce moment, un caisson ayant sauté, le désordre s'est mis dans les rangs et il a fallu, pour ne pas tout perdre, songer à la retraite.

« Cette retraite s'est faite après une fusillade de quatre heures. L'artillerie est sauvée, à l'exception de trois canons qui ont été encloués. Les brigands ont perdu beaucoup de monde.

107

« Nous sommes à Bressuire, prêts à reprendre l'offensive [1]...

« QUÉTINEAU. »

Ce rapport embarrassé du malheureux Quétineau, si l'on excepte le mensonge de l'enclouement des canons pris par Monsieur Henri et l'exagération des pertes du vainqueur, est aussi exact que possible. Les paysans égaillés dans les jardins se contentèrent pour la plupart de pousser de grands cris à l'abri des haies. Une fusillade fort brève de tirailleurs invisibles sema la panique chez les soldats de Quétineau qui n'étaient jamais que des gardes nationaux de Bressuire et de Thouars. Ils coururent se réfugier dans le cimetière entourant l'église dont les murs leur semblaient une protection idéale, se contentant de braquer leurs canons face à la rue principale. Les gars des Aubiers, éventant le piège, entraînèrent leurs camarades dans les maisons voisines et, par les fenêtres, se mirent à fusiller dans le dos les Bleus obstinément tournés face à la rue [2]. Monsieur Henri fut lui-même entraîné par des Nouhes dans la cour d'une maison appartenant à sa tante, Mlle Lemercier de Marigny, et ouvrit, par une brèche qu'il pratiqua dans le mur, un feu si bien dirigé que nombre de ses hommes, renonçant à tirer, s'employèrent à le pourvoir de fusils tout chargés. Si l'on songe que les fusils se chargeaient alors par le canon, on conviendra que cette trouvaille, en augmentant la rapidité du tir d'un adroit viseur, rendait celui-ci particulièrement meurtrier. Mais, gêné bientôt dans ses mouvements, Monsieur Henri escaladait le mur du jardin et courait à celui du cimetière, pour fusiller l'ennemi à découvert. Tous l'y suivirent. L'explosion d'un caisson

---

1. Grille, *Lettres, Mémoires et documents* publiés avec des notes sur le personnel, etc. du 1er bataillon de Maine-et-Loire. T. IV, p. 414.
2. Bibliothèque de Nantes. Collection Dugast-Matifeux. — Grille, *loc. cit.*, IV, p. 450.

déclencha seule, cependant, la fuite des Bleus. « En avant, en avant, voyez, ils f... le camp ! » Monsieur Henri était déjà dans le cimetière suivi de sa bande qui assommait les canonniers sur leurs pièces. Douze mille fusils, vingt et un chariots, deux barils de poudre, des caissons combles et trois canons furent le fruit de cette victoire. Les paysans rugissaient de joie. « Quel gaillard ! Ah ! quel gaillard ! » Monsieur Henri venait de conquérir, et pour toujours, la confiance de ces braves gens [1].

Lui, cependant, reste d'un calme surprenant. Il n'a lâché les fuyards qu'à deux lieues de Bressuire. Clisson en est encore à deux au-delà, mais délivrer ses cousins ne servirait à rien. Ses frères d'armes d'abord. Et il entraîne sa troupe vers le nord-ouest.

Il fait nuit quand on traverse Châtillon, sous une pluie battante, un vent qui souffle en bourrasques. Henri arrête sa troupe à Maulévrier d'où il dépêche en hâte un courrier à l'armée d'Anjou. C'est Cathelineau, « que tous considéraient moralement comme le généralissime [2] », qui le reçut. Henri « demandait deux canonniers pour manœuvrer ses pièces, et où faire sa jonction ». Cathelineau lui envoya Gazeau, de Bégrolle, et le pria de faire sa jonction avec lui le « jeudi suivant à Cholet [3] ».

La plupart des historiens font aller Henri jusqu'à Tiffauges. Cette assertion est contredite par Pauvert et Bibard, formels dans leurs Mémoires sur le lieu de jonction du jeune vainqueur « dont on apprit à Tiffauges », précise M. de La Bouëre, la brillante victoire. Il y a lieu de constater par ailleurs que Pauvert a fixé, dans ses lointains souvenirs,

---

1. Al. des Nouhes s'embusqua derrière le mur de clôture de sa tante et fusilla les Bleus par des meurtrières improvisées dans le mur. Les paysans qui étaient dans les maisons mitraillaient à découvert les soldats de Quétineau qui, s'attendant à les voir arriver par le chemin, leur tournaient le dos. Archives du château de Somloire.

2. *Mémoires de Pauvert*, publiés par le comte de Saint-Saud.

3. *Ibidem*. Le village de Bégrolle, sis à une lieue environ au nord de la Durbelière.

la date de ce combat au 17 avril, qui est précisément celle du jour où Monsieur Henri se mit en devoir de rejoindre Cathelineau. La Rochejaquelein ne mérite donc pas le reproche porté contre lui par M. Baguenier-Désormeaux dans son étude sur *Bonchamps et le passage de la Loire*, d'avoir détourné les Angevins au conseil de Tiffauges de la diversion en Bretagne que venait d'y proposer Bonchamps.

***
****

En attendant la jonction, les comités de l'insurrection ne chômaient pas. Celui de Châtillon adressait au comité du Boupère, pour faire passer aux autres, une lettre hyperbolique : « Messieurs, nous nous empressons de vous donner connaissance et le détail suivant de la victoire remportée, tant de jour que de nuit, par notre troupe catholique commandée par M. le marquis de La Rochejaquelein et M. Baudry fils qui se sont, on ne peut mieux, couverts de gloire dans la suite de cette affaire... Nous n'avons eu que quatre ou cinq hommes de tués et dix de blessés. Les prises faites sur nos ennemis consistent en beaucoup de prisonniers, vingt-neuf chariots pleins d'effets... Nous croyons, messieurs..., qu'il est indispensable d'établir ici et sur-le-champ un camp respectable pour la conservation générale... à la tête duquel un de nous se trouverait pour le maintien du bon ordre... »

Sauf, peut-être, pour les « effets », cette lettre du 14 avril, où se révélait déjà l'esprit brouillon des nouvelles organisations civiles, ne fut pas suivie d'exécution. Monsieur Henri, laissant une partie de ses hommes sous le commandement de des Nouhes et Tonnelet, se mit, le 17, en devoir d'acheminer sa cargaison vers Cholet. La route directe par le sud-est était coupée par l'ennemi qui occupait le château de Boisgrolleau, aux portes de la ville, aussi prit-il vers l'est, vers Mortagne [1], où il joignait le soir

---

1. Beauvais, *Mémoires*, p. 36.

Sapinaud en train d'y réunir les gars de Mortagne et de la Gaubretière. C'est avec Sapinaud que, remontant droit au nord, il fit son entrée dans Cholet.

Vers quatre heures du matin, la petite cité qui, la veille, avait appris la présence toute proche de l'ennemi, s'emplit soudain du bruit d'une galopade. La cavalerie de Cathelineau entre en ville, bientôt suivie d'une mer humaine qui s'engouffre « en avalanche » jusque sur la place où, sitôt parvenu, Cathelineau fait battre tous les tambours « pour intimider » les Bleus de Boisgrolleau. Par les chemins de Nantes, de Beaupréau et de Mortagne, le flot continue d'arriver, d'envahir les rues illuminées par des lampions allumés par les habitants [1]. Monsieur Henri pénètre dans une ville en féerie.

Follement acclamé, il fait à présent partie de l'énorme agglomérat des insurgés angevins. On l'introduit au conseil où sa douceur lui acquiert la sympathie de tous.

Grâce à lui, l'étreinte des armées républicaines est rompue en six jours. Leygonnier est enfoncé dans la lande des Pagannes, le 19 avril. Son armée était détruite sans l'ivresse du messager que Henri dépêcha vers Tonnelet pour lui dire de se porter sur ses derrières. Le 20, Boisgrolleau est emporté après une si héroïque résistance que Henri restitue au capitaine Tribert son épée « dont il s'était servi avec tant de vaillance ». Le 22, c'est Beaupréau, solidement occupé par Gauvilliers, qui tombe aux mains des insurgés que Henri entraîne le premier, au galop, dans les rues de la ville transformée en un champ de massacre. Mais c'est la ligne du Layon, la retraite de Berruyer, le général en chef, qu'il faut à présent couper. A la tête des cavaliers, Henri s'élance vers Chalonnes, dans une course éperdue. Seulement, Chalonnes est retombée aux mains des Bleus, et sa garnison, fortement établie à Saint-Laurent-de-la-Plaine, arrête net la charge de Henri. Rejetée sur Chalonnes avec l'aide de Bonchamps, elle se

---

1. Gellusseau, *Histoire de Cholet.*

111

retranche dans trois tranchées qu'on emporte péniblement en tirant et piochant tour à tour. Monsieur Henri se fit remarquer, dit-on, par son ardeur à manier la pioche aussi bien que le fusil. A la nuit, « il faisait retirer ses hommes qui tiraient les uns sur les autres ». Vers deux heures du matin, une ruée des paysans venait cependant à bout de la ville. Coiffard, Bibard et Bergeon y pénétraient avant Monsieur Henri « ce dont ce dernier nous gronda fort », écrit Bibard. Berruyer avait pu s'échapper, mais l'Anjou était délivré.

Le 30 avril, la Grande Armée catholique et royale, qui s'était dissoute après sa victoire et de nouveau reformée, s'ébranlait enfin de Cholet vers les Deux-Sèvres. Au lendemain de la victoire de Chalonnes, Henri avait émis le vœu qu'on se dirigeât de ce côté. Un service rendu n'en appelait-il pas un autre ? Ses collègues n'avaient pas voulu se prononcer si rapidement. Sa joie n'en était que plus grande à son retour d'une tournée de recrutement, d'apprendre que la décision se trouvait conforme à ses vœux. « Je viendrai te délivrer », avait-il promis à Lescure. Cette libération affectait l'allure d'une cavalcade triomphale. Le conseil de guerre avait ainsi réglé sa marche ou plutôt ses étapes : Argenton, Bressuire, Thouars, Parthenay, Fontenay-le-Comte. Son but était d'achever la libération du territoire insurgé.

Le 30 au soir, l'armée arrive devant Argenton pour le nettoyer de sa garnison. Monsieur Henri, qui « marche en tête », pénètre le premier dans la ville. Mais après avoir expulsé les garnissaires, il se lance à leur poursuite avec tant d'ardeur qu'il ne tarde pas à se trouver en mauvaise posture.

« Aux armes ! crie Cathelineau, Monsieur Henri est mort ou prisonnier. » Le peloton de cavaliers envoyé à son secours ne rejoignit de fait qu'une colonne de Bleus. Henri était de l'autre côté avec seulement deux cavaliers : Quesson et Godard. Il était impossible de le secourir. Sans s'émouvoir, Henri fit volte-face, fonça dans les rangs des Bleus en se frayant un passage à grands coups de sabre au milieu des baïonnettes et rejoignit ses camarades, raconte Pauvert, sans autre blessure qu'une égratignure à la main droite. « Il faudrait une rame de papier pour pouvoir raconter toute la valeur de Monsieur Henri, écrira plus tard un de ses compagnons d'armes ; je me suis trouvé avec lui dans des combats et je ne pouvais concevoir comment il avait pu s'en tirer [1]. »

Le 2 mai, à l'aube, les royalistes sont en vue de Bressuire où pénètre leur avant-garde, sur le rapport d'un transfuge [2], M. de Beauvolliers, que la ville est évacuée. Le gros de l'armée y fait son entrée quelques heures plus tard avec ses onze canons, ses sept cents cavaliers et ses vingt-deux mille fantassins.

De tous ses prisonniers, Quétineau n'avait « oublié » que les Lescure, déjà revenus à Clisson où ils travaillaient à préparer le soulèvement de leur pays dans une fièvre d'appréhension que fit tomber vers quatre heures du soir l'annonce de l'arrivée des brigands à Bressuire. Lescure et Marigny sautant à cheval piquèrent des deux vers la petite ville. Ils n'eurent pas le temps d'y parvenir. A mi-chemin ils rencontraient Henri se dirigeant vers Clisson avec quatre cavaliers.

La réunion de tous dans la cour du château fut émouvante. « Je vous ai donc délivrés ! » s'écriait Henri à travers ses larmes, quand ses cousins lui eurent conté leur détention. La présentation de ses compagnons mit fin à cette détente nerveuse. Il se fondit en éloges particulièrement chaleureux sur l'un des plus jeunes, Henri Forestier, âgé de dix-huit ans, « d'une bravoure peu commune, l'un des principaux officiers de l'armée dont il est adoré ».

---

1. Monnier, *Mémoires*, p. 65.
2. Un autre réquisitionnaire de la milice, le jeune Désessarts, frère d'Angélique, déserta à Bressuire et se rendit à Clisson.

Des « patauds » de Bressuire, réfugiés à Clisson, forment cercle autour de ce grand adolescent dont la guerre n'a pas durci le masque. Ils craignaient tant, sur la foi des colportages républicains, « les atrocités des brigands », qu'ils s'étaient jetés aux pieds des châtelains. Leur étonnement n'est pas mince de trouver, au lieu d'un « monstre », un enfant à la physionomie douce qui, pour achever de les rassurer, a embrassé leurs femmes. Un seul changement dans cette physionomie : Monsieur Henri ne tient plus baissés ses yeux.

3

LES AILES QUI S'OUVRENT

« L'officier du xviiie siècle, écrit Albert Babeau, envisage le péril sans effroi avec une sorte de gaieté mâle et d'insouciant défi... Il court au feu comme on va au bal..., plaisantera devant l'ennemi, animera le courage des siens par de bons mots... sous une grêle de balles ; et quand cessera le carnage, que l'ennemi sera en fuite, il trouvera derrière lui son valet de chambre qui l'aura suivi et qui lui tendra son manteau comme à la sortie de l'Opéra [1]. »

Ce portrait type de l'officier d'Ancien Régime se retrouve chez presque tous les chefs vendéens : Monsieur Henri, Bonchamps, Charette et combien d'autres à des degrés divers, héros de la guerre en dentelle de d'Esparbès égarés dans l'époque révolutionnaire. Dans l'apothéose du carillon des cloches et du frissonnement des drapeaux ornant les autels rustiques dressés pour les messes militaires, fourmille une foule vivante s'il en fut. Un officier suisse, M. Rinchs, joue de la clarinette en poursuivant les Bleus,

---

1. Albert Babeau, *L'Armée sous l'Ancien Régime*.

le petit chevalier de Mondion siffle des chansons dans les corps à corps à l'arme blanche [1], Bonchamps fait des jeux de mots sur les balles qui sifflent à ses oreilles, les paysans, eux-mêmes, pouffent de rire au nez de leurs officiers à l'issue d'une déroute : « Ils nous ont foutu la déroute, mais n'échez point pau, dans huit jours, y aurons bé notre tour. » Très rares sont les figures moroses, comme celle du libéral Boutillier de Saint-André. Presque seul, il symbolise « le modéré » soucieux de ne pas se compromettre, le désabusé auquel la crainte d'embrasser une cause qu'il juge perdue d'avance a enlevé toute douceur de vivre.

« J'ai vu, disait un survivant à la comtesse de Songy, Monsieur Henri à presque tous les combats et jamais l'air moins doux ; il parlait et riait au milieu des combats comme s'il en eût été à mille lieues... »

« Une fois le combat commencé, conte à son tour Bibard, Monsieur Henri se portait de tous côtés pour soutenir et encourager. Il parlait à tous ses soldats, au milieu des balles, aussi tranquillement et aussi gaiement que s'il eût été à une noce. » Que faut-il de plus pour être en plein d'Esparbès ? Rien ne manque à ce vivant tableau, pas même les domestiques que nous voyons partout dans l'ombre de leurs maîtres : Bonnin dans celle de Monsieur Henri, Vannier dans celle de d'Autichamp qui rejoignent les Vendéens à Saumur, et ce valet de chambre de Baudry d'Asson, dont le nom n'a pas été conservé, qui se fit tuer à Luçon sur le corps de son maître.

Douce et batailleuse, énergique et débordante de sensibilité, intelligente et modeste, remplie de curieux contrastes, l'âme de Monsieur Henri exhale ce captivant parfum particulier aux grandes âmes. « Pas un de nous qui ne l'aimât pour lui-même », disait un survivant à la comtesse de Songy, la plus jeune sœur du héros. Chez lui rien d'austère, sa piété même « se révèle moins par des pra-

---

1. Henri Bourgeois, *Vendée historique, passim.*

tiques très suivies que par des actes tout à fait dignes de ses sentiments [1] ». Une phrase échappée dans le feu de l'action, un signe de croix « qu'il n'omet jamais chaque fois qu'il y a du risque [2] », une prière prolongée dont la ferveur intense se reflète sur sa figure [3] permettent seules de soupçonner la profondeur de cette âme qui, dans l'action, éclate avec un magnétisme prodigieux.

Le 5 mai, à l'attaque du pont de Vrine, où Lescure reçoit brillamment le baptême du feu, Henri est le premier à franchir la rivière du Thouet, sous la mitraille, au moment où Bonchamps, qui a traversé ce cours d'eau hors de vue de l'ennemi, déclenche son attaque de flanc. Mais quand les paysans viennent buter contre les murs de Thouars, tous disparaissent devant Henri : « Soldats, à l'assaut ! » Arrachant son fusil à l'un de ses soldats, il s'élance vers la porte de Paris sous une grêle de balles. « Vive Monsieur Henri !... » hurle une fourmilière humaine lancée après lui. Grimpé sur les épaules du jeune Texier de Courlay, le jeune chef pratique « un trou, avec sa baïonnette, dans la muraille branlante », se glisse par l'ouverture tandis que les paysans escaladent les murailles avec l'aide de leurs baïonnettes « comme des fourmis autour d'un arbre, gagnant toutes les branches [4] », et vont bloquer, au pied du château, l'armée de Quétineau. « Le coup d'œil, l'épée, l'âme, tout était d'un génie destiné à de grandes choses », écrit l'historien révolutionnaire Grille, ébloui.

L'armée de Quétineau, tout entière, avec son chef, était prisonnière de guerre, à la grande joie de quantité de jeunes réquisitionnaires de la milice, heureux de passer aux insurgés : Renou, dit Bras de Fer, Herbault, La Ville-Baugé, Piet de Beaurepaire, du Pérat, Beauvolliers. Des vieillards comme Lemaignan de l'Escorce, Sanglier et

---

1. Archives de Clisson. Notes mss.
2. Marquise de La Rochejaquelein. Edition de 1889, p. 347.
3. Comte de Quatrebarbes, *Une paroisse vendéenne sous la Terreur*, p. 304.
4. Détails fournis à Beauvais par Henri lui-même.

La Marsonnière, des enfants comme les petits de Langerie, de Mondion et de la Ville de Rigny, qui comptaient treize, quatorze et douze ans, s'enrôlèrent de même. A Thouars, encore, on découvrit dans une maison de la ville, « harnaché » d'une grande redingote et « coiffé d'un bonnet de nuit [1] » l'ancien curé de Dol, si légèrement accrédité, sur ses dires, évêque d'Agra, grâce à la naïveté de l'abbé Brin, curé de Saint-Laurent-sur-Sèvre, à Villeneuve du Cazeau, son ancien camarade de collège et tout un commérage de couvents qu'étayait un fatras de correspondances clandestines. Le pieux Lescure s'y laissa prendre ainsi que le prouve une proclamation de lui, contresignée de Marsanges et de La Ville-Baugé, enjoignant aux prêtres « n'ayant pas les pouvoirs de leur évêque légitime, de s'adresser à Mgr l'évêque d'Agra », sous peine d'emprisonnement. Quelle manie ont donc certains dévots de se mêler de ce qui ne les regarde pas [2] !

Le tempérament de Henri ne le portait guère à s'occuper de ces graves questions. L'ancien collégien de Sorèze se sentit, en revanche, attiré tout de suite vers dom Jagault, bénédictin de Saint-Nicolas d'Angers, retiré à Thouars, dans

---

1. H. Carré, *Le Faux Evêque des Vendéens et le procès des Cinq*. Bulletin des Antiquaires de l'Ouest. T. X, p. 69.
2. Le manifeste de Lescure parvint jusqu'au pape. C'est lui qui provoqua le bref du 31 juillet qui débute ainsi : « On nous a remis entre les mains un écrit intitulé : *Manifeste de l'armée chrétienne et royale au peuple français à Clisson, ce 1er juin 1793.* Dans cet écrit, il est dit, entre autres choses, que ces chefs, voulant rétablir la religion catholique, invitaient les curés et vicaires, laissés sans pouvoirs, à s'adresser à l'évêque d'Agra ; ces chefs, cependant, en choisissant, pour atteindre leur but, un polisson qui s'intitule évêque d'Agra, non seulement s'éloignent de ce but, mais ouvrent une très large voie à l'erreur... »
On croit que ce fut Bernier qui fit parvenir au pape le manifeste de Lescure et de Marsanges. Quant au bref, il fut apporté aux Vendéens le 18 octobre 1793, par le chevalier de La Haye Saint-Hilaire. Le 25 janvier 1794, Pie VI nomma Mgr de Hercé évêque de Dol, aumônier « ordinaire de toute la troupe » (royale de l'Ouest) à la demande du marquis du Dresnay (21 décembre 1793) qui projetait une descente en Bretagne.

sa famille, et qui se mit spontanément au service des insurgés.

**
*

Thouars avait été de tout temps considéré comme la clef du Poitou. Henri, qui n'était pas homme à se complaire dans le piétinement d'une défense stérile du pays insurgé et qui savait royalistes les populations du Berri, proposa au conseil la marche sur Loudun et Poitiers. L'expansion du mouvement insurrectionnel devait, à ses yeux, s'étendre d'abord aux provinces centrales. Bonchamps reparla de la Bretagne. Il possédait dans son armée quantité de Bretons des rives de la Loire. Durs au combat, disciplinés, intelligents, très fidèles [1], redoutés des républicains, ils formaient incontestablement les meilleurs éléments de son corps d'armée, sinon des armées vendéennes tout court. La barrière de la Loire n'en rendait pas moins la conquête de la Bretagne infiniment plus compliquée et délicate que celle des riches plaines comprises entre le Thouet et la Vienne. Ni l'un ni l'autre de ces deux plans ne fut retenu.

L'achèvement du plan adopté à Cholet prévalut ; et, le 9 mai, Bonchamps, abandonné déjà d'une partie de ses Angevins, regagna les bords de la Loire, laissant ses collègues poursuivre une randonnée qui plaisait particulièrement à Lescure, ancré dans l'idée de conquérir le Poitou méridional.

Victorieuse à La Châtaigneraie, bien que réduite à treize mille hommes, la Grande Armée, dont les effectifs tombaient à sept mille le lendemain, ne pouvait qu'échouer devant Fontenay. Elle n'y fut pas moins entraînée, malgré Henri, malgré Cathelineau. Sa déroute fut complète. D'Elbée fut blessé, manqua tomber aux mains de l'ennemi. De toute l'artillerie, deux canons seulement furent sauvés par Monsieur Henri.

1. Ce qui a sans doute fait écrire à Kléber que Bonchamps était « le plus chéri » de tous les chefs « des rebelles ».

« Ce n'est rien que notre malheur », déclara laconique-ment Cathelineau, en manière de réponse au désespoir de Marigny. De fait, les royalistes reprenaient tout le 23 mai, « avec usure », comme il l'avait prédit. Il faut ajouter que c'est Bonchamps, le seul qui avait conservé son artillerie, qui régla et dirigea cette attaque.

C'est sur ce champ de bataille que pour la première fois Monsieur Henri apparut la tête enveloppée d'un de ces larges mouchoirs rouges à stries blanches, qui consti-tuaient alors la principale industrie de Cholet. Un autre enserrait sa taille, un troisième flottait à son cou. Bon-champs le dévisagea de la tête aux pieds. Il avait vite discerné la précoce valeur de Henri. Ses imprudences le navraient. Henri reçut une semonce. Elle ne devait pas être la dernière, car il était têtu dans ses dangereuses originalités. Ne pouvant lui faire lâcher ses mouchoirs, Bonchamps le plaça derrière lui avec la cavalerie, à la réserve destinée à achever la déroute de l'ennemi.

Les mouchoirs n'en eurent pas moins le succès souhaité. « Tirez sur les mouchoirs rouges ! » criaient les cavaliers de Chalbos. Henri vivait dans un enivrement. Les dernières lignes ennemies se disloquaient dans une panique affli-geante, il poussa son cheval vers un officier du 18e chas-seurs pour s'offrir un combat singulier. L'officier culbuta avec sa monture en venant à lui. « Rendez-vous, je vous promets la vie sauve ! » Pour toute réponse, l'officier déchargeait sur son adversaire ses pistolets d'arçon, sans l'atteindre, d'ailleurs, et le manquait encore avec ses pisto-lets de poche. Farouche, il les jeta par terre en lançant au jeune homme : « Je me suis satisfait ; satisfais-toi main-tenant. » « Eh bien, ma satisfaction est de te laisser vivre. » Et tout souriant, Henri éperonna son cheval vers un autre ennemi.

Pendant ce temps, Bonchamps tombait dans les rues de Fontenay, grièvement blessé. D'Elbée était déjà hors de combat, Henri fut supplié de quitter son accoutrement. Il objecta que le mouchoir qu'il mettait en guise de ceinture lui était commode pour passer ses pistolets. « Mais vous vous ferez reconnaître ! » « Les Bleus me reconnaîtraient de toute façon ! » Alors les cavaliers

Pour sauver celui-là qu'ils nommaient l'Intrépide
        Attirèrent la mort sur eux.
Sous le feu, chacun prit, dans sa petite veste,
Dans ses braies de toile ou son bissac de peau,
Un mouchoir de Cholet, un mouchoir rouge, et preste,
        L'attacha sur son grand chapeau.
Et les Bleus, ébahis de voir à la seconde
Tant de chefs qui s'offraient au feu de leurs flingots,
Cherchaient en vain l'épi de blé, la paille blonde
        Dans ce champ de coquelicots.
L'enfant qui avait de grands yeux où rayonnait son âme,
Un front pur, qui avait vingt ans, des cheveux d'or,
Qui était doux et bon, tendre comme une femme
        Brave comme un campéador [1].

Seulement, cet accoutrement, écrit la marquise de Lescure, leur donna tout à fait « l'aspect de brigands [2] ».

Au soir de Fontenay, Henri ne pensait plus à ses mouchoirs. Il sautait au cou d'un de ses hommes, le brave Bibard, tombé prisonnier le 16 mai, et qui, s'étant libéré lui-même des griffes d'un brutal geôlier, avait sauvé la vie de son bourreau en le présentant comme un gardien plein d'humanité. « Pour un verre de mon sang, lui disait Henri, qui venait d'apprendre la vérité, je ne voudrais pas que tu ne te fusses pas montré si généreux [3] ! »

« On n'a jamais rien vu de pareil depuis les Croisades », s'écriait un représentant du peuple au spectacle de la Grande Armée chantant le *Vexilla Regis* dans sa marche sur Thouars. Le compliment de Henri est plus digne effective-

---

1. Théodore Botrel, *Les Coquelicots*.
2. L'un de ces mouchoirs est conservé au château de Clisson.
3. Bibard mourut en 1843. Son fils, maître d'hôtel du comte de Chambord, s'éteignit à Frohsdorf.

ment d'un croisé que d'un officier de Louis XV. Ses actes étaient à l'unisson de ses paroles. A la Châtaigneraie, le 3 mai, il était tombé à coups de poing sur ses soldats qui massacraient leurs prisonniers. « Ils ont assassiné nos frères », s'indignaient les paysans que la découverte de la guillotine gluante de sang avait rendus furieux. « Mais si vous agissez comme ceux qui font mal, où est la bonne cause ? »

Vers les cinq heures et demie du soir, Henri conduisit son ami Baudry, blessé à l'épaule, chez la citoyenne Robert, fit chercher un chirurgien, dorlota Baudry. La nuit venue, il s'apprêtait à prendre du repos quand on lui amena un officier bleu qui s'était recommandé de lui, M. de Sainte-H... La Rochejaquelein l'accueillit « avec bonté », espérant l'amener à de meilleurs sentiments. Longtemps, longtemps, il s'entretint avec lui. Soudain, Sainte-H... s'inquiéta. Il n'avait plus à espérer trouver un lit dans la ville. Courtoisement, Henri lui offrit de partager le sien.

Hélas ! la Révolution a changé les mœurs avec les cœurs, le compagnon de sommeil n'est plus à même d'apprécier semblables raffinements de délicatesse qui étaient, hier encore, l'essence même de la vie sociale de l'officier d'Ancien Régime. Dernier reflet d'une époque révolue.

Il était déjà devenu célèbre. Le 14 mai, *le Moniteur*, si soucieux de dissimuler l'inquiétude officielle et de taire les noms des chefs de l'insurrection, publiait pour la première fois son nom. Dommaigné y avait paru la veille, sous le nom de Domainguet. Le 13 août, Henri, de nouveau cité par l'organe du gouvernement, devait être à son tour affreusement déformé en « La Roche-Galatin » ; d'Elbée, qui ne devait avoir les honneurs du *Moniteur* que le 22 septembre, sera méconnaissablement orthographié « M. d'Elle ».

La Convention s'inquiétait. Certes, les villes qui ceinturaient le pays rebelle étaient peuplées d'une bourgeoisie libérale plutôt hostile, au moins officiellement, aux principes dont se réclamaient les insurgés ; et sous ce rapport, rien n'était épargné pour propager et entretenir la terreur ou la haine des « brigands ». La Révolution n'en avait pas moins de sérieuses difficultés à faire efficacement face au front de l'Ouest. Sa déclaration de guerre à tous les rois rivait ses troupes en Belgique, en Allemagne, en Italie, en Espagne. Tout juste put-elle dégarnir les fronts extérieurs de six hommes par chaque compagnie [1], pour encadrer les volontaires à grand-peine levés moyennant une prime de cinq cents livres, et recrutés pour la plupart parmi la pègre des faubourgs.

La campagne de presse entreprise sur les terrifiantes atrocités des brigands produisait cet effet inattendu mais logique de rebuter bourgeois et artisans à marcher contre la Vendée. Santerre, parti de Paris avec ses sans-culottes « dans des carrosses de la Cour » et avec des bagages où figurait un fourgon de rafraîchissements, fut abandonné d'une partie de ses Parisiens avant même d'être arrivé à Orléans. Le gouvernement usa de ruse en ne distribuant à Paris des feuilles de route que pour Orléans. Là, les recrues en recevaient une autre pour Tours. A Tours, une autre encore pour Poitiers, d'où elles étaient dirigées sur la Vendée.

L'ex-duc de Biron, commandant en chef l'armée de La Rochelle, eut un sursaut de dégoût devant les recrues qu'on lui amenait. « Ce n'est qu'un ramas qu'il est impossible d'appeler armée », écrivit-il à la Convention ; « un ramas de bandits et d'échappés de galères », devait préciser son collègue Aubertin qui, lui, se garda de rendre publique son impression. Les généraux remarquaient cependant

---

1. *Papiers inédits de Choudieu,* publiés par Querueau-Lamerie, p. 22. La formation de ces nouveaux bataillons fut confiée au prince de Hesse, officier prussien au service de la République.

parmi eux des « individus distingués ». L'enrôlement était en effet un excellent moyen de passer en Vendée.

Les héros de cinq cents livres furent établis à Doué, choisi comme point de départ de l'offensive, sous le général Aubertin. Les troupes des autres généraux — parmi eux figurait Westermann, avec la légion du Nord — étaient échelonnées sur toute la périphérie du territoire pestiféré, se reliant en un immense demi-cercle depuis Paimbœuf jusqu'aux Sables, en passant par Nantes, Oudon, Ancenis, Varades, Ingrandes-sur-Loire, Angers, Saumur, Thouars, Doué, Niort, Luçon.

Cette offensive, inaugurée le 27 par l'occupation de Thouars, mit fin au bavardage des chefs vendéens qui, là-bas, à Fontenay, demeuraient suspendus aux lèvres des théoriciens de leur assemblée. Délaissant le plan de marche sur Niort un instant décidé, ils bondirent vers le nord-ouest, abandonnant Fontenay qui devait demeurer long-temps fidèle à la municipalité installée par leurs soins, et d'ailleurs librement élue [1].

Monsieur Henri quitta Fontenay dans les derniers, le 29 mai [2], ce qui ne l'empêcha pas d'être de retour en sa région dans la nuit du 30 et de se retrouver le 1er juin aux Aubiers, à la tête de son rassemblement. Le général Salomon, qui s'était avancé jusqu'à la Fougereuse, avait réintégré Thouars ; mais Leygonnier et Santerre s'apprê-taient à faire leur jonction à Doué ; Henri, rejoint par Lescure le 1er juin, se replia sur Châtillon et dépêcha une estafette à Cholet.

C'est à Cholet que s'opérait, en effet, le grand rassem-blement dans une surchauffante atmosphère de cris de : « Allons à Saumur ! Allons à Saumur ! » La Grande Armée s'ébranla le 2 juin, en direction de Vihiers, qu'une très vive escarmouche livrait le 4 à Lescure et Henri. Elle y parvint le 5, à la nuit noire.

---

1. Benjamin Fillon, *Histoire de Fontenay.*
2. Les derniers effectifs vendéens quittèrent Fontenay le 30.

Le 7 juin, les héros de cinq cents livres affrontèrent le « choc » de la Grande Armée sous une pluie battante. Du moins le soutinrent-ils avec une rage égale à leur indiscipline. A Fontenay, les Vendéens avaient mis en une heure l'armée de Chalbos en déroute ; ici, la lutte dura cinq heures. La Rochejaquelein et Cathelineau, à la tête de leurs meilleurs sabreurs, se battirent furieusement à l'arme blanche. Ce sont eux qui décidèrent de la victoire en refoulant l'aile droite des Bleus sur leur artillerie. Leygonnier accusa « huit cents tués, cinq cents blessés, la perte de cinq canons, de cinquante charrettes et la désertion de plusieurs hussards du 8ᵉ régiment et de plusieurs cuirassiers et dragons de la légion de la Fraternité, d'une tournure distinguée [1]. »

Les redoutes de Bournan, à trois kilomètres de Saumur, avaient seules arrêté la poursuite de Dommaigné. « Hérissées de canons, garnies de troupes de ligne, elles préservaient Saumur de toute surprise. » Le marquis de Donissan, consulté sur la suite à donner à cette victoire, entraîna les vainqueurs à Montreuil-Bellay. Ils y entraient le 8 à midi ; les chefs s'assemblèrent aussitôt en conseil de guerre. Donissan, que ne gênaient ni d'Elbée ni Bonchamps, retenus par leurs blessures, exposa la méthode à suivre. Il y avait, pontifiait-il, tout lieu de craindre que l'armée de Salomon, cantonnée à Thouars, ne se portât au secours de Saumur ; il fallait donc diviser les forces ennemies et, pour cela, les attirer hors de leurs retranchements.

Henri bouillait. « Il faut d'abord, coupa-t-il frémissant, envoyer des piquets de cavalerie pour inquiéter les avant-postes et forcer l'ennemi à se tenir sur pied toute la nuit [2] ! » Et, sans plus attendre, il sautait à cheval et prenait la tête de la cavalerie. Une formidable ovation l'y accueillit. « Marchons à Saumur ! Marchons à Saumur ! », criaient les paysans.

---

1. Rapport de Leygonnier.
2. Marquise de La Rochejaquelein, *Mémoires*. Edition de 1889. Appendice.

Quelle ardeur le surexcitait soudain ? Comme aux Tuileries, dans la fameuse matinée du 10 août, il est devenu l'âme de ceux qui l'entourent, âme au regard d'aigle, qui sent des possibilités, aperçoit des horizons, des buts que d'autres, alourdis de médiocrité, perdus dans les basfonds de la théorie ou enchaînés par la prudence humaine, ne sauraient apercevoir. L'attraction du but entrevu est alors si puissante que cette âme déploie ses ailes de toute leur immense envergure. Ici, c'est une armée entière qu'elle entraîne dans son sillage : vingt-cinq à trente mille hommes, aux cris frénétiques de « Marchons à Saumur ! », avec Stofflet et Cathelineau qui n'ont plus qu'à laisser à Donissan, Lescure et Désessarts, le soin de surveiller Salomon avec l'armée de Bonchamps [1]. Le but avait dépassé les intentions de Henri.

La Grande Armée était à belle distance de Montreuil-Bellay quand, vers sept heures du soir, retentit une lointaine canonnade. Donissan était attaqué par Salomon. Les trois chefs rebroussèrent avec leur cavalerie.

Ils n'arrivèrent que pour assister à la défaite de l'ennemi qui, venu occuper Montreuil qu'il croyait libre, ne s'attendait pas à la brusque sortie de Donissan. Néanmoins, les Bonchamps, qui « s'étaient, dans la nuit, fusillés sans se connaître [2] », avaient fait de lourdes pertes. Henri et Cathelineau hochaient la tête. L'impérieux enthousiasme de leurs hommes les arrachaient le lendemain matin à leurs délibérations : « Saumur ! Saumur ! »

En hâte, on arrête les dispositions de combat. Lescure, à l'aile gauche, contiendra les républicains qui occupent les redoutes de Bournan ; Stofflet, au centre, s'avancera par

---

1. L'armée de Bonchamps, commandée ici par Fleuriot, ne faisait pas, à proprement parler, partie de la Grande Armée. Elle est d'ailleurs mentionnée à part dans « l'état général des officiers » qui fut remis le 18 août à Tinténiac, émissaire du gouvernement britannique.
2. Célestin Port. Lég. de Cathelineau. Circulaire du Conseil supérieur, d'après une lettre de MM. les Commandants des Armées catholiques et royales, datée de Montreuil, le 9 juin 1793.

la rive droite du Thouet pour enlever les ouvrages de Nantilly, tandis qu'à l'aile droite Cathelineau et Monsieur Henri attaqueront la ville par le sud-est.

A deux heures de l'après-midi, les royalistes entrent en action. Lescure, qui s'est faufilé entre la redoute de Bournan et la rive du Thouet, attaque le pont Fouchard. Les cuirassiers républicains le chargent avec fureur. Leurs assauts coûtent la vie à Dommaigné dont l'uniforme rouge attirait les regards et leur dernière charge au jeune Baudry d'Asson [1]. Lescure tient ferme. Stofflet a plus de peine à résister à Berthier, le futur maréchal de l'Empire, et Cathelineau, qui a filé par les côteaux de Beaulieu et du haut d'une maison observe la bataille, s'aperçoit que ses troupes vont être tournées. Il faut d'urgence joindre la colonne de Stofflet, mais pour la joindre emporter immédiatement la redoute de Varrains.

Il appelle un soldat : « Prends dix hommes avec toi, il faut qu'un de vous parvienne à Monsieur Henri et lui dise que s'il n'emporte pas tout de suite le camp de Varrains, l'armée est perdue. »

Quand le messager arrive avec quatre hommes (les six autres ayant été tués dans le trajet), Monsieur Henri l'accueille en riant : « Eh ! mon ami, vous voyez bien que nous y travaillons. Voilà M. de Baugé qui vient se joindre à nous, l'ennemi va se trouver pris entre deux feux. » Et saisissant son chapeau orné d'une « belle plume blanche », il le lance à l'intérieur de la redoute en criant : « Qui va me le chercher ? » Une course folle de Monsieur Henri suivit son geste. Le premier de tous il sautait au milieu des ennemis presque en même temps que La Ville-Baugé, qui attaquait la redoute de face.

Les Bleus, expulsés de la redoute après une effroyable « boucherie », se replient sur le faubourg de Nantilly. Berthier, Marceau, Santerre et l'ex-baron de Menou accourent les y renforcer. Ils sont rejetés dans Saumur. Monsieur

---

1. *Revue du Bas-Poitou*, T.V., 1892, p. 487.

Henri s'y précipite sur la trace des fuyards, suivi seulement de La Ville-Baugé, débouche, sabre au poing, sur la place Saint-Pierre.

Un bataillon fuit vers la Loire, Henri galope vers lui, le sommant de se rendre. Apparemment, c'est une folie. En réalité cet acte n'est que le réflexe d'une intelligence prompte à saisir le parti qu'on peut et doit tirer de certaines hardiesses en des circonstances données. Sa psychologie ne l'a pas trompé. Le bataillon bleu, ne doutant pas qu'il soit suivi d'une troupe nombreuse, met bas les armes et remonte en ville se constituer prisonnier. Seul un soldat tente de reprendre les armes. Henri lui brûle la cervelle.

Toujours suivi de La Ville-Baugé, il s'engage dans la rue de la Tonnelle, jonchée de fusils qui partent sous les pieds de leurs chevaux, traverse la place de la Mairie, le voilà près du théâtre. Des fuyards débouchent de la rue du Pont-Fouchard. Blotti derrière la salle de spectacle, Henri se met à les fusiller. La Ville-Baugé ramasse les fusils épars, les charge et les passe à Henri qui tire sans arrêt, comme naguère aux Aubiers.

Repérés par les artilleurs du château, les deux amis courent se réfugier place de la Bilange. Cathelineau, Stofflet et Désessarts les retrouvèrent en cet endroit entourés d'ennemis auxquels ils faisaient face en compagnie de quelques soldats avec deux pièces abandonnées. « Jamais, racontait, sous la Restauration, un des soldats de Cathelineau au vicomte Walsh, il n'avait paru si terrible. Je le vois encore, la tête et le cou nus, avec sa ceinture rouge, ses habits couverts de sang et de poussière... » Il était donc des moments où Monsieur Henri perdait « son air habituel », ses élégances d'officier du XVIIIe, sa « douceur » et ses « sourires » au milieu des balles. Mais que sont ces élégances, sinon une attitude, une mode morale, selon le mot des Goncourt, passée à l'état de seconde nature à force d'avoir été transmise et cultivée par quelques générations, une de ces fleurs embaumantes mais frêles, d'un faisceau qui se disjoint et se fane au souffle de la Révolution ? Le naturel trop longtemps refoulé reprend ses droits. Les masques tombent, arrachés par les passions délivrées de toute entrave, car c'est dans les temps troublés que se révèlent les âmes. Le chevalier d'un autre âge libéré, lui aussi, d'un cadre de conventions mondaines qui n'était pas le sien, a laissé libre cours aux passions de son âme noblement fougueuse.

« Ça va bien ! » cria Henri au narrateur de la scène. — « Ça va bien grâce à vous ! » — « Grâce à Dieu ! » répliqua simplement Henri. Cathelineau vibra : « Oui, c'est Dieu qui donne la victoire, et quand il n'y aura plus de Bleus dans Saumur, nous irons le remercier et chanter le *Te Deum* [1]. » Deux âmes venaient de s'étreindre au milieu du meurtrier fracas.

Lescure entrait dans Saumur dont la municipalité était consignée dans son hôtel de ville. Seule tenait encore, avec le château, la redoute de Bournan. Saumur était virtuellement prise.

Au-delà du faubourg de la Croix-Verte, les troupes républicaines s'enfuyaient en une débandade effroyable, et à leur tête, sur la route de Tours, toute la bande empanachée des représentants et de leurs acolytes, les Momoro, Saint-Félix, Besson, Minier et autres criminels de droit commun, qui s'étaient tant promis une bonne petite fête civique au cours de laquelle on devait promener trois têtes d'aristocrates. Henri se lance à leur poursuite avec cent cinquante cavaliers, toujours suivi de La Ville-Baugé et, cette fois, de Désessarts. Pendant une lieue de galopade, il fait une telle rafle de prisonniers qu'il en est encombré. Des bataillons entiers, sans chefs ni drapeaux, se rendent à ces cent cinquante hommes qui les poussent comme un troupeau devant eux : cinq mille hommes, d'après certains témoignages.

A la rentrée dans Saumur, Désessarts ne peut s'empêcher

---

1. Vicomte Walsh, *Lettres vendéennes*, I, pp. 56 à 62.

de manifester des craintes, « au cas où les prisonniers ouvriraient les yeux sur leur petit nombre ». « Mais taisez-vous donc, réplique Henri, ne savez-vous pas que la peur ne sait pas calculer et tous ces gens peuvent-ils faire une observation que je n'ai pas faite moi-même [1] ? »

En l'occurrence, il fait songer au soldat poète du XVIe siècle, cet Agrippa d'Aubigné, si passionné de coups de main d'une rare audace pour lequel « rien n'était trop chaud », suivant ses expressions, et dont Henri descendait tant du côté paternel que maternel.

Il n'eût pas désapprouvé, cet audacieux ancêtre, la témérité de son arrière-petit-fils, courant en pleine nuit à la redoute de Bournan à son retour de cette razzia, sous un feu croisé qui abattit son cheval sous lui, se relevant et voulant à toute force renouveler son exploit de la redoute de Varrains [2].

Mais là s'arrêtait la ressemblance avec le terrible Agrippa. Le lendemain, la redoute évacuée, le château réduit, Monsieur Henri, son chapelet à la boutonnière comme ses paysans, le sacré-cœur à son habit, « merciait » Dieu de tout son cœur en l'église Saint-Pierre, archicomble pour la belle victoire de Saumur.

Puis, c'est l'enfant qui reparaît à l'heure du délassement. Il se joint à la jeunesse qui, réunie sur la place, fait des tours d'adresse à cheval pour se distraire sous les yeux des badauds, et la récréation du « général » Henri de La Rochejaquelein est le clou des représentations. Il fait la joie des Saumurois qui n'aiment rien tant qu'à « disposer

---

1. Bournizeaux, III, 212. Le conventionnel Choudieu, qui prit sa course par la route de Tours, écrit : « La plus grande partie des bataillons (commis à la défense du pont sur le Thouet) disparut avant d'avoir été attaquée et sa fuite fut tellement précipitée que les premiers fuyards arrivèrent à Tours (à dix-sept lieues de Saumur) dès la pointe du jour. » Santerre s'enfuit jusqu'à La Flèche.
2. D'après une note ms. des archives de Clisson, Henri aurait passé toute la nuit entre les deux redoutes.

un sou par terre » pour le voir le ramasser au passage, « son cheval allant au grand galop [1] ! »

Les cloches carillonnent avec des accents de triomphe. Une foule délirante de paysans et Saumurois emplit les rues, fait jaillir, rebondir, éclater les « Vive le Roi » en une interminable clameur [2]. Ce cri, pourquoi cette marée humaine n'irait-elle pas le porter jusqu'à Paris ?

Sur le soir, accoudé à une fenêtre, le regard perdu au loin, Henri rêve... rêve...

Un officier venu le tirer de cette méditation et qui lui demanda, tout ahuri de cette disposition d'esprit qu'il ne lui connaissait pas, ce qu'il faisait là, n'en obtint que cette réponse : « Je réfléchis à nos succès, ils me confondent. Tout vient de Dieu. »

Que de choses propres à le « confondre », qui confondaient aussi le conventionnel Choudieu. « Au moment même où le feu commença, rapporte Choudieu, un nommé François, étranger à la ville, encloua plusieurs pièces de canon [3] ; les prisons furent ouvertes, sans qu'on ait su par qui, et lorsque l'ennemi entra dans la ville, l'inspecteur des remontes, Lebrun, lui livra tous les chevaux du dépôt qu'il lui était si facile de faire évacuer... » Deux collègues de Choudieu, Dandenac et Delaunay, avaient entraîné une partie de l'armée sur Angers. Tous deux se trouvaient sans mission à Saumur et ne projetaient rien de moins « qu'organiser des forces départementales sur Paris pour y comprimer ceux que les Girondins désignaient sous le nom d'anarchistes ».

C'est précisément à Paris que songeait Henri. On le vit

---

1. Archives mss. du château de Clisson, notes de la marquise de La Rochejaquelein, T. I., p. 189.

2. Vicomte Walsh, *Lettres vendéennes*, T. L, p. 61.

3. Jean-Jacques François, secrétaire du marquis de Pozanne, commandant des carabiniers à Saumur.

bien au conseil de guerre. Son âme de feu l'emportait en pensée dans une marche foudroyante sur la capitale, par Tours. « L'anarchie, déclara-t-il, est un monstre qu'on ne peut blesser mortellement qu'en le frappant au cœur. »

C'était encore plus vrai qu'il ne le pensait. « La France, écrit Tocqueville, était devenue le pays de l'Europe où la capitale avait acquis le plus de prépondérance sur les provinces et absorbait le mieux tout l'Empire. » C'est même cette centralisation qui avait permis à l'Assemblée constituante « de détruire d'un seul coup toutes les anciennes provinces de la France... et de diviser le royaume en quatre-vingt-trois parties distinctes, comme s'il s'était agi du sol vierge d'un nouveau monde ». Cet acte révolutionnaire accompli avec une si « surprenante facilité » est le premier à avoir épouvanté l'Europe qui jamais, au dire de Burke, n'avait vu « des hommes mettre en morceaux leur patrie d'une manière aussi barbare ».

Stofflet appuyait Henri avec chaleur : « Le chemin de la capitale nous est ouvert, disait-il avec exaltation. Nous ne rencontrerons que les bataillons démoralisés que nous venons de battre. N'entendez-vous pas ce que disent quelques-uns de nos soldats : " Allons à Paris chercher le petit Roi pour le faire sacrer à Cholet ! " » Deshargues se joignait à eux. Stofflet avait touché le point sensible, désigné l'objectif qui avait fasciné Monsieur Henri au conseil de Montreuil-Bellay, l'avait cordé de nerfs et comme enfiévré durant cette sanglante bataille, montré le but le plus propre à « passionner les paysans », comme il disait.

L'impossibilité d'entraîner ceux-ci hors de leur Bocage est un de ces clichés que se repassent trop facilement les historiens, mais dont on voudra bien nous faire grâce ici. Dans quatre mois, une propagande prouvée, habilement menée, saura si bien convaincre « ces mêmes paysans que la Bretagne est la terre où l'on trouvera repos et sécurité » que nous assisterons à un exode massif que n'eût jamais produit la seule défaite à laquelle cet exode est généralement attribué. « Le mot de Roi, écrit le maréchal Marmont dans ses Mémoires, avait alors une magie, une puissance que rien n'avait altéré dans les cœurs droits et purs. La religion de la royauté existait encore dans la masse de la nation. » L'idée de marcher sur Paris flottait dans l'atmosphère enfiévrée de cette foule triomphante et les soldats disaient « tout haut, qu'ils voulaient bien aller à Paris chercher leur petit Roi [1] ». Une seule chose importait : ne laisser reposer ni vainqueurs ni vaincus — première qualité d'un homme de guerre, selon Napoléon, et que Cathelineau possédait au plus haut point — ne pas laisser s'éteindre dans des jours de désespérante inactivité le feu de l'insurrection.

« La prise de Saumur, écrit Choudieu, était d'un immense avantage pour l'ennemi... Cette place lui procurait un passage sur la Loire, interceptait la navigation de cette rivière... et lui offrait de grandes ressources dans les départements de la Sarthe et de la Mayenne déjà assez disposés en sa faveur. Notre ligne de défense se trouvait entièrement rompue et laissait sans défense les départements de la Vienne et d'Indre-et-Loire. » La « saine politique conseillait aux généraux de pousser leur pointe jusqu'à Paris », affirme à son tour Gibert, membre de la municipalité républicaine de Saumur que rallia seulement aux Vendéens la vue de son nom sur une liste de suspects ; « il n'y a pas de doute que si l'armée se fût présentée victorieuse devant cette ville, elle y serait probablement entrée à l'aide des mécontents qui y étaient en si grand nombre ». De fait, les obstacles étaient « à peu près nuls », au témoignage de l'historien militaire républicain Savary. Des prisonniers, dont mille six cents hommes de la légion germanique sur deux mille six cents qu'elle comptait [2], les Suisses de la Garde de Louis XVI, avec le baron de Keller, des cavaliers du 10e dragons avec leurs officiers s'enrôlaient dans les

1. Gibert, *Précis historique*, p. 68.
2. Lieutenant-colonel de Malleraye, *Les Cinq Vendées*, p. 38.

rangs royalistes. L'effet moral produit par la prise de
Saumur avait une répercussion immense. « On pouvait
parcourir librement, au témoignage de Poirier de Beauvais
accouru de Chinon se mettre au service du Roi, une infi-
nité de provinces. » Le 11 juin, les représentants ordonnaient déjà à leur état-major d'amener à Doué les débris
de leur armée pour courir sus aux royalistes. Les paysans
eussent donc pu marcher sur Paris sans crainte pour
leurs foyers, en une armée autrement redoutable que
ne sera celle d'outre-Loire encombrée de femmes et
d'enfants.

Juge infaillible en la matière, Napoléon a porté pour
l'Histoire ce jugement qui s'impose comme une définitive
mise au point de la question : « Si, profitant de leurs
étonnants succès, Charette et Cathelineau eussent réuni
toutes leurs forces pour marcher sur la capitale après
l'affaire de Machecoul, c'en était fait de la République.
Rien n'eût arrêté la marche triomphale des armées royales,
le drapeau blanc eût flotté sur les tours de Notre-Dame
avant qu'il eût été possible aux armées du Rhin d'accourir
au secours de leur gouvernement. »

Autour de Cathelineau, élu généralissime le 12, les
théoriciens de l'état-major luttaient de toutes leurs forces
contre l'idée lancée par La Rochejaquelein. Lescure fut le
premier à la combattre. « La République, insinua-t-il, ne
peut pas être réellement affaiblie par quelques échecs
essuyés sur les bords de la Loire. » Et avec cette assurance
des techniciens incapables de déroger aux règles dont leur
cervelle est farcie, d'affirmer qu'il fallait à présent se
tourner contre l'armée de La Rochelle, Donissan ne
partageait pas l'avis de son gendre. L'exécution d'un plan
génial en son temps mais mal saisi par celui qui s'en
faisait le plus ardent promoteur — et que son auteur eût
désavoué en la circonstance, de l'aveu même de sa femme —

pesait sur son esprit : la conquête de la Bretagne. Son âge, sa qualité d'ancien maréchal de camp ne pouvaient faire qu'impression sur le généralissime. Oh ! magie des apparences !

Henri n'abandonne pas son idée de marche sur Paris. Son âme est trop vibrante encore de son immense envolée. Ses ailes se sont seulement un peu repliées comme pour acquérir plus de force dans un nouvel élan. Il supplie qu'on aille au moins jusqu'à Tours, affirmant que dans les provinces centrales on trouverait un appui sympathique sinon direct. Beauvais, qui rêve de grossir l'insurrection du concours de tous les émigrés et des royalistes de l'intérieur, propose d'aller trouver les princes qui l'avaient chargé, peu avant le 10 août, d'une mission que les événements l'avaient empêché de remplir ; Lescure lui répond « qu'avant trois mois, on serait à Paris sans le secours de personne [1] ».

Pendant ce temps, les paysans se montent le col, désertent, reviennent à Saumur sur les injonctions de Stofflet, désertent encore. Les paysans veulent bien combattre ; rester dans une ville, jamais. « On veut pas se faire prendre comme un lièvre au gîte. » Les plaines de la Beauce les eussent moins impressionnés. C'est la perspective de tenir garnison à Saumur, celle de « rétrograder dans la conquête » en marchant sur Nantes — cette remarque est de l'abbé Bernier — qui fait déserter les paysans, non le projet de marche sur Paris.

Quelques-uns renâclaient. Il devait en être ainsi. Les plus hardis eussent entraîné les hésitants comme il arrive en pareil cas, et ceux-ci se chargeaient d'entretenir « l'idée » qui les consumait. Cinquante cavaliers s'en vont jusqu'à Bourgueil déclarer à la municipalité que la Grande Armée royale marchait sur Paris. Beauvais avec son cousin de La

---

1. « Et de cela, ajoute-t-il, Lescure était persuadé, **comme je suis convaincu que je mourrai.** » *Mémoires*, p. 57.

Bouëre et Beauvolliers font une randonnée jusqu'à Chinon. Le 11, tandis que Henri file à Loudun avec deux cents cavaliers délivrer la femme et la fille de Beauvolliers incarcérées dans cette ville [1], « quatre officiers », dont l'Histoire a conservé les noms : du Pérat, du Chesnier, Boispréau, Magnan, poussent seuls jusqu'à La Flèche (à cinquante kilomètres de Saumur), se font apporter les clefs de la ville, remettre le drapeau. Ils récidiveront, le 25, d'Angers, pour annoncer au maire de la ville que l'Armée Royale marche sur Paris... dans le moment même où elle se dirigera sur Nantes. Leur équipée du 11 affola les départements voisins. Le jour où se produisait la seconde, la Convention retentissait des doléances affolées d'une députation des administrateurs d'Eure-et-Loir : « La Flèche est tombée dans leurs mains... Peut-être en ce moment la ville du Mans est aussi en leur pouvoir. Partout on rencontre l'apathie, gémissait le délégué Richard, partout on a persécuté les patriotes, ainsi les rebelles trouvent beaucoup d'esclaves qui tendent les mains aux fers qu'on leur apporte. » « Depuis Le Mans jusqu'à Tours, reprenait un troisième, il n'y a ni armes, ni munitions, ni moyens de défense ; les rebelles, pour arriver jusqu'à Chartres, n'ont à prendre que quatre villes ouvertes dans lesquelles il est beaucoup de citoyens plus disposés à se rendre qu'à combattre [2]. »

Le 17 juin, Renée Bordereau, dite Langevin, avait réalisé un coup plus audacieux encore, en pénétrant dans Angers

---

1. Marquise de La Rochejaquelein, *Mémoires*, édit. de 1815, p. 171. On a nié que La Rochejaquelein ait pu faire cette expédition en se basant sur la déclaration de Bruno-François Morel, qui déclare avoir parlé le 12 à Monsieur Henri, à Saumur. Pourquoi veut-on que cette équipée ait eu lieu le 12 ? Mme de Lescure écrit : « Deux jours après la prise de Saumur ». La ville a été prise le 9 au soir, ce qui porte l'expédition au 11. Le conseil a été tenu le 13. Lescure est reparti le 14 soigner une blessure reçue au Pont Fouchard, Mme de Lescure avait donc moyen d'être bien renseignée par son mari.
1. *Moniteur Universel* du 27 juin 1793, n° 178, p. 769.

par les Ponts-de-Cé avec trois autres cavaliers pour y abattre l'arbre de la liberté, dîner tranquillement chez Mlle de Rougé, s'amusant au retour à enlever aux Ponts-de-Cé leurs cocardes à trois cents patauds qui la regardaient passer. La France réelle tendait les bras à la Vendée, comme l'avouait lui-même le citoyen Richard, en pleine Convention. Il ne suffisait, selon le mot de Henri, que de « relever par un énergique exemple le courage de tous les bons Français courbés sous le joug affreux de la terreur ». Ah ! qu'on se portât au moins dans les provinces centrales où l'on trouverait un appui sympathique : la Touraine toute grande « ouverte », le Haut-Poitou, le Berri qui murmurait contre « l'énorme réquisition faite de ses jeunes gens », l'Orléanais « qui eût accueilli les Vendéens avec plaisir [1] ! ». Les prisonniers bleus poussaient des cris de « Vive le Roi ! » qui mettaient hors de lui l'honnête Quétineau retrouvé dans les prisons républicaines de Saumur.

Le plan de Donissan l'emporta. Cathelineau qui s'y était d'abord « absolument opposé [2] » céda sous l'influence de Donissan qui, sans oser l'avouer, voyait dans la conquête de la Bretagne, séparée de la Vendée par la Loire, le moyen d'empêcher les paysans de se disperser chroniquement [3]. Ce plan assurait, disait-on, la conquête ultérieure de Paris, s'il la reculait quelque peu. Il ne dépaysait pas les Vendéens. Mais la faute immense, la faute capitale que Bonchamps n'eût pas laissée commettre, fut de décider qu'on commencerait par l'attaque de Nantes. C'était trop tôt encore.

Puis, était-ce abonder dans le sens des préférences de l'armée, comme le prétendaient les théoriciens ? L'abbé Bernier l'a nié au soir de sa vie : « On eût conduit les Ange-

---

1. Marquise de La Rochejaquelein, *Mémoires*, p. 178.
2. Mlle des Chevalleries, *Souvenirs*, p. 17. Cf. aussi Pauvert, *Souvenirs inédits* publiés par le comte de Saint-Saud.
3. Baguenier-Désormeaux, *Bonchamps et le passage de la Loire*.

vins plus facilement à Tours [1] », écrit-il dans une de ses notes destinées à réfuter Alphonse de Beauchamp. La psychologie de Monsieur Henri ne l'avait pas trompé.

1. Archives de Clisson, notes mss. T. VI, p. 207. M. Blachez écrit dans son *Bonchamps et la guerre de Vendée* : « Les paysans montraient peu d'enthousiasme pour cette opération dont l'importance stratégique leur échappait. » P. 198.

CHAPITRE III

LES CHAGRINS CACHES D'UNE GRANDE AME

1

L'ESSOR BRISÉ

Le 11 juin, l'état-major royaliste, fidèle à une habitude
très XVIIIᵉ siècle qui consistait à choisir de préférence pour
administrer une ville ou une province des personnalités
originaires du pays, avait nommé gouverneur de Saumur un
vieil officier tiré la veille des geôles républicaines : M. de
La Pelouze. Quand eut été décidé le 12 (Lescure quitta
Saumur le 13) la marche sur Nantes, on n'imagina pas que
rien dût être changé à cette nomination ; ce fut La
Pelouze qui se chargea d'ouvrir les yeux à ces messieurs
en leur donnant sa démission. N'ayant jamais commandé
qu'à des troupes régulières, il ne se sentait pas fait pour
manier ces paysans indépendants.

On le remplaça par Laugrenière. Une médiocrité. Cathelineau, plein d'inquiétude pour sa précieuse conquête,
lui substitua Henri de La Rochejaquelein.

Cette nomination navra Henri : « Me voilà donc passé
dans les vétérans ! » Au fond, il ne se faisait aucune
illusion ; pas plus que d'autres, il ne réussirait à maintenir

les deux mille hommes qu'on prétendait forcer à tenir garnison à Saumur.

Cathelineau, pour le consoler, non content de le comprendre dans une tournée d'inspection entreprise dans la région de Doué, avec le prince de Talmont, la plus somptueuse recrue qu'on eût faite, Donissan, Marigny et Deshargues, l'emmena le 16, seul de tous les généraux héraldiques, au Pin-en-Mauges. Au Pin ; dans le pauvre foyer auquel l'humble voiturier désirait donner une dernière caresse... la dernière, en effet.

Le soir de ce jour, Bérard, régisseur du château de Jallais (qui abritait la famille de Bonchamps), leur offrait un souper splendide dans la demeure de ses maîtres partis en exil. Dîner intime par le petit nombre de ses convives : Cathelineau, Monsieur Henri, Deshargues, quelques officiers subalternes et le curé du Pin, Cantiteau, qui en a laissé la relation.

Ce souper fut plein d'entrain. Henri s'épanouissait au milieu des petites gens. La remarque attristée de quelqu'un, que le lendemain 17 était l'anniversaire de l'emprisonnement de plusieurs prêtres à la Rossignolerie d'Angers, fit sauter le jeune gouverneur de Saumur : « Allons les délivrer ce jour-là ! » Tous les convives approuvèrent avec chaleur. Une gageure s'engagea, dont on ignore les détails, avec Deshargues. Les paris fusèrent ; le vin avait monté les jeunes têtes.

La gageure ne fut pas oubliée le lendemain à en juger par la vitesse à laquelle des témoins ont affirmé avoir vu pénétrer les commensaux de la veille dans Angers, à la tête de quatre cents cavaliers. Mais cette joyeuse gaminerie finit mal. Monsieur Henri et Deshargues, sans nul doute au sujet du pari de la veille [1], se prennent à partie. Oh ! scandale ! Les lames jaillissent des fourreaux.

Séparés immédiatement, peut-être par Cathelineau lui-

---

1. Ferdinand Charbonnel, *Un chef vendéen : Augustin Deshargues d'Estiveau.*

même, les antagonistes en furent pour la courte honte de cet incident que Mme de Lescure a seule rapporté, comme si une affectueuse conspiration s'était établie parmi les témoins de cette scène pour taire une faiblesse du jeune chef qu'ils adoraient [1]. Ce jour-là, d'ailleurs, l'avant-garde de la Grande Armée quittait Saumur en direction d'Angers, et le 20 juin au soir (Henri avait signé le même jour à Angers l'Adresse aux Nantais), Saumur possédait son gouverneur en titre, à qui La Pelouze s'empressait de passer ses pouvoirs intérimaires.

« Jamais, avait déclaré Stofflet au conseil du 12, aux théoriciens, vous ne pourrez retenir nos paysans loin du Bocage avec des plans militaires au-dessus de leur intelligence. » La prédiction se réalisait à un rythme hallucinant. Tandis que la Grande Armée — fort réduite — file vers

---

1. D'après Célestin Port, la liberté aurait été rendue dès le 14 aux vieux prêtres, et l'anecdote inventée par l'abbé Cantiteau. On ne voit pas que la liberté ait été rendue le 14 aux prisonniers. Si le 12 juin, Angers avait vu partir sa garnison, les Angevins étaient encore dans l'incertitude de la marche des royalistes, ainsi que le prouve une lettre de Beugnet, du 16 juin. Mais surtout, la municipalité provisoire, qui avait écrit au directoire départemental en fuite sur la route de Laval, le 14, pour lui demander l'élargissement des prisonniers, ne pouvait pas encore avoir reçu de réponse. Les documents publiés dans l'*Anjou historique*, n° 183, de juillet 1936, par le chanoine Uzureau, pp. 161-170, ont d'ailleurs réglé cette question d'une manière décisive, notamment la reproduction de l'interrogatoire du chanoine Baret, d'Angers (l'un des détenus libérés), le 11 janvier 1794. Le lieu de la Rossignolerie n'a-t-il pas été assigné pour les prêtres réfractaires ? R. « Oui, et j'y suis resté jusqu'à l'arrivée des brigands qui m'ont mis en liberté. » Et encore, l'interrogatoire de dom Chabanel, prieur de Lesvière : « J'étais au grand Séminaire..., puis à la Rossignolerie détenu... et je suis sorti de la Rossignolerie le 18 juin 1793, lorsque les brigands se sont emparés de la ville. »
Le 25 mai, les Vendéens avaient de même libéré à Fontenay des prêtres du département de Vendée. Il y avait cent vingt-cinq prêtres enfermés à la Rossignolerie (à présent le lycée) ; quatre-vingt-huit d'entre eux étaient entretenus par l'Etat, à raison de vingt-deux sols par jour. Seuls quatorze de ces quatre-vingt-huit ne voulurent pas profiter de la liberté offerte. *Anjou historique*, n° 183, juillet 1936.

Nantes, la garnison de Saumur fond à vue d'œil. La fuite à travers le pays patriote de Doué effraie moins les paysans que « le piège » de Saumur. Henri doit se hâter d'expédier dans le Bocage ce qu'il peut de l'immense butin pris le 9 juin dans cette ville. Au bout de peu de jours, effectivement, la cité est à peu près vide de paysans, et sa garnison ne se monte pas à deux cents hommes.

Dès le 22 juin, Saumur est sous la menace d'un coup de main des troupes ennemies arrivées à Chinon. Henri s'obstine à son poste. Il organise des patrouilles qui parcourent les rues en se lançant de l'une à l'autre des mots d'ordre. Stratagème renouvelé à cent quarante-trois ans de distance par le général espagnol Queipo de Llano, maintenant l'immense Séville avec ses cent quatre-vingts hommes de troupes d'Afrique.

Le 24, Henri ne peut plus cependant continuer à vivre dans l'incertitude. Il faut s'assurer si les postes de Candes et de Montsoreau sont occupés. « Il faudrait tâter l'endroit avec de l'infanterie », dit-il à Beauvais. Les moyens lui manquent. Alors, sautant à cheval, il part lui-même avec Beauvais et six hommes en reconnaissance, avant la tombée de la nuit.

Dans la douceur de ce soir d'été, les huit cavaliers galopent le long de la vieille Loire historique, magnifiée par les feux du soleil couchant. Montsoreau n'est pas occupé. Beauvais y avait poussé seul une reconnaissance avant le 22 juin. Ce petit bourg prolonge presque celui de Candes où la route de Saumur à Poitiers abandonne la Loire. A la grande inquiétude de Beauvais, Henri, loin de revenir en arrière continue vers Chinon. Une lieue encore de foulées. Le petit groupe, maintenant, est à seize kilomètres de Saumur. Enfin, après la traversée de Saint-Germain-sur-Vienne, surgit un piquet de hussards. Henri se penche vers Beauvais : « Il faut les charger. » « Il est de la prudence de les reconnaître avant », proteste cet ancien magistrat qui, n'ayant pas la moindre idée de son jeune chef, pensait le traiter comme un enfant. Pour toute réponse, il essuie deux « non » énergiques. Henri vole déjà vers les hussards. Il faut suivre.

Les hussards s'enfuient au lieu d'accepter le combat. Mauvais présage. Un peu plus loin apparaît, en effet, « dans un massif de peupliers », une troupe nombreuse. Henri arrête la poursuite de ses compagnons qui, « toujours en mouvement pour ne pas se laisser compter », profitent d'un coude du coteau de la Vienne pour se dérober à l'ennemi. A six heures du soir, ils étaient de retour à Saumur. Tout le monde s'y trouvait en alerte, prêt à partir sur le bruit que deux colonnes marchaient sur la ville.

A dix heures du soir, Henri abandonne la place avec son fantôme de garnison, huit canons et caissons. Autour de lui, Beauvais, Laugrenière, Gibert et une quarantaine de Saumurois et Saumuroises désireux de se soustraire aux vengeances des révolutionnaires. Saumur, la chèrement conquise, est perdue. Le lendemain 25, à midi, le colonel Chambon y faisait son entrée à la tête du 8e hussards [1].

Si Donissan avait, au cours de ses longues soirées de Clisson, lu comme Henri de La Rochejaquelein la vie de Turenne, il eût tout gagné à faire son profit de la lettre que le maréchal adressait, le 4 juin 1674, à la veille de la campagne d'Alsace, à Louis XIV : « On prend, en Flandre, son parti selon ses forces, mais dans ce pays-ci, il faut combattre ou perdre un pays. J'entends de l'Alsace principalement, qui est si capitale que si l'ennemi y était le maître, il laisserait Philippsbourg et Brisach derrière, et la Lorraine et le pays messin lui sont ouverts... ; je ne crois pas que M. le prince approuve de faire un grand siège, car quand même il réussirait, on hasarde toutes les affaires

─────────

1. **Chambon devait périr le 10 septembre, à la bataille du Moulin-aux-Chèvres.**

pour une place, et dans l'état où sont les forces de l'Allemagne..., je crois être obligé d'en faire voir les conséquences à Votre Majesté... » Et encore la lettre du 11 juin : « Si le Roi avait pris la plus grande place des Flandres et que l'Empereur fût maître de l'Alsace, je croirais que les affaires du Roi seraient au plus méchant état du monde. »

« En déconseillant la guerre de siège, en lançant l'idée maîtresse de se défendre par l'offensive, qu'il ne cessera de soutenir et de pratiquer au cours de la conquête d'Alsace, écrit le général Weygand, Turenne parlait en grand homme de guerre. »

Nul enseignement ne s'appliquait mieux (Bonchamps l'avait saisi) à la conquête de la Bretagne. L'idée de la commencer par le siège de Nantes partait d'une conception vieillotte de la guerre en pays étranger, à coup sûr complètement erronée, de la reconquête d'un pays sympathisant dans son immense majorité. Pour Nantes, on avait « hasardé » tout le reste. L'échec essuyé devant cette ville n'avait pas seulement coûté la perte de l'admirable Cathelineau, mais celle du fruit magnifique de la dure victoire du 9 juin à Saumur, mais celle encore de l'initiative des opérations.

Tandis qu'Henri, venant de Saumur, arrivait à Thouars, Lescure était surpris dans Parthenay vers trois heures du matin par Westermann, qui s'était mis en tête d'aller tout seul secourir Nantes en traversant le pays insurgé. Idée bien digne de ce fou furieux, mais que seules lui avaient inspirée « les bonnes nouvelles » reçues au sujet de Saumur, son premier objectif. Lescure, à qui son cousin avait peu de jours avant, et sur sa demande, envoyé de Saumur ses meilleurs officiers : La Ville-Baugé, les deux Beauvolliers, Piet de Beaurepaire, n'avait eu que le temps de se replier sur Amailloux. Henri, parvenu à Bressuire le 29, alla voir ce qui se passait de ce côté, laissant à Beauvais la garde de ses huit canons. « Avec si peu de monde ! » s'effraya Beauvais. Henri éclata de rire : « La cloche bat dans les paroisses voisines, avant demain, vous aurez plus de milliers d'hommes que vous n'aurez de pièces d'artillerie. »

Le plus difficile était de faire marcher les dix mille hommes qui, selon la prédiction de Henri, arrivèrent le lendemain. Beauvais, qui rêvait déjà de desseins grandioses, dut, non pas ramener, mais suivre ses hommes, saisis « d'une espèce de terreur », jusqu'à Châtillon-sur-Sèvre, où Monsieur Henri et Lescure le rejoignirent le 1er juillet au soir, tandis que flambait le château de Clisson.

Depuis le 28 mai, Châtillon était la capitale du « pays conquis ». Là siégeait l'organe central de l'administration civile du pays, « le Conseil supérieur d'administration provisoire », comme on l'appelait, peuplé de gens de robe, de bourgeois et d'ecclésiastiques ; véritable pétaudière, au témoignage de M. de Cumont, officier de Royrand, et dont les pouvoirs mêmes étaient mal délimités d'avec ceux de l'autorité militaire. Comment cette dernière, si mal assise elle-même avec son « Conseil » tour à tour de trente, dix, trente, vingt-cinq officiers, « où tout le monde voulait gouverner », selon le mot de Henri, pouvait-elle espérer tenir sous sa dépendance ce parlement de vingt-cinq membres auquel avait été donné mandat de nommer les capitaines de paroisses, de donner les ordres de départ et d'indiquer les lieux de rassemblement ? Le conseil militaire avait cru se donner de l'aide, il n'avait fait que créer le bouillon de culture idéal du virus le plus mortel à sa cause.

Le 3 juillet, il faut renoncer à défendre « la capitale ». Lescure n'a que le temps de sauver ses canons, auxquels il n'a que des bœufs à atteler, pendant que Henri contient les tirailleurs ennemis avec une telle maîtrise que Beauvais, revenu lui annoncer le départ des canons, doit aller le chercher à cent cinquante pas des batteries ennemies. « L'artillerie et l'armée sont parties, vous vous exposez inutilement, vous et votre monde ! » Son monde, c'étaient quelques fantassins répartis à l'égaillée dans les genêts à droite et à gauche de la route. Ils avaient suffi à rejeter les tirailleurs de Westermann. Henri rappelle à Beauvais les blessés qu'il a dû rencontrer sur sa route et pour lesquels il s'expose dans sa retraite, il le fait encore arrêter à Châtillon. Westermann, qui les suit de près, y fait son entrée à sept heures du soir, cependant que Henri gagnait Cholet où l'état-major de la Grande Armée, de retour de Nantes, était arrivé seulement la veille.

Le Conseil supérieur de Châtillon avait fui plus loin encore, jusqu'à Beaupréau [1]. La peur le tenait et l'un de ses membres, recevant le lendemain soir la visite d'une de ses parentes, Mme Gontart des Chevalleries, ne fit que se lamenter : « La division se répand parmi les chefs... Les déserteurs ont corrompu l'armée... L'obéissance diminue... Je viens de faire sonner le tocsin... eh bien, je n'espère rien. »

Ce jour-là, 4 juillet, des ombres se glissaient, avec une circonspection mêlée de crainte accrue à chaque pas, dans les sombres allées de grands buis conduisant à la Durbelière. La vieille demeure s'emplit bientôt d'un vacarme de démons. Les chandeliers de la chapelle sont expédiés dans les douves, les chambres saccagées. Faute de découvrir des trésors, les Bleus volent de menues choses, jusqu'à des objets de toilette. Ils n'oublient pas cependant la besogne dont les a chargés Westermann. Bientôt des flammes jaillissent par les fenêtres. La Durbelière brûle, tandis que les incendiaires détalent. Mais des coups de feu claquent. Le chef de l'escouade s'effondre, tué par un invisible ennemi. Quelques-uns de ses hommes s'engagent sur la chaussée de l'étang du Lin, ils font la culbute dans l'eau. Les survivants s'enfuient éperdus, tandis que les tireurs, des paysans embusqués aux alentours, s'empressent de circonscrire le sinistre, et sont assez heureux pour y réussir. La construction du château le rendait d'ailleurs

---

1. Son arrêté du 7 juillet concernant la paroisse de La Séguinière est daté de Beaupréau.

réfractaire à un incendie total qui eût exigé des incendiaires un temps dont la frayeur les empêchait de disposer.

A Cholet, dans la nuit du 4 au 5, le tocsin carillonne pendant quatre heures ses appels désespérés aux paysans [1]. L'effroi règne dans la contrée et lui seul fait la force de Westermann, Henri ne l'ignore pas ; aussi, quand passant à six heures du matin sous les fenêtres de Mme des Chevalleries, la bonne dame le hèle en criant d'une voix de désastre : « Eh bien, monsieur, les ennemis sont donc à Châtillon ! » est-ce d'une voix calme qu'il lui répond : « Oui, madame, mais je compte aller y dîner aujourd'hui. »

Il ignorait seulement que Westermann lui préparait ce dîner chez le citoyen Tocqué où avait même été mis en perce, pour fêter la victoire républicaine, un fût de vieux bordeaux. L'ancien émeutier du 10 août se reposait si fort sur son don de l'épouvante qu'il n'avait établi aucune patrouille dans Châtillon. Aussi, quand, vers midi, son camp qu'il avait imprudemment établi sur l'escarpement du mont Gaillard se trouva cerné par la Grande Armée qui s'était silencieusement partagée en trois colonnes, n'eut-il que le temps de sauter à cheval avec quelques cavaliers. En un quart d'heure tout fut fini. Les fantassins, les cavaliers qui dévalaient la pente du mont Gaillard furent culbutés par l'artillerie qui tentait de suivre le même chemin. Les deux tiers de l'armée de Westermann, hommes, chevaux, canons, caissons roulant en une monstrueuse avalanche, allèrent s'écraser au fond du ravin avec un bruit de tonnerre. Westermann s'égara dans les chemins du Bocage, dut recourir à un guide pour retrouver le chemin de Parthenay, cependant qu'attablé chez Tocqué avec l'état-major, Monsieur Henri « mangeait, ainsi qu'il l'avait dit, le festin abandonné par le vainqueur ».

---

1. La Grande Armée, après l'échec de Nantes, avait repassé la Loire à Ancenis, mais ses éléments s'étaient dispersés sitôt débarqués sur la rive gauche.

Lescure ne doutait pas que fût sonnée l'heure de réaliser le plan qu'il avait préconisé à Saumur. Le lendemain de la déconfiture de Westermann, 6 juillet, il envoyait au commandant de La Fougereuse un ordre de rassemblement pour le jeudi 11 à Bressuire. « Ce rassemblement doit décider de la tranquillité de notre pays et peut-être de la France entière », concluait son billet que seul avait contresigné Laugrenière. Son assurance, mais aussi le piteux échec du plan de Donissan entraînèrent l'adhésion générale, moins celle de Bonchamps. Lescure oubliait l'armée de Tours, la réoccupante de Saumur, le général Duhoux qui, après s'être porté de Saumur sur Angers, pour secourir Nantes, avait, sur la nouvelle de l'échec des royalistes devant cette ville, franchi les Ponts-de-Cé pour envahir l'Anjou et se trouvait le 12 à Brissac. Adieu, projets de conquête vers le sud. Adieu ? Que non pas. Ce serait bien mal connaître Lescure. Ces projets, on les reprendra une fois débarrassés de Duhoux.

Il apparut bientôt que ce n'était même pas Duhoux, tombé malade à Brissac, qu'on aurait à repousser, mais l'ex-baron de La Barollière qui, singulièrement refroidi par l'annonce de la correction infligée à Westermann, préféra ne pas s'enfoncer dans ce Bocage diabolique et se mit en route le 15 vers Vihiers, pour le contourner, en longeant la rive droite du Layon.

La Grande Armée quitta précisément ce bourg le même jour à trois heures du matin ; prit par la rive gauche du Layon, sur les pas « d'un guide inexpérimenté », pour s'en aller « à travers des coteaux et des rochers, sous une chaleur torride [1] », passer au pont de Rablay une rivière partout agréable, afin d'aller prendre de flanc l'armée de

---

1. Extrait de la correspondance de MM. les généraux des Armées catholiques et royales.

La Barollière. De fait, elle la surprit près de Chavagnes, échelonnée nonchalamment sur la route, sur une longueur de trois lieues. Sous l'habile direction de Bonchamps, les paysans tentèrent de la couper en deux pour rejeter ses bataillons mal reliés, partie sur Angers, partie sur Vihiers. Une manœuvre malheureuse de Marigny et de Beauvais changea une victoire presque gagnée en une défaite qui valut à Bonchamps une grave blessure. Santerre, qui commandait l'avant-garde de La Barollière, s'avança du coup jusqu'à Vihiers. Il était amplement dédommagé de la perte de son fourgon de rafraîchissements tombé aux mains des royalistes, et fonçait déjà sur Coron. Le baron de Keller, cantonné dans ce bourg avec ses Suisses, le rejeta sur Vihiers. Mais là, trois divisions de son corps d'armée vinrent le soutenir, et Santerre s'y installa.

S'il faut en croire les récits de Mmes de Lescure et de La Bouëre, concordants avec le communiqué du bulletin du conseil supérieur rédigé par Bernier, l'imminence du péril fut conjurée par huit mille hommes, qu'entraînèrent contre l'ennemi des officiers secondaires encouragés par Bernier à voler une victoire à leurs chefs.

« La soif de vaincre pressait nos soldats au point de ne pas même leur permettre d'attendre l'arrivée de plusieurs de leurs généraux », peut-on lire dans le bulletin du 20 juillet des *Amis de la religion et de la monarchie*. De son côté, *le Moniteur* observa que « la mauvaise contenance des bataillons battus faisait prévoir leur défaite ». René Pineau, de Coron, racontait plus tard qu'il fut témoin des félicitations adressées au vainqueur par Lescure et Monsieur Henri accourus, mais trop tard, au bruit du canon. Mais Louis Brard, du Voide et Bibard, de La Tessouale, ont affirmé, le second même par écrit, que cette victoire était due à Monsieur Henri.

C'était lui, disait-il, qui avait conduit la faible troupe près de Vihiers, l'avait portée jusqu'à cent pas des Bleus et, la jugeant trop faible pour résister, « voulait la faire retirer après échange de quelques coups de carabine ».

Mais, « les paysans, continue Bibard, loin de vouloir reculer, ont commencé le combat malgré les ordres. Le combat fut vif et rapide, nous prîmes aux Bleus vingt-sept pièces de canon, deux obusiers, trente caissons. Le renfort amené par M. d'Elbée ne servit qu'à emmener les prisonniers. Après le combat, nous disions à Monsieur Henri : " Vous n'êtes pas plus gros que le pouce aujourd'hui. — Comment cela ? — C'est que si vous teniez plus de place vous seriez mort. " Ses habits, son chapeau étaient grêlés de balles... " Ah ! tant que nous vous aurons, jamais nous ne périrons ", lui disions-nous [1]. »

Il n'y a pas dans ce récit de confusion possible avec la seconde bataille de Coron [2] où le jeune comte ne parut pas à cause d'une blessure reçue quatre jours auparavant, aussi le rapport de Bibard nous plonge-t-il dans une réelle perplexité. Bibard faisait-il partie d'un petit groupe qui, s'étant porté en avant, aurait formellement reconnu Monsieur Henri avec qui « tout le monde croyait toujours avoir combattu, parce qu'une fois le combat commencé, il se portait de tous côtés pour soutenir et encourager » ? Le jeune chef a-t-il ensuite nié sa présence dans un accès de sa modestie coutumière, à ceux qui voulaient à toute force lui devoir leur succès ? Bernier avait persuadé les combattants que leurs chefs étaient en avant. Un seul était bien capable d'y être. Celui qui, de toute l'ardeur de son âme, avait prôné la marche sur Paris dont cette victoire semblait encore ouvrir le chemin.

L'armée de La Barollière s'était éparpillée, « fondue comme la neige », suivant l'expression de Grille. De la région patriote de Doué, souillée par les viols et les meurtres des héros de cinq cents livres en fuite, s'élevait un long cri d'indignation. Saumur, témoin de la panique des vaincus qui, en trois heures [3], avaient fui du champ de

---

1. Souvenirs inédits de Bibard. Archives mss. de Clisson.
2. Celle du 17 septembre.
3. Lettre de Momoro du 21 juillet, citée par Wallon.

149

bataille jusque dans ses rues, s'attendait à voir arriver la Grande Armée. Les départements limitrophes la voyaient déjà surgir dans une revanche éclatante. Mais le grand enthousiasme qui soulevait les paysans au-dessus d'eux-mêmes s'est éteint avec le souffle de Cathelineau expiré le 14 juillet à Saint-Florent. Et l'héritier de sa flamme, celui qui tout à l'heure a passé au milieu des balles, « pas plus gros que le pouce », est jugé moins « gros » encore par ceux qui, pénétrés de leur science toute théorique, ne songent déjà qu'à se disputer la succession du Saint de l'Anjou.

2

LA DÉFAILLANCE DE LUÇON

Quelles que soient les raisons spécieuses accumulées pour contester la validité de l'élection de d'Elbée, il n'est pas douteux que celui qui avait été le premier collaborateur de Cathelineau, son chef d'état-major en quelque sorte au cours de la campagne de mars, devait fatalement recueillir sa succession. Les regrets exprimés du prétendu échec de Bonchamps ne furent jamais qu'un prétexte destiné à masquer des déceptions personnelles. Que d'Elbée fût l'homme de la situation, c'est autre chose. Loin de suivre le conseil que dom Jagault lui avait donné quelques jours plus tôt de dissoudre le conseil supérieur « avant que cette assemblée eût pris plus d'ascendant qu'elle n'en avait déjà », il avait laissé celui-ci se livrer à toutes les intrigues. Chef habile, au moins autant que Lescure, très aimé par les paysans pour sa douceur, mais timide, légèrement bègue, empêtré dans des considérations de personnes et de titres, son élection le désola. « On est convaincu qu'avec moi on fera ce qu'on voudra », confia-t-il à Beauvais. Très désintéressé, il regrettait sincèrement que Bonchamps n'eût pas été désigné.

Henri le regrettait aussi très vivement. Il tenait Bonchamps en grande estime et affection. Le talent, la concordance de vues n'ont-ils pas de tout temps été le grand facteur de l'amitié entre hommes ? L'un comme l'autre ne voyaient précisément le salut de l'insurrection que dans son expansion. Si Henri la désirait en Haut-Poitou et Bonchamps en Bretagne, on conviendra que les deux opérations n'étaient nullement incompatibles. Le général des bords de la Loire se trouvait, hélas ! immobilisé pour deux mois par la blessure reçue à Martigné-Briand. Et, sentant mieux que personne l'impossibilité de diriger de son lit les opérations d'une guerre où le chef devait être partout, il avait, de l'aveu de son aumônier, formellement défendu à ses officiers de voter pour lui.

Donissan, étranger au pays, n'avait aucune chance en dépit des suppositions de Beauvais, et Lescure le savait aussi bien que Henri. Imputer à l'un et à l'autre la mise en avant de cette candidature est une absurdité. Il n'est, pour s'en convaincre, que de considérer non seulement la campagne faite par Lescure contre lui trois mois plus tard après la mise hors de combat de d'Elbée, mais encore la divergence de vues totale entre le gendre et son beau-père. Aussi bien, l'attitude adoptée par Mme de Lescure en la circonstance donne-t-elle à penser que son mari briguait la place pour lui-même, non certes par ambition, mais dans la conviction qu'il saurait, ainsi qu'il le dira plus tard, « abattre les ambitieux... et faire régner l'obéissance ».

Moins que tout autre, d'Elbée était capable de faire régner cette obéissance déjà si difficile à obtenir des chefs de corps, si jaloux de leur autorité que le bulletin relatif à l'élection avait dû spécifier qu'il n'était pas question de toucher au commandement de chacun. Mal vu des uns, bousculé par d'autres, tourné en ridicule, cet homme de quarante et un ans n'a pas même cette intelligence réaliste

151

qui, forçant l'admiration, entraîne parfois l'obéissance. « Persuadé que la vertu n'a guère d'appui sur la terre, il ne songe qu'à mourir en se défendant. » Effroyable mentalité chez un chef. Avec lui l'essor de l'insurrection est mortellement frappé[1].

***

Il est regrettable de ne posséder des séances du conseil militaire vendéen que des traditions partielles souvent déformées au gré des sympathies du narrateur. Des procès-verbaux dressés de chaque séance, même fort brefs, eussent constitué le plus précieux apport à l'histoire de cette insurrection, permis seuls une mise au point définitive de tant de questions qui ne seront sans doute jamais éclaircies.

C'est ainsi que l'on doit regretter de ne pas savoir ce qui s'est passé au conseil tenu le lendemain de l'élection de d'Elbée, au cours duquel aurait été résolu, d'après l'historien thouarsais Bournizeaux, « d'attendre la fin de la moisson pour se porter vers Poitiers et le Berri dont les paysans paraissaient bien disposés pour la cause royale ».

Précisément, on trouve, le 23 juillet, quatre jours après cette élection, La Rochejaquelein et Lescure, en route vers l'est, rejoints à Argenton par d'Elbée. Tous trois occupent Thouars sans coup férir, le 24. Mais d'Elbée et Lescure décidant de regagner le Bocage, Henri « s'en sépare[2] » et fonce avec un gros de cavalerie sur Loudun où il pénètre à trois heures du matin, fait sept gendarmes prisonniers, enlève la caisse du district, brûle les archives, saccage les enseignes républicaines[3]. Cette expédition l'a porté à vingt-cinq kilomètres de Thouars, mais il ne peut songer se

---

1. On ne peut que déplorer le funeste ascendant que Lescure eut sur lui. S'il eût prêté l'oreille aux conseils de Bonchamps, on peut affirmer que les événements eussent changé de tournure.

2. *Bulletin du conseil supérieur* du 1er août 1793.

3. *Ibidem.*

maintenir à Loudun avec un détachement aussi faible. Où va-t-il aller ?

A Saumur, il avait soutenu qu'on trouverait dans les provinces centrales « un appui sympathique sinon direct ». Tout porte à croire qu'il y a entraîné d'Elbée, pour tâter l'état d'esprit du Haut-Poitou. Mais d'Elbée étant revenu à Cholet pour y apprendre que l'armée de Luçon a infligé un échec à Royrand auquel a préludé la mort de Sapinaud de La Verrie, dans une reconnaissance, Lescure l'amène à l'exécution de son plan : l'envahissement du Poitou méridional [1]. Le 29, il l'entraîne vers Luçon avec dix mille hommes contre les six mille du général Tuncq. Royrand les rallie aux Herbiers avec cinq mille des siens ; le prince de Talmont et Marigny à Chantonnay. Le 30, la bataille engagée avec Royrand au centre, d'Elbée à l'aile droite, Lescure à la gauche, se solde par une défaite que Lescure attribue à la lâcheté de l'arrière-garde. Talmont s'est, en revanche, couvert de gloire dans la retraite [2].

Sur son lit de douleur, Bonchamps déplore, près de l'abbé Lemonnier, de voir gaspiller ainsi le temps et les vies d'hommes. « Nos messieurs veulent concentrer ici toutes nos forces pour nous attirer toute la République sur les bras. » Son armée, à lui, est occupée par d'Auti-

---

1. Contre l'assertion d'Alphonse de Beauchamp, attribuant ce plan à d'Elbée, l'abbé Bernier a laissé dans ses notes cette phrase coupante : « Il est faux que d'Elbée opinât pour l'envahissement du Poitou méridional. Ce système était celui de Lescure. J'étais présent. »
2. Ni la marquise de La Rochejaquelein, ni le *Bulletin du conseil supérieur*, ni Savary (I, p. 407), ne font mention d'Henri à cette bataille. On trouve son nom cité pêle-mêle par le bulletin (républicain) de Luçon avec ceux des vaincus. Son nom figure, il est vrai, au bas de l'ordre de rassemblement de la paroisse de Mallièvre, ce qui n'est pas une preuve de sa présence à ce combat, ni même que la signature soit de sa main. D'après M. Blachez, grand « habitué » des archives vendéennes, il était assez courant chez les chefs vendéens de signer les uns pour les autres. Il a relevé le fait pour Bonchamps.

champ à contenir les Bleus aux abords des Ponts-de-Cé.
C'est dans le voisinage de la sienne qu'on retrouve Henri,
dans la région de Doué, où il s'est établi à son retour de
Loudun. Doué. Sur le chemin de Saumur.

Il y surveille, dit-on, « la rentrée des récoltes ». Or,
le 5 août, il est assailli par deux mille sept cents fantassins
et trois cents cavaliers commandés par Salomon et Ronsin,
ce dernier, auteur dramatique de son métier. Mais la
chance n'y est pas. Henri est battu après une heure de
combat et prend la fuite, laissant trois cents morts sur le
terrain, cependant que Ronsin, tout glorieux, le poursuit
jusqu'à Concourson (une lieue de Doué), raflant vivres,
récoltes et bestiaux entre Doué et Vihiers.

Ses collègues en profitent pour l'entraîner dans la nouvelle expédition méditée contre Luçon. A sa suggestion de
se porter sur Saumur, Lescure réplique qu'une fois prise
la ville de Luçon, le midi dégagé, une fenêtre ouverte sur
la mer pour recevoir les secours étrangers, alors on
pourra se porter où l'on voudra. Et les objections ainsi
tranchées, on se transporte le 11 à Chantonnay, le 13 à
Sainte-Hermine, où l'on rallie l'armée de Charette ; c'est
là qu'on arrête les dispositions de combat. Conseil de
guerre orageux s'il en fut, où d'Elbée s'efforce vainement
de combattre l'idée de Lescure d'attaquer en échelons,
puis, en timide qu'il est, se laisse finalement imposer ce
plan impossible à exécuter par des paysans sans instruction militaire. C'est dans une atmosphère plus qu'aigre
qu'on règle les commandements. Lescure à l'aile gauche
formera avec Charette le premier échelon ; Royrand et
d'Elbée au centre, le second ; Henri et Stofflet, à l'aile
droite, le dernier.

Au matin du 14, trente mille paysans s'alignent contre
les unités du général Tuncq. De leurs chefs, Royrand est
bougon d'une impertinence de Charette, Talmont aigri
d'une prise de bec avec le même, d'Elbée sans entrain
pour un plan qu'il désapprouve, Henri froid comme on
ne l'a jamais vu. Il n'est pas jusqu'aux paysans qui ne

témoignent leur mécontentement d'être encore traînés sur ce champ de bataille.

Charette et Lescure attaquent trop tôt, d'Elbée est trop lent à les soutenir, Marigny a placé ses canons trop près de l'ennemi, Talmont est inactif avec sa cavalerie, Henri, comme mécanisé, annihilé, vidé de sa substance, se laisse arrêter par un ordre « de ne pas bouger », apporté par Marigny, soi-disant de la part de Lescure, et reste l'arme au pied quand le second échelon détaché de ses ailes est l'objet de tous les efforts de l'ennemi. Lui, « si bouillant d'ordinaire, reste froid », et Béjarry qui combattait au second échelon n'a pas manqué de le souligner avec aigreur.

Monsieur Henri ne se retrouve lui-même que devant l'affreux pêle-mêle de la déroute qui venait de coûter la vie à Gabriel Baudry d'Asson, le père du jeune héros tué à Saumur et, avec lui, à quinze cents Vendéens.

Arrêtant les fuyards, il fait déblayer le pont de la Minclaie pour faciliter la retraite, vient donner un coup de main à des rouliers occupés à arracher d'un chemin deux canons dont les essieux sont trop longs. Beauvais, qui n'avait songé qu'à « protéger le travail », vient l'aider à pousser de l'épaule à la roue, « tout honteux de ne l'avoir pas fait avant lui », sans que l'approche de l'ennemi trouble cette fois le digne magistrat. « Je ne peux pas décemment abandonner les pièces tant que M. de La Rochejaquelein y sera », répond-il à Marsanges venu pour la deuxième fois leur dire à tous deux de la part du généralissime de se retirer. Comme si, près du jeune chef, Beauvais eût éprouvé un indéfinissable sentiment de sécurité. Il fallut que Henri se retirât pour ne pas l'exposer. Tous deux gagnèrent Bournezeau où Lescure et d'Elbée s'invectivaient sans ménagement et avec eux tous les autres chefs.

Comment expliquer l'étrange attitude de Henri ? Gibert affirme qu'il a voulu aller au secours des deux autres échelons. Un ordre stupide l'avait-il à ce point privé de ses moyens habituels ? Il n'est sorti de son « absence » qu'à la vue de la détresse des paysans qui ce jour-là tirèrent des coups de fusil sur Marigny. Ce qui n'empêchera pas des mémorialistes d'écrire que ce « sabreur » ne se plaît « qu'à toujours combattre et n'importe où ».

Son ardeur frémissante, son initiative hors pair, son instinct merveilleux se sont évanouis. Il semble que le cœur lui manque. L'âme est rentrée au fond de l'être, comme malade sous l'action d'une souffrance inavouée que d'aucuns prennent pour de l'apathie. L'égalité d'humeur, l'absence de susceptibilité, la douceur excluent-elles donc l'amour-propre et la sensibilité, la claire vision des réalités... dans cette tête si foncièrement réfléchie ?

3

MÈRE ET FILS

Quand, après avoir lu les dénigrements systématiques pratiqués à l'adresse de Henri de La Rochejaquelein, on pose son regard sur l'éblouissant portrait qu'en a fait Pierre Guérin sous la Restauration, le vers du poète vient spontanément aux lèvres :

Celui-là nous déplaît parce qu'il resplendit.

Campé en pleine action, à l'assaut d'un escarpement défendu par une palissade dont plusieurs bois n'ont cédé que pour livrer passage à des baïonnettes menaçantes (on songe à Granville), Monsieur Henri crispe sa main droite blessée dans son écharpe, cependant que la gauche brandit hardiment un des pistolets qu'elle vient d'arracher de la ceinture blanche.

Le corps superbement dressé semble défier la mort que tant de fois « l'Intrépide » a provoquée dans les mêlées. Mais rien n'égale la fière beauté de la tête à laquelle Guérin semble avoir apporté le meilleur de son art. Mme de Lescure, remariée à Louis de La Rochejaquelein, frère cadet du héros, n'avait rien d'autre que des descriptions verbales à fournir à l'artiste. Il lui fallait un modèle. On le trouva en la personne d'un enfant de dix ans : Henri de Beaucorps, le fils d'Anne de La Rochejaquelein, dont la ressemblance avec son oncle était, paraît-il, « saisissante ». Ainsi guidé par le modèle et les conseils de la marquise, Guérin reconstitua les traits de Monsieur Henri. Un chef-d'œuvre.

Aucun des survivants ne critiqua la ressemblance ; seule l'expression fut jugée fantaisie d'artiste par « son air trop furibond ». La marquise pensait de même. Elle eut enfin l'idée d'aller chercher Henri Allard, ancien aide de camp de Henri. Amené devant le tableau, Allard s'écria tout ému : « Ah ! c'est exactement comme s'il avait sa tête passée au travers de la toile. » « Jamais, objecta la marquise, je ne lui ai vu cette physionomie ! » « Lorsqu'il se battait, comme dans le tableau, répliqua l'aide de camp, sa physionomie était absolument la même que celle que le peintre lui a donnée [1]. »

Tout est vie intense dans ce tableau, force de volonté, lumineuse énergie. Impossible de clouer au bas le méchant texte de Béjarry : « La Rochejaquelein, le brave des braves, éblouissant sabreur, est resté un des héros légendaires de la Vendée. Malheureusement il ne posséda pas une capacité égale à sa valeur. Dans l'action son coup d'œil n'embrassait pas tout le champ de bataille, ses mouvements étaient incertains, son initiative presque nulle... »

Un « éblouissant sabreur », Béjarry a trouvé l'image que la postérité garde de Henri, le mot le plus propre à déformer sa véritable personnalité.

Certes, tout dans cette âme est splendeur d'héroïsme et merveilles du cœur. La gloire même qui l'environne projette sur lui une lumière douce, chargée de tendres

1. Archives mss. de Clisson.

reflets. Ses rayons nimbent doucement un front très pur, accusent tous les reliefs d'un être intensément humain. Et sous ses feux, cette figure de vingt ans se livre à tous les regards dans l'émouvante simplicité de sa radieuse jeunesse. Mais qui a discerné sous cette enveloppe, dans cette jeune tête dédaigneuse, des airs de suffisance, les signes d'un génie étonnamment précoce ?

A peu près seuls, Kléber, Jomini, Grille, des républicains, des spécialistes des questions militaires ont rendu hommage à ses qualités d'homme de guerre ; et s'il fallait mettre un texte au bas de son tableau, rien ne serait à la fois plus véridique et plus émouvant que cette phrase à l'emporte-pièce du général Kléber, belle comme un salut d'épée à son jeune adversaire : « La Rochejaquelein était d'une valeur brillante et conduisait très bien une action. »

Quelles sont les pensées intimes de Henri devant les contradictions qu'il essuie ? Personne de sa famille ne figure à l'armée. La marquise de Lescure l'a accusé de manquer d'amour-propre. Tout s'inscrit en faux contre ce jugement.

Tout d'abord, il n'est pas expansif[1]. Il faut saisir sur sa figure un signe d'amertume, de découragement, surprendre un chagrin qu'il cache toujours. Très différent de son frère Louis, fort doux mais plus personnel et moins sensible[2], il est la vivante réplique de sa mère, par son calme courage dans le malheur et ce refoulement de ses

----

1. De son frère Auguste qui lui ressemblait beaucoup, quelqu'un qui le connaissait bien a écrit : « Il ressent profondément et il paraît impassible. »

2. En 1795, la marquise de La Rochejaquelein (mère du héros) écrira à sa fille Anne : « Louis a très bon cœur, mais il n'est pas aussi sensible que je devais m'y attendre étant mon fils. » Et aux nouvelles qu'Anne lui réclame de son frère, elle répondra : « Je ne le vois pas, il passe tout son temps avec le général anglais. » Archives du colonel de Beaucorps.

peines, par cette bonté presque infinie qui le caractérise, ce complet oubli de soi, cet abîme d'un dévouement qui s'étend indifféremment, avec le même amour, des grandes causes aux plus humbles. On l'imagine tout aussi bien adoucissant la vie d'exil de Constance de Caumont d'Ade, que disputant à l'ennemi l'un de ses compagnons d'armes.

De ce fils dont elle s'est privée pour le Roi, la marquise de La Rochejaquelein n'a que de vagues nouvelles. Partie de Falmouth pour la Jamaïque avec son mari et son fils Louis, le 14 décembre 1792, en laissant à Londres ses autres enfants, débarquée le 18 février 1793, repartie en mars pour Saint-Domingue où se trouve son habitation comme on dit aux Iles, cette propriété héritée de Gaspard de Goussé de La Rochalard, son arrière-grand-père, gouverneur des Iles-sous-le-Vent au début du XVIII⁰ siècle, elle vient de commencer une carrière pleine de périls. Le ménage, qui compte sur l'habitation pour compenser la perte de ses revenus de France, a été arrêté par les autorités républicaines de l'île et n'a pu s'échapper qu'en corrompant ses gardiens. L'île est elle-même secouée par la révolte des nègres. Il a fallu revenir à la Jamaïque, à Kingston, où la marquise n'aspire qu'à rejoindre ses enfants, quitte à travailler « à n'importe quoi » ; mais son mari s'obstine à récupérer cet héritage qui — avant la Révolution — eût largement compensé la fortune écroulée de leurs enfants, et l'épouse héroïque se sacrifie à son mari « amaigri » déjà, ravagé par les catastrophes [1].

Les honnêtes Français qui les hébergent essaient de la distraire par des promenades à cheval. Cruel souvenir d'un bonheur évanoui. L'amazone de la Durbelière n'est plus qu'une mère meurtrie dont la solitude morale se double pour elle de l'ignorance de l'anglais, ce « baragouin », comme elle l'appelle. Sa pensée est avec ses

---

1. Il avait racheté, quelques années avant la Révolution, moyennant une hypothèque et... quelques dettes, la part de son copropriétaire, M. Collieux de Longpré.

enfants, son aîné surtout : « Je suis bien inquiète d'Henri, écrit-elle à Anne le 10 août, c'est un vrai tourment pour moi. »

Les nouvelles arrivent cependant, et si le gouvernement anglais « ignore » les noms des chefs de la Vendée, la marquise, elle, sait dès le mois d'août, par sa fille Anne, restée en Angleterre, que son fils en est un. Au mois d'août, à la Jamaïque ! Les nouvelles apprises par Anne sont donc antérieures à la mission de Tinténiac. Le 30 août, Mme de La Rochejaquelein répond : « Tes lettres me font toujours un bien grand plaisir et la dernière encore plus, quoique j'étais bien persuadée que notre pauvre Henri était à sa place. D'en avoir la certitude est une grande satisfaction pour nous. O mon Dieu, serons-nous assez heureux pour le revoir ! Nous avons eu des détails... plus nouveaux que ceux que tu me mandes. On dit que M. de Lescure a bien battu Biron [1]. Sûrement Henri était avec son cousin. Quel plaisir nous aurons de le revoir... Je suis bien inquiète de ton frère. »

Il y aurait pour un graphologue un curieux rapprochement à faire entre l'écriture de la mère et celle du fils.

Le brisement est terrible pour cette famille si unie. En 1780, quand le marquis, nommé capitaine aux gendarmes de Monsieur, avait dû tenir garnison à Lunéville, il avait loué pour les siens le château d'Adoménie, sur les bords de la Meurthe, appartenant à M. de Curel [2]. C'est là que le caporal Stofflet, en tant que garde-chasse des officiers du corps de gendarmerie, avait connu la famille de La Rochejaquelein, Henri alors âgé de huit ans.

De tous les membres de la famille à présent dispersés,

_____

1. Il s'agit de la prise de Saumur sur l'armée dite de La Rochelle, dont Biron assumait à ce moment le commandement en chef. Le fait que la nouvelle se soit répandue jusqu'en Angleterre indique suffisamment l'importance de cette victoire à laquelle Lescure en attachait si peu. Anne reçut le 2 novembre cette lettre datée du 30 août.
2. Notes inédites des enfants d'Anne de La Rochejaquelein, comtesse de Beaucorps.

Henri de La Rochejacquelein, par Falguière. (André Sarazin)

Monsieur Henri, par Blanc.
« Quand on a tout donné, on n'a rien donné. » (Guynemer) *(Hachette)*

Bonchamp.
Le Bayard vendéen. *(B.N.)*

D'Elbée.
La modestie fut son seul défaut. *(B.N.)*

Cathelineau.
Le saint de l'Anjou. *(B.N.)*

Donissan.
Moins de lumière que de courage. *(B.N.)*

Charette.
Vaillant, galant, coruscant. *(B.N.)*

Lescure.
La foi des anciens jours. *(B.N.)*

Stofflet.
L'Angevin venu de Lorraine. *(B.N.)*

Talmont.
Le prince des pauvres. *(B.N.)*

Westermann.
Un criminel distingué. *(B.N.)*

Kléber.
L'indolence et la promptitude des grands fauves. *(B.N.)*

Marceau.
Honneur et fidélité. *(B.N.)*

rise du château de Jalais, le 14 mars 1793. Par T. Drake. *(Hachette)*

Saint-Fulgent : défaite des Républicains le 22 septembre 1793. Par T. Drake. *(Hachette)*

enri de La Rochejacquelein au combat de Cholet, le 17 octobre 1793. Par F. Boutigny.
achette)

Statuette de Henri. Musée de Saint-Florent-le-Vieil. *(J. da Cunha-Plon)*

Pipes à l'effigie de Henri. Musée de Cholet. *(J. da Cunha-Plon)*

Armes des La Rochejacquelein. *(B.N.)*

ort de Henri de La Rochejacquelein. *(Hachette)*

Sapinaud.
La dernière pensée de Charette fut pour lui. *(B.N.)*

D'Autichamp.
Les héros sont fatigués. *(B.N.)*

Suzannet.
Un honnête homme dans la tourmente. *(B.N.)*

Auguste de La Rochejacquelein.
Sur les traces de ses aînés. *(Hachette)*

Lamarque.
Du bivouac à la tribune. *(B.N.)*

Bigarré.
La discipline fait la force principale des armées. *(LAP)*

Frayer.
Bon soldat, mauvais sujet. *(LAP)*

Ruty.
Entre l'aigle et les lis. *(B.N.)*

LE GENERAL TRAVOT. H. MAINDRON

Un récidiviste. *(LAP)*

Grenadier devant la tombe de Louis de La Rochejacquelein. *(Musées départementaux de Loire-Atlantique)*

Auguste de La Rochejacquelein âgé. Dix régimes ne l'avaient pas épuisé. *(J. da Cunha-Plon)*

n'est-ce pas lui, demeuré seul sur la terre de France, à
défendre un lambeau de « l'âme de l'Occident », qui est
encore le moins à plaindre ? Un flot d'affections passion-
nées monte vers lui, irrésistible, de cette foule d'hommes
qu'a soulevée voilà cinq mois un gigantesque sursaut
d'héroïque folie. Il a beau rester modeste, s'effacer, il
s'est trop distingué de la foule des acteurs de cette insurrection dont il possède profondément le sens et les possibilités. Il ne saurait empêcher de rayonner son héroïsme,
son charme d'âme, cette rare douceur qui n'est pas, soyons-
en certains, l'effet du seul tempérament, ni les mouvements
d'une amitié qui, non contente de ne jamais accaparer les
cœurs, ignore les exclusives. Il ne sait pas se créer une
coterie. S'il l'eût su, il eût assurément gagné plus d'autorité près de ses collègues.

Avec une gentillesse toute primesautière, il appelle ses
soldats « mes amis », « mes camarades », « mes enfants ».
« Jamais capitaine n'a été aimé si tendrement de ses
troupes. On eût cru que ses soldats étaient ses enfants ;
en descendant jusqu'à eux sans s'abaisser, en se fami-
liarisant sans rien perdre de sa dignité, il s'attachait par l'amitié des hommes que l'on ne retient
d'ordinaire que par la crainte des châtiments. Son
approbation était la récompense la plus désirée. » Ces
lignes qui concernent Turenne et que Henri a sans doute
lues dans le livre du chevalier de Ramsay [1] s'appliquent
exactement à lui-même. Il n'y a pas à y changer un mot.
Tous adorent ce bel adolescent. « Monsieur Henri, dira
sous la Restauration un de ses anciens soldats à M. de
Genoude, eût trouvé des soldats tant qu'il se fût trouvé
un enfant capable de porter un fusil. » Son cri de sallie-
ment : « Qui m'aime me suive », acquiert vraiment tout
son sens. Joseph Clemanceau en a rapporté un autre tout
digne d'un compère d'Henri IV : « Camarades, je ne vous

1. Edition de 1734, p. 590.

demande qu'une chose, c'est de me suivre, vous me trouverez toujours là où il y a du danger. »

M. Boutillier de Saint-André, chez qui il venait souvent, lui remit un jour une chanson en vers de la part d'un jeune prisonnier républicain, M. Desvignes, fils d'un riche négociant de Marseille :

> *C'est pour Louis, pour Antoinette,*
> *Que nous avons armé nos bras,*
> *Quel Français n'offrirait sa tête*
> *Pour les délivrer du trépas !*
> *Puisse le Dieu qui voit nos peines*
> *Exauçant nos timides vœux*
> *Des Français étouffant les haines*
> *N'en faire qu'un peuple heureux !*

Sur l'air de Renaud d'Ast, le fils de son hôte, un enfant de douze ans, qui adorait la musique, lui chantait cette romance :

> *A l'abri d'un saule pleureur*
> *Je vis une jeune bergère.*
> *Son air annonce un cœur sincère*
> *Je veux lui conter mon malheur.*
> *« Prenez, dit-elle, patience*
> *Vous reverrez fleurir ces lys.*
> *Oui, c'est moi qui vous le prédis*
> *Et je m'appelle l'Espérance. »*

« Peuple heureux... Fleurir les lys. » En ces longues journées d'un temps précieux, stupidement gaspillé, du brûlant été de 1793, dans l'âme moins assoupie que meurtrie de Henri de La Rochejaquelein, les vœux également chers à son cœur, du républicain et de l'enfant, résonnaient déjà comme le glas d'un triomphe de rêve évanoui. Le glas funèbre d'une magnifique espérance bientôt changée, follement, sottement, en un immense martyre.

162

*
**

Après Luçon, Monsieur Henri subit une sorte d'éclipse. Il est absent des élucubrations des théoriciens, comme l'âme de la Vendée en est absente. Mais cette âme de cristal ignore les rancunes et les longs abattements. Il faut effacer la tache du 14 août. D'ailleurs, l'armée de Luçon avance dans le sud. D'Elbée fait appel au concours de ses collègues. Lescure se renfrogne. Partout règne la mauvaise volonté. Non seulement il ne faut plus compter sur les hommes de la haute Vendée, mais ceux même de la région menacée répondent insolemment « qu'ils ne partiront pas et que tout ce qu'on fait ne signifie rien ». Avec les compagnies bretonnes que Bonchamps lui envoie, d'Elbée enveloppe enfin, dans la nuit du 4 au 5 septembre, les républicains retranchés près de Chantonnay, dans le camp des Roches. C'est lui qui a tout dirigé avec Fleuriot, Stofflet et Royrand pour lieutenants.

Royrand, écrasant le camp sous le feu de son artillerie, va s'en emparer quand surgit soudain derrière lui une poignée de cavaliers sabre au clair. Mercier, Soyer, La Sorinière, de Mondion, rien que des officiers enlevés dans une chevauchée folle par Monsieur Henri. Traversant la ligne des assaillants, le fantomatique escadron disparut dans le camp des Roches encore inviolé des vainqueurs. Monsieur Henri, impuissant pour la première fois peut-être à rassembler ses hommes, n'en avait pas moins voulu effacer le pénible souvenir de Luçon.

Il venait, dans un bond prodigieux, de reconquérir la folle passion des paysans.

CHAPITRE IV

LE PASSAGE DE LA LOIRE

1

LA CONSPIRATION

« L'insurrection vendéenne, a écrit Albert Sorel, constituait une force plus redoutable à la République, en son
humilité plébéienne, que toute l'armée des princes avec
son arrière-ban de soldats gentilshommes... Elle serait
devenue très redoutable, si les divisions des chefs, l'indiscipline des soldats, l'absence de direction supérieure n'avaient
été pires chez les royalistes qu'elles ne l'étaient chez les
républicains. »

De fait, l'armée de Mayence, que sa capitulation du
23 juillet permettait à la Convention d'utiliser contre la
Vendée comme un atout suprême, ne constituait pas un
danger mortel pour l'insurrection qui disposait de chefs
assez habiles pour la détruire. Trois d'entre eux : Charette,
Bonchamps et Monsieur Henri avaient saisi la supériorité
qu'ils pouvaient tirer de la manière de combattre à l'égaillée
de leurs paysans. Le capitaine Devaureix [1] a noté qu'ils

_____

1. *Journal des Sciences militaires*, XXVIII, 435.

164

furent les premiers « à appliquer sur une petite échelle l'ordre dispersé, tel qu'il devait être généralisé quelque quatre-vingts ans plus tard comme une nécessité des guerres modernes ». Le vrai danger résidait dans les passions latentes privées encore de leur force explosive. La mission de Tinténiac, tombant vers le même temps que la nouvelle de la prochaine arrivée d'un ennemi sérieux, les porta à leur paroxysme.

La visite de cet émissaire officiel du gouvernement britannique n'eût peut-être pas produit les désastreuses conséquences qui devaient s'ensuivre si les choses s'étaient régulièrement passées. Par malheur, le généralissime était absent du château de La Boulaye quand Tinténiac y fut amené[1]. On se garda de l'envoyer chercher. Tinténiac fut reçu par Donissan, Lescure, Talmont, La Rochejaquelein. Ceci se passait le surlendemain de la déroute de Luçon, d'amère mémoire à tous les généraux, où nous avons pu contempler Monsieur Henri complètement éteint pour la première fois de sa vie. On peut être assuré qu'il ne joua pas grand rôle dans cette affaire.

La réponse au questionnaire britannique rédigé par l'émigré Gilliers que le R. P. dom Chamard a retrouvée au British Museum porte effectivement l'empreinte de Lescure à ne pas s'y méprendre. Il a procédé avec loyauté, intelligence, bon sens, mais en tournant les choses, comme le lui reproche Beauvais, « de la manière utile à ses vues ».

---

1. Tinténiac fut amené au château de La Boulaye, propriété de M. d'Auzon, au nord de Châtillon, où se tenaient les Lescure. Les chefs qui s'y trouvaient réunis préférèrent dater leurs dépêches de Châtillon, qui était le siège du quartier général. Mme de Lescure qui servit de secrétaire sait, assurément mieux que quiconque, où se tint cette conférence. Il n'y a pas lieu de rectifier ici cette illustre mémorialiste sous le prétexte que les dépêches sont datées de Châtillon et non de La Boulaye. Ce n'est d'ailleurs pas un cas unique. En 1873, le comte de Chambord data de Salzbourg l'un de ses plus célèbres manifestes, écrit en réalité à Frohsdorf.

Ainsi énumère-t-il sans omissions les plans d'extension de l'insurrection agités jusqu'à ce jour ; seulement il les accompagne d'un bref commentaire : en Touraine, en Haut-Poitou, dans lequel une incursion a été faite jusqu'à Loudun, « où l'on ne s'est pas maintenu », dans le nord de l'Anjou, le Maine — auquel songe Talmont —, en Bretagne, « dont il n'y a pas lieu de parler pour l'instant ». On devine les protestations de Donissan. Pour le calmer cette petite phrase : « S'il était absolument impossible de nous seconder sur les côtes du Poitou, on pourrait au moins entrer en Bretagne et armer les habitants qui sont bien disposés et n'attendent que des chefs. » Mais pour amoindrir la portée de cette phrase, il indique à trois reprises malgré « quelques échecs essuyés dans les plaines de Luçon » — que de regrets dans cette incidente ! — les ports poitevins de Saint-Gilles ou des Sables-d'Olonne comme « lieux de débarquement » des secours anglais.

Nulle personne de bon sens ne saurait le lui reprocher. Ce grave avertissement de Tinténiac : « Je ne crois pas à toutes ces apparences à cause d'un ordre interdisant à tout matelot anglais de Jersey de passer aucun émigré en France sous peine de mort » n'est pas tombé dans l'oreille d'un sourd. Mais en se dérobant à l'instante prière de Tinténiac d'aller chercher d'Elbée, (que l'entêté Breton trouva le moyen de voir en s'en retournant), il vient de créer un dangereux précédent qui ne sera pas oublié de Talmont, encore moins de Donissan, exaspéré par ses finasseries.

Dans des buts différents, ces deux hommes ne rêvaient rien moins que de transporter le théâtre des opérations sur la rive droite. Talmont, jeune étourdi de vingt-six ans, de superbe prestance (il mesurait 1,89 m), seigneur de haut lignage, y voyait avec le moyen de se rapprocher des secours anglais, celui d'acquérir sur les insurgés une autorité que ne manquerait pas de lui donner leur transfert dans « ses états de Laval ». Donissan, qu'agaçaient les dispersions chroniques des paysans, y voyait, lui, l'infaillible moyen de les retenir sous les armes et d'effectuer avec eux la conquête de la Bretagne [1].

Ayant entendu Bonchamps développer son plan « qui consistait à passer la Loire avec sa seule armée » — où figuraient d'ailleurs quelque quatre mille Bretons — pour insurger cette partie de la rive droite qu'on appelait la petite Vendée, afin d'y constituer un nouveau front qui soulagerait les frontières de la grande, il avait retenu l'idée.

La pensée de Bonchamps embrassait par-delà cette expédition la conquête progressive de la Bretagne entière, par le moyen des bandes de Chouans dont pullulait la presqu'île armoricaine. On laisserait de côté les villes nanties d'ailleurs de garnisons trop faibles pour être inquiétantes, en interceptant seulement toute communication entre elles, sauf Nantes, dont la prise consommerait la conquête de la Bretagne ; puis le soulèvement serait étendu au Maine, à la Normandie.

L'idée avait séduit Donissan. Malheureusement, cet homme de cinquante-six ans pourvu du titre somptueux de « gouverneur du pays conquis » était aussi pénétré de ses talents et de cette expérience que beaucoup de vieillards croient nécessairement posséder avec l'âge, qu'il était médiocre. Incapable de voir que l'insurrection dans laquelle le hasard l'avait jeté n'avait rien de commun avec la guerre qu'il avait faite jadis en Allemagne [2], dénué de cette psychologie de l'âme paysanne qui ne s'acquiert qu'au prix d'un long contact avec les gens des campagnes, il ne prétendait à rien moins qu'à corriger Bonchamps, qu'à mettre au point son propre plan qui, d'après lui, devait se réaliser par la conquête préalable des villes. Avec quelle chaleur il avait plaidé pour l'attaque de Nantes au Conseil de Saumur ! Tant et si bien que Cathelineau, chez qui

---

1. Marigny, qui s'était farouchement opposé à l'acceptation des offres anglaises, refusa de signer les dépêches remises à Tinténiac.
2. Donissan avait servi durant la guerre de Sept Ans.

167

l'acuité d'intelligence égalait la chaleur d'âme, l'avait deviné. Avec épouvante, il avait pénétré la véritable pensée de cet homme : transporter en Bretagne les insurgés de Poitou et d'Anjou, et discerné là le plus mortel des périls. L'idée que Donissan pût réussir l'obsédait jusque sur son lit de mort : « Ne quittez jamais l'Anjou, répétait-il pendant son agonie. Si on le fait, tout sera perdu [1]. »

Mais, ce dont ni Lescure, ni La Rochejaquelein, ni d'Elbée ne croyaient Donissan capable, c'était de se livrer à une propagande occulte des plus actives, de recourir aux méthodes souterraines pour la réussite de son idée, « présentée comme la mise en œuvre du plan de Bonchamps ».

Ils oubliaient, Lescure surtout, que Donissan appartenait à cette catégorie de présomptueux timides qu'il est dangereux de heurter ; et d'après Beauvais, le malheureux aurait eu davantage de franchise si son gendre lui eût prêté une oreille plus « bienveillante ». L'attitude de ce dernier lors de la visite de Tinténiac le chavira dans le plus bas des procédés.

Dans l'ombre — épouvantable effet d'une susceptibilité froissée — Donissan se livre à une propagande acharnée avec Talmont et le jeune Désessarts [2], ses alliés de la première heure, en faveur de son plan, s'ouvre de préférence aux officiers étrangers au pays, recrute des partisans secrets qui glissent aux paysans « qu'en Bretagne on trouvera repos et sécurité ». Un parti d'outre-Loire se forme sans que d'Elbée, ni Lescure, ni Henri soupçonnent rien [3].

Pour coordonner tant de volontés diversement dévouées à la même cause, il eût fallu cette autorité supérieure dont tous clamaient l'impérieuse nécessité dans la lettre fameuse au comte d'Artois qu'emporta Tinténiac au soir

---

1. Archives mss. de Clisson. *Souvenirs inédits de Bibard.*
2. Désessarts, bien que né à Boismé, appartenait à une famille originaire de Normandie. Il avait été élevé au foyer des Lescure.
3. Baguenier-Désormeaux : *Bonchamps et le passage de la Loire.*

du 18 août. Déchirant appel des enfants perdus aux Pères de la Patrie :

« Monseigneur,

« C'est au généreux frère d'un Roi que nous ne cessons de pleurer, c'est à Votre Altesse Royale que nous reconnaissons pour lieutenant général du royaume de cet enfant pour lequel nous sommes prêts à verser jusqu'à la dernière goutte de notre sang. C'est au comte de Poitou, cette fidèle province..., que nous exposons avec confiance nos besoins et l'ardent désir que nous et nos intrépides soldats aurions de voir Votre Altesse Royale à leur tête...

« Nous prions M. Henry Dundas de bien vouloir se concerter avec Votre Altesse, soit pour l'arrivée de ce qui nous manque, soit pour l'entier succès de la glorieuse entreprise que nous avons commencée avec l'aide de cette Eternelle et Divine Providence qui nous a préservés au milieu de tant de dangers...

« Venez donc Monseigneur, venez..., nous osons vous l'assurer, nous serons invincibles, ayant parmi nous un Prince, héritier de tant de Rois, pour lequel notre amour égale notre estime... »

Cette lettre subordonnait, hélas, le prince plus « velléitaire » qu'entreprenant au bon vouloir d'une Angleterre qui n'était pas l'alliée de la monarchie française, son éternelle rivale. Et le 21 mai, lord Grenville avait écrit au ministre des Affaires étrangères d'Autriche le vrai mot de la situation : « Nous ne soutenons efficacement aucun parti (français) et il n'y en a point avec qui nous fassions cause commune, mais nous croyons devoir nous tenir près de tous et leur donner les espérances qui ne nous engagent à rien pour entretenir et fomenter les troubles intérieurs qui font une si puissante diversion à la guerre [1]. »

1. Note de Stadion, *Zeissberg*, T. III, p. 71, cité par Albert Sorel, *loc. cit.*, III, 462.

2

L'ÉPREUVE DE LA SOUFFRANCE
ET... DE LA DISCIPLINE

Au soir de Chantonnay, d'Elbée avait félicité Henri avec émotion de la preuve de dévouement qu'il venait de lui donner aux heures graves qui s'annonçaient pour la Vendée. Sous ses yeux, Henri avait arraché de la mêlée l'aîné des Soyer. Ce trait de fraternelle assistance avait arraché des larmes au généralissime.

L'armée de Mayence était aux abords du pays conquis, d'Elbée s'empressa de réunir le conseil dès le lendemain 6, pour organiser la défense. L'ancienne disposition qui groupait les divisions de la Grande Armée sous le commandement du généralissime [1] fut supprimée, remplacée par cinq corps d'armée possédant chacun leur quartier général : Charette à Legé, Bonchamps à Saint-Florent, Henri à Cholet, Lescure à Bressuire, Royrand au camp de l'Oie. Lyrot, commandant les camps du Loroux, eut le sien fixé au camp de La Louée. A Mortagne fut établi le grand quartier général d'où d'Elbée coordonnerait les actions des différentes armées.

La circonscription de Henri, partant au sud de Saint-Aubin, s'étendait au nord jusqu'à Thouarcé, Montrevault, La Jumellière, limites sud de la zone de Bonchamps ; elle commençait à l'ouest, à la Sèvre Nantaise, pour ne connaître à l'est que la « frontière » du Thouet. On a estimé à vingt mille hommes les effectifs qu'elle pouvait renfermer.

---

1. British Museum de Londres. Vol. 8028. Add. Réf. de dom Chamard. Rép. au questionnaire Gilliers, liste des officiers des différentes armées.

C'est ici qu'apparaît dans l'ombre du nouveau divisionnaire la figure d'Henri Allard, un jeune bourgeois de la
Saintonge arrivé chez les insurgés au lendemain du désastre
de Luçon. Attiré vers Henri par une vive sympathie, Allard
avait demandé à Mme de Donissan de le présenter. La
chose lui était facile ; mais ce qui est mieux, la sympathie se révéla réciproque, si bien que le jour même
Henri se l'attachait comme aide de camp. Avec le même
âge et la même douceur de traits, Allard devait montrer
même bravoure. « Tel le général, tel l'aide de camp »
devint le dicton de l'armée.

L'armée de Mayence, arrivée le 6 septembre à Nantes,
déclenche son offensive le 11. L'ex-marquis de Canclaux la lance en flèche, entre Loroux, Mauges et pays de
Retz, tandis qu'à l'est, l'armée dite de La Rochelle — à
présent confiée aux mains du sans-culotte Rossignol —
s'avance vers Doué, découvrant Angers. La « parole » est
à Henri qui, le 13 — à l'heure où Cady, divisionnaire
de Bonchamps, reprend avec d'Autichamp le camp des
Roches d'Erigné aux abords des Ponts-de-Cé — barre à
Martigné-Briand l'accès de son territoire à l'armée Rossignol, commandée en fait par Salomon.

Ce premier acte des opérations défensives exige la célérité. Il s'agit, avec des forces relativement réduites, d'acquérir rapidement une complète liberté d'action contre les
Mayençais qui avancent, refoulant Charette.

Henri est seul à commander, aussi se garde-t-il de toute
imprudence. Le début de l'action le trouve dans un chemin
creux avec Allard et son domestique en train de donner
des ordres à ses hommes dans un champ voisin. Soudain,
le bruit d'une chute. Des pas affolés. Deux coups de feu
claquent. Henri pâlit sous une violente douleur à la main
droite, se tourne vers les auteurs du méfait : deux républicains égarés qui détalent. La balle tirée par l'un d'eux
lui a cassé le pouce, contusionné le bras. Déjà son domestique retrousse sa manche. « Mon coude saigne-t-il ? »
— « Non, Monsieur. » — « Je n'ai donc que le pouce

171

cassé. » Et l'incident ainsi clos, Henri continue à donner ses ordres.

Le combat est « long et opiniâtre ». L'ennemi enfin rejeté sur Doué. Le vainqueur n'est rejoint qu'à la nuit tombante par d'Autichamp et peut enfin passer son commandement à Stofflet. Il souffrait sérieusement. « A l'examen sa blessure apparut si grave qu'on craignit qu'il ne fût estropié. » Le pouce était cassé « en trois endroits ». Cette blessure permit de mesurer l'affection qui entourait Henri. « Elle empoisonna toute la joie que causait la nouvelle de sa victoire », écrit Mlle des Chevalleries. Il ne lui était même pas donné de pouvoir la soigner en paix.

En effet, Stofflet se chargeait de gâcher la victoire de son chef en se laissant entraîner par Talmont à l'attaque de Doué malgré la défense de d'Elbée, provoquant une contre-offensive de Salomon. Le généralissime, prévenu en hâte et se voyant dans l'impossibilité de distraire un seul homme du grand rassemblement qu'il opérait aux Herbiers pour repousser les Mayençais, fit une réponse qui signifiait : « Débrouillez-vous tout seul. »

Henri, que sa blessure immobilisait à Saint-Aubin, eut recours à dom Jagault qui « râcla » tous les hommes n'ayant pas répondu au rassemblement de d'Elbée. Laugrenière fut chargé de les conduire à Piron qui, le 17 septembre, brisait à Coron l'offensive de Santerre.

A Saint-Aubin-de-Baubigné, le blessé, la main bandée reposant dans une écharpe nouée au cou, s'exerçait à tirer au pistolet de la main gauche, « et il y réussissait parfaitement [1] ».

---

1. Mlle des Chevalleries, p. 53, écrit qu'Henri se retira à La Boulaye. Mme de La Rochejaquelein précise que ce fut bien à Saint-Aubin.

A Mortagne, quatre ou cinq jours avant la bataille contre les Mayençais, un homme au front étroit, au regard terne, avait agrippé Poirier de Beauvais. Ce qu'il lui chuchota devait être grave, car le magistrat artilleur tressauta. L'homme essuya une réplique à la suite de laquelle il manifesta un étonnement suivi d'un vif mécontentement, puis tourna le dos à Beauvais. Donissan, car c'était lui, venait de faire part à Beauvais de son projet « de quitter le pays avec ce qu'on pourrait de monde pour établir la guerre sur la rive droite ». Beauvais, stupéfait, avait qualifié sa proposition de « déshonorante à l'égard des paysans ». Et le président du conseil de guerre, blessé dans son amour-propre, l'avait quitté avec hauteur [1], résolu à se cacher « soigneusement de lui ». Il venait de faire un pas de clerc qu'il s'expliquait d'autant moins que Beauvais était étranger au pays.

D'Elbée sentait confusément rôder autour de lui une atmosphère de conspiration. Sa réponse à Turreau, lors de l'interrogatoire qu'il devait subir à Noirmoutiers, est terriblement révélatrice relativement au passage de la Loire. « On m'a caché ce projet, mais je soupçonne qu'il y avait un plan formé par quelques officiers et qu'ils ont exécuté au moment où ma blessure et la mort de Bonchamps leur en ont laissé les moyens. » Beauvais garda-t-il pour lui ce que Donissan lui avait confié par mégarde ? Il ne nous dit pas l'avoir rapporté à d'Elbée. Il était temps encore pour étouffer le complot. Des sanctions étaient alors possibles contre Donissan et Talmont, surtout le dernier. Elles ne le seront plus au-delà de la Loire, pour de multiples raisons, ainsi qu'on pourra le constater.

La victoire remportée le 19 septembre à Torfou sur les Mayençais, grâce au génie de Bonchamps, n'était certes

---

1. « Ma franchise ne plut pas à Donissan, je le vis bien. » Beauvais, *Mémoires*.

pas faite pour favoriser l'idée que les conspirateurs s'efforçaient de répandre. Le jeu de mots (était-il de Bonchamps ?) que se ressassaient les paysans, « soldats de Mayence, soldats de faïence », prouve à quel degré cette victoire remportée sur des troupes régulières avait porté leur confiance.

Malgré sa blessure, Henri avait ponctuellement « joué » le premier acte de cette partie décisive, sans lequel n'eût pas été possible le second, magistralement exécuté par Bonchamps. A Lescure fut confiée, dès le soir du 19, l'exécution non moins importante du troisième qui ne comportait rien de moins que la destruction de l'armée de Mayence.

Le général Canclaux est isolé avec les Mayençais de son lieutenant Beysser demeuré sans soutien à Montaigu, isolé d'Aubert du Bayet, chef titulaire des Mayençais, arrêté à Clisson. En conséquence, Lescure ira détruire à Montaigu l'armée de Beysser avec la plus grande célérité, pour revenir prêter main-forte à Bonchamps et d'Elbée qui, pendant ce temps, retarderont de leur mieux la retraite de Canclaux qu'il s'agit d'écraser à tout prix.

En raison de la rapidité qu'exigeait l'exécution du plan confié à Lescure, la Grande Armée fut mise à sa disposition ainsi que celle de Charette qu'on plaça « sous ses ordres [1] ».

Mais ce fut en vain que pendant des heures Bonchamps et d'Elbée tinrent tête à Canclaux qu'encombraient ses chariots de blessés et de rapines. Lescure, enfreignant sa consigne, s'était laissé entraîner par Charette jusqu'à Saint-Fulgent pour y détruire la brigade de Miezkowski, au lieu de revenir aider Bonchamps après l'avoir débarrassé de l'armée de Beysser comme il avait été convenu. Et grâce à cette équipée Canclaux s'échappait et regagnait Nantes.

Des historiens ont chargé Charette de la faute. A envisager impartialement le fait, la responsabilité d'avoir compromis une partie presque gagnée semble incomber à Lescure, commandant de la Grande Armée. Bonchamps

---

1. Note inédite de Soyer. Il est évident que la Grande Armée n'eût pas obéi à Charette.

en eut peut-être le premier accès de colère de sa vie et qualifia cette besogne « d'inutile ». Il n'était pas au bout de ses peines. Les deux excursionnistes se brouillaient à présent pour une question de répartition de vivres et de munitions. En vain Bonchamps et d'Elbée s'entremirent pour arranger les choses ; Charette décampait le 26 septembre des Herbiers sans explications, s'enfonçait dans son marais. Avait-il appris par ses officiers, mêlés plusieurs jours à ceux de la Grande Armée, « qu'un nombreux parti dans l'état-major angevin préconisait l'exode outre-Loire », comme l'écrit Lenotre [1] ? Rien n'est plus plausible.

En une pareille circonstance, cette rupture était une catastrophe. Dès le 25, Canclaux avait repris la campagne avec Kléber à l'avant-garde, Vimeux et Beaupuy au centre, Haxo à la réserve. Le 30, Kléber est déjà rendu à Saint-Fulgent, brûlant tout sur son passage. Le 6 octobre, l'armée de Mayence est de retour en face de Torfou. Et là-bas, à Bressuire, Rossignol lance ses douze mille hommes à travers le Bocage, avec Chalbos, Lecomte, Müller et Westermann. Effroyables conséquences d'une désobéissance.

Le bois du Moulin-aux-Chèvres, à l'ouest de Châtillon. C'est là que Lescure a établi ses six mille hommes. Henri, bien qu'il ne soit pas guéri de sa blessure, est venu l'y rejoindre, le bras en écharpe. La bataille ne dure pas longtemps. C'est une débandade affolée dans le bois. Une chasse à courre pour les hussards de la République. Henri, que navre le spectacle des paysans « servis » comme des chevreuils, se fait courir sus, criant son nom aux hussards.

Mais le Bocage est envahi, le parc d'artillerie de Mortagne menacé. D'Elbée doit courir au plus pressé. Laissant

---

1. *Monsieur de Charette, le roi de Vendée.*

un mince rideau de troupes devant les Mayençais, il se porte avec la Grande Armée au secours du Bocage, ordonne à Marigny d'évacuer en hâte le parc de Mortagne sur Beaupréau [1]. Ses quarante mille hommes sont, au témoignage de Joseph Clemanceau, qui les vit passer, « exaltés et remplis d'ardeur ». Qu'est-ce que l'armée de Rossignol auprès des Mayençais ? De fait, ses deux ailes en marche sur Cholet et Mortagne sont refoulées, son centre bouté hors de Châtillon avec une telle violence que Chalbos n'a même pas le temps de sauver la caisse de son armée, ni Choudieu les archives du conseil supérieur qu'il venait de déménager dans un caisson.

L'espoir renaît au cœur des chefs au spectacle de l'entrain de leurs hommes. Demain ils battront une deuxième fois les Mayençais. Châtillon retentit de cris joyeux. On fête la victoire autour d'un énorme fût d'eau-de-vie. Les chefs s'en vont souper. Ils rayonnent de joie.

... Sur le tard, Henri rentre dans la petite ville. Le généralissime l'avait chargé de faire une opération de nettoyage sur la route de Saint-Aubin-de-Baubigné. Il a poussé jusqu'à la Durbelière. Fidèle aux ordres reçus, il s'est abstenu de toute poursuite intempestive. Sa mission est remplie.

Vers huit heures et demie du soir, rentre un autre patrouilleur, criant, gesticulant, fou. « Des hussards, des hussards nous chargent ! » C'est Beauvais, que d'Elbée avait chargé d'une mission identique sur la route de Rorthais. Hélas ! deux de ses cavaliers lui ont « échappé [2] ». Ils ont foncé sur les hussards de Westermann en retraite, s'attirant une foudroyante riposte. Le spectacle des hommes

---

1. A dix-huit kilomètres au nord de Cholet.
2. « Beaurepaire et Richard font charger le peu de cavalerie que nous avions ; je ne pus les en empêcher tant les têtes étaient exaltées. Les républicains firent feu sur cette cavalerie que des hussards chargèrent aussi ; elle revint en désordre... Mon cheval fut arraché des mains de mon domestique... et je fus obligé de courir pendant près de deux heures. » Beauvais, *loc. cit.*, 329.

affalés dans les rues, abrutis par l'alcool, a-t-il porté au comble l'affolement de Beauvais au point de le rendre incapable de s'expliquer ? D'Elbée et Bonchamps, qui connaissent l'homme, lui répondent en souriant « qu'une garde suffira pour contenir ces hussards ». Et Beauvais, qu'humilie cette attitude à son égard, s'en va souper.

Une demi-heure est à peine écoulée que la ville s'emplit de hurlements. Westermann est dans Châtillon avec cent hussards doublés chacun d'un fantassin en croupe. En quelques minutes, la ville n'est plus qu'un pandémonium où l'on s'égorge avec rage. Des soudards passant sur le corps du prince de Talmont, qu'ils renversent dans un escalier, s'en vont égorger son hôtesse, la « citoyenne » Tocqué. Allard décharge au hasard ses pistolets. Royalistes et républicains se fusillent sans se reconnaître. Les vociférations, les hurlements de *la Marseillaise* se mêlent aux cris de douleur. Beauvais est renversé avec son cheval « qui ne vaut pas grand-chose » par des cavaliers menés en trombe par Henri. Dans la nuit, des flammes crépitent, s'élèvent, éclairant la fuite de vingt-cinq mille hommes, les vainqueurs d'il y a quelques heures. A cette sinistre clarté, Henri, que jamais n'abandonne le sang-froid, charge avec fureur l'escadron ennemi, l'expulse à une heure du matin. Au petit jour, il revient au milieu des décombres fumants chercher, avec Beauvais, le butin de la victoire de la veille demeuré là comme par ironie, cependant qu'au loin, le vaincu-vainqueur, qui n'a pu récupérer que sa caisse, continue sa retraite sur Bressuire[1]. Pas même les Bleus n'ont-ils pu emporter le caisson rempli par Choudieu de tous les papiers du conseil supérieur, parmi lesquels figurait une copie du plan de l'armée de Mayence livré aux Vendéens.

*

1. *Papiers inédits de Choudieu,* publiés par Querneau-Lamerie, pp. 67 et 78.

Du coup, les événements se précipitent. L'armée de Luçon commandée par le général Bard, bousculant Royrand, fonce vers Cholet. Les Mayençais ne vont pas tarder à prendre l'offensive.

Le 14 octobre, en l'église Saint-Pierre de Cholet, Henri, « venu comme le plus humble fidèle se mêler à la foule qui se pressait à la Table Sainte », prie avec une ferveur qui impressionne vivement Mme de Cambourg, placée non loin de lui. Hélas ! les fautes de Lescure et des cavaliers de Beauvais portent leurs fruits. Elles ont plus fait pour la réalisation du plan des Donissan et des Talmont que toutes les propagandes. Les paysans, dispersés sous le coup d'assommoir de Châtillon, ne songent qu'à déménager avec leurs familles en direction de la Loire. Nous savons à présent ce qu'il faut retenir de l'appréciation de Mme de Lescure sur la « témérité de fou » de cet adolescent qui vient de donner, au milieu de l'indiscipline générale, une belle leçon d'obéissance, de celles qui rendent dignes de commander.

Le 15, Bard a déjà dépassé Mortagne, à dix kilomètres de Cholet ! Malgré la déficience de ses effectifs, d'Elbée se porte contre lui.

Et les Mayençais ? Par quel miracle n'ont-ils pas bougé ? Cette immobilité n'est due qu'à une mutation dans le commandement. Canclaux et du Bayet ont été destitués, et remplacés par Léchelle, un crétin de l'espèce de Rossignol, à qui est confié le commandement unique des deux armées de Brest et de La Rochelle, groupées sous la dénomination d'armée de l'Ouest [1].

---

1. D'après Mme de Lescure, l'armée de Mayence fit dans ce moment, par l'organe de quelques officiers, des propositions de passer aux Vendéens, sous condition d'une solde régulière. Beauvolliers (le trésorier de l'armée), consulté, proposa de convertir en monnaie l'argenterie d'église trouvée à Fontenay-le-Comte. Plusieurs officiers appuyèrent sa proposition que firent échouer les curés de Saint-Laurent-sur-Sèvre et de Saint-Pierre de Cholet, en la qualifiant de sacrilège. Les vases sacrés n'en tombèrent pas moins par la suite aux mains des

Bonchamps se hâte vers Tiffauges. Trop tard. Les Mayençais n'y sont plus depuis la veille. Sous la direction de Kléber, ils sont en train d'effectuer leur jonction avec Bard. Bonchamps n'a même pas fait une lieue depuis Cholet, or, il déborde déjà l'aile gauche des Mayençais. C'est en vain qu'il dépêche Lescure contre cette aile par Saint-Christophe-du-Bois, et que lui-même, rentrant à Cholet avec Henri, se porte sur la route de Mortagne. La jonction s'achève. Lescure est refoulé sur La Tremblaye, mortellement blessé d'une balle à la tête ; d'Elbée, déjà victorieux de Bard, repoussé sur Cholet ; Henri, bousculé à une demi-lieue de cette ville par d'autres brigades de l'armée de Mayence.

L'ennemi ne tient pas encore Cholet. Bonchamps, qui vient de saisir l'avantage que présente ce refoulement des royalistes dont les ailes trop éloignées se trouvent mécaniquement resserrées, enraye avec de l'artillerie l'avance des Bleus qu'une charge exécutée par Henri repousse jusqu'à La Tremblaye. Tout n'est pas perdu. Bonchamps est souriant. Il n'a cessé de faire des jeux de mots sous les balles. La nuit même n'interrompt pas le duel d'artillerie. Sur le bord de la route, Henri s'attarde à secourir le brave Bibard à bout de forces, lui fait boire un coup d'eau-de-vie, le hisse sur son propre cheval et le conduit en lieu sûr. Tout n'est pas perdu si...

3

L'EXÉCUTION DU COMPLOT

Si nous devons en croire la marquise de Lescure et Boutillier de Saint-André — plus dignes de foi que

Bleus. D'après La Fontenelle de Vaudoré, *Autour du drapeau blanc*, p. 31.

l'historien Bourniseaux, — tous les chefs s'apprêtaient à défendre Cholet d'où les batteries vendéennes continuaient à tenir les Bleus en respect. Cholet retentissait de cris ininterrompus de « Vive le Roi ». L'ennemi l'abordait d'ailleurs du côté « le plus difficile » à attaquer [1] et Kléber se tourmentait du retard de l'armée de Chalbos qui, malgré sa diligence à venir de Bressuire, ne pouvait arriver à temps.

C'est alors que Beauvais, se promenant sur « la place d'Armes », s'aperçut avec stupeur que tout caisson avait disparu. « On » les avait emmenés au moment du repli général des royalistes, lui dirent les artilleurs, expédiés jusqu'à Beaupréau où se tenait Marigny avec le parc. Seuls demeuraient des coffrets « loin d'être pleins ».

Ordonnant aux artilleurs de modérer le feu, Beauvais courut faire part de cette découverte, et, se butant par hasard dans Henri, lui expliqua à brûle-pourpoint : « ... Non seulement il faut des gargousses pour l'artillerie, mais aussi pour l'infanterie ; il est urgent d'avoir cela à la pointe du jour. »

Henri courut « au conseil », où la chose fut jugée « urgente ». Talmont s'offrit à aller faire la commission « sans retard ». Sans défiance, les chefs le laissèrent partir vers Beaupréau avec une petite escorte. Mais les heures passent et rien n'arrive de Beaupréau. On envoie d'autres messagers, mais trop tard. Vers quatre heures du matin, les Vendéens doivent évacuer Cholet faute de munitions, en ordre, mais avec presse sous le feu de l'artillerie républicaine.

Henri, qu'accompagne le jeune Désessarts, s'est attardé pour protéger les traînards. Beauvais l'aperçoit au point du jour dans les dernières rues de la ville [2]. « Vous attendez quelqu'un ? lui crie-t-il. » — « Non. » — « Il est temps

---

1. Marquise de La Rochejaquelein, *Mémoires*, édition de 1889, p. 261.
2. Poirier de Beauvais, *Mémoires*, p. 143 et suivantes. Boutillier de Saint-André, *loc. cit.*, p. 122.

de s'en aller, les républicains approchent et leur cavalerie pourrait nous surprendre. »

A la sortie de Cholet, on rallie un autre cavalier du Pérat, mais, un peu plus loin, Henri exprime « le désir de s'arrêter pour sauver quelques-uns de nos fantassins si le cas arrivait ». — « Tenons-nous plutôt à l'entrée du bois tout proche, propose Beauvais, de là on découvrira tout ce qui débouchera de la ville sans être vu. » Tous quatre restent là un moment qui parut bien long à Beauvais, puis continuent leur route à travers bois. Mais au milieu, Henri s'arrête encore. Beauvais, toujours aux aguets, ayant distingué des cris de « Vive la République », se tourne, ironique, vers ses camarades : « Voulez-vous faire chorus ? » — « Vous plaisantez, tressaille Henri, ce n'est pas possible ! » Les cris retentissent plus distinctement. Il faut fuir en vitesse.

Les quatre cavaliers détalent, gagnent à toute bride l'orée du bois, évitent de justesse à la sortie une patrouille de hussards qui débouchait par la droite, essuient à bout portant, un peu plus loin, le coup de feu d'une sentinelle occupée à faire « exhiber à une femme le contenu de ses poches ». La situation se corse.

A la première métairie rencontrée, Henri saute de cheval et y pénètre, suivi de ses compagnons. On fait passer les chevaux par le jardin donnant sur la campagne et, abandonnant la route, Henri guide à travers champs ses trois compagnons vers Beaupréau.

Tous les chemins conduisant à Beaupréau étaient encombrés de gens qui abandonnaient leurs foyers domestiques « pour éviter de nouveaux malheurs ». « Le récit que les habitants du Poitou qui s'expatriaient faisaient à ceux de l'Anjou achevait de désorganiser toutes les têtes... Les paysans des Mauges, démoralisés à leur tour, se joignaient à ce torrent ou se dirigeaient du côté des rives de la

Loire, sans trop savoir où l'on allait... » Ainsi s'exprime un témoin, Mme de La Bouëre. Heureux encore que beaucoup de ces émigrants coupés par les troupes républicaines aient été forcés de s'en retourner chez eux.

Cet exode massif renforçait considérablement la position des « conspirateurs ». Ils possèdent à présent, avec la complicité de l'opinion publique, la force indispensable pour réaliser leur coup. Ils le savent. Mais ils ont nettement conscience qu'une imprudence peut faire tout échouer. Donissan possède en Talmont le moins scrupuleux et le plus indépendant des alliés. Que l'ancien maréchal de camp puisse approuver sa conduite est impossible. Par un curieux contraste, le vieux gentilhomme collaborera jusqu'au bout à la défense du territoire. Quand Lescure essayait de tenir tête à Chalbos, au Moulin-aux-Chèvres, il a voulu lui envoyer des renforts. Talmont les a retenus à Cholet, à la grande colère du président du conseil de guerre. Au fond, Donissan apparaît bien comme un prétentieux qui se croit justifié d'avance par les événements et que ceux-ci déborderont rapidement.

Sa conduite au conseil tenu le 16 à Beaupréau donne la mesure exacte de cet homme. Tout d'abord, la crainte de son gendre qu'il fait transporter à deux lieues de Beaupréau, à Chaudron. Ensuite, la prudence poussée jusqu'à la dissimulation. Il garde le silence tandis qu'autour de lui La Rochejaquelein propose de marcher sur Cholet, Royrand de rejoindre Charette par Boussay, Montaigu et Vieillevigne, Stofflet de licencier l'armée. Il écoute d'Elbée opiner dans le sens de Henri en ajoutant qu'il faut d'abord rassembler la division du Loroux. Une fois toutes les opinions émises, il se décide seulement avec Talmont à glisser l'idée — sans se dévoiler entièrement — qu'on s'assure du passage du fleuve afin de se retirer en Bretagne s'il était impossible de tenir sur la rive gauche. Il est chaleureusement soutenu par la majorité des officiers secondaires « un peu marquants » que depuis le 6 septembre « on » a décidé d'admettre au conseil.

On discute. Talmont violemment accusé d'avoir saboté la défense de Cholet se défend avec aisance. Ce n'est pas lui qui a fait « de son chef » évacuer les caissons. Ou plutôt c'est lui, mais sur une délibération du conseil. Il a parfaitement exécuté sa mission de la nuit précédente près de Marigny, mais n'a point vérifié son exécution. Son assurance est telle que M. de La Bouëre est tout prêt à prendre sa défense.

La discussion traîne en longueur et plus d'un officier est appelé au-dehors. Profitant d'une absence du généralissime, Donissan et Talmont démasquent leurs batteries et proposent à Bonchamps l'exode « total outre-Loire »[1].

A leur grande surprise, Bonchamps s'élève avec force contre leur proposition. S'il ne s'oppose pas à ce qu'on tente *in extremis* la diversion en Bretagne, il n'en veut pas moins « qu'on profite de l'immense quantité d'hommes accourus pour attaquer les républicains sur plusieurs colonnes ». Bonchamps rejoint donc d'Elbée à qui n'a été arraché que l'ordre « de faire assurer par trois mille hommes le passage de la Loire, en cas qu'on ne pût tenir sur la rive gauche[2] ». A présent, les opposants se taisent. D'ailleurs, la salle se vide peu à peu de tous les adversaires de leur projet. Il les « laissent partir ». Puis, se voyant seuls, ils se reforment en conseil pour préparer « en secret » le passage « en masse, quel que soit le sort de la bataille de Cholet[3] ».

« Quelle est la décision du conseil ? » interrogeait dans les rues de Beaupréau une jeune fille de seize ans, qui

---

1. Sur tout ceci, cf. Blachez, *Bonchamps et la Guerre de Vendée*, p. 287. Beauvais, *Mémoires*, p. 144. Baguenier-Désormeaux, *Bonchamps et le passage de la Loire*, p. 52 et passim.
2. Interrogatoire de d'Elbée par Turreau, à Noirmoutier.
3. Comtesse de La Bouëre, *Souvenirs*, p. 81. Il ne faut pas oublier que le mari de cette dame faisait partie du conseil.

venait d'accoster le prince de Talmont [1]. L'interpellé répondit « qu'on allait se porter sur Cholet ». L'entretien roula sur cette bataille. Talmont affecta sur son issue « une confiance que démentait plusieurs choses qui lui échappèrent ». La jeune personne, qu'attiraient les séduisantes manières du prince, demanda sans façons : « Où allez-vous ? » — « A Saint-Florent. » — « Pour faire quoi ? » Talmont éluda la réponse : « Je vous engage beaucoup, ainsi que votre mère et toute votre société, à vous y rendre. » La jeune fille ouvrit de grands yeux étonnés : « Mais, prince, ce voyage m'apparaît absolument inutile... Si l'attaque de Cholet manque, nous ne reculons notre mort que d'un jour. » Un sourire énigmatique détendit les traits du prince : « C'est vrai, mais croyez-moi, reculez ce moment le plus qu'il vous sera possible. »

Cette scène se passait le 16 au soir. Or, d'Autichamp, chargé par d'Elbée de forcer le passage de Varades, ne devait rencontrer le prince que le 18 à une heure du matin, à son retour de cette opération. Sans doute faut-il penser avec l'érudit Baguenier-Désormeaux que Talmont alla plutôt débaucher la division du Loroux qui devait effectivement arriver en retard et incomplète sur le champ de bataille.

Cholet. Ce nom résonnait dans l'âme de Henri comme l'écho même du sol natal perdu, qu'une victoire superbe pouvait et devait reconquérir. Derrière lui, l'unique colonne presque grégaire de quarante mille hommes que l'on entraînait à Cholet gardait certes un silence sans précédent. Il ne doutait pas que la vue de l'ennemi, plus encore de la terre à reconquérir, l'arracherait à la musique ensorcelante du canon battant Varades.

_____

1. Mlle des Chevalleries, *Souvenirs* publiés par le vicomte A. de Courson, p. 79.

Devant Cholet, Kléber n'est pas sans inquiétude. L'armée de Chalbos n'est arrivée que tard dans la nuit du 16 au 17, tellement harassée qu'il a fallu la laisser en réserve. Or, « les pricands se pattent pien », même contre des troupes régulières, ainsi qu'il l'a constaté à Torfou. Tout à l'heure, leurs balles vont trouer encore les blancs uniformes de l'ancienne infanterie royale. Oh ! douleur ! A Fontenay, le 26 mai, Marigny pleurait en apercevant les boutons d'uniforme de quelques prisonniers frappés de l'ancre de la marine royale. D'Elbée aurait voulu pouvoir opposer à cette livrée, avilie par une besogne dont plus d'un Mayençais ressent la honte, ses officiers en tenue. Il ne l'a pu. Mais qu'importe la vue des loques tristement éloquentes de cet uniforme jadis si chatoyant ? Qu'importe à ceux dont la nécessité de la cause qu'ils défendent, la foi religieuse et monarchique, synthèse de dix siècles de grandeur française, remplissent le cœur et enfièvrent la volonté.

Monsieur Henri, avec son avant-garde, enfonce d'un élan terrible celle des Mayençais. Peu s'en faut que son chef, l'ex-vicomte de Beaupuy, ne tombe entre ses mains. A grand-peine il s'arrache des mains des royalistes et rejoint Barris, capitaine de son artillerie volante, tandis que retentit le cri : « Ne le tuez pas, prenez-le vivant, c'est le général. » « Je viens de reconnaître la voix de La Roche-jaquelein, mon ancien camarade de Sorèze », lui dit Barris.

Sur la lande en feu de la Papinière, c'est une lutte à mort. L'armée de Luçon, commandée par Marceau, recule devant Bonchamps. Celle de Chalbos, appelée pour la soutenir, se débande et s'enfuit.

Bonchamps pousse ferme son attaque contre Marceau. C'est qu'à sa droite, il vient d'apercevoir la pointe de l'aile gauche de Kléber, recourbée sur La Rochejaquelein à qui la marche des royalistes sur une seule colonne n'a pas permis de se développer à temps pour la refouler. Mais, s'il parvient à prendre à revers la gauche de Kléber, il peut secourir Henri. Seulement Kléber a vu aussi. Par ses ordres, cette pointe laissée intacte, le 109e de ligne, adossé au château de la Treille, tombe sur l'arrière-garde de Monsieur Henri.

Une terreur panique explose, se propage comme une traînée de poudre dans l'armée de Henri, démoralisée d'avance. « A la Loire ! A la Loire ! » et Beaupuy reprenant l'offensive n'a plus qu'à broyer contre le 109e une cohue désordonnée.

Kléber ne tient pas encore la victoire.

Une troupe de héros se charge de lui montrer qu'un homme n'est jamais plus fort que quand il se bat sur sa propre terre. Groupée au centre autour de d'Elbée, de Monsieur Henri, de Bonchamps et de Royrand, elle se jette avec une fureur de « tigres » sur les lignes des Mayençais où Kléber se bat au premier rang. Une ruée sauvage au pistolet et à l'arme blanche. Les rangs de Marceau s'entrouvrant démasquent en vain des canons chargés à mitraille, cette phalange de braves joint les soldats de Kléber dont l'état-major est affreusement décimé, accule à six heures du soir l'armée de Marceau aux faubourgs de Cholet. La victoire s'apprête à couronner tant d'héroïsme, quand Bonchamps s'effondre, mortellement blessé au ventre, suivi par d'Elbée atteint à la poitrine et sitôt couvert de treize autres blessures. La « Vendée » est perdue. La mort des chefs entraînait, comme au Moyen Age, la fuite des soldats.

Puis, dans l'affolement général d'une clameur de déroute, c'est ce beau cri de fierté mâle et d'amour éperdu de la terre natale, le cri sonore de Monsieur Henri : « Mourons avec eux dans nos landes, mais ne reculons pas ! » Car rien ne manque à ce Roncevaux de la Vendée, ni les traits héroïques, ni les mots historiques, ni les sourdes menées.

Avec une poignée d'hommes, il s'obstine à retarder l'avance des deux armées républicaines victorieuses, dans l'espoir d'un ralliement des fuyards repoussés sur la route du May, à une lieue de Cholet. L'arrivée de Piron galopant sur son cheval blanc, à la tête de deux mille hommes du Loroux lui gonfla le cœur de l'hallucinante espérance dans laquelle il se baignait depuis plus de sept heures d'une lutte ardente. Revenant à la charge, il se jetait sur les grenadiers de Beaupuy avec tant de fureur qu'à huit heures du soir celui-ci s'arrêta, croyant avoir affaire à Charette.

**

A Beaupréau, d'Elbée s'apprêtait à gagner le pays de Retz. Il ne tenta même pas de passer son commandement électif si âprement battu en brèche. Ses pouvoirs expiraient d'ailleurs avec sa mise hors de combat [1] ; Beauvais put tout juste lui arracher l'ordre ultime de « tenir » Beaupréau. Que valait cet ordre ? Quand Beauvais se présenta avec Villeneuve du Cazeau et plusieurs officiers chez Donissan qu'il trouva en compagnie du jeune Désessarts en train de faire des convocations « ordonnant le rassemblement à Saint-Florent », il se garda bien d'en faire usage immédiat. « Vous avez tort, lui dit-il, de déterminer ainsi le passage sans le consentement des chefs et même sans celui de l'armée à qui l'on fait abandonner ses foyers. »

L'apostrophe était adroite, et Donissan, qui eût pu rejeter, comme président du conseil de guerre, l'ordre d'une autorité démissionnaire de fait, ne pouvait rien arguer contre l'autorité collective des chefs supérieure à la sienne que venait d'invoquer Beauvais. Il se tut. Le jeune Désessarts fit la réponse d'un nigaud : « On ne les force pas à passer la Loire, on indique seulement le lieu de rassemblement à Saint-Florent. »

Ce fut un concert d'imprécations. « Les bateaux pré-

---

1. Il y a lieu de noter que la situation n'était pas la même qu'après la blessure de Cathelineau qui jusqu'à sa mort conserva son titre et jusqu'à un certain point ses fonctions de généralissime. Les circonstances postulaient elles-mêmes ici un remplacement immédiat. Ajoutons que l'état de d'Elbée était plus grave que celui de Cathelineau qui n'empira que faute de soins appropriés.

parés... Une partie de l'armée sur la rive droite... » Allons donc ! Beauvais qui avait retrouvé ses manières de magistrat [1] devint incisif. « C'est bien hardi de prendre sur soi une telle responsabilité. » Donissan garda le silence. « Ce ne sont pas les intentions du généralissime. » L'ancien magistrat devenait assommant. Donissan se débarrassa de cet importun et de son entourage par une maladresse qu'il croyait une habileté : « Il n'y a pas d'autre moyen que de convoquer le rassemblement à Saint-Florent, puisque l'armée y est déjà. » C'était vrai, mais chacun savait que l'armée n'y avait filé « que sur le bruit répandu à dessein qu'on n'était pas en sûreté à Beaupréau ». Les convocations des deux compères étaient destinées à ceux des combattants demeurés au May, à Trémentine, Jallais, Bégrolles, Andrezé, et dont beaucoup protestaient contre le parti pris de passer la Loire. Pendant ce temps, Pierre Cathelineau, frère de l'ancien généralissime, faisait, pour escorter d'Elbée, un rassemblement que la hantise du passage de la Loire contrariait mille fois plus que les armées bleues qui n'avaient pas même établi de postes dans les communes occupées.

Il était neuf heures quand Beauvais quitta Donissan. Dès onze heures, Beaupréau était déjà si désert qu'ayant entendu des coups de feu aux abords de la ville, Beauvais la quitta pour gagner Saint-Florent. Y eut-il conseil à l'arrivée de Monsieur Henri, de Royrand, de Stofflet et de Piron ? Un conseil dans lequel « ces chefs, croyant à la présence de leurs troupes dans les environs », auraient proposé « d'aller surprendre l'ennemi dans l'enivrement de sa victoire » ? Beauvais n'en souffle mot. On préfère croire que Béjarry, de qui vient ce renseignement et qui faisait partie du conseil, a confondu avec celui de la veille.

*
**

1. On sait qu'il était avant la Révolution membre du Grand Conseil du Roi. Il avait, en 1793, quarante-trois ans.

Le spectacle que Saint-Florent, envahi de « familles entières venues de tous les pays insurgés », encombré de charrettes et de blessés, offrit à l'aube à Monsieur Henri déchaîna chez lui une colère d'une violence peut-être unique dans sa vie. Bousculant cette foule avec ses officiers, vociférant « qu'on courait à sa perte », sourd à toutes supplications, sa colère tenait de la démence. « Je veux rester sur le rivage m'y faire tuer ! » Son rugissement ne tombe pas sans écho. « Général, gueule Stofflet, prenons cent braves avec nous et allons nous faire tuer à Cholet. »

Colère d'impuissance en face du fait virtuellement accompli ? C'est bien plutôt le cri d'épouvante qu'arrache au chef clairvoyant la vue de ses hommes au bord d'un abîme. Une expédition du genre de celle-ci tentée par des incapables et des chimériques dépourvus de tout sens de discipline, à la veille de l'hiver, sur le territoire d'une population sympathisante, mais incapable d'unanimité, se trouvait vouée à l'échec. Les réquisitions nécessaires à l'entretien de tant de monde, même payées en bons royaux, ne pourraient qu'éteindre la sympathie des pays traversés, sinon provoquer leur hostilité. Un épouvantable calvaire était promis à cette foule déracinée du sol qui la nourrissait.

Une idée jaillit soudain. Lescure. La plus forte tête du conseil. Là se trouvait un appui solide. Avec Royrand, Stofflet et d'autres, Henri s'y précipita. Il parvint près du « reclus » dans un état affreux, « pleurant de rage » tout le long de son exposé. Lescure ne put que partager sa colère. Qu'eût-il pu, même valide ? La punition des coupables n'eût changé ni le cours des idées d'une population, ni la « situation de l'armée » (dont la partie déjà passée sur la rive droite ne consent pas à revenir), ni celle de cette foule de femmes et d'enfants menacés par l'avance des républicains « que signalent les flammes se rapprochant de plus en plus ». Henri s'en rendit compte. Toute dureté était non seulement cruelle, mais inutile. Sa colère tomba aussitôt.

Sur la berge, où il travaille à mettre un peu d'ordre, il

a déjà retrouvé sa douceur habituelle. Une fillette en larmes se heurte à lui. Henri baisse les yeux et reconnaît la petite fille de son domestique. Séparée de son père, elle se cramponne à Monsieur Henri. En une seconde, elle est enlevée de terre, installée sur le bras de son jeune maître, tandis qu'une voix caressante la rassure : « Non, ma petite, je ne t'abandonnerai pas. »

Un autre enfant lui a déjà été confié. Au chevet de Bonchamps, ne vient-il pas de recueillir, émouvante marque d'estime, la mission suprême — à partager avec d'Autichamp — « de prendre sous sa protection » ce que le mourant laisse de plus cher au monde : sa femme, sa fille et son fils, le petit Hermenée, charmant enfant de cinq ans qui se met à battre son petit tambour dès qu'il entend le bruit du canon ? Hermenée, Henri l'adore. Souvenez-vous, les enfants sont la passion du grand aîné de la Durbelière.

Sous ses yeux s'entasse dans les barques une foule grossie d'heure en heure. Aussi, pour dégorger le passage, conseille-t-il à Marigny d'aller passer l'artillerie au port des Léards, en face d'Ancenis. Piron entraîne trente-six canons et quarante caissons par les chemins impossibles du Marillais et de Bouzillé. Trente-six canons. Le parc en comptait plus de cent[1] !

S'il souffre dans son cœur d'homme, la conscience du soldat est en paix, sa responsabilité couverte aux regards de la postérité. Il a été tenu dans l'ombre. Plus que jamais il veut y rester. Les premières heures du 19 octobre

---

1. « En traversant Saint-Florent, nous vîmes quarante à cinquante caissons, tous vides. Nous avons su que les Vendéens avaient jeté à l'eau toutes les munitions qu'ils contenaient, avec un grand nombre de canons. » Capitaine Mocquereau de La Barrie, *Mes trois mois de prison.* Cf. aussi : *Papiers inédits de Choudieu*, publiés par Queruau-Lamerie : « ... dès le 19 octobre au matin, Merlin de Thionville et Marigny enlevèrent à l'ennemi onze pièces d'artillerie qu'il n'eut pas le temps d'embarquer..., le 19 au matin, notre avant-garde enlevait aux Vendéens une partie de leur parc d'artillerie », pp. 80-81.

le trouvent encore sur la rive gauche. Il ne veut s'embarquer que le dernier. Vers trois heures du matin, l'arrivée du capitaine Hauteville sur les hauteurs de Saint-Florent, avec quarante cavaliers, marque la fin du passage de la Loire. La grande folie est consommée, « que ses auteurs devaient payer de leur vie, avec tant d'autres, hélas ! »

CHAPITRE V

L'INVINCIBLE CHIMERE

1

L'ÉCRASANTE SUCCESSION

Varades, sur le coteau de la rive droite, est un gros bourg d'aspect riant, qui s'étire le long de la route de Tours à Nantes juste en face du mont Glonne, cette « motte en pain de sucre » à laquelle est agrippé le village de Saint-Florent. Quatre-vingt mille âmes, près du quart de la population des territoires insurgés, y affluaient en cette nuit du 18 au 19 octobre, venant de Saint-Florent, d'Ancenis, d'Oudon, de tous les points où s'était effectué « le passage ». Le passage des meilleurs éléments de l'armée vendéenne.

Bonchamps a expiré à onze heures du soir, au hameau voisin de La Meilleraye, chez le pêcheur Jean Bélion, de ses compagnies bretonnes, sans avoir revu sa femme ni ses enfants. A trois heures du matin, on l'enterre à la lueur des torches, sous le feu des républicains, dans le cimetière de Varades. Lescure est mourant, d'Elbée resté sur l'autre rive, Charette dans son marais. Des cinq divisionnaires créés aux Herbiers, restent seuls Henri et

Royrand, celui-ci « incapable de sortir de son rôle de commandant d'armée », de l'avis de son lieutenant Béjarry, d'ailleurs âgé, connu seulement de ses hommes. Qui va conduire vers ses nouveaux destins cette population jetée à l'aventure ? Talmont ? Donissan ? Ils y songent, surtout le dernier qui, en fait, a bien été désigné comme le successeur éventuel de d'Elbée, le 19 juillet, après Bonchamps et Lescure. Mais qui donc y pense à présent en dehors de sa coterie ? Assurément pas Lescure, malgré son ignorance des agissements de son beau-père. Ses soupçons ne se portent que sur Talmont. Aussi quels accents de colère ! « S'il me restait des forces, dit-il à Bréchard, du conseil supérieur, en débarquant à Varades, je m'en servirais pour brûler la cervelle du jean-foutre qui nous a fait passer la Loire ! »

Dans cette cohue désaxée, un nom vole de bouche en bouche. De toutes parts éclate un cri impérieux : « Monsieur Henri, nous voulons Monsieur Henri pour chef[1] ! » De son côté, Lescure, qui redoutait quelque intrigue, mandait tous ses officiers pour leur demander d'élire Henri de préférence à son beau-père. Précaution superflue. La ratification de la volonté populaire coûtait peu aux adversaires de cette candidature forcée. Par ce général qu'ils comptent réduire au rôle d'exécuteur de leurs plans, on tiendra l'armée en main.

Henri, qui n'ignore pas le but machiavélique de cet état-major anarchique, se débat comme un forcené. Dans l'atterrement de tout son être, il objecte son âge, son inexpérience. « Pourquoi veut-on que je sois général ; je suis trop jeune ; je voudrais être hussard pour avoir le plaisir de me battre. » Phrase enfantine qui n'est pas perdue pour la postérité. C'est qu'il est horriblement mal à l'aise, repris tout entier par sa craintive timidité. Puis, que peut-il faire ? S'emporter contre Donissan et Talmont ? Critiquer leur attitude en termes acérés ? L'absence

---

1. Béjarry, *Souvenirs*.

de sanctions contre les coupables (qui ont maintenant pour complices les deux tiers de l'armée), le défaut surtout d'une autorité insaisissable rendaient vaine toute riposte acrimonieuse.

Une élection « à l'unanimité [1] » fut la réponse aux objections désespérées de Henri. Mais, quand le conseil voulut passer à celle d'un généralissime « en second », il coupa brusquement : « Inutile. Si l'on me force à commander, je me considérerai comme le second du marquis de Donissan ! » C'était signifier avec élégance à celui qui avait créé la situation nouvelle qu'à lui-même incombait à présent d'en assumer, avec la direction, les responsabilités.

Donissan, s'il l'eût voulu, aurait pu jouer le rôle magnifique d'exécuteur des volontés du nouveau général, et nul doute qu'un si grand exemple eût fait rentrer dans l'obéissance plus d'une volonté rebelle. Il était bien incapable de remplir ce rôle effacé. Breveté maréchal de camp en 1781, il avait profondément souffert de se voir refuser par Louis XVI — en dépit de ses assiduités et des instances de Madame Victoire, la marraine de sa fille — l'emploi que lui conférait son nouveau grade. Pas plus qu'il n'avait deviné la raison d'un refus si persévérant, il ne comprit le sens de la déclaration de Henri. Il était généralissime de fait. Il le pensait. Lui non plus n'avait pas pénétré cette nature de vingt ans [2].

A présent, tandis que déferle une immense clameur qui, répercutée par les berges de la Loire, porte jusqu'à l'armée républicaine le nom du nouveau généralissime, Henri de La Rochejaquelein effondré « dans un coin pleure à chaudes larmes [3] ». Silencieux désespoir que surprit Mme de Les-

---

1. Marquis d'Elbée, *Essais historiques et politiques sur la Vendée* du chevalier de Solilhac, p. 34.
2. Voir p. 199 la réponse de Donissan lors de son interrogatoire.
3. Comme l'a écrit le chevalier de Solilhac, « le pays (la Bretagne) devait nécessairement désirer la destruction de l'armée vendéenne, puisque sans vivres et sans argent, elle

cure envoyée à sa recherche par son mari. Henri se jeta au cou de Lescure : « Je prévois que bien des ambitions chercheront à traverser mes desseins ! » Mes desseins. Le mot recueilli par Mme de Lescure des lèvres de celui qui l'a prononcé est à retenir. Il réduit à néant le commérage dont Gibert s'est fait l'écho : « Commandez... je n'ai pas d'idées personnelles. »

« Vive le Roi ! Vive La Rochejaquelein ! » L'acclamation universelle l'intronise avec une solennité extraordinaire dans la charge suprême. Elle eût enivré un médiocre. Celui qui est l'objet d'une manifestation d'amour d'une pareille ampleur ne parle à Lescure que de démission, lui fait promettre de prendre le commandement si jamais il se rétablit. Lescure se voit perdu, mais il ne désire lui-même qu'être « l'aide de camp de Henri », pour « donner le premier l'exemple de l'obéissance ». C'est un humble comme son cousin, un humble que réjouissent les acclamations à l'adresse de Henri qu'il affectionne comme un frère. Par malheur, il est mauvais psychologue. Il lui prêche la fermeté, jure d'abattre tous les ambitieux, assure son cousin qu'il ne lui manque « que de donner l'essor à sa fermeté naturelle ».

Que faut-il retenir de ce sermon pour juger La Rochejaquelein ? La fermeté, ni la modestie n'étaient ici en cause ; et la complexité de la question semble avoir échappé à Lescure qui n'avait certes pas donné au prédécesseur de son ami l'exemple de cette obéissance qu'il prônait avec tant d'ardeur. Il s'agit bien moins d'ailleurs de la nécessité de l'obéissance qui n'échappe pas à Henri, que des moyens et de la possibilité de la faire régner dans une armée naturellement rebelle à la discipline des troupes régulières et avant tout au sein d'un état-major où l'intrigue vient de conquérir un si puissant droit de cité.

Henri a atteint, le 30 août 1793, ses vingt et un ans.

était vraiment un fléau pour les contrées qu'elle parcourait ». Solilhac, *Essais historiques et politiques*, p. 41.

Sa jeunesse est ruisselante de promesses. Ame brûlante, « tête froide », telle est l'appréciation d'un officier de la République, le commandant d'Obenheim qui bientôt apparaîtra dans les rangs vendéens, sur ce jeune homme en qui Crétineau-Joly ne voit « qu'un audacieux volontaire ». Peut-être un peu apathique comme tout Poitevin « quand il n'est pas aiguillonné par la nécessité », Henri n'en possède pas moins « cette pénétration de jugement et cette précision d'intelligence » qui sont aussi un des apanages du tempérament poitevin, avec — le trait est d'importance — cette persistance dans ses idées « sous l'apparence de la soumission [1] ».

Mais la succession anarchique de d'Elbée l'épouvante, toute semée qu'elle est de complots dont la trame va se développer aisément, rendue plus redoutable encore par l'intrusion au conseil militaire des intrigants du défunt parlement de Châtillon [2]. La formation juridique des uns, philosophique des autres, les aide merveilleusement « à fatiguer, absorber, tuer les hommes d'énergie ou de talent qu'ils jalousent », à brouiller l'entendement, à semer les divisions.

Pauvre Henri ! Une vie infernale commence pour lui. Celle des discussions tortueuses et des intrigues à tiroirs.

Dans son exil, sa mère ne cesse de penser à lui. « J'ai été bien contente d'apprendre des nouvelles de ton frère, quoique indirectement, écrit-elle à Anne, le 8 octobre. Il serait bien à souhaiter que l'on eût gardé prisonniers tous ces brigands qui étaient à Mayence. » Et le 25, elle écrira : « Je voudrais bien avoir des nouvelles d'Henri. Il joue

---

1. P. Boissonade, *Le Caractère poitevin*. Ann. du Centre-Ouest, pp. 120-121.
2. Plusieurs membres de ce conseil restèrent, comme Biret et La Cassaigne, en Vendée. Ce dernier vivait encore en 1798. Il était alors l'objet d'un mandat d'amener. Cf. Archives des Deux-Sèvres, série L. Il eut encore la bonne fortune d'y échapper et mourut paisiblement au Rabot au début du XIXe siècle.

un grand rôle dans ce moment ; il a déjà bien battu les brigands [1]. » La malheureuse mère ne soupçonne pas quel calvaire commence pour son « pauvre Henri ».

Le conseil de guerre tenu le 19 à Varades, sous la présidence habituelle de Donissan, est un chahut que ne troublent guère les décharges des batteries vendéennes canonnant durant toute la journée l'avant-garde républicaine sur la rive droite pour l'empêcher de passer la Loire [2] !

Un petit nombre d'entêtés accueille seul la proposition de Henri [3], appuyée par Chantreau, porte-parole de Lescure, de se diriger soit sur Nantes, soit sur Angers pour rentrer en Poitou. Les opinions ne sont divisées en fait que sur la marche en Bretagne et le soulèvement du Maine (le pays de Talmont). Exécuter cette rentrée après la panique qui a jeté quatre-vingt mille âmes dont vingt mille femmes et enfants hors de leurs foyers sur le bruit « que les Bleus allaient massacrer tout ce qui resterait en Vendée [4] » est impossible. Que Henri s'obstine, il risque de se voir accuser de songer à la défense de ses propriétés [5]. Pierre Cathelineau n'a d'ailleurs pu réunir que deux cents hommes

---

1. Lettres communiquées par le colonel de Beaucorps. Voici le passage se rapportant à Henri : « Les gazettes anglaises nous apprennent que nos maisons sont rasées ; cependant, il serait encore possible que la Durbelière ne le fût pas. Je voudrais bien avoir des nouvelles d'Henri. Il joue un grand rôle dans ce moment. Il a déjà bien battu les brigands. Notre malheureux pays est le théâtre de la guerre. Tous les habitants sont bien à plaindre. Tes tantes ! que sont-elles devenues ? Clisson est tout brûlé, mais tu me manderas toutes ces nouvelles que tu sais bien mieux que moi. »

2. *Mémoires* de Kléber, p. 232.

3. Marquise de La Rochejaquelein, *Mémoires*, édition de 1889, p. 227.

4. D'après des interrogatoires de prisonnières vendéennes.

5. Baguenier-Désormeaux, *Bonchamps et le passage de la Loire*.

pour escorter d'Elbée. Henri décide donc d'adopter le plan breton de la marche sur Rennes, de beaucoup le plus partagé, encore que l'on ignore, comme le fait observer Forestier, les intelligences nouées par Bonchamps en Bretagne.

A ce moment est introduit le chevalier de La Haye Saint-Hilaire, émissaire du gouvernement britannique. Arrivé pendant la bataille de Cholet, on n'avait pas eu le temps de s'occuper de lui, sauf, bien entendu, Donissan et Talmont qui puisèrent là une nouvelle raison de précipiter le passage. En fait, il n'apporte qu'un bref du pape Pie VI, dénonçant l'imposture de Folleville. Bernier donne la traduction du document, indique la conduite à suivre pour ne pas causer de scandale.

Pas le moindre message anglais. Aussi ses affirmations concernant un prochain débarquement sur les côtes bretonnes, la présence d'une flotte anglaise à Jersey « prête à mettre la voile sur Saint-Malo », ne recueillent-elles que scepticisme. L'affaire est close ? Pas encore. Talmont a quelque chose à demander, une petite modification insignifiante au plan adopté. C'est que l'on marche sur Rennes par Laval pour recueillir les renforts que son passage dans la Mayenne ne manquera pas de faire surgir. Peut-on se priver de renforts aussi importants ? Tout le monde opine dans ce sens. On va marcher sur Rennes par Laval.

Personne ne soupçonne que dans la pensée du prince, Laval est la première étape vers Saint-Malo [1].

---

1. Cf. Marquise de La Rochejaquelein, édition de 1889, pp. 277-278, et Beauvais, *Mémoires*, p. 155. « Talmont nous rendit le mauvais service de réussir à faire diriger la marche de l'armée sur la Normandie au lieu de la laisser se porter sur Rennes comme c'était l'avis du plus grand nombre. » Cf. aussi Béjarry, *Souvenirs*, p. 103. « De Laval on pouvait se porter sur la Bretagne. »

2

L'EXODE

20 octobre. La Vendée errante s'est mise en marche à l'aube, par la route royale de Nantes à Tours. L'énorme fourmilière humaine s'étire à présent sur une longueur de quatre lieues dans un pêle-mêle où figurent — en plus de l'artillerie — quelque quatre cents charrettes attelées de bœufs. Partout des femmes et des enfants, en tête, au centre, à l'arrière-garde, surtout à la queue de la colonne que ferme un peloton de cavaliers.

Les auteurs de cet exode hochent la tête. Ils voulaient l'armée permanente. Leur intelligence à œillères n'avait pas prévu une telle affluence d'« inutiles », ainsi qu'ils désignent les femmes et les enfants. « Que les femmes de la campagne restent chez elles, elles n'ont rien à craindre ! » lance M. d'Esigny, un officier de Lyrot qui, lui, n'était pas partisan du passage. Son appel reste sans écho. Les femmes de la campagne savent trop bien que les Bleus n'épargnent pas plus les paysannes que les châtelaines, et puis, ne va-t-on pas « trouver en Bretagne repos et sécurité » ? « Rangez-vous, voilà des bœufs », crie quelqu'un. Tout le monde comprend : voilà les Bleus, et c'est une débandade folle. Puis, se reforme la pitoyable colonne de ces êtres douloureux « pataugeant dans la boue », geignant « continuellement » sous la pluie lancinante.

A la hauteur d'Ingrandes-sur-Loire, située à une demi-lieue de la grande route, les émigrants tournent le dos à la Loire pour s'enfoncer vers le nord. Candé forme leur première et courte étape. Le lendemain, ils sont, vers midi, à Segré, où le plus étrange des bivouacs s'organise dans la ville et les champs voisins au milieu des charrettes et du bétail. Pas de tentes, hormis les bâches des charrettes, et il pleut toujours.

Les chefs causent de leurs projets. Talmont parle de marcher sur Paris [1] par Bellême et Chartres pour « broyer » la Convention, Bernier d'aller en Normandie, ce « grenier inépuisable », où l'on a des partisans nombreux, Stofflet dans le Cotentin, Scépeaux en Basse-Bretagne. Henri « se recueille ». Il n'a pas l'habitude de parler sans réfléchir mûrement.

Un coup de maître a jailli dans son esprit : profiter de la division des armées républicaines à l'est et à l'ouest pour s'emparer d'Angers. « Ecoutez-moi, mes chers amis, secondez-moi, tombons par Bécon et La Meignanne sur Angers. Ne perdons pas un moment, marchons la nuit avec les mieux montés..., arrivons aux portes avant le jour et je vous réponds de la victoire. C'est ici comme à Thouars, comme à Saumur, l'audace fait le succès. Angers est à nous si vous voulez la prendre. Les Mayençais arrivent, mais trop tard. Et voyez notre position, à cheval sur toutes les rivières de Loire, de Maine, Loir, Sarthe... Nous ressaisissons par l'aide de Dieu tout l'avantage et rentrons triomphants dans ce pays sacré, où sont nos biens, nos espérances, nos joies [2]. »

Coup de main réalisable à condition de se hâter. Beaupuy ne devait arriver à Angers que le soir de ce même jour, avec l'avant-garde républicaine rompue de fatigue.

Son idée fait impression. « On se consulte, on hésite. » Talmont sort en claquant la porte. Les heures passent en conciliabules « sans aucune détermination ». Le soir, il faut se remettre en route pour Château-Gontier où l'on entre à trois heures du matin [3] pour en repartir le lendemain à onze heures du soir, à destination de Laval. C'est que Henri a appris que les Mayençais faisaient diligence [4].

---

1. L'idée de Talmont d'aller à Paris est attestée par Grille, Mlle des Chevalleries et la marquise de Lescure.
2. Grille, *La Vendée en 1793*, T. II, p. 356. Il déclare tenir cette relation du vicomte de Scépeaux.
3. *Souvenirs* de Mlle des Chevalleries, pp. 115-116.
4. Id., *ibid.*, p. 116. « Nous devions coucher à Segré, mais le général, ayant appris la diligence que faisait l'armée mayen-

Beaupuy est parti le 22 d'Angers avec ses trois mille hommes. Westermann, de Nantes, le même jour, en direction : le premier, de Nort-sur-Erdre ; le second de Candé.

Henri ne voulant pas être attaqué avant Laval presse la marche. Vêtu d'une redingote bleue, monté sur son cheval surnommé « le Daim » à cause de sa vitesse extraordinaire, il galope d'un bout à l'autre de l'immense colonne, s'essayant à y mettre un peu d'ordre. Femmes, enfants, vieillards sont épuisés de fatigue. Des familles se perdent et s'appellent désespérément. Des affamés s'écartent pour aller piller. Ce n'est que dans les interrogatoires seulement, a écrit Henri Chardon, que l'on comprend tout ce que cette virée de galerne renferme de douleurs et de misères.

Il va de la tête au centre, du centre à l'arrière-garde. Son âme de feu, qui n'a rien perdu de son énergie, se prodigue en encouragements, active les attardés, réconforte tout le monde, et la vue de cet enfant, d'où s'exhale une si confiante attitude, galvanise les cœurs, si bien que le lendemain à huit heures du matin, les émigrants sont devant Laval, dont vingt-cinq mille gardes nationaux ont vainement essayé d'interdire l'accès.

Henri, soudain isolé au cours de leur poursuite, empoigne un républicain au collet avec sa main gauche, la seule valide, et, faisant pirouetter son cheval avec ses jambes, s'amuse des efforts impuissants du soldat à se débarrasser de lui. Quand ses hommes arrivent, il le lâche enfin. « Va raconter aux tiens que tu t'es colleté avec le général des brigands qui n'a qu'une main et que tu n'as pas pu le tuer. »

A dix heures, les Vendéens entrent dans Laval, un peu refroidis par l'accueil réservé des habitants, mais heureux de trouver du logement et des vivres.

**
*

çaise, défendit de s'y arrêter, et on marcha de suite toute la nuit...°»

« Je vois, mon brave, que tu ne penses pas que la dépouille d'un Bleu soit bonne à couvrir un soldat du Roi ; mais puisque tu n'as pas pris ta peau de chèvre comme tes soldats, prends du moins ce manteau pour te garantir du froid. » L'homme à qui s'adressait ce discours était en loques. Après avoir traversé Laval à la tête de ses bandes, en faisant piaffer son cheval et en balayant la rue avec le drapeau tricolore qu'il avait descendu du clocher de la *Brûlatte,* cependant que sa main droite brandissait le drapeau blanc, il était monté directement au château des seigneurs de Laval. C'était Jean Cottereau, dit « Jean Chouan » [1]. Talmont, tout fier de passer ses troupes en revue, venait de lui offrir sa propre pelisse.

Dès le lendemain de l'entrée des Vendéens, de nombreuses bandes d'insurgés manceaux avaient en effet afflué, surtout des cantons de Sablé, Brûlon, Précigné, Noyon, La Suze. Ils faisaient sensation avec leur culotte courte lâchée au jarret, leur bielle et leur veste en peau de chèvre, « en peau de bique », disaient les Poitevins, « nom qui leur resta ».

A « la petite Vendée », forte de six mille hommes et réunie à la grande, hélas ! jetée hors de son territoire, vint encore se joindre une troupe de six cents paysans de la région de Fougères, sous les ordres d'Aimé du Boisguy. Talmont prétendit former ses vassaux en un corps à part, nomma pour les commander Besnier de Chambray. Les hommes de Jean Chouan s'y opposèrent. « Nous n'obéirons qu'à lui. »

---

1. S'il est exact que le nom de Chouans donné aux insurgés bretons est dû à leur plus célèbre chef, Jean Cottereau, qui vit son surnom étendu par les Bleus à tous les hommes de sa bande puis à tous les rebelles de Bretagne, il n'en est pas moins prouvé que ce surnom de Chouan ne lui est pas personnel, ainsi que le prouve son acte de baptême retrouvé par Duchemin-Descépeaux et ainsi conçu : « Jean Cottereau, fils de Pierre Cottereau, *dit Chouan,* bûcheron, et de Jeanne Moyné, son épouse, est né le 30 octobre 1767 en la paroisse de Saint-Berthevin, près Laval. »

Il s'en fallait que le nom de Talmont eût « soulevé la Mayenne ». Et d'aucuns, prompts à s'émerveiller, parlaient déjà de gagner le cœur de la Bretagne.

3

KLÉBER

Henri de La Rochejaquelein avait bien autre chose à faire que d'être à l'écoute des intrigues. A lui incombait l'écrasante besogne, que personne ne lui disputait, de défendre toute une population émigrante.

Les ingéniosités déployées par ce prestigieux cerveau de vingt ans pour couvrir et ravitailler les siens, dépister les recherches de l'ennemi sur la direction suivie par son armée, ont fait l'admiration de Kléber. « Sur toutes les directions qui aboutissent au point où se tient son armée », des patrouilles de cavalerie et d'infanterie sont entretenues, qui « se portent à trois, quatre, cinq et six lieues, tandis que l'infanterie s'occupe sur les derrières à enlever les subsistances qu'elle peut rencontrer [1]. Comment, dans ces conditions, découvrir la direction que suivra l'armée ? » écrit Kléber vers le 4 novembre. Comme l'araignée postée au centre de sa toile, Monsieur Henri se tenait prêt à accourir du côté menacé. Sous sa main : trente mille fantassins, douze mille cavaliers, cent quatre-vingts artilleurs, plus la division Chouanne [2], car du reste, dont beaucoup d'hommes non combattants, il n'a rien à attendre que la panique.

Le 25 octobre, Westermann, qui avait fait sa jonction à

---

1. Baguenier-Désormeaux, *Kléber en Vendée,* Paris, Picard, 1907, p. 477. Cf. aussi *Mémoires* de la marquise de La Rochejaquelein, chap. XV.
2. Angot, *Dictionnaire historique de la Mayenne.*

Château-Gontier, à cinq heures du soir, avec Beaupuy, arrive vers minuit dans les landes de Croix-Bataille, à quatre kilomètres de la cité. « Ma seconde représentation de Châtillon ! » glisse à Beaupuy le boucher de la Vendée. Et il renvoie Hauteville en reconnaissance.

A peine Hauteville a-t-il bousculé le premier poste vendéen que le tocsin déchire le silence de la nuit. Beaupuy et Westermann s'empressent de marcher sur Laval pour y surprendre l'adversaire, l'égorger dans la ville. Hors le tocsin, aucun bruit ne parvient et Westermann en profite pour changer certaines dispositions prises par Beaupuy [1]. Sans crainte, les officiers bleus donnent leurs ordres à haute voix.

Horreur ! Une décharge éclate tout contre eux [2] trouant d'éclairs les ténèbres opaques. Les Bleus se sont couchés dès la première décharge. « Couchez-vous ! » commande une voix jeune partie des rangs adverses. Des corps s'affalent dans les genêts. Mais républicains et royalistes peuvent entrevoir, extraordinaire apparition, une mince silhouette restée debout au premier rang, qu'éclaire fantastiquement les lueurs rapides et multipliées de la fusillade.

Monsieur Henri avait devancé les Bleus en grand silence. Son armée se guidant sur les commandements des officiers républicains surprenait l'ennemi en pleine disposition de bataille. A la faveur de la nuit, les deux armées se compénètrent. D'Autichamp, debout sur un caisson républicain, distribue des munitions au petit bonheur. Forêt, de même. Le baron de Keller combat longtemps à côté d'un républicain qu'il ne reconnaît qu'à la lueur d'un éclair. Les Bleus jurent comme des possédés, guidant ainsi les coups des royalistes.

Après une défense désespérée, sa gauche tournée par Stofflet, sa cavalerie en déroute, ses derrières attaqués par un détachement de royalistes que le jeune Rabbi

---

1. Kléber, *Mémoires*, p. 240.
2. Rapport des Représentants, *Moniteur* XVIII, 181.

d'Entrammes a guidé par des chemins détournés, Westermann bat en retraite sur Château-Gontier, après avoir perdu mille six cents hommes. Leurs cadavres furent découverts le lendemain, « chacun dans l'ordre où il avait combattu et représentant parfaitement leur ligne [1] ».

Les acclamations qui saluèrent Monsieur Henri à sa rentrée dans Laval ne lui faisaient pas oublier qu'il n'avait eu affaire qu'à une avant-garde. Effectivement, Kléber, déjà arrivé à Château-Gontier, a fait filer Schnerb et Damas trois lieues plus loin, jusqu'à Villiers.

A Laval, quelques « lumières » du conseil vendéen, mettant sans doute l'intelligence du généralissime au niveau de la leur, proposent de se dérober à l'ennemi par une fuite précipitée en Bretagne. Mais l'enfant disparaît chez Monsieur Henri dans le domaine militaire où sa précocité tient du prodige. Etre atteint tôt ou tard par l'armée de Mayence ; autant s'en débarrasser ici où la victoire de cette nuit, la sympathie des habitants, les lieux même, tout le commande.

Le 27 au matin, toute l'armée est réunie pour aller prendre ses positions et Monsieur Henri passe devant le front de ses troupes, grave, mais rayonnant de foi ; le Monsieur Henri des grands « chocs ». Sur son drapeau flottant au vent, se détache avec les armes de France brodées d'une croix d'or, la devise qui emplit toute son âme *Pro aris, rege et focis*.

« Mes amis, sachez bien que nous n'avons de salut que dans la victoire. Vos femmes, vos enfants, comme vous chassés de leur patrie par l'incendie ou la mort, attendent avec anxiété le résultat de la bataille. C'est la cause de Dieu, la cause du Roi, la cause de toutes les familles que nous défendons. Que ce jour répare la funeste bataille qui nous a jetés hors de notre pays ! »

Bonchamps n'est plus là pour orchestrer les luttes décisives, là où, sauf Haxo laissé dans la Vendée pour

---

1. Poirier de Beauvais, *Mémoires*, p. 160.

combattre Charette, tous les vainqueurs de Cholet ont rejoint les vaincus du 17 octobre : Kléber, Beaupuy, Schnerb, Blosse, sans oublier le féroce Westermann. Moins fou qu'on l'a prétendu, Westermann aurait voulu porter l'armée républicaine sur les hauteurs d'Entrammes. L'épuisement des soldats n'a pas permis de le faire à temps. Monsieur Henri s'est empressé d'y faire prendre position à son centre, mis sous les ordres de Stofflet et Marigny. Talmont, Lyrot et Fleuriot à droite, Royrand, La Ville-Baugé et Deshargues à gauche, occupent de chaque côté des positions avancées.

A midi, l'armée républicaine, forte de vingt mille hommes, débouche sur une seule colonne. Ordre de Léchelle. C'est la répétition de Cholet, mais en sens inverse. Beaupuy et Marceau à l'avant-garde sont suivis de Kléber avec les Mayençais précédant la division de Blosse.

La Rochejaquelein laisse Beaupuy s'avancer entre les tirailleurs de ses deux ailes, joindre son centre, puis, brusquement, jette ses tirailleurs sur ses flancs et achève de rompre sa colonne avec une batterie démasquée au bon moment.

Kléber, accourant au secours de son camarade, déploie ses Mayençais à droite et à gauche de la route. Il est débordé par les ailes des Vendéens. Deux de ses canons, disposés face à Entrammes sur la terrasse du château de la Drujotterie pour ravager le centre de Stofflet, sont capturés par douze cavaliers royalistes sous les yeux du chevalier de La Haye Saint-Hilaire stupéfait de voir comment les Vendéens « emportent les canons ». Six cents Mayençais qui tentent de les reprendre se heurtent aussitôt à la division de Maulévrier. La bataille fait rage autour du château.

Monsieur Henri s'y jette lui-même avec son état-major et quatre pièces d'artillerie. Kléber se porte à sa rencontre avec Marceau et Savary. La Drujotterie est devenue le centre de l'action.

Malgré trois assauts, Kléber doit reculer devant Monsieur Henri. Le chevalier de Perrault est blessé, Royrand est tombé atteint à la tête. « Mes amis, nous prierons demain pour Royrand, crie Henri aux Poitevins éplorés, aujourd'hui, vengeons-le ! » Il galope de l'une à l'autre de ses colonnes, les maintenant en lignes, soucieux d'empêcher toute bravoure intempestive.

Talmont et Lyrot ont tenu bon à l'aile droite, de même que le centre avec Stofflet. Mais comment rompre la ligne des Mayençais ? Une manœuvre à la Bonchamps peut seule décider de la victoire. Henri prend avec lui Deshargues et ses hommes d'élite et, guidé par Jean Chouan et du Boisguy, s'en va prendre par-derrière la droite de l'ennemi pendant que Talmont et Fleuriot attaquent vigoureusement sa gauche et Stofflet son centre. Pris entre trois feux, Kléber reforme ses Mayençais en carré.

Mais la division de Chalbos, débandée dès le début de l'action par l'affolement de Léchelle qui la commandait, s'est enfuie sans combattre et les Mayençais se voyant seuls rompent leurs rangs malgré les efforts de Kléber qui « voit fuir, pour la première fois, les soldats de Mayence ». La bataille a duré quatre heures.

L'armée vendéenne leur donne une chasse terrible au cours de laquelle elle rafle trente-neuf canons et caissons (chiffre de Kléber).

Les fuyards de Chalbos ont déjà atteint Château-Gontier, bousculé et entraîné dans leur fuite la division de Blosse qui en sortait. Blosse tente alors de couvrir la ville. La centaine d'hommes qu'il a pu maintenir sous ses ordres ne saurait résister à l'avalanche vendéenne qui pousse devant elle les Mayençais depuis six lieues, et en jette une partie dans la rivière à l'arrivée au pont sur la Mayenne.

« En avant, en avant toujours ! » crie Monsieur Henri. Saisissant son drapeau, il s'est élancé sur le pont balayé par la mitraille. « Eh bien ! mes amis, est-ce que les vainqueurs coucheront dehors et les vaincus dans la ville ? » Cette hardiesse que refera Bonaparte au pont d'Arcole décide de la prise de Château-Gontier. Kléber essaie vainement de reprendre le pont [1]. Un feu de file arrête ses premiers cavaliers dans la rue aboutissante. Deux pièces que les représentants avaient placées en batterie sur l'esplanade du château, pour battre la route de Laval, sont, grâce à Beauvais, capturées par les royalistes. Sous la mitraille qui pleut dans la rue, des fenêtres, de l'esplanade, Blosse qui s'acharne à résister ne réussit qu'à se faire tuer. Beaupuy qui le remplace s'effondre grièvement blessé. A ses côtés, tombe le jeune Barris, ancien camarade de Henri à Sorèze. Kléber est déjà tout occupé de canaliser la retraite sur le Lion d'Angers. Quelle retraite ! « Une horrible déroute », où « infanterie, cavalerie, canons, se précipitent les uns sur les autres [1] ». Il ne put remettre de l'ordre qu'après trois heures de marche.

Le 28 octobre, le futur vainqueur d'Héliopolis, dont le « caractère était à la fois de fierté et de franchise », écrivait d'Angers au Comité de salut public la lettre fameuse que toutes les histoires ont reproduite après Crétineau Joly : « ... Nous avions contre nous leur impétuosité vraiment admirable (des brigands) et l'élan qu'un jeune homme leur communiquait. Ce jeune homme qui s'appelle Henri de La Rochejaquelein, et dont ils ont fait leur généralissime, a bravement gagné ses éperons. Il a montré dans cette malheureuse bataille une science militaire et un aplomb dans les manœuvres que nous n'avions pas retrouvés chez les brigands depuis Torfou. C'est à sa prévoyance, à son sang-froid que la République doit cette défaite... Ne vous laissez donc pas endoctriner par tous ces hommes qui vous disent que la Vendée est morte. Elle vit encore..., mais on peut l'étouffer. »

---

1. Kléber, *Mémoires*, pp. 249 et suivantes.

4

HENRI ET LE MIRAGE DE L'AIDE ANGLAISE

Le gros des vainqueurs ne coucha point dans Château-Gontier. Sitôt la victoire remportée, « beaucoup » de généraux avaient regagné Laval, entraînant avec eux « la plupart des soldats », laissant Henri seul avec l'avant-garde et quelques officiers.

Le 27 au matin, tandis qu'il se promenait en compagnie de Beauvais sur la route d'Angers, Henri songeait au retour en Poitou. Rentrer par Angers était son but. Il déclarait à son entourage vouloir le proposer au conseil. Délibérer encore en conseil ! Béjarry en écumait. Cependant, ni Cathelineau ni d'Elbée n'avaient agi dictatorialement. Certes, l'envoi d'une estafette à Laval — comme l'eût voulu Béjarry — eût été parfait, si l'ordre eût été assuré d'exécution. Les événements des 15, 16 et 17 octobre ne s'étaient pas si facilement effacés de la mémoire d'Henri. Etait-ce en vain que « la plupart » des hommes étaient revenus le soir même de la présente victoire à Laval ? Les paysans étaient d'ailleurs « épuisés de fatigue », et, s'il eût été facile à Henri d'ouvrir le chemin du retour jusqu'à Angers avec son avant-garde, il ne pouvait laisser les femmes, les vieillards, les enfants demeurer à Laval aux prises avec les premiers égorgeurs venus.

Sur les bords de la Mayenne, il avait découvert les cadavres de quelques blessés laissés par lui à son passage à Château-Gontier. Les Bleus les avaient sauvagement arrachés de leurs lits et jetés par les fenêtres. Aussi, trouvant dans sa promenade un blessé mayençais étendu sur le bord de la route, ne put-il s'empêcher de lui adresser des reproches. Plusieurs gars l'avaient rejoint, formant cercle. « Ceux-là ne sont pas des soldats qui font ces choses », répondait le blessé. « Pourquoi as-tu manqué de fidélité au Roi ? » questionnait Beauvais. « Je suis soldat et j'ai suivi le sort du régiment auquel je suis attaché. » Evidemment. Que d'autres dans le même cas ! Et Monsieur Henri de commander un brancard pour faire porter le Mayençais à l'hôpital « avec beaucoup de soin », ajouta-t-il.

Avant de rentrer en Vendée, il fallait aussi maintenir le concours fraîchement acquis, précieux, mais difficile à cause de leur tempérament individualiste, de ces Bretons accourus à Laval et qui, à aucun prix, ne passeraient sur la rive gauche. Béjarry qui n'avait jamais que vingt-trois ans n'y songeait certainement pas quand — voyant Henri prendre le chemin de Laval — il bougonnait contre ce général qui ne savait que « se remettre en tutelle ».

L'instinct de Henri ne l'avait pas trompé. Précisément, on venait à sa rencontre pour lui annoncer l'arrivée à Craon des deux divisions républicaines des généraux Olagnier et Chambertain, que renforçaient les gardes nationales de Laval, Cossé, Pouancé, Châteaubriant, quinze à seize mille hommes en tout, d'après les évaluations de Dieusie. Henri s'y porte le 28 avec d'Autichamp et Stofflet.

Un gros d'infanterie en embuscade dans un ravin près de l'Oudon. Cela fait, il se porte contre les Bleus avec le reste. Un bref échange de coups de fusil, puis vite on tourne les talons. L'ennemi suit, donnant dans le piège où il le mène. « Vive le Roi ! » Monsieur Henri a fait soudain volte-face. Au signal, ses hommes chargent en tête, tandis que « l'embuscade » prend l'ennemi en queue. C'est une hécatombe. Les débris se sauvent vers Pouancé, laissant Craon en flammes et ses rues jonchées de cadavres de prisonniers royalistes égorgés sur l'ordre du représentant Esnue-Lavallée. Les paysans, furieux, les vengent en massacrant leurs prisonniers. Le 29, Monsieur Henri rentrait directement de Craon à Laval [1].

**

1. Et non par Entrammes. Cf. *Notes* de la marquise de La Rochejaquelein, par E. Grimaud, p. 15.

Les intrigues y battaient son plein. Talmont, qui avait retrouvé chez lui son aisance de grand seigneur, jouissait de sa revanche sur ces gentilshommes poitevins qui l'avaient naguère abreuvé de « mortifications » et voyaient, non sans dépit, les paysans de ce pays lui rendre « de grands respects ». Il régalait d'ailleurs tout le monde dans son château. Stofflet, ébloui par tant de faste, traitait « presque le prince de Majesté [1] ». Ces amabilités n'étaient — comme bien on pense — nullement désintéressées. Talmont avait mis dans son jeu Bernier et « l'honnête » Jagault, les deux gros personnages du conseil, tandis que Donissan ne réunissait qu'un assez menu fretin : Fleuriot, le successeur de Bonchamps, assez taciturne ; Scépeaux, plus loquace, mais « étourdi » ; le jeune Désessarts, Poirier de Beauvais, rangé maintenant « à son plan », « puisqu'on était sur la rive droite de la Loire ». Au reste, chaque parti avait ses réunions particulières, et le « parlementarisme », devenant contagieux, avait gagné la population civile jusque — nous apprend Béjarry — dans son élément féminin. L'impunité dont avait joui Talmont le 16 octobre, après l'affaire de Cholet, était bien de nature à enhardir les entreprises secrètes, dans le sillage de celui qu'une si brillante réussite mettait au premier plan. Si Jagault « s'agitait beaucoup », Bernier excellait à manœuvrer dans l'ombre, et sans doute est-ce lui qui, à Varades, avait chargé le Chouan Prigent de porter en Angleterre la nouvelle de la migration vendéenne [2].

Quand le généralissime entre en séance, le siège est fait. Sa proposition de retour en Poitou [3] soulève l'opposition des trois quarts du conseil. Le parti breton (Donissan) objecte que ce retour « annulera les espérances que la

1. Manuscrit original de la marquise de La Rochejaquelein.
2. E. Gabory, *L'Angleterre et la Vendée*, T. I.
3. Marquise de La Rochejaquelein, édition de 1889, p. 295, note 1. « Henri voulait qu'on retournât dans la Vendée. M. de Talmont insistait pour marcher vers le nord. M. de La Rochejaquelein soutenait son idée. » Il s'en faut — on le voit — qu'Henri n'ait « émis aucune opinion », comme le dit Gabory.

guerre peut encore offrir » et que « gagner la Bretagne c'est d'ailleurs suivre l'idée de Bonchamps ». Henri, qui avait parfaitement saisi le plan naguère exposé par Bonchamps, effectue la mise au point. Jamais le général angevin n'avait prétendu faire de la Bretagne une nouvelle Vendée après avoir abandonné l'ancienne ; mais seulement utiliser l'alliance chouanne. En conséquence, un seul moyen : rentrer sur-le-champ en Poitou par Angers, ce qui ne souffrait nulle difficulté « dans le moment », en laissant sur la rive droite l'armée de Bonchamps qui aurait d'autant mieux opéré sa diversion projetée depuis si longtemps, qu'elle s'était singulièrement augmentée des recrues faites à Laval [1].

Cet exposé lumineux pouvait rallier les Bretons à Henri. Mais il déjouait alors les plans de Talmont qui éclata de rage. « Revenir dans un pays pillé et brûlé ! Il sera plus glorieux d'être écrasé sous les murs de Paris que d'aller mourir de faim dans la Vendée [2]. » Puis, se reprenant, il ajouta : « On peut au moins tourner la capitale, aller rejoindre les Autrichiens en Picardie. » Henri l'arrête : « Et les femmes, les enfants qu'on traîne après soi [3] ? »

A la stupéfaction de La Rochejaquelein, le parti breton s'inscrivit contre son plan, « le plus sensé de tous », sans se rendre compte qu'il faisait le jeu du parti anglais. Et ce fut Beauvais, Beauvais lui-même, qui donna lecture du mémoire « détaillé », soigneusement élaboré. D'abord, il fallait marcher sur Rennes, puis « la Loire-Inférieure, le Morbihan et les Côtes-du-Nord, où l'on eût laissé les enfants et tous autres objets embarrassants » (*sic*). Après quoi, on pouvait communiquer « par Brest et les ports de droite et de gauche avec toutes les nations, porter sa principale attention du côté de Nantes, arriver par la

---

1. Poirier de Beauvais, *Mémoires*, p. 166.
2. *Souvenirs* de Mlle des Chevalleries, p. 122. Marquise de La Rochejaquelein, *Mémoires*, édition de 1815, p. 311.
3. Marquise de La Rochejaquelein, *Mémoires*, édition de 1889, p. 295, note 1.

rive droite dans l'Anjou, s'avancer de front par les Côtes-du-Nord, le Morbihan, l'Ille-et-Vilaine... » C'était mettre la charrue devant les bœufs, comme l'incompétent Beauvais devait le reconnaître... trop tard. Ce tissu d'absurdités ne pouvait que faire rebondir Talmont. Et le prince de prêcher la montée vers le nord, appuyant ses prétentions sur « l'esprit » qui animait les paysans. « Je les sais trop attachés à leur pays pour consentir à s'en éloigner », lui dit Henri. Talmont prit un air supérieur : « Je connais mieux que vous l'esprit des paysans du Poitou. » La riposte fusa, cinglante pour une fois, de la bouche de Henri exaspéré : « Prince, vous pouvez mieux que moi connaître l'esprit des filles publiques, mais à mon tour, je crois connaître mieux l'esprit des paysans du Poitou [1]. » Talmont « devint rouge de colère ». Un éclat de rire général noya sa réplique. Il n'insista pas, « et la plaisanterie en resta là ».

Qu'eussent dit tous les adversaires du plan du généralissime s'ils avaient pu lire ces lignes que Kléber écrivait le 4 novembre d'Angers, relativement à l'éventualité d'une marche des vainqueurs d'Entrammes vers la Manche et le Calvados ? « Ce dernier parti serait peut-être le moins nuisible aux intérêts de la République... » Et ceci : « Que les brigands cherchent à s'emparer de l'un de nos ports sur la rive gauche (Granville, Saint-Malo) pour y mettre leurs femmes en sûreté est peut-être ce qui peut arriver de plus avantageux. Nous toucherions bientôt au terme de nos travaux. » Quel n'eût pas été le revirement des opinions égarées, à la lecture de ce dernier texte surtout de leur adversaire : « Si l'ennemi pouvait retourner dans ses foyers, il faudrait recommencer une guerre qui ne pourrait plus se terminer par les pluies [2]. »

Les séances tenues à Laval gaspillaient un temps pré-

---

1. C'est la phrase textuelle du manuscrit des *Mémoires* de la marquise de La Rochejaquelein.
2. Baguenier-Désormeaux, *Kléber en Vendée*, p. 491.

cieux. Ce gaspillage, certainement voulu, donna le temps à Prigent, envoyé à Londres par Bernier, de revenir d'Angleterre. (On se souvient que La Haye Saint-Hilaire n'avait pas été renvoyé à Jersey.) Une flotte puissante que lui, Prigent, avait vue de ses yeux, était prête à mettre la voile à Portsmouth. Il fallait s'emparer d'un port sur la Manche [1]. Talmont, Jagault et Bernier, opinant avec chaleur, « soutinrent chaudement cet avis de se relier avec l'Angleterre [2] ». Les Poitevins poussèrent les hauts cris, ainsi que les Bretons, plus que jamais ancrés dans leur idée de marcher sur Rennes. Henri au désespoir venait se jeter au cou de Lescure. « Sois ferme, décide, soutiens ton avis ! » grognait le mourant. Sa femme, que déchirait le spectacle de son mari brinquebalé sur les routes, pestait de son côté contre ce général « dépourvu d'amour-propre ». Ah ! si Lescure eût pu se lever, tout aurait été réglé. Il eût brûlé la cervelle à Talmont. Mais, après tout, qui donc avait voulu et exécuté cet exode ? circonvenu les esprits ? Il fallait à présent en supporter les conséquences. Vainement, Lyrot, Béjarry, Royrand s'acharnaient à faire comprendre à leurs opposants « que les paysans découragés abandonneraient la partie avant d'arriver au but », « que la masse des réfugiés aggraverait les difficultés de toutes sortes et que la marche en Bretagne était pleine de dangers [3] ». Les anglophiles préféraient d'ailleurs à ces orageuses discussions les petits conciliabules et « les manœuvres secrètes », le « travail » obscur mais combien fructueux de la population qu'on entretenait ainsi dans « la séduction de l'aide britannique ». Mais les heures qui s'enfuyaient emportaient aussi les dernières chances de réussite du plan de Henri. Arrivés le 23 novembre à Laval, les Vendéens y étaient encore le 30. Du moins, les femmes et les enfants puisaient-ils quelque repos.

---

1. E. Gabory, *L'Angleterre et la Vendée*, T. I, p. 98.
2. Béjarry, *Souvenirs*, p. 103.
3. Id., *ibid.*, p. 106.

Henri avait tout fait pour s'opposer à cette migration.
C'était lui qui témoignait encore la plus attentive sollicitude à ces êtres que regardaient comme des « objets inutiles » ceux-là mêmes qui les avaient jetés aux aventures.
« Le sort des femmes, surtout, lui inspirait une profonde
pitié. » Il s'empressait auprès de toutes, « qu'elles fussent
jeunes ou vieilles, belles ou laides », avec cette affabilité
gentille des adolescents, si ingénue « qu'on l'eût pris pour
l'amant de toutes les femmes [1] ». Après la mort de Lescure,
on rira sous cape à l'état-major de son empressement près
de sa cousine, au point que Béjarry a cru ferme à un
roman d'amour. De son côté, Mme de Lescure a laissé
dans ses Mémoires une phrase qu'elle a biffée, mais pas
si fortement qu'on ne puisse la lire sous la rature : « Lui
[Henri] commençait dans ce temps-là à être amoureux fol
de Mme de Bonchamps. »

C'est que peu de détresses étaient comparables à celle
de la marquise de Bonchamps, veuve en une pareille circonstance, seule, sans appui, ruinée, marchant toujours à
l'avant-garde, indifférente à la mort pour elle-même, mais
incapable de se séparer de ses enfants. Une telle femme
était bien digne de l'entier dévouement de Henri dont le
cœur s'émouvait devant les plus humbles détresses. Il
avait complètement adopté le petit de Bonchamps devenu
son compagnon de lit, et auquel, nous dit la jeune femme,
« il portait l'intérêt le plus tendre ».

Que le cœur de l'infortunée veuve de vingt-six ans ait
battu pour son protecteur dans l'affreuse tourmente n'a
rien qui puisse surprendre. Etait-il possible à la douleur
la plus profonde de ne pas sourire au plus entier comme
au plus délicat des dévouements ? Et comment la reconnaissance eût-elle pu résister elle-même à se fondre chez
un être jeune en ce sentiment d'affection tendre qui
portait alors tant de cœurs féminins vers le père — à

---

1. Archives de Clisson, notes mss. de la marquise de La
Rochejaquelein.

l'éblouissante et glorieuse jeunesse — de la Vendée sans foyers ? Peut-on douter enfin que Henri n'ait senti, dans les prévenances mêmes dont il entourait l'émouvante petite veuve (on lui eût donné dix-huit ans), la caresse revigorante d'un naissant amour et n'y ait puisé « ce parfum qui rafraîchit le cœur » ?

Un roman très pur commençait. Pauvre ébauche sans lendemain, comme tous les moments de la vie de celui qu'avait marqué une inexorable fatalité.

Le fruit de sa victoire d'Entrammes était déjà gâché. Par leurs longues obstructions, les partis anglais et breton ont réussi à noyer un projet qui n'était possible, comme l'a écrit Pierre de La Gorce, « qu'à la condition de se hâter ». Il est trop tard pour y songer. Henri n'a plus que la ressource de parapher le plan du parti breton, la marche en Bretagne, sur Rennes, pour barrer la route aux plus dangereux.

Le 1ᵉʳ novembre, après avoir renvoyé Prigent en Angleterre, la Grande Armée quitte Laval. Hélas ! Au dernier moment, Talmont, recommençant sa manœuvre de Varades, a insinué qu'on pouvait se rendre à Rennes par Mayenne et Fougères [1]. Stofflet, qui commande l'avant-garde, n'a-t-il pas reçu l'ordre de prendre la route de Vitré ? C'est peu probable. Cependant, il s'engage sur celle de Mayenne. Les amabilités de Talmont sont-elles pour quelque chose dans cette décision ? Il faut bien constater que le prince le suit immédiatement [2]. Chef de complot, ou ange gardien ? Qui pourrait le dire ? Toute l'armée s'écoule par la route de Mayenne. Il ne reste plus à Monsieur Henri « qu'à conduire en combattant valeureusement, selon l'expression d'Albert Sorel, cet exode calamiteux ».

---

1. « Nous aurions dû marcher à Rennes par Vitré pour faire révolter la Bretagne, cependant, il fut convenu qu'on s'y rendrait peut-être de Fougères. Plusieurs personnes prétendent que Stofflet prit de sa propre autorité le chemin de Fougères. » Marquise de La Rochejaquelein, *Mémoires*, édition de 1889, p. 300.
2. Lenotre, *Bleus, Blancs et Rouges.*

**

C'est un défilé presque échevelé. Le 2 novembre, à midi, l'avant-garde est déjà dans Mayenne, alors que l'arrière-garde quitte seulement Laval (distant de vingt kilomètres), encadrant la berline de Lescure. Le « saint du Poitou » agonise... Qu'importe ! Il faut suivre pour ne pas tomber aux mains des Bleus. Stofflet, « précédant de trois lieues le corps d'armée », a déjà dépassé Mayenne. Après avoir bousculé près de Saint-Georges le 19e d'infanterie légère, il est le soir à Ernée, à mi-chemin entre Mayenne et Fougères, où il attend enfin l'arrivée de la Grande Armée.

Le 3, tout le monde repart pour Fougères par La Pellerine. Henri, suivant son habitude, parcourt sa longue colonne d'un bout à l'autre. Un drapeau insolite qu'il n'avait pas encore remarqué accroche soudain son regard. Il pique un temps de galop vers l'objet. C'est le fanion bleu et or des La Trémoille, à l'ombre duquel chevauche Talmont. Henri, qu'exaspéraient toutes les mises en scène féodales du prince (ce dernier n'avait-il pas émis à Laval l'idée, chaleureusement approuvée par Stofflet, qu'on tînt le conseil de guerre dans son palais ?), l'apostropha sans aménité : « Prince, nous ne connaissons ici que les fleurs de lys ! » et d'un geste impérieux au porte-fanion : « Retirez-moi ce drapeau ! »

Vers quatre heures, l'avant-garde est aux abords de Fougères que défendent le 6e bataillon de la Côte-d'Or, le 8e du Calvados, le bataillon du Contrat social. Après quatre heures de lutte[1], les fortifications de fortune qui barrent la route, faites d'arbres et de retranchements de terre, sont emportées aux cris de « Vive le Roi » ; la ville est tournée, puis forcée par la porte de Vitré, les Bleus sont rejetés, partie sur Vitré, partie sur Avranches.

---

1. Mss. inédit des Mémoires de la marquise de Donissan, p. 239. Pour la bataille de Fougères, cf. l'ouvrage d'Etienne Aubrée : *Le Général Lescure et les Vendéens à Fougères*, Perrin, 1932.

Vers huit heures du soir, les royalistes occupent Fougères. La berline que convoie l'arrière-garde n'y apporte plus qu'un cadavre. A l'heure où du Boisguy et Forestier ouvraient l'accès de Fougères, Lescure est mort dans sa voiture à une demi-lieue de La Pellerine.

5 novembre. Dans une chambre « servant de passage » qu'on ne cesse de traverser, la jeune châtelaine de Clisson, la figure ravagée de douleur, contemple de son lit, avec des yeux hagards, ce perpétuel va-et-vient d'officiers. Près d'elle, sa mère, sa tante (la vieille abbesse), le vieux monsieur d'Auzon, ses hôtes naguère, aujourd'hui des sans-foyer comme elle. Assis dans un coin, la tête dans les mains, Henri de La Rochejaquelein pleure. Tout le monde sanglote dans cette chambre. « Vous étiez, après moi, ce qu'il avait de plus cher au monde ! » — « Ma vie peut-elle vous le rendre, prenez-là. » Ce sont les seuls mots que la jeune veuve et le généralissime trouvent à échanger. Cette femme infortunée, dont il fut l'hôte pendant des mois, n'est-elle pas son hôte à lui, maintenant ? Non seulement elle, mais tous ces milliers d'êtres dont le sort est pour lui un perpétuel sujet d'angoisse. Au cri de l'amitié de celle qu'épousera plus tard son frère cadet, Henri ne répond que par celui du dégoût de la vie. A quoi lui sert que les cœurs soient à lui ? Les têtes demeurent indépendantes. Le couplet suivant d'une « Marseillaise » composée vers ce temps, le lui rappellerait au besoin s'il l'oubliait :

O Toi surnommé l'Intrépide,
Jeune La Rochejaquelein,
Au combat sois toujours leur guide (des Vendéens),
Tu tiens la victoire en tes mains.
Egale Charette en prudence
Autant qu'il t'égale en valeur.
Vos seuls noms portent la terreur
Aux cruels tyrans de la France...

Leur « guide ». Les trois quarts ne l'acceptent-ils pas comme général que devant l'ennemi ? Parce qu'il est l'enfant de la victoire ? Il faut avouer que les têtes qu'a grisées l'idée de conquérir la Bretagne ne sont pas près d'abandonner la poursuite de leur chimère. Cette mortelle chimère contre laquelle il est impuissant.

Et puis, voici qu'arrivent ici de nouvelles recrues amenées par le gentilhomme chouan La Morlière, là, cent cinquante hommes, résistants et forts comme les chênes de leurs forêts, tirés du Morbihan par Georges Cadoudal. A Laval, quelques Poitevins ont repris le chemin du pays. Leur départ est passé presque inaperçu. Mieux, il est jugé folie. Comment ces flancheurs n'ont-ils pas tenu compte de la proclamation des représentants Ruelle, Bellegarde et Garnier qu'on connaissait avant Entrammes : « Braves soldats, vous avez mis tout à feu et à sang sur le territoire des rebelles... » ? Qui donc peut désirer revenir dans un pays dévasté ? Qui donc, proclament Donissan, Talmont et autres ? Mais lequel de ces étourdis a médité l'enseignement contenu dans la seconde partie de cette proclamation qui ordonne aux Bleus de respecter les propriétés des Bretons, et fait son profit du peu de succès que rencontrent les appels lancés par la Vendée exilée à la population armoricaine ?

Les membres du conseil continuent à vivre le rêve dans lequel ils ne cessent d'entretenir leurs émigrants. Se voyant déjà en pleine épopée libératrice, ils décident de doter les chefs d'insignes distinctifs, propres à les faire reconnaître des nouvelles recrues. Aux généraux, l'écharpe blanche avec nœud de couleur ; aux officiers, le simple brassard. Talmont pare son écharpe d'un nœud bleu qu'il agrémente de glands à franges d'or, comme général de la cavalerie ; Marigny, commandant de l'artillerie, d'un nœud bleu, simple ; Stofflet, d'un rouge, comme major général ; Henri, comme s'il eût voulu porter le deuil de tant de ses compagnons d'armes, déjà tombés, joignit un nœud noir à son écharpe, aussitôt imité par Donissan [1]. Ce dernier tranche déjà du gouverneur et, comme tel, nomme un docteur Putod « général de l'Armée catholique et royale de Fougères », cependant que Talmont, raflant les filles publiques en compagnie « des mauvais sujets de l'armée », se paye « une orgie monstre pendant plus de deux jours ».

Henri qui, à Laval, avait fait le recensement de son armée, s'occupe, à Fougères, de sa répartition en cinq divisions, sous les commandements de Fleuriot (succédant à Bonchamps), de Villeneuve du Cazeau (avec La Ville-Baugé pour second), de Désessarts (succédant à Lescure), et de Piron (remplaçant Royrand grièvement blessé) ; quarante-deux mille hommes pour défendre autant de femmes et d'enfants.

Cependant, l'opposition de la minorité poitevine se fait au conseil plus violente que jamais ; elle accuse Talmont d'avoir trompé l'armée en lui affirmant que le Maine n'attendait que sa présence pour se soulever. Le prince bafouille qu'on n'a pas encore gagné la pleine Bretagne, expose l'impossibilité de réussir par ses seules forces et la nécessité de gagner immédiatement la côte pour établir la liaison avec l'Angleterre.

La proposition produit l'effet d'un pavé dans une mare. Profitant de l'émoi des Poitevins et de beaucoup d'autres, Henri propose la marche sur Rennes, l'entrée en pleine Bretagne [2] qui permettra de s'assurer de la sincérité des offres anglaises, et Stofflet — ô stupeur ! — appuie avec toute la colère d'un dupé le plan du général. Stofflet, l'un des chefs les plus écoutés, de l'avis d'Obenheim. Talmont va-t-il échouer ?

---

1. Rien de plus typique que la réponse de Donissan au représentant Félix, lors de son interrogatoire à Angers, le 19 Nivôse : « Quel est celui qui était généralissime des brigands ? » R. : « Je l'ai été quelquefois, mais je n'avais pas la vue assez bonne pour l'être continuellement. » Archives de Maine-et-Loire, L. 79 D *bis*, nº 11.
2. Savary, II, p. 345.

D'Obenheim est un nouveau venu admis au conseil sur la recommandation de Marigny. Fils naturel d'un baron saxon, officier du génie, on l'a découvert dans les prisons de Fougères, où, si nous devons croire le récit donné dans ses *Mémoires* (ceux dont Chassin donne des extraits, car il en a écrit plusieurs), il s'était enfermé lui-même au moment où les Vendéens forçaient les retranchements élevés par ses soins. Marigny a reconnu en lui un de ses anciens camarades, s'est porté son garant. Aucune référence n'a été exigée de cet homme.

A Nantes, un être immonde, sous la tyrannie duquel gémit la vieille cité, a poussé, le 9 novembre, un rugissement de hyène, à la seule pensée d'un retour des Vendéens par Nantes : « Le poison est plus sûr que toute votre artillerie », écrit-il à Kléber. « Faites empoisonner les sources, empoisonner le pain, vous avez des espions parmi ces soldats du pape qu'un enfant conduit. Lâchez-les avec ce cadeau. Vous tuez les soldats de La Rochejaquelein à coups de baïonnette, tuez-les à coups d'arsenic. » Quel avantage si les gaz asphyxiants eussent existé ! C'est bien en Bretagne qu'on va marcher. Henri a derrière lui la majorité des opinions, et d'ailleurs, l'approche de l'hiver l'exige. Les bivouacs qui avaient toujours éprouvé les paysans « dépourvus d'effets de campement » devenaient terribles avec les pluies et les premières gelées d'automne. La dysenterie éprouve quantité de personnes qui se sont imprudemment gavées de pommes puisées aux tas des récoltes. Une autre épidémie bien plus terrible éclatera plus tard dans cette foule soumise à la plus étroite promiscuité : la variole noire[1].

La marche sur Granville n'avait jamais plu à Henri[2], écrit la marquise de Lescure. Quel plan peut-il avoir conçu, qui soit à la fois exécutable et en conformité avec l'opi-

---

1. La marquise de Bonchamps devait la contracter et avec elle son fils qui en mourut.
2. Marquise de La Rochejaquelein, *Mémoires,* édition de 1889, p. 310.

nion publique ? Celui qu'il exposera dans quelques jours à Antrain. Racoler dans les départements d'Ille-et-Vilaine, du Morbihan, toutes les bandes de Chouans, forcer Nantes avec leur appui pour établir un pont entre Bretagne et Vendée, récupérer ainsi le pays natal perdu tout en travaillant à la conquête de la Bretagne. Il faut reconnaître qu'entre tous ceux qui se réclament du plan de Bonchamps, lui seul l'avait saisi, mais aussi, était capable, après la mort du « maître », de le réaliser. Et l'on est « au moment de marcher sur Rennes » lorsqu'une aide survient à point nommé au prince de Talmont, à la manière de ces fées maléfiques des vieux contes bretons, « la nouvelle du secours promis qui arrivait d'Angleterre si l'on pouvait s'assurer d'un port [1] ».

Qui apporta cette nouvelle ? Beauvais, dont on vient de lire la phrase, ne le dit pas. « Un émissaire », écrit Gibert [2]. M. de Freslon, d'après l'abbé Bossard [3]. Quoi qu'il en soit, la nouvelle qu'il apporta fit l'effet d'un raz de marée. L'attraction de l'Angleterre devint si forte que le parti breton tendit les mains vers le mirage, et la foule vendéenne, endoctrinée, suivit l'impulsion malgré bien des méfiances soudain réveillées. Une lettre en date du 9 novembre, écrite par le volontaire Sinion, prisonnier, relaxé par Donissan, évoque assez bien la mentalité de l'armée. « Les brigands disaient qu'ils allaient à Rennes et de là à Saint-Malo, qu'il fallait que sous peu ils eussent un port de mer, et qu'ils auraient ensuite la France entière. » Cela est soufflé par des agents de propagande. Au fond, ces pauvres gens, épuisés par les privations et les marches forcées, ne comprenaient qu'une chose, c'est que la fin de tous leurs maux était au bout de ces mystérieuses machinations.

---

1. Beauvais, *Mémoires*, p. 171.
2. *Précis historique*, p. 107.
3. Abbé Bossard et marquis d'Elbée, *La Première Histoire des guerres de la Vendée*, Angers, Siraudeau, 1905, p. 36.

L'unanimité est fort loin de régner. Les Poitevins, en révolte ouverte et déjà en branle sur le chemin du retour, ne cèdent qu'à l'émouvante prière de Henri. Stofflet est formellement résolu à gagner Rennes directement. On sait qu'il commande l'avant-garde. Peu lui importent les informations plus précises qu'on veut prendre sur Saint-Malo et Granville, puisqu'on doit aller d'abord à Rennes, il se promet intérieurement de conduire la cohue dont il est le guide à Rennes et non à Dol.

5

LE CHOIX FATAL

« Nous sommes tout près des côtes, aux portes de la Normandie. Sire, nous comptons sur l'effet de vos promesses de secours généreux. Remplissez notre attente. Que vos soldats viennent avec les nôtres... » Sous la dictée de Donissan, Désessarts fait courir sa plume sur le papier. La scène se passe à Dol le samedi 9 novembre [1]. Eh oui ! à Dol, où les émigrants se sont « charriés », suivant le mot de Beauvais, après être partis de Fougères le 8. Arrivés à quatre heures, « leur défilé sans ordre, mais très serré, a duré jusqu'à dix heures ». Stofflet s'est bien lancé sur la route de Rennes avec ses drapeaux et ses tambours au départ de Laval, il a atteint en huit heures la capitale de la Bretagne [2], pénétré dans ses faubourgs, semé l'épouvante en ville par sa présence. L'armée n'a pas suivi. On a fait courir après lui. Jurons et colères n'y ont rien changé. Stofflet a dû rebrousser vers son corps d'armée, le rejoindre à Antrain.

---

1. Uzureau, *Anjou historique,* avril 1939.
2. Témoignage de Louis Brard qui fit partie de cette expédition.

Quant aux promesses du roi George auxquelles la lettre fait allusion, ce sont celles du mois d'août dernier. L'armée a été entraînée jusqu'à Dol sans que ses « entraîneurs » n'aient reçu du gouvernement anglais la promesse écrite d'un soutien immédiat. Il n'apparaît même pas que l'émissaire venu à Fougères ait annoncé l'arrivée prochaine d'un messager officiel du gouvernement britannique.

Quel message mystérieux a donc apporté le non moins mystérieux messager arrivé à Fougères ? Car les Mémoires de la veuve de Lescure, de Gibert et de Beauvais, écrits par la première en Médoc avant 1800, par le second dans les prisons de l'Empire, par le troisième à Londres où il émigra après la « pacification » de 1795, l'attestent : il est venu un messager à Fougères. De quel message était-il porteur ? Ou pis encore, à quel jeu se sont livrés les partisans de la liaison avec l'Angleterre ? Si jamais tractation a mérité d'être qualifiée d'obscure, c'est bien celle-ci. Seulement ses auteurs n'avaient pas calculé, dans leur impulsivité, les réactions du paysan vendéen qui « criait à la trahison », écrit Frédéric Soulié, dès qu'il ne voyait plus clair dans la conduite de ses chefs. Oh ! sans doute, il suit pour le moment ceux qui le guident. Mais que, dans cette machination compliquée, beaucoup trop précipitée surtout, comme s'évertue vainement à le faire remarquer Henri, se produise un accroc au moment décisif ; le réveil de cette masse de l'envoûtement dans lequel on la maintient sera terrible.

Les envoûtés-envoûteurs ne sont eux-mêmes plus maîtres de leurs nerfs. La pensée de l'Angleterre les obsède. Ils seraient bien incapables de s'arrêter à présent à cette marche sur Rennes. Un jour passé à Dol sans nouvelles de l'Angleterre n'a fait qu'accroître leur frénésie de l'objet qui se dérobe.

« Nous nous ferons un devoir de nous porter [sur tel point que « vous jugerez que nous devions nous porter »] et de nous conformer en tout aux instructions de Sa Majesté (britannique). Nous osons promettre à S.M. qu'en moins d'un mois nous serons maîtres de la Bretagne et de la Normandie... »

On aurait tort de croire, cependant, que la situation fut dépeinte sous de brillantes couleurs. Dans ce document, dont il existe copie aux archives du ministère des Affaires étrangères à Paris, la défaite de Cholet n'est pas plus passée sous silence — comme tend à le faire croire M. Gabory dans son livre *l'Angleterre et la Vendée* — que la perte de Bonchamps et de Lescure, « généraux de valeur ». Au claironnement des victoires ne se mêlent que trop les craintes de l'avenir immédiat et jusqu'à l'expression de la plus franche détresse qui font de ce pitoyable rapport un monument d'incohérence.

« Trois victoires en deux jours ont signalé notre entrée dans un nouveau pays où la divine Providence nous a conduits comme par la main pour y recueillir des milliers de défenseurs de ses autels et du trône de notre Roi. Depuis cette époque mémorable, notre armée, semblable à une boule de neige, s'est accrue d'un nombre prodigieux de combattants dont nous avons été les libérateurs. Réduite à deux ou trois mille hommes au plus, la trop fameuse garnison de Mayence n'a plus osé se mesurer avec nous et dès lors, nous avons fait trembler la capitale par nos progrès rapides dans un pays assez bien disposé à secouer le joug républicain. » Après avoir objecté que Rennes est « le point le plus menaçant » à cause de l'artillerie « entassée » dans cette ville (soixante-dix canons), Désessarts poursuit : « Rennes serait le point le plus intéressant à emporter parce que... nous aurions lieu d'espérer que nous ferions alors prendre les armes à la totalité de cette province... Mais un nouvel obstacle nous arrête, c'est de ne savoir où placer, durant l'attaque, nos femmes, nos blessés, nos bagages. Saint-Malo nous offrirait un lieu de sûreté, mais il est assez bien fortifié... Dans cette position, que nous reste-t-il à faire ? Qu'à nous porter vers un point où nous puissions espérer sous peu de jours les secours généraux que Sa Majesté britannique... etc. »

Ainsi, le parti anglais, par crainte de l'artillerie de Rennes, préférait joindre la flotte anglaise. Et pour la joindre, il n'hésitera pas à tenter la prise de la place forte de Granville.

Ainsi, les Donissan et les Talmont faisaient (bien imprudemment) passer l'aide étrangère, si gonflée d'aléas et de servitudes, avant les ressources nationales, en l'espèce les Chouans. On a peine à croire que Beauvais n'ait pas alors articulé cet avertissement qu'il écrira un peu plus tard au seuil de ses Mémoires et qui est tout à l'éloge de ce conseiller du Roi en son Grand Conseil à Paris [1] : « Les Français doivent être convaincus que ce n'est que par eux-mêmes qu'ils pourront jamais sortir de l'abîme où ils sont. »

Entre toutes les vantardises au son douloureusement cassé, dont la lecture déchira le cœur de leur destinataire, le vieux du Dresnay, accrédité chef des émigrés français près le gouvernement de Londres, une seule rend une note claire, celle que, bien à tort, M. Gabory a qualifiée de mensonge. « Resserrés dans un pays qui ne nous offrait plus aucun genre de ressources, soit pour l'habitation, soit pour les vivres, parce qu'ils (les Bleus) en avaient brûlé les moulins, nous avons conçu le hardi projet de passer la Loire. » C'est elle qui rend la note la plus sincère — qu'on se rappelle plutôt l'entretien Donissan-Beauvais à Mortagne — parce qu'elle est l'expression de l'idée mère qui a conduit Donissan et les Talmont jusqu'ici, et qu'elle est devenue la hantise plus ou moins consciente d'une partie toujours plus grande de cette foule littéralement violée par une insidieuse propagande.

Cette faconde, qui s'efforce de dominer les souffles d'une poignante angoisse, finit pourtant par s'effondrer aux dernières lignes qui détruisent tout l'effet si péniblement cher-

---

1. Tel était le titre officiel de Bertrand Poirier de Beauvais. Cf. l'*Almanach royal* de 1786.

ché : « Telle est notre position que le moindre retard peut occasionner de grands maux. »

Désessarts en était arrivé à ce terrible et suprême aveu arraché aux anglophiles par la torture de leur responsabilité quand se présentèrent, sous l'aspect de deux paysans, les messagers si impatiemment attendus.

*
**

Donissan s'empare des dépêches que remet Bertin, les dépouille « chez lui », en « petit comité ». Quel soulagement ! Une lettre du roi George offrant secours « immédiat » ! Une lettre des ministres Pitt et Dundas demandant aux royalistes de s'assurer d'un port : Saint-Malo ou Granville ! C'est à peine si, dans la présente perspective du but, on prête attention à une petite lettre du marquis du Dresnay avertissant ses compatriotes qu'il ne fallait pas se fier entièrement « aux promesses des Anglais, parce que si tous les préparatifs d'un débarquement étaient faits, il voyait peu de véritable intérêt pour la cause royale [1] ».

L'appui de l'Angleterre formellement accordé achève de griser les têtes au lieu de les porter aux graves réflexions qui s'imposaient. Pour ces désaxés, la liaison est virtuellement faite. On enverra dans les îles anglo-normandes tous les gens inutiles [2]. Talmont passera en Angleterre comme ambassadeur de l'armée [3]. On a consenti à recevoir un ancien fédéraliste, M. Bougon de Longrais, ex-procureur syndic du Calvados, ami intime du général Wimpfen, chef du fédéralisme dans ce département. Bougon a assuré que la Normandie se soulèverait à l'arrivée des Vendéens. Que valent au juste les renseignements de l'ancien président de l'assemblée fédérée de l'Eure, errant fugitif de village en village, depuis la déroute girondine de Vernon ? Il a semé une idée qui a fait déjà des partisans, Stofflet entre autres, qui parle à présent de marcher sur Cherbourg où

---

1. *Mémoires* de la marquise de La Rochejaquelein, p. 311.
2. Cf. Gibert, *Précis historique*.
3. *Ibidem*.

il a été plusieurs années en garnison. Cherbourg ! La liaison anglo-vendéenne par Cherbourg. Pourquoi pas ? Car tout, à présent, converge vers cette liaison. On a pris des renseignements sur Saint-Malo. Ils sont défavorables. Cherbourg est trop loin. Eh bien, Granville, alors ! L'affaire ne traîne pas. Dès le lendemain de son arrivée, le 11, Bertin est renvoyé à Jersey, chargé des réponses vendéennes signées de tous les chefs, y compris Henri, ou plutôt de son porte-plume, puisqu'il ne pouvait se servir de sa main droite. Et l'on s'ébranle à huit heures du matin [1]. Le même jour, à une heure de l'après-midi, la Vendée errante est à Pontorson.

Le départ s'est si vite effectué que Beauvais, qui était allé le matin même chercher une voiture au château des Ormes, pour les filles du marquis de Mortagne, est tout ahuri de ne plus trouver même « l'intendance », quand il débouche sur la grande route à midi. Il lui faut recourir à un guide pour gagner Pontorson par des chemins détournés, car une patrouille républicaine a réoccupé Dol. Dans la traversée des villages, on le salue d'une volée de pierres. Il doit attendre la nuit pour continuer sa route. C'est qu'au cours de cette épopée de misère, une bande noire s'est formée dans cette masse d'infortunés, aigris par la détresse. Ceux-là, qui s'étaient ralliés à la cause royale aux jours glorieux de Saumur, patrouillaient dans les campagnes, ivres de représailles, volant pour se nourrir, tuant pour se venger. Henri a fait fusiller plusieurs de ces pillards à Dol. Mais quel formidable appoint ils viennent de fournir au bourrage de crânes entrepris par les républicains !

Envoûté par les promesses anglaises, l'état-major est incapable de tirer de ces faits la leçon qui s'impose. Le 12 novembre, vers midi, on est à Avranches [2], à quatre

---

1. *Anjou historique*, avril 1939, p. 106.
2. *Ibidem.*

lieues de Pontorson. Demain, ce sera Granville, la flotte anglaise, la victoire au triomphal lendemain. Henri parle raison, suggère une trouée dans le Cotentin où il sera facile de dissiper la levée en masse, de battre le général Sépher, commandant la division de Caen, un ancien bedeau de Saint-Eustache à Paris, facile de se maintenir à proximité des côtes [1] « où l'on sera en mesure d'attendre l'effet des promesses des Anglais [2] ». Ne faut-il pas s'assurer de la sincérité de leurs offres ?

Mais tous les regards sont déjà tournés vers l'horizon, vers la mer que longe « la belle route [3] » qu'on a suivie pour aller d'Antrain jusqu'à Avranches. La mer qui, étale, ondule et se balance, serpentine et mousseuse, pleine de menaces et de sourires, « la mer, semblable à ces êtres troubles aux yeux charmants dont les trahisons séductrices ont plus d'attrait que des autres les caresses fidèles [4] ».

C'est bien d'une séductrice qu'il s'agit en effet : cette « généreuse Angleterre » qui a attiré jusqu'au bord de la côte normande Talmont, Bernier et les « politiciens » de l'armée. Pourtant, ce n'est pas elle qui a fait accomplir à tous ces paysans déracinés cette randonnée douloureuse à plus de quarante lieues de leur pays, mais bien le prince. « Le prince français qui devait venir... » C'est « cet espoir qui a surtout animé tous les cœurs », nous dit le capitaine angevin Louis Monnier. Et c'est pourquoi cette équipée demeure, quel que soit le but de ses auteurs, comme l'un des plus beaux hommages rendus par la vieille France paysanne à la race de ses rois. Sur le parcours d'Antrain à Avranches, Monnier inspectait la mer avec une longue-vue prise sur un officier républicain, cherchant à découvrir

---

1. Beauchamp, II, 47.
2. Napoléon, *Mémoires*, T. V, p. 162. Edition de la bibliothèque de Poitiers.
3. Monnier, *loc. cit.*
4. Renée Montbrun, *Visions d'à côté*, Granville. *Revue du Bas-Poitou*, XI, 1898, p. 296.

au loin la flotte anglaise. « C'est à Granville qu'elle va venir », lui avait-on répondu.

Le prince. Nul plus que Henri ne désire sa venue. Seulement, le petit-fils du chef d'escadre de Caumont garde une instinctive méfiance des insulaires qui se prétendent alliés. Et que de paysans craignent, comme leur général, « une ruse » des Anglais ! Que de « sourdes rumeurs » dans la foule des combattants et plus encore des non-combattants : ceux qui restent à Avranches sous la protection d'un contingent aux ordres de Fleuriot, tandis que, dans la nuit du 12 au 13 novembre, Monsieur Henri marche sur Granville avec ses vingt-cinq mille hommes.

Dans la vieille ville grise accroupie sur son promontoire, ceinturée de remparts, le représentant Lecarpentier s'apprête à la défense. Il ne peut opposer aux royalistes que trois mille quatre cent cinquante hommes d'infanterie, les débris de l'armée de Fougères, et le régiment d'Aunis, cinq compagnies de canonniers et cent vingt-cinq cavaliers[1]. Mais la situation de Granville constitue sa plus grande force. De sa haute falaise, longue de onze kilomètres, à peine large de six, reliée elle-même au continent par un goulet dont la largeur n'en atteint pas trois, la place défie tout coup de main.

Lecarpentier a prouvé qu'il l'oubliait en se portant au-devant des assaillants. Ceux-ci, non contents de le rejeter

---

1. Cf. L. de La Sicotière, *Louis de Frotté et les Insurrections normandes*, I, 181. Rapport de Lecarpentier en date du 10 novembre.

E. Gabory, dans *L'Angleterre et la Vendée*, a réédité l'allégation de Beauchamp suivant laquelle le pseudo-évêque d'Agra, Folleville, aurait revêtu à Granville ses ornements pontificaux et exhorté les Vendéens, le crucifix à la main. Cette allégation est formellement démentie par l'abbé Bernier. « L'évêque d'Agra, écrit-il, ne revêtit point au siège de Granville ses habits pontificaux : on avait appris à le connaître à Dol ; on ne l'eût point écouté. » *Aniou historique*, 202, p. 77.

dans Granville vers huit heures du matin, viennent le bloquer, l'obligeant ainsi à la défense à tout prix. Pas une issue par où puissent sortir les Granvillais ; c'est le recommencement de l'attaque de Nantes, en juin précédent, où Talmont avait, de sa propre initiative, bloqué l'issue de la route de Vannes prévue pour la fuite des assiégés. Aussi toute la journée se passa-t-elle dans une canonnade stérile. Que peut l'artillerie de campagne des royalistes contre les puissants canons des remparts ?

Vers dix heures du soir, seule ou presque, une fusillade continue à crépiter du côté d'une hauteur escarpée, « à droite de la rue qui va en ville ». Avec quelques hommes, Henri tiraille au niveau des remparts, sans daigner se couvrir. « Allons, vous faites là l'écolier, précieux comme vous l'êtes, vous faites une folie », éclate soudain la voix de Beauvais. L'ancien magistrat est venu le rejoindre. Il a toujours des plans, des remarques plein la tête. Un brave homme, mais bien fatigant. Pour lui faire plaisir, Henri se met à genoux comme ses hommes. Le terme d'écolier dut lui arracher un triste sourire. Il eût été mieux appliqué à ceux qui l'obligeaient à une impossible besogne.

Et cependant, il faut réussir. A Granville est accroché le suprême espoir de la foule émigrante. De quels effets redoutables sera suivie sa déconvenue ? Justement, des flammes s'élèvent dans la nuit, dévorant les faubourgs de la rue des Juifs. C'est le général Vachot qui vient d'incendier ce quartier d'où les assiégeants tiraient facilement sur Granville. Un hardi coup de maître opéré avec vingt-cinq chasseurs. Le réflexe est immédiat chez Monsieur Henri. L'assaut, l'assaut sans tarder, l'escalade comme à Thouars. Le vent d'est rabat les flammes sur Granville, y semant la terreur. L'instant est propice.

Malgré les meurtrières décharges de l'artillerie de la place, Henri attaque entre la coupure et la grève. Pour suppléer aux échelles trop courtes, on pique les baïonnettes dans le roc. Les royalistes, déjà maîtres des palissades, gravissent le rocher. Ils vont s'élancer dans la place. Le cri de trahison poussé par un transfuge républicain brise net l'élan des assaillants qui dégringolent et se débandent à travers les décombres du faubourg.

Le lendemain, Henri récidive une attaque par le port, à marée basse, car le bruit court qu'une armée républicaine descend de Coutances sur Granville [1]. Avec les officiers chouans, du Boisguy, du Pontavice, Pontbriand, Duval, Blondiau, il rivalise d'ardeur, malgré l'arrivée de canonnières venues de Saint-Malo. Le mouvement d'une de ses ailes considéré comme une fuite sème au moment décisif une panique inexprimable, chacun croyant à l'arrivée de l'armée de Coutances [2].

Les espions, les traîtres, dont fourmille l'armée, ont puissamment contribué à cette panique, moins cependant que « le parti anglais ».

La veille au soir, en effet, des coureurs s'étaient portés sur la côte. Aucun signe de secours, nulle voile n'apparaissait à l'horizon.

« L'océan était vide et la plage déserte. »

Ils étaient rentrés au camp, en annonçant que les Anglais manquaient au rendez-vous.

A présent, la déception explosait en ouragan de colères. Les Anglais n'ont pas pu ne pas entendre de Jersey la canonnade qui fait rage « depuis trente-trois heures entières ». Sont-ils accourus ? A-t-on trouvé « repos et sécurité » en Bretagne ? Puis, quel asile eût-on trouvé dans ces murs de Granville ? « Les généraux auraient fiché le camp avec les belles dames qui ont de l'argent [3] ! » O ! Poitou ! Terre adorée, alliée naturelle de tes fils, fallait-il l'avoir quittée pour ces « conseillers maudits et perfides et leur folle ambition » !

En vain, Monsieur Henri propose-t-il « la formation d'un

1. Beauvais, *Mémoires*, p. 184.
2. *Idem*, p. 185. M. de la Sicotière a fait, au t. I de son ouvrage sur *Louis de Frotté et les Insurrections normandes*, un récit très complet du siège de Granville.
3. Mlle des Chevalleries, *loc. cit.*

camp retranché pour y attendre le secours anglais [1] ». « Pourquoi attendre la mort sur une plage stérile ! » vocifèrent officiers et soldats. « Assez de belles paroles ! » Et tournant le dos à ses chefs, toute l'armée se précipite « comme un torrent » sur la route d'Avranches dont elle franchit les six lieues en quatre heures [2].

Fini le règne des beaux parleurs, des poursuivants de chimères et des pêcheurs de lune ! Le rêve ensorceleur s'achevait dans le brutal contact avec l'horrible réalité.

---

1. Par la suite de circonstances qui n'ont jamais été éclaircies, Prigent ne parvint à Jersey que le 22 novembre. Les Anglais qui mirent toute la lenteur possible à se mettre en route n'envoyèrent que le 2 décembre, de Portsmouth, une flotte vers Granville.

Par ailleurs, « les Vendéens du parti anglais » n'avaient pas trompé les paysans. Le « loyal » Moira, le « vertueux », le très noble Francis Rawson-Moira, marquis d'Hastings, affirme d'Andigné, était bien dans la rade de Jersey avec sept mille hommes de troupes de débarquement. Il avait bien entendu le canon de la bataille et brûlait du désir de se rendre sur la côte. Mais des ordres contraires, précise d'Andigné, étaient parvenus aux commandements des frégates d'escorte et ceux-ci, en vertu de ces ordres-là, refusaient de protéger son débarquement.

Une fois de plus, Pitt prouvait que le système constant de sa politique visait à la destruction des Français les uns par les autres. D'Andigné, *Mémoires*, I, 132 et suivantes.

2. La Sicotière, *loc. cit.*, I, 184.

CHAPITRE VI

LE CALVAIRE D'UN GRAND CŒUR

1

RÉBELLION

Les fautes contre l'esprit sont celles qui s'expient le plus durement. Il est rare que les déceptions, toujours cruelles, qui les suivent, n'engendrent pas, au sein des masses plus encore que chez les individus, une sorte de déséquilibre mental, un état psychique voisin de la folie, avec tous ses réflexes de désordre, d'excès, de redoutables impulsivités. Le péril que ces masses encourent alors, qu'il s'agisse d'un peuple ou d'une armée, est d'autant plus grand que l'organisation qui les régit est plus défectueuse. C'étaient à la fois l'état et le cas de la foule vendéenne au soir du 15 novembre à Avranches.

Les assaillants-déserteurs de Granville l'ont jointe vers huit heures du soir, et l'atroce déconvenue a produit un effet de démoralisation comme jamais encore n'en avait provoqué bataille perdue.

Monsieur Henri parcourt « à cheval » cette mer humaine d'où s'élève un poignant concert de sanglots et de reproches. Et ce n'est pas seulement au « parti anglais » que ces

234

reproches s'adressent, mais à lui-même [1]. Les uns l'accusent de « manquer d'expérience », d'autres « d'avoir eu l'intention de s'embarquer et de les abandonner ». Les têtes, incapables de raisonnement, tyrannisées par une idée fixe, ne peuvent plus que traduire leur impérieuse impulsivité dans ce cri véhiculé de bouche en bouche à travers pleurs et vitupérations : « En Poitou ! En Poitou [2] ! »

Eh ! qui donc avait prôné le retour en Poitou plus que Monsieur Henri, quand ce retour était réalisable ! Qui avait repoussé ce projet ? Qui avait systématiquement combattu celui qui, de l'aveu de Mme de Lescure, « avait toujours les meilleures idées » ? Les yeux s'ouvraient trop tard. La longue aberration des esprits a donné à l'ennemi tout le temps de fortifier Angers, cette porte du pays natal, comme de couvrir sa frontière naturelle, la Loire. La voie du retour n'est plus libre. Un caractère faible, un sensitif de médiocre envergure eût à cette heure donné et maintenu sa démission avec aigreur. Il ne paraît pas qu'à ce moment tragique et douloureux La Rochejaquelein ait seulement pensé à la donner, pas même qu'il ait songé à se prémunir par quelque manifestation éclatante contre les jugements de l'avenir, à protéger sa mémoire. Quel homme n'y songe pourtant ? Laissons de côté l'irrecevable appréciation de Mme de Lescure (« s'il avait eu plus d'amour-propre... »). La réputation est la chose qui tient le plus au cœur de l'homme. Henri sacrifiera jusqu'à la sienne pour le salut commun. « Quand tout est perdu, nous dit Lacordaire, c'est l'heure des grandes âmes [3] », mais c'est aussi « l'épreuve qui fait connaître avec certitude la valeur d'un être ». L'être, ici, est jeune. La jeunesse compte moins ici cependant que la passion du bien, l'imbrisable élan de l'âme, la force de caractère en un mot,

---

1. Talour de La Cartrie, *Mémoires*, p. 127. Mlle des Chevalleries, *Souvenirs*, p. 147.
2. *Anjou historique*, 5e année, n° 3, Mlle des Chevalleries, *Souvenirs*, marquise de Lescure, *Mémoires*, etc.
3. Oraison funèbre du général Drouot.

acquise par la vertu qui seule a jamais engendré le dévouement. L'esprit, la science, le génie sont à eux seuls impuissants à former des caractères. Qu'on regarde plutôt tant de généraux de la République et de l'Empire. Il faut encore, quand on a embrassé une cause, être prêt à servir, malgré toutes les ingratitudes.

L'ingratitude. Pas un instant, cette accusation ne sort des lèvres du chef si souvent adulé. C'est que la grande âme se double ici d'une intelligence pénétrante. Si les reproches qu'on lui adresse sont révoltants par leur injustice même, le souci de calmer les têtes, de réaliser l'union, les lui font passer à l'arrière-plan. Aussi, sans cesser de « protester à tous de son entier dévouement », s'efforce-t-il de dissiper ce qu'il appelle « les injustes préventions à l'égard de ses collègues [1] », affirmant par cette attitude même les qualités du chef qui doit rester au-dessus de toute intrigue comme aussi des humaines rancunes.

C'est à eux d'abord, à ses collègues qui « se jettent à lui » comme aux jours de péril, qu'il livre sa pensée, expose pour la deuxième fois, dans une atmosphère moins enfiévrée, le projet qu'ils n'avaient pas même écouté avant l'attaque de Granville : « La trouée dans le Cotentin pour s'établir en Calvados, dans la forêt de Cerisy, par exemple, au milieu de terrains qui, dit-on, ressemblent beaucoup à ceux de Vendée. » Là, il sera possible d'attendre le secours anglais et d'aviser s'il fait défaut.

L'accord de principe est obtenu. Mais le plus difficile est de convaincre la foule si longtemps abusée. Toute la journée, Henri se prodigue en vains efforts « d'éloquence persuasive », fait appel à l'affection des paysans, tâte toutes les cordes de la sensibilité humaine. Les paysans

---

1. D'après Soyer, l'aîné, Monsieur Henri « ne se serait pas plaint (?) » des exhortations de l'abbé Rabin, curé de Notre-Dame de Cholet, aux paysans, pour les encourager à obtenir le retour en Poitou. Mais d'après Mme de Lescure, Soyer n'est pas toujours véridique, il comptait d'ailleurs parmi les fortes têtes partisantes de retour en Poitou. Son assertion, peu claire, mérite donc les suspicions les plus fondées.

ne s'émurent que le soir, à la cathédrale, sous les flots de l'entraînante éloquence de Bernier, aumônier général de l'armée depuis la découverte de l'imposture de Folleville. Dans sa péroraison, l'orateur « se fondit en accents si touchants sur l'ingratitude à l'égard du généralissime », que tous « jurèrent spontanément de lui obéir ». Bernier a su toucher la fibre sensible, en utilisant un argument aveuglant dont l'intéressé eût usé avec moins de bonheur. La voix claire de Henri éclate aussitôt. « Et moi, je jure de ne jamais vous abandonner et de mourir à votre tête si vous observez le serment que vous venez de faire, mais je jure aussi de vous abandonner à la première désobéissance. » Les paysans réitèrent leur serment. L'instant est attendrissant.

Hélas, le lendemain 17, les bonnes dispositions se sont évanouies avec les ténèbres de la nuit. Les hommes, redevenus de bronze, se roidissent dans leur obstination. « Eh bien, je pars seul pour Villedieu... Je préfère la mort à la honte de rester à la tête d'une armée rebelle. » Cette algarade jetée, Monsieur Henri, faisant virevolter son cheval, prend la route de Villedieu. L'attitude volontaire, décidée, dictatoriale, que tant de mémorialistes et d'historiens lui reprochent de ne pas avoir adoptée, il se décide à en faire l'essai. On va en voir les résultats.

Villedieu-les-Poêles, à vingt-deux kilomètres d'Avranches, sur la route de Caen, est en partie vidée de ses habitants réquisitionnés pour la défense de Granville. Aucune résistance n'est attendue [1]. Stofflet a suivi le généralissime, d'Autichamp, avec un peloton, l'a déjà dépassé. Celui-ci rêve, il est vrai, de rejoindre les Autrichiens en Picardie. Après avoir donné la chasse à huit cents paysans embusqués au-dessus d'un vallon, on occupe Villedieu [2].

---

1. Gibert, *loc. cit.*, p. 109.
2. Gibert, p. 109, Marquise de La Rochejaquelein, p. 316, (édition de 1889). Mlle des Chevalleries, p. 251.

Des officiers s'attablent déjà dans des auberges quand une mitraille inattendue pleut des fenêtres. Ce sont des femmes qui, aidées de quelques hommes demeurés à Villedieu, jettent sur les royalistes « des bouteilles d'eau bouillante » et jusqu'à « des meubles ». Henri a beau leur crier de se retirer, « que ce n'est pas leur métier de se battre », la défense de tirer sur elles ne fait que les enhardir. Plusieurs, attroupées dans les rues, attaquent les royalistes à coups de pierres, d'autres, plus audacieuses, se précipitent telles des harpies sur les officiers attablés dans les tavernes. Henri, jeté avec sa troupe hors de Villedieu, met fin par un coup de canon à cette ardeur belliqueuse, puis fait braquer toutes ses pièces sur cette odieuse bourgade, bien décidé à lui appliquer les lois de la guerre.

C'est alors que se présentèrent « quatre dames des plus honorables » qui demandèrent à parler au général en chef. Mises en sa présence, elles lui expliquèrent qu'elles étaient déléguées par leurs compagnes pour le supplier de rapporter sa décision. Ces dames furent, dit-on, charmées « de l'urbanité » de Monsieur Henri. On rapporte ainsi le petit discours qu'il leur tint : « Mesdames, les lois de la guerre me donnent le droit d'ordonner le pillage pendant vingt-quatre heures et de faire passer les habitants au fil de l'épée. Mais il ne sera pas dit que j'aurai maltraité même une bicoque. Je ne puis empêcher le pillage qui est de droit ; il faut bien que mes soldats se ravitaillent. Mais ce pillage n'aura lieu que pendant deux heures. Dissimulez vos objets les plus précieux et laissez seulement quelques vivres et quelques vêtements de rechange à la disposition de mes hommes ; quant à vos maris, dites-leur de se soustraire aux lois de la guerre, en quittant au plus tôt la ville [1]. »

Les ambassadrices de la cité réduite se retirèrent avec de chaleureux remerciements, enchantées de l'abord du général des brigands, autant que du résultat de leur mission.

---

1. Joseph Grente et Oscar Havard, *Villedieu-les-Poêles, sa bourgeoisie et ses métiers.*

« Dans toutes les anciennes familles de Villedieu, écrit l'historien de cette petite ville, le nom de La Rochejaquelein est béni comme celui d'un sauveur. »

Henri avait vaincu la résistance de Villedieu, non celle de ses soldats. Mille cinq cents hommes seulement l'avaient suivi [1]. Et l'état-major demeuré à Avranches ne tardait pas à lui envoyer une estafette pour lui annoncer qu'après son départ, douze mille paysans avaient pris la route du retour, mais que s'étant heurtés, deux lieues après Pontaubault [2], à des forces ennemies, et incapables de forcer le passage au-delà du pont sur la Sélune, ils réclamaient impérieusement le concours de l'armée demeurée à Avranches où l'on avait mille peines à la maintenir [3].

Laissant à Stofflet le soin de maintenir Villedieu, Henri repartit pour Avranches, où il arrivait le lendemain au milieu d'une ovation délirante. Il ne se méprit pas sur le sens de ces acclamations. Elles signifiaient la victoire des mutins sur leur chef.

Eh bien non ! Ses soldats ne « l'auraient » pas. « Très indifférent à toutes ces manifestations, il passa, glacial, au milieu de ses troupes rebelles. » Il avait son idée. Il la tiendrait...

Il avait compté sans son cœur, sans la situation nouvelle créée par ce coup de tête.

---

1. Mille cinq cents d'après Gibert, quatre mille d'après Mlle des Chevalleries, quinze mille d'après le chevalier de Solilhac, qui s'est sans doute trompé d'un zéro.
2. A sept kilomètres d'Avranches.
3. La Cartrie, *Mémoires*, p. 128. Marquise de La Rochejaquelein, *Mémoires*. Beauvais, *Mémoires*, p. 187. D'après Kléber, cette affaire aurait eu lieu non le 17, mais le 19 novembre (28 brumaire), date qui ne paraît pas possible.

2

LES SABLES DU MONT-SAINT-MICHEL

18 novembre. Avranches est vide ou presque, depuis le matin, de la masse des êtres « excédés de fatigue et de maladies » qui la hantaient depuis une semaine. Seul y demeure encore, entouré d'une troupe de fidèles, Monsieur Henri, avec une fraction de l'état-major. La grande foule vendéenne, hommes et femmes, la masse geignante et révoltée, roule tumultueuse vers Pontorson avec d'Autichamp, Forestier, Beauvais, qui n'ont pu se décider à l'abandonner. Tour à tour hésitante à suivre les douze mille dissidents du Pont-au-Bault (malgré la colère de leurs délégués que M. de La Cartrie avait eu toutes les peines du monde à dissuader d'élire un autre chef) ; ivre de joie du retour de Monsieur Henri ; puis, plongée dans l'abattement par l'irréductible refus du généralissime de se joindre aux mutins, elle s'est, dans un accès d'exaspération morbide, précipitée sur la voie du retour.

Monsieur Henri a tenu son serment d'abandonner ses hommes à leur première désobéissance. A présent, il est « dans l'angoisse ». La nuit tombe. Ses hommes ne sont pas revenus ; il a déjà dû, la nuit précédente, devant l'état de son armée, envoyer à Stofflet demeuré à Villedieu, l'ordre de revenir. C'est qu'il a appris par un pli, trouvé dans les poches du cadavre d'un gendarme, la marche de Sépher sur Avranches. Sépher, le bedeau de Saint-Eustache, qui commande l'armée de Caen. La pensée de l'ennemi rencontré au Pont-au-Bault par les premiers déserteurs l'obsède. Peut-il laisser tant de femmes et d'enfants exposés aux pires dangers ?

Là-bas, sur la route de Pontorson qui s'étire comme toutes les routes de Bretagne entre deux talus de terre, la cohue continue son chemin après avoir forcé le passage du Pont-au-Bault, franchi la Sélune sur le pont de douze arches. La tombée de la nuit n'a pas interrompu sa marche sur la route qui, maintenant, « reluit au clair de lune ».

Quels peuvent être à Avranches les entretiens de Henri avec Donissan, Talmont, Beauvolliers, Bernier ? Peuvent-ils avoir oublié l'armée de l'Ouest battue voilà trois semaines, mais dont les rangs ont dû se reformer, et Kléber qui travaille sans qu'ils s'en doutent, tout près d'eux, à les enserrer dans un réseau savamment tissé ?

Le 7 novembre, en effet, tandis que les royalistes quittaient Fougères pour Dol, l'armée de l'Ouest, réduite à seize mille hommes amalgamés de Mayençais, a quitté Angers, repris le chemin de la Bretagne avec Kléber, Bouin de Marigny (cousin du général royaliste), Marceau (promu général en remplacement de Beaupuy), Canuel, Müller, Westermann, Klinger (ancien capitaine de l'armée royale), Chalbos (vieil officier de l'Ancien Régime).

Rejointe le 13 à Vitré par l'armée des côtes de Brest, arrivée le 14 à Rennes « par un temps horrible » tandis que le canon tonnait à Granville, elle en est repartie le 16 pour la Normandie, avec les représentants Prieur de la Marne et Bourbotte, tandis que celle de Brest se portait avec le général Tribout sur Dinan. Le matin du départ, le général Nouvion, chef d'état-major, a porté, par ordre des représentants, à la connaissance des armées une proclamation « promettant la somme de cent mille livres à celui qui leur apportera la tête de La Rochejaquelein ».

A Saint-Aubin-d'Aubigné (à dix-huit kilomètres de Rennes), Kléber a appris l'échec des royalistes devant Granville ; sept lieues plus loin, à Antrain, à quatre lieues et demie d'Avranches, des transfuges se sont présentés à ses avant-postes pour lui annoncer « la rébellion qui règne chez les royalistes, la désunion des chefs, l'épuisement de l'armée, le refus des soldats de marcher en Normandie ».

241

Dès lors, son plan a été vite arrêté. Un plan de génie, infernal s'il en fut.

Puisque Sépher se porte sur Avranches et que Tribout ferme le chemin de la Bretagne, lui n'a plus qu'à barrer la route du sud pour que les rebelles se trouvent enfermés dans un triangle dont la base est formée par la baie de Cancale. Pour toute retraite, Kléber n'entend laisser aux royalistes « que la grève du Mont-Saint-Michel ».

Et c'était à ses éclaireurs, à des chasseurs à cheval du 10⁰ régiment commandés par le capitaine Maillot, que s'étaient heurtés à Pontaubault, à pas même deux lieues d'Avranches, les déserteurs de l'armée royale.

Jamais peut-être la Providence ne servit mieux que dans cette circonstance dramatique Monsieur Henri. Sans renseignements sur le danger qui menaçait sa population, n'agissant presque que par intuition, il devait réussir à la tirer de sa position. Au prix de quels efforts !

A une lieue de Pontorson, un feu terrible éclatant sur la gauche a suffi pour égailler son armée en fuite dans les champs qui bordent la route sur la droite. « Lâches que vous êtes, écume Forestier, vous avez abandonné vos chefs, nous allons voir les belles actions que vous allez faire ! » L'action se réduit, de fait, à un tiraillement apeuré derrière les talus, sans que personne veuille traverser la route. « Mais enfin, s'exaspère un officier, quelles raisons vous empêchent de marcher, lorsque c'est vous-mêmes qui avez voulu revenir sur Pontorson ? » Un même soupir s'échappe des poitrines. « Où est notre général ? Qu'il revienne se mettre à notre tête ! »

Une heure plus tard se présentait à Avranches un aide de camp porteur d'un pli : la supplication de l'armée en péril criant vers son chef. Henri n'en demanda pas plus. Laissant ses collègues, il était déjà en selle, dévorant la route « sous la pluie battante ». Il y a cinq lieues d'Avranches à Pontorson. Deux heures ne s'étaient pas écoulées depuis le départ de l'aide de camp que Monsieur Henri avait rejoint sa population.

Quelle ivresse ! En un instant, la route est traversée, la lutte engagée, tandis que les dames s'accroupissent sous leurs parapluies [1] contre les haies, les talus ou les paillers. A neuf heures [2], tout est fini, la route est libre et les royalistes entrent dans Pontorson.

Une aventure qui a causé scandale se passait pendant ce temps à Avranches, où Stofflet, revenu de Villedieu, s'occupait à organiser la retraite des retardataires sur Pontorson. Talmont avait disparu, et avec lui, a-t-on dit, Bernier, Beauvolliers et aussi Donissan. Stofflet étant allé aux nouvelles chez Mme de Cuissard, dont Talmont « s'occupait assidûment, ainsi que de sa fille et de sa belle-sœur », n'y trouva qu'une femme de chambre qui conta en pleurant « que M. de Talmont était parti avec ses maîtresses en Angleterre ».

Des récits de cet événement que nous ont laissés les mémorialistes, tous, sauf un seul, celui de Béjarry, assez fantaisiste et incomplet, convergent sur ce point essentiel, que l'incident est postérieur au départ d'Avranches. Mme de Lescure, Mlle des Chevalleries, Beauvais sont unanimes [3]. Cette affaire n'a donc pas été, comme le veut Beauchamp, la cause déterminante de la retraite de l'armée sans ses chefs. Mais ce qui n'a certainement pas été altéré par Beauchamp, c'est le sens des explications de Talmont, à son retour après trois heures d'absence. Accueilli par un tollé général, il protesta vainement n'avoir voulu embarquer que Mme de Cuissard et sa famille. Tout le monde crut à une désertion. Rien pourtant ne justifie pareille accusation. L'accepter serait oublier le dépit du parti

1. Mlle des Chevalleries, p. 155.
2. Sept heures et demie d'après le général Tribout.
3. Beauchamp, TT, 57 à 59. Mlle des Chevaleries, *Souvenirs*, p. 156. Beauvais, *Mémoires*. Marquise de La Rochejaquelein, *Mémoires*, p. 187.

anglais. L'absence des Anglais que n'ont pas cessé de ressasser les paysans, on ne peut douter qu'elle torture Talmont, Donissan, Bernier, qu'écrase le sentiment de leur responsabilité. Prigent n'est donc point parvenu ? Ah ! une barque, une barque ! « pour aller presser les secours d'Angleterre ».

Au reste, Mme de Lescure ramène à ses justes proportions cette affaire qui n'eut pas l'importance que certains lui donnent. Elle avait moyen d'être renseignée par Beauvolliers, ami de cœur de son mari. Or, celui-ci, qui n'était pas des amis de Talmont, avait été seulement prié par le prince de l'accompagner au bord de la mer, avec l'escorte de dix cavaliers commandée pour la circonstance. Trésorier de l'armée, il n'avait confié à personne la caisse dont il avait la garde, n'avait pas emporté un sou ni même ses portemanteaux. Mais il y a mieux, Beauvolliers figurait parmi les plus acharnés partisans du retour en Poitou, prônait avec ardeur l'attaque d'Angers, dans l'espoir d'y délivrer sa femme et sa fille, hélas ! retombées au pouvoir des Bleus. Talmont ne doutait pas qu'un tel compagnon de son équipée ne déjouât les soupçons en cas d'échec. En cas de succès, Beauvolliers eût vraisemblablement ramené l'escorte de dix cavaliers. C'était habilement combiné. Seulement, le temps des agissements secrets était passé. A Pontorson, où la nouvelle se chuchote au matin du 18, elle discrédite à tout jamais le parti anglais.

Des préoccupations plus graves que cet incident tenaient Monsieur Henri. Adossé à la mer — le Mont-Saint-Michel était à neuf kilomètres derrière lui — il ne se souciait pas de demeurer longtemps à Pontorson. Durant toute la journée du 19, il ne fait preuve, cependant, d'aucun affolement, tandis que rejoignent les retardataires d'Avranches. Il va rendre visite à Mme de Lescure qui s'amuse fort de son horreur des écureuils. Elle en avait un sur ses genoux.

Mais dès le lendemain matin, il part en reconnaissance avec M. de La Bisachère [1], « très peu accompagné, suivant son usage ». Il s'engage dans un mauvais chemin, entre des fossés profonds. Un peloton ennemi l'entoure. Des secours survenus à temps lui permettent de se dégager. Pourtant, il ne s'était pas beaucoup éloigné.

De quel côté a-t-il tâté le terrain qu'il sent hérissé d'embûches ? Sans doute vers Antrain, car sitôt son retour, il commande la marche sur Dol en toute diligence, à l'ouest, « dérangeant ainsi les mesures prises par Kléber pour envelopper l'armée royale [2] ».

C'est d'ailleurs la deuxième fois qu'il les dérange, car à Pontorson, il a battu Tribout qui avait quitté sans ordres son poste de Dinan, dans le désir de « voir enfin l'ennemi ». Et tandis qu'il fait route vers Dol, en cette journée du 20 novembre, Kléber, qui ne doute pas d'une poussée imminente des royalistes sur Antrain, à la suite de la défaite de Tribout, ne cesse depuis la veille de travailler avec ardeur à fortifier, avec la position d'Antrain, les routes se dirigeant sur Rennes ou Fougères. Ce n'est que vers cinq heures du soir qu'une estafette de Westermann lui apporte la nouvelle inattendue, « les brigands sont à Dol ». Kléber ne s'en émut pas. « Ah ! ils sont à Dol ! Eh bien, on va les bloquer dans le nouvel établissement qu'ils viennent de prendre. » Un véritable jeu de l'araignée qui tend ses fils, tisse savamment son réseau pour capturer un insecte difficile aventuré dans l'endroit propice ; le réseau de l'impitoyable tactique militaire, mais dont la proie est ici constituée par une foule de femmes, d'enfants, d'êtres faibles ou épuisés.

L'armée vendéenne est à présent au centre du triangle formé par la mer et les rivières du Couesnon et de la Rance. Ce triangle, Kléber va l'utiliser. A six heures du

---

1. La Bisachère devait être tué plus tard aux environs d'Ancenis. Il avait un frère missionnaire aux Indes. — Billard de Vaux, *Bréviaire du Vendéen*, I, 122.
2. Remarque d'Obenheim.

soir son plan est dressé. Il comporte la formation de trois postes : les deux premiers aux embouchures du Couesnon et de la Rance, le troisième à Hédé, à vingt-neuf kilomètres de Dol, à l'angle sud de ce triangle impeccablement géométrique. Entre les postes ainsi formés, Bouin de Marigny et Westermann « battront l'estrade avec chacun trois mille hommes », avec mission de harceler les rebelles « qui s'écarteront pour aller chercher la subsistance de leur armée ». En cas d'attaque par des forces supérieures, ils battront en retraite sur l'un des postes. Si l'ennemi tente de s'y porter en masse, « on sera prévenu assez à temps par les espions pour lui tomber à la fois sur les derrières et sur les flancs », quatre colonnes marcheront alors sur Dol et si l'on est assez heureux pour réussir, l'ennemi est perdu sans ressources et précipité dans la mer [1].

Mais la journée du 20 se révélait fertile en imprévus. A neuf heures du soir, une nouvelle estafette de Westermann se présentait au quartier général, annonçant que son propre chef se portait sur Dol « pour y détruire les rebelles ». Les représentants, déjà méfiants quant au « civisme » de Kléber (qui, pourtant, venait par ce plan même d'une implacable crauté d'en donner une belle preuve), en oublièrent du coup la magistrale épure de l'ancien inspecteur des bâtiments publics, pour ordonner « de se porter en masse » au secours de Westermann.

Dol. Une petite ville à deux lieues de la mer dont elle n'est séparée que par un terrain bas, humide, coupé de fossés, appelé le marais de Dol, où serpente une petite rivière, le Bief de Jonc. Dol n'a qu'une seule rue, très large, très en pente du côté de Dinan. Au nord s'échappe la grand-route de Saint-Malo. A l'est, la route faisant suite

_____

1. *Mémoires* de **Kléber.**

à la rue se dédouble en deux à une demi-lieue de la sortie de la ville, l'une vers Pontorson, par Baguer-Pican, l'autre vers Antrain, distant de vingt-cinq kilomètres.

Les royalistes sont arrivés à Dol de bonne heure dans l'après-midi du 20. Monsieur Henri est entré le premier à la tête de l'avant-garde. La cohue s'est engouffrée à sa suite, se jetant au hasard sur les vivres, déterrant les pommes de terre laissées dans les jardins et sitôt dévorées crues, pillant les magasins pour se vêtir, malgré les sévères défenses des officiers. Allez donc faire régner la discipline au milieu d'une pareille misère ! Et comment veut-on que fonctionne l'intendance organisée à Fougères avec toutes ces marches forcées !

Mme de Lescure n'a pas plutôt pris logement qu'elle voit arriver dans sa chambre sa domestique tout en pleurs. Dans la cuisine est gardé un homme condamné à mort pour pillage et « qui ne paraît pas coupable ». La marquise le fait introduire chez elle. C'est un tout jeune homme à figure douce, revêtu de l'uniforme républicain. Il est dans un état affreux. Tout pleurant, il raconte son histoire. Il s'appelle Montignac, volontaire dans un bataillon à Dinan. Il a déserté pour venir au-devant de l'avant-garde des royalistes, avec lesquels il veut servir. « Le premier qu'il a rencontré était un grand jeune homme vêtu d'une redingote, portant une ceinture noire et blanche et ayant le bras droit en écharpe. » A cette description, la marquise de Lescure a tout de suite reconnu Henri. Ce jeune homme l'a confié à un de ses cavaliers, mais il l'a perdu dans la foule. Alors, il a voulu aller changer de vêtements et, étant entré avec une vingtaine de soldats chez un marchand de drap, il a, comme eux, emporté une pièce d'étoffe sans la payer. Par malheur, tous ont été pincés à la sortie par un officier, cités en conseil de guerre et, comme il fallait faire un exemple, c'est lui qui a été condamné à mort.

A peine a-t-il terminé son récit que la domestique entre en criant : « On vient chercher le condamné pour l'exécuter. » Fou de terreur, Montignac se jette aux pieds de la marquise. Celle-ci, décidée à sauver le jeune homme, monte chez son père où se tient le conseil. « Qu'est-ce que tu veux, » interroge Donissan. Troublée par cet accueil, la jeune femme s'esquive. La voilà au rez-de-chaussée devant les exécuteurs qui attendent. Et soudain elle songe à celui dont le cœur si grand répand sans compter le pardon. Elle envoie chercher Allard, le charge de conduire le condamné à Henri. Montignac était sauvé [1].

La Rochejaquelein avait pardonné de même sa rébellion à l'armée. Toutes ses forces ne tendaient plus qu'à la tirer de son effroyable position dans cette presqu'île adossée à la mer.

Vers sept heures du soir, c'est l'alerte. Des hussards surgissent sur la route de Pontorson [2]. La générale bat aussitôt dans la ville. L'ennemi charge « avec un bruit effroyable ». Il est déjà dans les faubourgs de Dol. En un instant, les royalistes se portent aux routes de Pontorson, Antrain et Saint-Malo. Ce genre d'attaque est signé. Qui donc n'y reconnaîtrait la méthode de Westermann ?

Vers neuf heures, l'ennemi prend la fuite après avoir fait quelque deux cents victimes, se donnant dans sa retraite le luxe de tailler en pièces un détachement royaliste, convoyant des vivres sur huit voitures.

En réalité, ce n'était pas Westermann, mais Bouin de Marigny et le général Decaen qui venaient de donner cette aubade aux Vendéens, après avoir distancé de trois lieues leur infanterie conduite par Westermann. Du moins avait-elle l'avantage d'avoir mis les royalistes en éveil.

Monsieur Henri prend toutes ses mesures en vue de

---

1. Henri chargea Allard de l'enfermer dans sa chambre.
2. Mme de Lescure est dans l'erreur en situant cette attaque à neuf heures. Mlle des Chevalleries dit sept heures, et de fait, l'on constate, d'après Kléber, que la troupe en question était à six heures du soir à deux cents toises de Dol (380 mètres), en train d'y prendre ses dispositions.

l'affaire terrible qui se prépare. Un détachement est placé sur la route de Dinan, le gros des troupes sur la route d'Antrain où le généralissime prévoit que se portera l'attaque principale, le reste sur celle de Pontorson.

Les femmes sont rangées en quatre ou cinq lignes le long des maisons de chaque côté de la rue. Au milieu, l'interminable file de l'artillerie de rechange, des bagages, des chariots, des quelque cinquante voitures contenant les blessés faits dans tant de combats.

La cavalerie, mal montée, peu apte aux manœuvres, est placée sur deux rangs, entre les canons et les femmes, sabre au clair, prête à charger dès que l'ennemi aura commencé à plier. La rue est très large et il y a de la distance entre les cinq files [1]. Tout ainsi paré au mieux des circonstances, les tambours parcourent la ville en battant la charge pour animer les courages, cependant que Forestier est envoyé en reconnaissance.

Dans la nuit, une galopade sur la route de Pontorson. C'est Forestier qui accourt avec sa patrouille en annonçant l'arrivée d'une armée nombreuse sur les routes de Pontorson et d'Antrain. Henri, fidèle à sa tactique, se porte aussitôt à sa rencontre sans attendre son choc. Voilà, la seule manière de vaincre avec cette armée de paysans. Henri le sait, et sous ce rapport, il se révèle le successeur idéal du grand Cathelineau.

En même temps, il donne ordre à son autre colonne de se porter sur la route d'Antrain avec Stofflet.

A moins d'un kilomètre de Dol, il se heurte à l'ennemi : l'avant-garde de Westermann, qui est arrivé lui-même à Baguer-Pican (une lieue de Dol) depuis dix heures du soir. Une lutte acharnée s'engage dans la nuit noire. Westermann qui depuis son arrivée a travaillé à déployer « en grand silence sa ligne de bataille » soutient aussitôt son avant-garde. Il est deux ou trois heures du matin. Vers

---

1. Marquise de **La Rochejaquelein**, *Mémoires*, p. **325**.

cinq heures, les royalistes commencent à plier. Le général Müller, arrivant à ce moment « bien saoul [1] » ainsi que son état-major, refuse de charger les brigands avant le jour, et Westermann, qui a trop rapidement brûlé toutes ses cartouches, est dès lors perdu. Monsieur Henri bouscule ses avant-postes, brise ses lignes, met son armée en déroute vers Pontorson. Il ne le lâche que vers six heures pour courir au secours de sa droite en direction de la route d'Antrain où la canonnade fait rage depuis quatre heures du matin.

Il y arrive pour assister à un repli. Sur cette route, près de La Boussac, à deux lieues de Dol, Stofflet, Talmont, d'Autichamp tiennent péniblement tête à Marceau, envoyé — trop tard — pour soutenir Westermann, mais solidement retranché dans les champs flanquant la route, sans que la lutte aboutisse à autre chose qu'à une « fluctuation continuelle d'avantages gagnés et perdus ».

Quand Henri paraît sur les lieux vers sept heures, il est salué par le feu violent de Müller, légèrement dégrisé, qui, dans sa retraite, a fait un « à droite » et déjà rejoint Marceau. Une charretée de pain amenée pour le ravitaillement cause du désordre dans la colonne royaliste. Heureusement qu'un brouillard opaque, « à ne pas se voir l'un contre l'autre », s'élève à ce moment de deux étangs, celui voisin de Landal et un autre qui sert de défense naturelle à l'ennemi. Mais un convoi apportant de Dol des munitions aux combattants leur fait croire à l'arrivée d'une armée ennemie sur leurs derrières et l'on voit soudain Stofflet, perdant la tête, tourner le dos à l'ennemi. « Arrêtez, Stofflet, vous mettez la déroute », lui crie Henri. « Non, non, général, je rallie les fuyards ! » Il en tenait la tête.

---

1. *Mémoires* justificatifs du général Westermann, dans documents publiés par Baguenier-Désormeaux, p. 262. D'après Westermann, l'action n'aurait commencé qu'à trois heures. Cf. aussi Beauchamp, II, 71.

Avec sept cents hommes demeurés autour de lui [1], Henri repousse l'ennemi à cent cinquante pas encore, sans pouvoir conserver l'avantage. La cavalerie, la réserve, tout a fui vers Dol. L'armée est « rebutée [2] ». C'est le désastre.

Il ne se trompe qu'à demi. Femmes, enfants, vieillards, ainsi qu'un corps considérable de cavaliers ont déjà, dans un désordre inexprimable, pris la route de Saint-Malo qui, à neuf kilomètres, rejoint la mer... « la mer où ils n'auront d'autre ressource que de s'y précipiter ».

Poussant son cheval, Monsieur Henri s'avance alors sur la route « au plus près de l'ennemi » et, les bras croisés, demeure immobile sous la mitraille. Allard et Beauvais se sont précipités à sa poursuite. Tous deux ont deviné. Les traits bouleversés, les yeux exorbités, Henri ne peut résister à l'inexprimable souffrance qui vient de l'envahir. Les deux hommes lui font un rempart de leur corps. Beauvais en style noble le conjure de ne pas exposer « à leur ruine entière ces braves paysans qui le regardent comme leur père ». Une exclamation rauque de désespoir s'échappe de la gorge du jeune homme. « La mort ne veut pas de moi ! » Allard, saisissant alors d'autorité la bride du cheval de son général, le ramène en arrière.

« Je veux mourir ici ! Je veux mourir ici [3] ! » répète Henri avec rage. Mais qu'est cela ? Un feu soutenu continue à se faire entendre à l'extrémité de la droite. Est-ce un rêve ? Henri se porte de ce côté : un petit bois voisin d'un pont et d'un ravin que les troupes de Marceau devaient forcer pour marcher sur Dol. Là, Talmont, entouré de quatre cents hommes, quatre cents Chouans, continue à soutenir l'attaque avec Jean Chouan ; Talmont

---

1. Louis Monnier, p. 54.
2. Monnier donne sur cette bataille force détails, mais qu'on ne sait où situer dans la confusion qu'il fait de cette bataille avec celle du lendemain. Toute la seconde partie de son récit, p. 55, ne se rapporte à coup sûr qu'à la bataille du lendemain. Cf. Gibert et Kléber.
3. Lettre d'un survivant à Auguste de La Rochejaquelein, sous la Restauration. Archives mss. de Clisson.

qui s'offrait une triomphale revanche sur ceux qui l'avaient tant de fois taxé de lâcheté, « en faisant illusion aux républicains sur ses forces, à la faveur du brouillard qui leur cachait la fuite des Vendéens [1] ».

Et voici que des fuyards par troupes entières reviennent — par quel miracle ! — au combat, mais tellement démoralisés ! Henri éclate en sanglots : « Allez, rendez-vous, leur crie-t-il à travers ses larmes. On vous recevra, on vous fera toutes les promesses, on n'en tiendra aucune, on vous mettra en prison et vous y périrez de la vermine et de la gale... si vous n'êtes pas plutôt rangés en file à la bouche des canons et mitraillés par milliers, hommes et femmes. Ah ! pour moi, je préfère à un tel sort mourir les armes à la main et si je suis pris par les Bleus, ce ne sera pas vivant. Que Dieu me protège [2] ! »

Il arrache la houppelande noire qu'il porte par-dessus sa redingote verte, tire son sabre. Son cri de ralliement jaillit de ses lèvres : « Qui m'aime me suive ! » Et le prodige se renouvelle une fois encore. Tous s'élancent sur ses pas. Cette fois, c'est la victoire. A onze heures du matin la retraite de l'ennemi, enfin déclenchée, n'exige plus des royalistes épuisés qu'un harcèlement qu'ils n'abandonnèrent qu'à quatre heures du soir.

Par quel miracle les fuyards étaient-ils revenus ? Quel mot d'ordre avait eu la puissance de dissiper la panique abattue sur les paysans ?

Car enfin, les plus braves des officiers ont pris la fuite. Les chefs ont en vain épuisé les ressources du raisonnement ou de la contrainte, les prêtres celles de la persuasion. Les femmes n'ont réussi qu'à se faire insulter, bousculer, tuer même. Puis l'énorme masse humaine soudain

---

1. Marquise de La Rochejaquelein, *Mémoires*, p. 333.
2. *Pièces inédites* publiées par Hélon de Champcharles (F. Grille), p. 50, lettre de Maillocheau du 25 messidor, an V, qui déclare tenir le fait du fermier Yvon et aussi de Duboys d'Angers, vol. au 3e bataillon de Maine-et-Loire, qui était à l'affaire de Dol.

arrêtée sur les prairies au-delà de Dol par la pensée qu'elle se trouvait « acculée à la mer » était demeurée là, figée dans une hypnose d'épouvante, oreilles tendues au bruit du canon qui, chose extraordinaire, ne se rapprochait pas.

Le miracle ? Le mot d'ordre ? Un nom seul, prononcé par quelques bouches, puis répété avec ferveur par tous comme une invocation protectrice. Lui. Le palladium de la victoire... Il ne pouvait qu'être vainqueur. On n'en doutait pas. Et tous dans leur hallucination avaient cru percevoir plus lointaine la canonnade ; puis, des poitrines délivrées de l'atroce oppression, un cri avait enfin jailli : « Vive le Roi ! Vive La Rochejaquelein ! »

Comme elles sont loin les imprécations virulentes de Granville et d'Avranches !

Tous les cœurs sont à présent tendus vers « lui » ; les pensées pleines de lui. La nuit tombée, tandis que les soldats victorieux rentrent à Dol, des officiers apparaissent avec des mines « contraintes ». Mlle des Chevalleries en interroge un : « Y a-t-il des morts ?... Quelques chefs ? » — « Ah ! je n'ose vous les nommer ! » — « Oh ! Ciel ! M. de La Rochejaquelein ? » — « Oui, je viens d'apprendre à l'instant qu'il n'était plus, mais le bruit de sa mort n'est pas encore répandu et peut-être va-t-on essayer de la cacher aux soldats. » La jeune fille n'a pas le temps de se livrer au désespoir. Une voix de stentor vient d'éclater : « Allons, mes amis, criez avec moi : Vive M. de La Rochejaquelein ! » C'est Stofflet. Au même moment apparaît la mince silhouette de cavalier que tous connaissent. Elle est saluée par un délire d'acclamations.

Le généralissime est déjà à terre, serrant dans ses bras et embrassant le prince de Talmont qu'il proclame le vainqueur de la journée. L'armée, réplique Talmont, « doit son salut à la valeur et au sang-froid de Jean Chouan ! » Au fond le prince était immensément heureux, cet hommage du brave des braves équivalait à une réhabilitation solennelle de son honneur. Et Talmont souffrait de ces outrages sous son apparente insouciance de grand seigneur. Il ne devait plus quitter Henri jusqu'à la Loire. Quand des circonstances malheureuses auront séparé le généralissime de son armée, alors seulement Talmont lui-même quittera l'armée pour s'en retourner vers son pays... vers la mort.

*
**

Kléber qui avait envoyé Müller soutenir Marceau n'était arrivé que pour constater le désordre de l'armée de Marceau que Müller avait désorganisée comme il l'avait fait de celle de Westermann. Toutes ses brigades étaient confondues.

Le harcèlement des royalistes l'obligea à la reporter non pas même comme il l'aurait voulu sur une lande située en avant du bois de Trans où l'aurait relevée une division fraîche, mais en arrière de ce bois.

Les royalistes allaient-ils s'échapper de la souricière ? Les représentants Prieur et Bourbotte en avaient une telle peur qu'ils en perdaient la tête. Verbeux, méprisants, despotiques, avec des façons de satrapes, défiants vis-à-vis de Kléber qu'ils obligeaient à être en quelque sorte le cerveau de Rossignol, exigeant la communication de tous les plans, s'arrogeant le droit d'en décider l'exécution ou le refus, leur immixtion dans les affaires militaires de leurs généraux nuisait plus au succès de leurs armes que les coups de tête de Westermann.

En les voyant se ranger enfin à son plan de blocus de Dol, Kléber les pensa enfin assagis. Et, dès le soir, il ramenait Chambertain qui avait relevé Marceau en arrière du bois de Trans, cependant qu'il envoyait Damas à Antrain et Amey rejoindre Westermann à Pontorson. Mais l'exécution du mouvement était à peine achevée que les représentants étaient déjà repris d'une crise de « délire » révolutionnaire. Revenus près du général en chef Rossignol après avoir quitté Kléber, ils ordonnaient de ramener Chambertain à sa position primitive et d'y porter toutes les troupes à l'exception de quelques bataillons nécessaires à couvrir Antrain et à défendre la ligne du Couesnon.

Enfin, un pli devait être envoyé sur l'heure à Westermann, lui enjoignant de se porter sur Dol pour achever, avec le concours de toute l'armée, la destruction des brigands dans cette ville.

Il fallait obéir. Des estafettes partirent de tous côtés pour rapporter les premiers ordres. Les troupes convergèrent vers l'orée du bois de Trans, du côté de Dol, et les représentants, tout fiers de leur activité militaire, vinrent eux-mêmes y bivouaquer au milieu de leurs troupes.

« La fraîcheur de la nuit d'automne » ne tardait pas à calmer « leur exaltation ». A minuit, Prieur mandait Kléber et le pressait de donner son avis sur l'attaque du lendemain. Rassuré par la sincérité de l'accent du conventionnel, l'Alsacien émit son opinion nettement défavorable. Prieur en fut affolé, dépêcha sur-le-champ trois estafettes pas trois routes différentes à Westermann, porteuses de la troisième instruction contradictoire que ce général devait recevoir en moins de douze heures, et portant interdiction formelle d'attaquer. Ce n'est vraiment pas sa faute si la République a gagné la partie contre la Vendée.

Les trois estafettes parvinrent à Westermann. Mais au point où en était le drôle, il ne lui était plus possible de résister à son instinct de corbeau qui aime à abattre des noix. Continuant son chemin vers Baguer-Pican, où son avant-garde était de retour vers quatre heures du matin, il se mettait en devoir de prendre ses dispositions. L'aube n'avait point encore paru que ses éclaireurs venaient lui apprendre « que l'ennemi battait la générale dans Dol ». Etait-ce la générale ? Il le crut. En réalité, c'était le rassemblement de l'armée royaliste... pour le départ.

D'après Beauvais, les vainqueurs de la veille comptaient se reposer deux jours à Dol. La marquise de Lescure, Gibert, Mlle des Chevalleries contredisent pareille assertion. Les royalistes qui croyaient les républicains « bien loin » s'apprêtaient à quitter Dol. Henri était pressé d'abandonner une si dangereuse position, où, par surcroît, « l'on ne trouvait rien pour se refaire [1] ». Ce que les éclaireurs de Westermann avaient entendu, c'était, nous apprend Gibert, Stofflet « qui faisait le tour de la ville selon l'usage avec ses tambours, pour donner le signal du départ ». D'ailleurs, Westermann lui-même dut en être avisé par la quarantaine de transfuges qui, vers sept heures, se présentèrent à ses avant-postes pour lui apprendre certainement autre chose que « la disette de pain et de munitions », et l'esprit de désertion qui régnait « dans l'armée catholique », mais il se garda bien de le mentionner dans son rapport à ses chefs. Comment aurait-il pu avouer que son indiscipline avait donné l'alerte aux royalistes au moment où ils allaient droit dans le piège de Kléber [2] ?

Ce furent deux officiers, Vallois et Talvaz, qui, s'étant « sans dessein » engagés sur la route de Pontorson, y découvrirent « l'embuscade de Westermann ». Ils accoururent à toute bride l'annoncer à Stofflet parvenu déjà à une demi-lieue de Dol, sur le chemin d'Antrain. Le gros de l'armée, s'ébranlant « lentement » sous la direction de Monsieur Henri, se trouvait alors presque tout entier sorti de la ville.

Stofflet commanda aussitôt la halte, dépêcha une estafette au généralissime qui s'empressa d'aller avec lui « à la découverte ». Quel étonnement ! L'ennemi est encore embusqué sur les deux routes. Il faut rééditer les combats de la nuit précédente.

Il est alors huit heures du matin. Les dispositions de Henri sont vite prises. Marigny qui est à son poste ordinaire de chef de l'arrière-garde est tout placé pour prévenir une surprise du côté de Dinan et de Saint-Malo. Stofflet et Talmont marcheront comme la veille sur Antrain. Lui-même fonce sur Westermann avec ses hommes d'élite. Il est sûr du succès de ses soldats que la victoire inespérée de la veille a enfiévrés du désir de vaincre.

---

1. Beauvais, p. 197. Marquise de La Rochejaquelein, p. 336.
2. « Nous ne pensions pas plus aux républicains qu'à notre première chemise », écrit Billard de Vaux.

De fait, « Westermann et Bouin de Marigny, poussés durant plus d'une lieue par son élan brutal », se jettent en vain entre leurs hommes et les paysans. Tous deux tombent de cheval et manquent d'être faits prisonniers. Le carnage est si horrible que les troupes du général Amey, accouru de Pontorson, lâchent pied « au seul aspect des brigands ».

Emporté par sa fougue à deux lieues et demie de Dol, Henri est à son tour enveloppé par les hussards. A ses côtés, La Roche Saint-André est renversé avec sa monture. Le cheval d'Augustin Deshargues s'effondre au milieu des ennemis. Le cheval de Henri, lui-même, est blessé. Aucun peloton royaliste avec eux. Les trois chefs sont seuls.

D'un coup de pistolet, Henri fait sauter la cervelle d'un hussard qui abattait déjà la main sur lui, s'ouvre un passage, rejoint son détachement resté en arrière, délivre, avec son aide, La Roche Saint-André, hélas ! mortellement blessé [1], puis se lance à la poursuite du peloton qui emmène Deshargues, ligoté en croupe d'un hussard. Il charge avec fureur, distançant de loin ses hommes sur cette route « défoncée », atteint Pontorson qu'il traverse en trombe, et, dans le vertige de sa passion de dévouement, se précipite sur celle d'Antrain. Beauvais, qui l'a suivi jusqu'à Pontorson, envoie courir après lui des cavaliers qui ne réussissent à le rejoindre qu'à l'entrée du village d'Ancey. Rappelé à ses devoirs de chef, Henri, le cœur brisé, rebrousse chemin vers Pontorson.

Sa colonne l'a suivi jusque-là dans sa course échevelée.

---

1. Augustin de La Roche Saint-André, né le 6 novembre 1756, chevalier de Malte, page de la Petite Ecurie du Roi en 1771, sous-lieutenant à la suite au régiment Bourgogne-Cavalerie en 1776. Blessé mortellement, il succomba à ses blessures dans la paroisse de Coulans, près Wallon (Sarthe). Il avait trente-sept ans. Henri de La Rochejaquelein lui donna un petit morceau de son drapeau que son descendant, M. de l'Estourbeillon, partagea vers 1906 avec M. Henri Savary de Beauregard, député de Bressuire, et beau-père de Mme Michel de Beauregard, l'actuelle châtelaine de Clisson.

Laissant les deux tiers rejoindre Dol par la route avec Beauvais, Fleuriot et d'Autichamp, il se jette avec le reste « à travers champs » au secours de Stofflet et de Talmont « en difficultés extrêmes » sur la route d'Antrain. C'est que Kléber est là avec Marceau et les représentants, depuis dix heures du matin, farouchement décidés à tenter, dans un suprême effort, de refouler les royalistes sur Dol. L'avant-garde de Chambertain, en partie composée par l'ancien régiment de Reine-Infanterie, s'est enfuie sans brûler une amorce ; alors, Kléber a fait appel à ses Mayençais qu'on a fait revenir de Fougères, puis déployé toutes les troupes à l'abri de cette solide avant-garde. Déjà, il cherche à déborder les ailes de Stofflet et de Talmont.

La ruée de Henri sur son flanc droit lui enlève sa dernière chance de succès et l'oblige à la retraite. Sans doute, le recul est lent, les Mayençais savent se battre en retraite, mais le coup est porté. La victoire est arrachée pour la seconde fois à Kléber par l'enfant de vingt ans qui, malgré une courte défaillance, n'a pas désespéré de trouer la trame diabolique tissée autour de son peuple martyr et dont il déchire à présent, d'une main furieuse et sûre, les derniers lambeaux.

Les Mayençais sont chassés d'un champ dans l'autre, expulsés de la hauteur dominant la chaussée d'un étang sur laquelle il faut passer[1]. Enfin, voici le bois de Trans, le pont sur le Couesnon. Voici Antrain. L'étreinte est brisée d'autant plus facilement que les troupes républicaines chargées de défendre le pont manœuvrent à faux, « tout le monde se mêlant de commander », au milieu de « la plus grande confusion ». Il est alors minuit.

Une nuit sanglante s'il en fut, où les vainqueurs, exas-

---

1. Cf. Monnier, *loc. cit.*, Gibert, *loc. cit.*, p. 114. « Parvenus à un étang sur la chaussée duquel il fallait passer, ils (les Bleus) auraient pu se rallier sur le coteau qui le domine. M. de La Rochejaquelein fit promptement avancer deux pièces de huit qui, menées en artillerie volante par Lyrot, ne leur laissa pas le temps de se former. »

pérés par une longue tension de l'être, firent payer cher aux vaincus leur résistance désespérée. Une chasse à l'homme dans les rues, les maisons, les écuries, jusque sous les lits, où l'on découvre quantité de républicains surpris par la foudroyante offensive, beaucoup la tête rasée, c'est-à-dire d'anciens prisonniers relâchés sous le serment de ne plus porter les armes contre les royalistes. Dans le bois de Trans, on tire les traînards comme des lapins. Quand, vers quatre heures du matin, les femmes débouchent en avalanche dans la petite ville, il leur faut passer sur les cadavres, « obstruant les rues », de ceux qui avaient tenté de les ensevelir vivantes dans les lises.

Sur la route de Rennes, Kléber, flanqué de Prieur et de Bourbotte, « s'abandonnait aux réflexions les plus accablantes [1] » tandis que fuyaient devant lui en une affreuse déroute les débris de son armée. On eût été accablé à moins. Tout s'était conjuré contre lui : la sottise de Tribout, la stupidité de Sépher arrêté à Avranches au lieu de faire sa jonction avec lui, l'indiscipline de Westermann, l'ivresse de Müller, le despotisme brouillon des représentants, ce brouillard odieux — providentiel aux royalistes — qui avait paralysé Marceau. Il avait calculé infailliblement sa manœuvre pour enliser les brigands, et c'était — ô honte ! — les fuyards de l'armée de Westermann qui, par centaines, avaient, pendant la charge furieuse de Monsieur Henri, été s'engloutir dans les sables mouvants. Il avait tout calculé, tout prévu, sauf les impondérables : cette Providence en laquelle il ne croyait plus, et dans laquelle La Rochejaquelein avait mis tout son espoir.

Louis Monnier, qui se trouvait près de lui lors du recul de ses hommes, l'entendit crier : « Allons, mes braves, nous serons perdus ici si nous perdons courage. Donnons notre cœur à Dieu et fonçons sur les Bleus ! »

---

1. *Mémoires* de Kléber.

Ses hommes avaient fui, mais le brouillard l'avait alors enveloppé de son manteau protecteur.

Il est vrai qu'à son premier passage à Dol, Henri avait envoyé une troupe de cavaliers délivrer les prêtres enfermés dans les cachots du Mont, car il fallait que sur son passage comme sur celui des chevaliers de la légende, tombassent les fers des captifs [1]. Kléber, dans ses calculs, avait compté sans l'archange auquel est dédié le Mont et sur lequel Monsieur Henri s'était acquis une créance inestimable, sans l'archange à qui sa puissante protection avait valu d'être appelé par les foules du Moyen Age, Saint-Michel-au-Péril-de-la-Mer.

3

LA CRUELLE DÉCEPTION D'ANTRAIN

La fortune aime, dit-on, les audacieux. Est-ce la raison pour laquelle, après tant d'avances dédaignées par les Vendéens, elle continuait à combler personnellement Monsieur Henri de ses faveurs ? La double victoire de Dol s'avérait en tout cas la plus magnifique de toutes. La Rochejaquelein était fermement résolu à saisir cette fortune-là. Sa volonté d'aboutir est d'autant plus grande qu'elle est l'ultime occasion de salut.

Il a « tout observé », « tout apprécié mûrement [2] », le dégoût du combat chez les Vendéens, leur nostalgie du sol

---

1. Trois cents prêtres, d'après Ménard, étaient incarcérés au Mont-Saint-Michel. Ce fut Forestier qui fut chargé d'aller les délivrer à la tête d'un détachement de cavalerie. Une soixantaine seulement acceptèrent leur libération. Beaucoup étaient hors d'état de suivre leurs libérateurs. La plupart refusèrent une liberté qui leur paraissait précaire. René Bordereau fit partie de ce détachement.

2. Johamet, *La Vendée à trois époques*, p. 239.

natal, leur degré d'endurance, leur exaltation passagère (dont il faut profiter), comme aussi la solidité des Chouans au feu, discerné avec son extraordinaire sûreté de jugement le parti qui s'impose, dressé son plan avec cette promptitude qui, chez lui, tient du réflexe. Le 23 novembre, car le temps presse, il l'expose à l'état-major.

C'est à Talmont qu'il s'adresse pour commencer : « Avant hier [1], prince, vous avez sauvé l'armée d'une défaite entière, et hier, c'est à votre bravoure, à celle des Manceaux et des Bretons que j'ai vus combattre autour de vous, que nous sommes redevables de la victoire. » Cet éloge mérité, qui ne peut que flatter l'amour-propre de Talmont si cruellement humilié par sa mésaventure d'Avranches, ne s'adresse manifestement au prince qu'en tant que représentant des Chouans au conseil. « Nous ne sommes qu'à dix lieues de Rennes, reprend le généralissime, les débris de l'armée républicaine s'y sont réfugiés, tout doit être confusion dans cette ville où la masse de la population est pour nous et nous appelle. Si nous réussissons à nous en emparer, il est à peu près certain que le reste de la Bretagne va s'insurger et nous pouvons espérer rentrer dans notre pays par Nantes, qui ne pourra tenir longtemps contre Charette et contre nous. »

Ce petit discours est remarquable de concision, de clarté, mais aussi d'habileté diplomatique, sans parler de la conception même du plan exposé qui est celui d'une intelligence toujours en éveil, à l'affût des ressources au milieu des pires difficultés. A Rennes, Prieur calcule que chaque victoire des brigands est un avantage pour la République, parce qu'ils « ne peuvent se battre sans perdre de monde » et n'ont pas la ressource de reconstituer leurs forces. Calcul simpliste que Monsieur Henri a fait aussi, mais dont les victoires de Dol ont mis la solution à portée de sa main. La forêt du Pertre est grouillante de Chouans, La Guerche, Rochefort, Muzillac, Vannes même, en état

---

1. *Mémoires* du colonel de Pontbriand, p. 42.

d'ébullition. Le tout est de ne pas perdre un instant, afin de devancer la reconstitution des armées bleues battues, achever la destruction de l'armée de l'Ouest d'abord, que l'arrivée en avalanche de toute son armée l'a empêché d'envelopper silencieusement dans Antrain comme il l'aurait voulu.

Aussi, avec quel art il flatte le rêve du parti breton : l'insurrection de la Bretagne. C'est que les Chouans sont pour lui des alliés indispensables. Impossible à présent d'atteindre sans eux la patrie perdue. N'oublions pas d'ailleurs que Monsieur Henri est le disciple de Bonchamps avec qui, nous dit dom Jagault, il était lié « d'amitié particulière [1] ». Ce qui suppose de nombreux entretiens entre les deux chefs, sans doute durant les longues semaines d'immobilité qui suivirent pour Bonchamps la bataille de Martigné-Briant. Une action purement défensive de la Vendée est tôt ou tard vouée au désastre, et d'autre part, les Vendéens sont incapables à présent de se passer du concours des Chouans. C'est pourquoi, s'il marque avec netteté que le but final de la présente campagne est de rentrer en Poitou, il affirme avec non moins de force, par la réciprocité des services proposés et réclamés, qu'il entend conclure avec les Chouans une alliance durable. Qu'il ait foi dans l'insurrection bretonne telle que la conçoit Donissan, c'est autre chose. Il se garde d'ailleurs d'entrer dans de plus amples détails. Une seule chose importe pour l'heure : la marche sur Rennes tant de fois désirée, que Talmont seul a tant de fois fait échouer. D'où tant de prévenances qui ne peuvent que conquérir, de gré ou de force, le pestiféré des Vendéens, le chef des Chouans, le suzerain aimé, vaillant, de Jean Cottereau déjà redevable au généralissime d'une manifestation d'estime publique, enveloppée de la plus franche et de la plus affectueuse gentillesse.

---

1. Dom Jagault, oraison funèbre d'Henri de La Rochejaquelein, prononcée le jour même de ses obsèques, à Saint-Pierre de Cholet.

L'intéressé le sent lui-même, si l'on en juge par sa réponse embarrassée. « Il approuve le plan général de marche sur Rennes », puis parle de « débarrasser d'abord l'armée des femmes et des enfants », propose pour cela — le cœur lui saigne tellement de son échec ! — « de ramener l'armée devant Granville », prétend que « lord Moira est sur la côte... ».

Ce fut un éclair. Avant que quiconque ait pu répondre à Talmont, — si nous suivons le récit de l'officier de Chouans Pontbriand visiblement bien renseigné — Stofflet était déchaîné contre les deux projets, et du prince et du généralissime. Voit-il dans ce dernier le jouet du parti breton ? Ce qui est certain, c'est que jamais, mieux qu'en cette circonstance, il ne mérita la méprisante appellation de Marigny, de « brutal valet de chiens ». Qui aurait cru cette intelligence aussi rustre ? Tout lui échappe : l'impossibilité du retour *par Angers*, qu'il réclame avec fureur, l'esseulement des Vendéens, la lumineuse idée du généralissime, la réponse embrouillée du prince que travaille encore un vieux reste d'orgueil, mais que Monsieur Henri eût à cette heure — la conduite postérieure de Talmont le prouve — sinon convaincu, pour le moins entraîné à l'exécution de son plan [1]. On dirait qu'il n'a rien noté, rien observé, ni la nécessité vitale de l'alliance chouanne ni surtout que son emportement favorise l'entêtement de Talmont. Car ses transports de violence rendent impossible tout raisonnement et font dégénérer la discussion en tohu-bohu.

En sortant brusquement du conseil pour s'en aller « persuader » les paysans de la nécessité du retour « sans délai » et direct par Angers, il met le comble à sa sottise. Talmont court trouver du Boisguy : « Monsieur, vous avez une

---

1. On objectera que l'armée ayant imposé sa volonté par la suite, Talmont était obligé de suivre comme les autres. Peut-être car rien ne l'empêchait de quitter les Vendéens à ce moment, ainsi qu'il le fera plus tard à Blain. Mieux même, il eût alors entraîné Jean Cottereau et ses Chouans.

bonne part dans les félicitations du général. Il m'attribue la gloire de ces journées. Je ne mérite pas plus cet honneur que tant d'autres, mais je crains qu'on ne soit forcé de prendre une résolution bien funeste qui nous priverait de votre secours. Stofflet veut retourner en Vendée. Je vais faire mon possible pour m'y opposer. Au revoir. »

La discussion du conseil transportée dans la rue, c'est la catastrophe finale. Des trois noms de villes jetés aux paysans, celui d'Angers renvoyé en écho domine la foule redevenue menaçante à la seule suggestion du retour devant Granville. C'est la réédition des scènes d'Avranches, une rébellion, mais dont décuple la violence la surexcitation nerveuse provoquée par les durs combats de la veille. C'est surtout la confiance, cette confiance des paysans, si difficile à acquérir, irrémédiablement perdue. De son côté, Talmont, en prêchant sottement le retour devant Granville, réveille les vieilles accusations de projets d'embarquement et de désertion tant reprochés aux chefs, provoquant encore chez les paysans ces redoutables déductions des esprits simples auxquelles il est si dangereux de donner prise. « Où est M. de Solérac ? Où est le baron de Keller disparu pendant la bataille de Dol ? » Et ce sourire, ce sourire surtout accompagnant la question !

Arc-bouté de toutes ses forces, Henri discute avec ces pauvres gens si longtemps bernés, s'acharnant à leur expliquer la nécessité impérieuse du retour par Rennes et du concours indispensable des Chouans. Pendant des heures, il s'évertue à leur démontrer l'impossibilité de forcer Angers « défendue par de fortes murailles », à présent remises en état, afin d'arracher de leurs esprits la meurtrière idée semée par un fou. L'idée folle s'emboîte trop bien avec le penchant des paysans que commencent à assommer les savantes explications de Monsieur Henri. « Les murailles d'Angers, fussent-elles de fer, nous les prendrons [1] ! » Cette fois, Monsieur Henri a compris et n'insiste

---

1. Marquise de La Rochejaquelein, *Mémoires*, p. 339.

plus. Il a compris qu'on ne discute pas avec des malheureux pris d'un accès de fièvre chaude.

Ses collègues lassés avant lui sont pour la plupart partis souper. Talmont a ce soir-là Lyrot pour commensal, quand Mlle des Chevalleries vient tout angoissée, lui conter la conversation qu'elle a eue le matin même avec un paysan : on veut tuer les prisonniers hospitalisés dans l'église pour venger les royalistes massacrés, on vient de l'apprendre, à l'hôpital d'Avranches.

Talmont calme ses craintes. Lyrot pris d'inquiétude sort aux nouvelles. Quand il rentre, c'est pour annoncer que la nouvelle est exacte. Talmont se lève « tout pâle ». « Inutile de vous déranger, laisse tomber Lyrot, le général y est... »

De fait, pourquoi prétendre suppléer le chef qui sait son métier de chef, qui en accomplit parfaitement toutes les fonctions ? La tranquille leçon donnée par le vieil officier au jeune ambitieux dans cette réponse lapidaire renferme peut-être l'éloge le plus vrai, le plus caractéristique de Henri qui soit sorti de la bouche d'un des combattants de cette odyssée. L'anecdote suivante, due à la plume de l'officier de Chouans Billard de Vaux [1], lève le voile sur la fin de cette nuit tragique : « Pendant que mes camarades étaient occupés à faire de la farine, je me rendis à l'église où les blessés prisonniers avaient été déposés, mais les gardes m'en défendirent l'entrée jusqu'à ce que j'eusse un laissez-passer de M. de La Rochejaquelein... Arrivé au quartier général, le factionnaire m'ayant laissé entrer sans difficulté, je trouvai le général étendu sur un lit avec ses bottes et tout habillé. Dans la même pièce garnie de quelques chaises et d'une petite table sur laquelle était une oie plumée seulement, quelques pommes de terre crues et pas une miette de pain, était encore un officier d'artillerie sur une chaise faute de mieux. Il était blessé à la tête et

---

1. Billard de Vaux, *loc. cit.*, I, p. 135.

la soutenait d'une main appuyée sur le dossier de ladite chaise...

« " Que désirez-vous ? me demanda le général avec son aménité habituelle. — La permission de visiter les prisonniers, mon général, parmi lesquels je crains de trouver un frère. " De suite il sauta par terre, et me donna l'autorisation dont j'avais besoin. »

A cette heure, Kléber et les représentants rentraient dans Rennes avec un fantôme d'armée, en proie à une inquiétude qui, chez Bourbotte et Prieur, dégénérait en rage épileptique. Tous deux parcouraient les rues de la capitale de la Bretagne, sous la protection d'un énorme cortège de cavalerie, « en vomissant contre les habitants les plus fortes imprécations, les menaçant des exécutions les plus barbares ». Ce récit est de Kléber. Pas un officiel qui ne craignît alors un soulèvement des paysans d'Ille-et-Vilaine et Morbihan « en raison des exécrables préjugés des campagnes ». « Ces gens-là, disait l'un d'eux, auront la liberté à coups de baïonnette, puisqu'ils ne la veulent pas autrement. »

Eh bien non, les Vendéens ne profiteraient pas du secours que leur désignait l'épée une dernière fois triomphante de leur chef. La victoire remportée sous le signe de l'archange resterait vaine, frappée de stérilité, comme le génie de cet autre archange dont les paysans méconnaissaient la voix.

Le 24 novembre, commence cette retraite, dont Mme de Lescure nous a laissé un tableau achevé, de la cohue famélique, avec son pitoyable cortège de malades, de blessés « noirâtres », « couverts de pus », entassés sur la paille des charrettes, de traînards de plus en plus nom-

266

breux ; parcours en sens inverse des étapes de l'aller, sinistrement jalonné de chariots abandonnés « pleins de familles égorgées avec leurs conducteurs, les traînards de l'aller ». Moins une retraite qu'un calvaire.

Voici Fougères où l'on demeure un jour entier. Aux blessés, aux malades qu'on y avait laissés, les républicains « ont fait des incisions cruciales aux pieds », à d'autres « coupé à peu près tous les membres », aux femmes « mis des cartouches pour finir leurs tourments par une explosion [1] ». Dans l'église on chante un *Te Deum* d'action de grâces pour la victoire de Dol. Une voix éloquente se fait entendre : « Voyez ce jeune homme, digne émule des guerriers de l'Antiquité... ne s'occuper que de combats et de victoires pour son Dieu, pour le rétablissement de ses autels et la délivrance des orphelins [2]... » C'est Bernier qui parle. Le curé de Saint-Laud est trop discrédité. Il n'a plus « aucun rôle saillant [3] ». Qu'importent à Monsieur Henri toutes ces prosopopées d'orateur, à l'homme de réflexion, à l'homme d'action silencieux, au chef, qui, au cours de ce calvaire, voit se réaliser avec ses prévisions l'écroulement de son œuvre. A mesure que l'on s'enfonce vers le sud, les Chouans abandonnent l'armée. C'est la dissolution de la petite Vendée. Tout le long du parcours, des bandes s'en retournent dans leurs tanières. D'Autichamp, Désessarts (qui l'eût cru ?) n'ont plus d'yeux que pour le pays dont ils avaient prôné l'abandon. Les faits justifient cruellement le généralissime qui s'efforce en vain de simuler après Laval une pointe sur Saumur par Sablé et La Flèche. Des éclaireurs ennemis, envoyés d'Angers en reconnaissance jusqu'à Durtal, Baugé, Beaufort, ont vite fait de repérer la véritable direction des Vendéens [4].

---

1. Beauvais, p. 307.
2. E. Aubrée, *loc. cit.*, p. 125.
3. Ch. de Montzey, *Histoire de La Flèche*, publiée par la Société historique du Maine, p. 75.
4. Henri Chardon, *Les Vendéens dans la Sarthe*, p. 257.
« Quelques déserteurs avaient leur uniforme ; des vêtements trouvés dans les districts ou enlevés aux républicains revêtaient

Entre chaque étape, Henri dispute avec rage ses traînards aux batteurs d'estrade. Ce semble être pour lui un soulagement à la souffrance déchirante que lui cause le spectacle des affreuses misères de sa population. La ville de La Flèche, après une nuit seulement de séjour, est infectée, toutes ses rues [1] sont remplies des ordures causées par la dysenterie qui décime les Vendéens. Henri a beau se raidir, il ne peut empêcher la douleur de saccager ses traits et beaucoup, avec Gibert, « remarquent sur lui un ennui et un dégoût extrême de la vie [2] ».

Le 3 décembre, l'attaque d'Angers se réduit, en dehors de deux assauts aux portes Cupif et Saint-Michel, à une fusillade sans résultat. Après quoi, sur les deux heures du matin, les paysans s'endorment dans les maisons des faubourgs enveloppées par le brouillard. Henri secoue vainement la torpeur de ses hommes pour une nouvelle tentative : « Eh bien, où est cette ardeur qui vous entraînait vers la Loire ? Vous vouliez prendre Angers à tout prix ! » Les soldats gémissent. Leur force d'attaque est à son point mort. L'assaut qu'il mène en personne contre l'une des portes [3] sur les trois attaquées simultanément est seule active. Au prix d'une admirable témérité, il tente de la faire sauter. Il échoue. La journée du 4 est à son crépuscule.

La nuit tombée, il fonce vers les Ponts-de-Cé, envoie aux abords de la position quatre cavaliers en reconnaître

---

quelques autres, le plus grand nombre était en habit de petits-bourgeois, d'artisans ou de paysans, chacun portait la cocarde ou le panache blanc, ayant un petit crucifix à la boutonnière. Les royalistes un peu refaits à nos dépens emportèrent des habits neufs, des balles, de la poudre, des souliers, des chapeaux que les membres du district avaient eu l'imprévoyance de ne pas enlever. » *La Révolution dans le Maine*, année 1931, juillet-août, p. 200. Récit d'un Fléchois. « Il n'y eut aucune violence commise envers les personnes, mais le patriote Lefèvre, cafetier, fut pillé, quelques marchands furent obligés de donner des étoffes pour des bons Louis XVII. » *Ibid.*, p. 199.

1. Ch. de Montzey, *loc. cit.*
2. Gibert, *loc. cit.*, p.135.
3. La porte Saint-Michel.

la défense. Dix-huit cents hommes, une armée, en interdisent l'accès. Et derrière lui, sur la route de La Flèche, à une lieue d'Angers, les femmes, les enfants, les blessés attendent l'impossible issue. Une panique s'élève dans leurs rangs. L'arrière-garde chargée de les protéger est attaquée. Il faut courir repousser ces batteurs d'estrade. D'autres surgissent de la route des Ponts-de-Cé, une soixantaine. Stofflet a déjà repoussé les premiers, ceux de la route de La Flèche, « des verts », des dragons, donc des éclaireurs de l'armée de l'Ouest. En un instant, le siège d'Angers est abandonné, la route de La Flèche parcourue dans une course folle qui ne devait s'arrêter qu'à Suette. Il est six heures du soir, à dix heures, l'armée de l'Ouest tant bien que mal reformée, partie de Châteaubriant depuis minuit, faisait son entrée à Angers. Elle avait quitté Rennes le 29 novembre, avec mission de se porter du côté « où les rebelles tenteront le passage de la Loire ».

C'est Marceau qui en assume à présent le commandement en intérimaire de Turreau désigné pour ce poste. L'armée de Cherbourg, enlevée à Sépher et confiée maintenant au général ex-comte de Tilly, le suit de près. Venant d'Avranches par Rennes et Châteaubriant, elle arrive à son tour le lendemain à Angers. Une troupe fraîche, celle-là, dont l'arrivée coïncide avec le départ de Kléber de cette même ville, en direction de Saumur et de Baugé.

Les paysans se sont précisément jetés sur la route de Baugé, ils se heurtent à Bouin de Marigny (celui qui a causé leur panique d'Angers), ils le tuent, mettent sa troupe en déroute [1]. Il faut se retourner contre Westermann accouru d'Angers où il est parvenu la veille avec l'armée de Cherbourg [2]. La Loire ! Passer la Loire ! gémissent les paysans. Et où ? En amont ? Les prairies riveraines ont

1. Kléber, *Mémoires*, pp. 306-316.
2. Lors de sa découverte d'Antrain, il avait fui jusqu'à Avranches.

été inondées par ordre des autorités. Peut-on songer à faire une coupure à la levée du fleuve pour détourner ses eaux comme le voudrait Désessarts ? En aval ? A Ancenis, comme le propose Lyrot, en transportant sur des chariots toutes les embarcations qu'on pourrait trouver sur la Sarthe et la Mayenne ? Excellente idée, mais que l'arrivée des armées républicaines à Angers rend inexécutable. Si Kléber échelonne déjà ses troupes entre Angers et Saumur, Tilly à Angers se tient prêt à accourir du côté opposé. La barrière est infranchissable et les désirs les plus ardents de la forcer n'y peuvent rien. La nécessité du plan d'Antrain ne pouvait recevoir plus impitoyable démonstration.

4

LA SUPRÊME TENTATIVE

Ce plan, La Rochejaquelein va tenter de le réaliser *in extremis,* dans des conditions certes infiniment difficiles. Il n'a pas le choix. L'effroyable détresse de la population combattante ou non réclame d'urgence le secours des Chouans. Il faut remonter vers le nord. Le 7 décembre, il ordonne la marche sur La Flèche. Quel crève-cœur pour les paysans ! Cependant, ils suivent. C'est que depuis Angers, alors que ses collègues se mettaient l'esprit à la torture pour trouver l'impossible solution du passage à tout prix, lui n'a cessé de circuler sans arrêt dans les rangs de ces miséreux, les entretenant de leurs sacrifices passés, les assurant qu'avec un peu de courage, on sortira de cette position critique. Ah ! pourquoi ne l'a-t-on pas écouté ? Il fallait se jeter dans la Bretagne. Mais surtout qu'ils ne désespèrent pas. A force de constance, on réparera tant de fautes commises.

Et cette fois, les paysans écoutent leur jeune dieu. Comme il sait verser la confiance en leur pauvre être excédé ! Qui donc craindrait avec lui ! Par exemple, il entend prévenir les désertions. Que signifient tous ces soldats sans fusil ? Désormais, décrète-t-il, tout soldat sans arme n'aura point part aux vivres qu'on pourra se procurer. D'Angers à Baugé, les traînards ont augmenté dans de terribles proportions. La route est jalonnée de bivouacs d'hommes, de femmes, d'enfants, morts de misère autour de leur feu. Henri prend la précaution « toute nouvelle » de placer femmes et enfants au centre de l'armée pour les protéger des sabreurs de Westermann que Fleuriot et Scépeaux ont repoussé sur Suette, entre Echemiré et Baugé. On est arrivé à Baugé le 5 à dix heures du matin. Un mémorialiste Baugeois (Georges-Louis Duchêne), témoin de ce passage des revenants de Galerne, porte les effectifs à vingt-cinq mille ou trente mille hommes armés, douze mille cavaliers, cinquante canons. Successivement, Duchêne voit descendre chez lui Fleuriot, Scépeaux, Levacher, le comte de Kerouartz, Mme d'Aubeterre, abbesse du Ronceray, celle-ci dans un si grand dénuement que Mme Duchêne l'habille des pieds à la tête, une des religieuses de l'abbesse et encore Piron dans sa redingote bleu de ciel tachée de sang. Le dîner finalement groupe de vingt-cinq à trente personnes que le cuisinier de M. Scépeaux se voit contraint de restaurer aux frais de la basse-cour de la famille Duchêne. Quand La Rochejaquelein arriva avec le prince de Talmont pour réunir l'état-major, les maîtres de la maison se retirèrent d'eux-mêmes.

Le samedi 7, les Vendéens quittent Baugé laissant ses rues jonchées de cadavres de malheureux « morts de fatigue, de misère et de maladie », l'hôpital rempli d'invalides — que sabreront demain les républicains dans l'hôpital même — et la ville elle-même hantée tout entière par de pauvres hères que les Bleus fusilleront dans le cimetière. Les fils de la Vendée se dirigent vers La Flèche.

L'état-major suit aussi. L'accablement, le désarroi ont-ils

assoupi son esprit de chicane et d'opposition ? Nul ne pourrait le dire, et jamais on ne déplorera assez avec Pierre de La Gorce l'absence de renseignements sur les séances du conseil vendéen. Ce qui est certain c'est que « l'on était enfin décidé à pénétrer en Bretagne [1] ». Talmont rêve toujours de la Normandie, il n'en a pas moins pris une part active à l'attaque d'Angers, avec ses Chouans, car la bande de Jean Cottereau est toujours fidèlement serrée autour de son suzerain, cinq cents hommes, d'après un historien de Jean Chouan [2] ; du Boisguy et Pontbriand sont toujours là eux aussi. Que l'état-major n'ait obéi à Monsieur Henri que dans un moment de découragement, on n'en peut douter [3]. La nouvelle de la marche de Kléber par la levée de la Loire a suffi pour rallier un instant les volontés désemparées à celle du généralissime [4]. On ne possède que des indices, mais si concordants avec ce qu'on sait déjà de source certaine, qu'ils créent des présomptions fondées et combien accablantes pour les auteurs de la catastrophe finale.

Il fallait, au milieu de cette horrible détresse, faire entrevoir à ces malheureux tyrannisés par le froid, la faim, le désespoir, un havre de repos, le leur procurer à bref délai. Risquer cette horde en pleine campagne, c'était la vouer à l'écrasement. La réfection des forces physiques est ici à la fois facteur de relèvement du moral et d'une réorganisation urgente des combattants. C'est pourquoi Henri choisit Le Mans comme objectif, la grande

---

1. Marquise de La Rochejaquelein, *Mémoires,* p. 344.
2. Beauvais prétend que les Chouans de Fougères s'y trouvaient encore, mais le chiffre total qu'il donne de cinq à six mille Chouans présents à l'attaque d'Angers suffit à prouver combien son assertion est douteuse.
3. Marquise de La Rochejaquelein, p. 345.
4. Ch. de Montzey, *Histoire de La Flèche,* t. III, p. 84.

ville où l'on pourra changer de linge, refaire ses forces. Le Mans, d'où l'on se portera en Bretagne [1] par Laval.

Sa psychologie ne l'a pas trompé. Et devant tant d'obstacles, on reste ébloui, moins peut-être de la surhumaine énergie que de la clairvoyance de cet adolescent. La perspective de la reposante étape du Mans galvanise les paysans qui franchissent avec une relative promptitude les dix-huit kilomètres qui les séparent de La Flèche. En quel état de délabrement est cette foule pourtant ! A Clefs, huit kilomètres avant La Flèche, elle s'est jetée sur de la tourte de chènevis mêlée de son et de patates préparée pour les cochons [2]. Ses loques trop longtemps portées tombent en lambeaux. Elle en est réduite à couvrir sa nudité comme elle peut, avec des couvertures maintenues par des ficelles, comme M. de Verteuil, des vieilles tapisseries, comme Mme du Fief, un déguisement pris dans un costumier de théâtre, comme Roger Molinier. Plus d'un membre de l'état-major hausse les épaules. Comment veut-on atteindre Le Mans, Laval, la Bretagne, avec une pareille troupe ? Une idée nouvelle chemine dans ces esprits indépendants et jaloux, étrange idée qui a mérité la faveur de certains historiens : la dissolution de la cohue vendéenne, au moins son partage en deux ou plusieurs groupes, sans voir que ce partage effectué dans de pareilles circonstances n'eût pas manqué de dégénérer en débandade générale. La désertion règne à l'état épidémique. Les hommes cherchent à se fausser compagnie, les femmes à se placer dans les fermes. N'importe. Ils ne voient rien, continuent à pester contre le sabreur, ainsi qu'ils appellent le généralissime. N'a-t-il pas manqué tomber une fois encore aux mains des hussards entre Suette et Baugé ! Que fait-il au lieu d'être au centre de son état-major et d'y donner ses ordres [3] ? Car dans leur jalousie tenace à l'égard de celui

1. Marquise de La Rochejaquelein, *Mémoires*, p. 344.
2. Rapport du commissaire Meignan. Chassin Vend. Patr. III, 400.
3. Béjarry, *Souvenirs*.

à qui va le meilleur de la gloire des armes, ce n'est pas seulement l'intelligence du chef suprême qui leur échappe, mais encore son grand cœur, cet inlassable dévouement qui le jette au milieu des périls pour dégager son arrière-garde, ses traînards ou un camarade.

Lui va son chemin. Il connaît ses hommes d'élite, « ses tête de colonne », comme il dit. Il sait de quoi ils sont capables. L'ennemi aussi le sait. « Les brigands ne me paraissent pas dans un état de ruine si nul, écrit le citoyen Hamard, secrétaire général du département de la Sarthe, que nous devions nous considérer à l'abri de toute atteinte. » On le voit bien à La Flèche, où Monsieur Henri traverse à la nage avec ses meilleurs cavaliers, les anciens meuniers des bords de la Sèvre, le Loir large ici de cinq cents à six cents mètres, pour tomber sur le flanc de l'armée de Chabot, qui interdisait l'entrée du pont et de la ville, cependant que son arrière-garde tenait ferme contre Westermann, sous les ordres de Talmont et de Piron [1].

De ce coup d'audace, Billard de Vaux nous a laissé un récit émouvant : « Ne sachant plus à quel saint se vouer pour rétablir l'ordre, écrit-il, le général de La Rocheja-quelein se retourna vers ceux qui l'entouraient et avec cet accent d'aménité et d'entraînement dont il était doué il leur adressa cette pathétique allocution : " Vendéens, vous abandonnez donc votre Dieu, votre Roi et La Rocheja-quelein ", fit un signe de croix, cria vive Louis XVII et sans plus de réflexion poussa son cheval dans la rivière, la passa à la nage à la barbe de l'ennemi et fit lever les pales du moulin, ce qui permit à un certain nombre de bonnes volontés de passer sur les écluses et de se rallier à lui d'où il marcha droit à l'ennemi qui, ne l'attendant pas, abandonna ses canons après la première décharge. »

Derrière le Loir, grâce au nouvel emplacement des

---

1. Marquise de La Rochejaquelein, *loc. cit.*, p. 346. — Ch. de Montzey, *loc. cit.*, II, 84. — Henri Chardon, *Les Vendéens dans la Sarthe*, I, 299. — Renée Bordereau, *Mémoires*, etc.

femmes et des enfants, aucune panique ne s'est produite. La leçon d'Angers l'a instruit. Le rapprochement de la canonnade de Westermann, maintenu péniblement à huit kilomètres du pont, a seulement provoqué le resserrement de la population civile contre le pont. Des léards promptement jetés sitôt la prise de la ville en ont ouvert l'accès à la foule qui « s'y est engouffrée » rapidement, mais sans affolement, tandis que, se frayant un passage dans ses rangs, Henri s'en allait « disperser ceux qui nous poursuivent », comme l'entendit crier gaillardement Mlle des Chevalleries à ses cavaliers. Cette dispersion est d'autant plus aisée que Müller a refusé de répondre aux appels de Westermann. Or, l'indiscipline des généraux républicains est une leçon qui n'est pas perdue non plus pour La Rochejaquelein. Elle aussi est entrée dans ses calculs.

Entêté dans son projet, parce que ultime planche de salut, il veille à ce que rien n'en compromette le pénible accomplissement. Pas de vengeances, pas de voies de fait susceptibles d'aliéner les populations. Il se prodigue partout où éclatent des rixes, des actes de représailles provoqués par les paysans qui se rappellent que des bataillons de Fléchois ont pillé Chemillé ; délivre à la prière de Mme Le Gouz de Vaux, les femmes des municipaux déjà emprisonnées. C'est précisément chez elle, à la Madeleine, qu'il prend logement.

« Il paraît certain, écrit M. de Montzey, qu'il y eut à La Flèche un conseil de guerre, où il fut question de diviser l'armée en deux corps. L'un devait gagner Tours par la levée, l'autre par la route du Mans, puis s'emparer tous deux, après leur jonction, de la fabrique de poudre du Ripault, à deux lieues de Tours, et rentrer ensuite dans la Vendée. Ce plan avait... quelques chances de succès, mais... il ne put être exécuté. » Où et quand fut tenu ce conseil ? D'après les recherches de M. de Montzey, il y en eut un de tenu au moment de quitter La Flèche, à la Madeleine où logeait Henri. Sans doute un autre, car les chefs s'assemblaient généralement à leur arrivée à l'étape. Or, nous savons qu'il y eut quatre heures de repos après l'arrivée, quatre heures sans alerte. C'est sans nul doute possible pendant ce laps de temps que se tint le conseil où fut agité le plan précité « ce plan qui avait quelques chances de succès », comme le dit la « tradition » si habilement semée par ceux qui ont intérêt à dégager leur responsabilité vis-à-vis du généralissime obstiné à suivre son idée.

Ce n'est pas là une hypothèse gratuite. Pas plus ne peut-on douter de la scène hargneuse qui se déroula dans ce conseil. De celles qu'on tient sous silence à la postérité. Ce qu'on n'a pu cacher, c'est son abject épilogue. Vers trois heures du matin, quand se produit un retour offensif de Chabot sur la route du Mans, Henri est délaissé de tous ses collègues. Seuls, La Ville-Baugé, le fidèle Allard répondent à son appel et « un bien petit nombre d'officiers ». Tous sont épuisés, Henri lui-même n'a la force de repousser son adversaire qu'à une lieue et quart de La Flèche, jusqu'à Clermont. Cependant la fatigue n'est pas cause de cet abandon. Henri malgré la sienne va encore faire rentrer les bagages laissés sur la route de Baugé, couper le pont sur le Loir. C'est Mme de Lescure, qui passa cette nuit-là dans sa voiture, qui nous donne ces détails : « Henri était douloureusement mécontent, écrit-elle, de l'insouciance — mauvaise volonté eût été plus exact — des officiers qui étaient à La Flèche, le laissant combattre presque seul. "Messieurs, leur dit-il, ce n'est pas assez de me contredire au conseil, vous m'abandonnez au feu." »

Ce reproche jette une lueur affreuse sur le mystère qui enveloppe les délibérations du conseil ; d'abord, intrigant, ensuite désaxé par les rébellions de l'armée, il tente à présent le plus répugnant chantage, en faisant sentir au généralissime la nécessité de compter avec lui. Quelle rage possédait donc ces malheureux, les poussait jusqu'au milieu de cette effroyable détresse à refuser au chef élu par eux la libre manœuvre d'une population tant de fois sauvée par lui du désastre ! D'Obenheim contemplait ces chefs dont l'indiscipline causait la ruine, bien plus que l'épuisement des hommes [1]. Mais, en un pareil moment, une telle hostilité ! Mme de La Bouillerie, qui se trouvait au Lion d'Or auprès des officiers vendéens, vit Henri répondre « à une question qui lui fut faite, par un geste de désespoir [2] ».

Le 10 décembre, à l'aube, il ordonne le départ pour Le Mans. L'hôpital, le collège, les maisons, toute la ville de La Flèche exhalent une odeur pestilentielle. Partout des cadavres, partout des enfants abandonnés. D'honnêtes Fléchois, tels le pharmacien Farcy, les Perrinelle-Coqueret, les Boucher, les Salmon, en adoptent plusieurs. La République aussi leur ouvre ses bras par l'organe du représentant Garnier de Saintes, dans l'espoir « qu'on pourra un jour les ramener aux vrais principes », mais non pas sans avoir préalablement exécuté dans les vingt-quatre heures « leurs coquins » de parents. Elle ne borne pas là ses générosités ; par des billets répandus à profusion, elle invite les paysans à déclarer leurs chefs, leur promet l'amnistie : Henri s'empresse à son tour de porter à la connaissance de l'armée le massacre de centaines de traînards qui s'étaient réfugiés dans les fermes avoisinantes. A quatre heures, les Vendéens sont au Mans, ayant franchi rapidement les quarante-deux kilomètres de cette nouvelle étape, suivis à la trace par Westermann. L'entrée au Mans était heureusement moins difficile à forcer que celle de La Flèche. Les retranchements élevés aux abords de Pontlieue là où se rejoignent les trois routes de Tours, Vendôme et de La Chartre, les chevaux de frise ont été emportés en deux heures. En derrière, Westermann, maintenu à distance, s'est prudemment arrêté à Foulletourte [3]. Il se sent isolé, trop loin de son corps d'armée, de son commandement en chef, de l'état-major qui n'a compris que depuis l'avant-

1. D'obenheim, *Mémoires,* cit. par Chassin, t. II, p. 430.
2. Ch. de Montzey, *loc. cit.,* t. III.
3. Foulletourte, à trente kilomètres au sud du Mans.

veille seulement « où se dirigeaient les brigands [1] ». Encore
le haut commandement républicain en est-il si peu
convaincu que Marceau seul s'est mis en route vers Baugé,
Kléber songeant toujours à se diriger vers Saumur. Lui,
Westermann, a plus de nez que ses chefs. Il faut avouer
que sa plus belle qualité, il la partage avec le loup qui
s'attache aux pas du voyageur isolé d'une caravane quand
il est en bande, et qui n'attaque qu'« en grand silence »,
avec courage, mais toujours par surprise, aux heures de
défaillance, de repos ou d'oubli.

Au Mans, Henri descendit à l'hôtel du Cheval Blanc,
près des Halles et fit loger là Mme de Bonchamps
et ses enfants. Le « protecteur », qui prenait au sérieux la
tâche qu'un mourant lui avait confiée, se devait de
resserrer sa surveillance devant l'accroissement du péril.
A peine arrivé, il dut subir l'habituelle audience féminine venant lui réclamer la grâce de quelques gredins. A
Sablé, c'était Mme Cosnard ; à La Flèche, Mme de Vaux ;
au Mans, ce fut Mme Gauvin du Rancher, escortée par
ses filles, toutes libérées à l'instant des geôles républicaines. Cette excellente personne s'empressa par ailleurs de
mettre son hôtel de la rue Couthardy à la disposition
des chefs royalistes. Gracieuse invitation, sitôt acceptée
par Talmont, Stofflet et une quarantaine d'officiers. Mais
le conseil s'assembla à l'hôtel de la Biche, place des
Halles.

L'érudit Henri Chardon, se basant sur les chiffres des
pièces officielles et ceux des autres historiens, a cru
pouvoir porter à trente-cinq mille âmes la foule vendéenne
à son arrivée au Mans [2], ce qui porte à plus de la moitié le

1. *Mémoires* de Kléber, publ. par Baguenier-Désormeaux,
p. 321 et suiv.
2. H. Chardon, *Les Vendéens dans la Sarthe*, I, 370.

nombre des disparus depuis Varades. Une bataille perdue dans cette position, c'était la ruine, écrit Mme de Lescure. Les membres du conseil agissaient de la manière la plus propre à précipiter cette ruine, incapables qu'ils étaient de comprendre qu'à cette heure, l'obéissance absolue était la condition primordiale du salut. Devant la prétention du généralissime à se conduire en maître, la colère qu'ils couvaient depuis La Flèche éclata en invectives. Un déferlement de récriminations. On se jeta à la tête le passage de la Loire, la marche sur Granville, le retour sur Angers [1]. L'un de ces messieurs alla jusqu'à soutenir qu'il fallait entraîner dès le lendemain l'armée en Normandie, à « marches forcées », en laissant le reste se débrouiller tout seul [2]. Une prétention aussi monstrueuse par son inhumanité fit rugir le généralissime. De la rue, on entendait de violents éclats de voix [3]. Pendant ce temps, les soldats s'empiffraient de victuailles, tandis que, gagnés par la diversité de vues des chefs, d'autres s'agitaient en groupes dans les carrefours.

Comment dans de pareilles conditions réorganiser l'armée encore matériellement capable — Henri le sait — de l'effort nécessaire à la tirer de sa position ? Comment repousser les attaques du moment que les officiers, au lieu de faire corps avec le généralissime, et d'entretenir les paysans dans la perspective de la prochaine délivrance, en leur expliquant comme M. de La Cartrie la nécessité de ce long détour, et de galvaniser les suprêmes énergies, ne faisaient, par leurs tiraillements, que dissoudre les dernières forces et achever le moral des hommes ?

Le lendemain de cette scène, dès le matin du 11, Westermann a fait son apparition. Henri l'a repoussé à une lieue

---

1. Deniau, Chamard, Uzureau, t. III, p. 344.
2. Il y a au moins présomption en faveur du jeune Désessarts qui déclara lors de son interrogatoire du 9 nivôse à Angers que les femmes et les enfants avaient « perdu l'armée ».
3. Henri Chardon, *Enquête sur le séjour des Vendéens dans la Sarthe*, t. III, p. 344.

du Mans. Lui qui avait tant rêvé d'une halte réconfortante ! Et voir cette halte, ce repos restaurateur des forces physiques et morales se changer en une ripaille bestiale et insouciante, en cette frairie maladive des déshérités de la vie, que de trop longues souffrances privées de tout rayon d'espoir plongent, à la première occasion, dans l'abjection de la plus grossière sensualité ! En de pareilles circonstances, Le Mans ne pouvait plus que devenir « le tombeau de la Vendée ». Henri n'eut plus que l'idée de l'abandonner au plus tôt.

Dans l'après-midi du 11, il chargeait son courrier de confiance, François Girard, de Saint-André Goule d'Oie [1], d'aller porter un message à Charette, avec toute la célérité possible. Girard prit quinze jeunes gens avec lui, tous solides, se mit aussitôt en route. On sait qu'il devait réussir à accomplir sa mission, à franchir la Loire, à retrouver Charette [2]. Henri poursuit l'exécution de son plan.

A-t-il encore le temps de l'exécuter, la possibilité surtout ; dans cet abattement général, cet aigrissement des chefs, cette morbide disposition des hommes à attendre ici la mort [3] ? Au matin du 12, il donne un ordre significatif à Marigny, celui de retirer de la place des Halles où il avait imprudemment établi son parc « toute l'artillerie dont on n'avait pas besoin et de la transporter sur la route de Laval, derrière la Sarthe [4] ». C'est que l'ennemi est encore signalé. Westermann est-il cette fois en avant-garde de l'armée de l'Ouest ? Quoi qu'il en soit, il faut parer « à tout événement », prévenir toute surprise, être à même de se retrancher derrière la Sarthe.

Après avoir donné cet ordre, d'une exceptionnelle impor-

1. Comte de Chabot, *Paysans vendéens.*
2. Communication de M. Alexis des Nouhes à l'abbé Deniau.
3. Marquise de La Rochejaquelein, *Mémoires.*
4. Gibert, *Précis historique*, p. 322.

tance, il part repousser Westermann. Il est environ dix heures du matin.

Boisguy et Jean Cottereau l'ont devancé avec Talmont et les Chouans. Toujours eux. Stofflet les a rejoints. D'abord repoussé dans un bois de sapins, Westermann avait pu en sortir et venait dans un vigoureux effort de « cerner ses adversaires [1] », de s'avancer jusqu'à Pontlieue, quand Henri survint avec deux mille hommes. Le petit nombre de ses soldats est toute l'explication de son retard. Pas moyen d'arracher les paysans au cabaret. Roulements de la générale, cris de : « Aux armes ! », rien n'y a fait. Il a fallu aller les tirer des tavernes. Par bonheur, Westermann n'est pas plus que la veille l'humble exécutant d'une offensive générale. Le « brave homme », comme l'appelle Marceau, a donné trop de marques d'indépendance dans la vie civile, sous l'Ancien Régime, pour se plier d'un coup à la discipline militaire, fût-ce dans une armée républicaine. Il est seul avec Müller qu'il précède d'ailleurs, n'ayant pas pu attendre le rendez-vous général fixé à Foulletourte. Tous deux totalisent six mille hommes. Cet acte d'indiscipline offre au moins de réelles chances de succès aux royalistes. Bousculé par Henri qui a amené deux canons à Pontlieue, ramené dans son bois de sapins, Westermann tente vainement d'y résister pendant trois heures, entre les routes de Tours et de La Flèche. Il lui faut se replier à une heure de l'après-midi sous le feu des tirailleurs de La Rochejaquelein embusqués sur une hauteur. Müller, qui survenait à cet instant précis, est pris de flanc et n'arrive que pour assister à la débandade de sa

---

1. Pontbriand, *loc. cit.*, pp. 50-51. Le récit de Pontbriand contient quelques inexactitudes. Il fait notamment intervenir Kléber beaucoup trop tôt sur la scène de cette lutte et les chiffres donnés par lui des effectifs républicains sont très exagérés.

propre division « dans toutes les directions ». Il n'est guère douteux que si tous les Vendéens eussent suivi, comme à Dol, ils eussent cueilli une série de victoires.

Les fuyards pourchassés par Henri se heurtaient en effet à la hauteur d'Arnage, à deux lieues du Mans, à l'armée de Cherbourg partie de Foulletourte vers huit heures du matin, obligeant le général de Tilly à ouvrir ses rangs pour les laisser passer. Si les quelque quinze mille ou dix-huit mille combattants que comptait encore l'armée vendéenne eussent donné, l'armée de Cherbourg était bousculée à son tour. Il était trois heures de l'après-midi [1]. Malgré l'écrasante infériorité de ses forces, Henri égailla ses hommes qui tinrent pendant trois quarts d'heure [2], puis s'allèrent retrancher dans les redoutes échelonnées sur la route de Pontlieue. Mais, fatigués, dégoûtés de se battre seuls, et sous la pluie battante, ils ne tardaient pas à déserter pour rentrer dans la ville. A quatre heures du soir, après avoir défendu pied à pied le terrain avec quatre cents hommes « harassés », Henri était acculé à la Lune de Pontlieue, ainsi est dénommé le point de jonction des trois routes de La Flèche, de Tours et de La Chartre-sur-le-Loir.

Une première fois, Henri tente de charger. Ses hommes ne suivent pas. Une deuxième fois. Une troisième. Ses hommes « l'abandonnent », lui-même tombe de cheval, se contusionnant dans sa chute [3], sa monture vient d'être tuée [4]. Derrière lui, les hommes fuient en débandade, tous savent qu'on a affaire à la division de Cherbourg et ne cherchent qu'à fuir « par tous les moyens possibles [5] ».

---

1. Lettre de Vidal, chef d'escadron au 9e hussards, à Lindet, membre du Comité de salut public, datée du Mans, le 2 nivôse, an II (22 décembre 1793). *Guerre, arch. hist.*, V.V.5, réf. donnée par Baguenier-Désormeaux.
2. *Ibidem.*
3. Marquise de Bonchamps, *Mémoires*, p. 61.
4. D'après Billard de Vaux qui assistait à l'affaire. Pontbriand, *loc. cit.*
5. La Cartrie, *Mémoires*, p. 147.

On essaie « de barrer le pont sur l'Huisne avec de la cavalerie ; ils la refoulent ou se jettent dans l'Huisne ».

Ah ! cette fois, c'en est bien fini des miracles, fini du prodigieux magnétisme qui enchaînait à son âme de feu les âmes de ses hommes. Mais alors, c'est l'imminente irruption de l'ennemi dans Le Mans, la catastrophe ! Deux idées obsèdent et tenaillent Monsieur Henri : amener du renfort et faire évacuer la ville. D'abord du renfort, du renfort à tout prix. Que font ces milliers de soldats qui n'ont pas brûlé encore une seule cartouche ?

Laissant à Stofflet, Allard et Forestier le soin de tenir en son absence [1], il rentre en ville sur un cheval d'emprunt [2].

Une horrible surprise l'y attendait. Le parc d'artillerie était toujours là, place des Halles, noyé dans la foule affolée et tourbillonnante qui s'écrasait pour trouver une issue, car tout n'est déjà dans la ville « que confusion et effroi ». Marigny était parti au combat sans s'assurer de l'exécution de l'ordre, qu'il avait reçu le matin, d'évacuer son parc derrière la Sarthe [3]. Avait-il seulement transmis l'ordre ?

Henri pénètre au Cheval Blanc [4] se remettre un instant de sa confusion. Ses domestiques ne lui ont même pas préparé ses relais et pas un officier à qui donner ses instructions ! S'il faut en croire Monnier, les généraux étaient

---

1. Pontbriand, *loc. cit.*
2. P. de La Gorce, *Histoire rel. de la Révolution française*, III, 241.
3. La ville du Mans s'étendait entre les deux rivières, sur la rive gauche de la Sarthe, légèrement au nord du confluent de l'Huisne avec la Sarthe. Le passage de l'Huisne une fois forcé, la Sarthe devenait donc la ligne de défense naturelle des Vendéens.
4. « Durant la bataille, M. de La Rochejaquelein fit une chute de cheval et fut obligé de venir un instant dans la maison où je logeais avec lui. » Marquise de Bonchamps, *Mémoires*, p. 61.

pendant ce temps à l'évêché à se « consulter ». Ce besoin de parlottes et de discussions est incroyable. C'est là que Beauvais, que Lyrot viennent faire « des propositions » au lieu d'aller prendre les ordres du généralissime qui ne sait plus comment concilier la double évacuation de la foule et de l'artillerie — la négligence de Marigny est inqualifiable chez un ancien directeur de parc — avec l'arrêt de l'ennemi aux abords de la ville. Quand Monsieur Henri veut ressortir du Cheval Blanc, il est bloqué dans la cour par une bande de fuyards sourds à ses appels et ne s'en dégage qu'en fonçant dans leur cohue avec son cheval, le fameux « Le Daim » a-t-on dit, qu'il montait cette fois. Et pas moyen de tirer les hommes de leur torpeur ou de leur insouciance. Quand il se porte au galop avec mille cinq cents hommes, tout ce qu'il a pu rassembler, vers Pontlieue, il est trop tard. L'ennemi a traversé l'Huisne au gué de Maulny, pris de flanc les défenseurs du pont qui battent en retraite. Pontlieue. Comment le général a-t-il osé quitter ce poste ? Pourquoi a-t-il « décampé » ? Comment n'a-t-il pas compris que « son départ a consterné l'armée » ? Les dames protestent avec aigreur, « il eût dû se faire tuer ! » Ce dernier reproche est au moins singulier de la part de celles dont Henri cherchait à assurer le salut. Cependant, il n'a rien de surprenant.

Tous et toutes en sont restés au sabreur, au thaumaturge des impossibles victoires, au prodige de Dol. A Dol est-il revenu sur les pas de ses fuyards ? Pitoyable méthode des esprits à idées préconçues. La situation du Mans n'a rien de comparable avec celle de Dol dont le souvenir hantait ces respectables personnes piquées mal à propos d'on ne sait quel point d'honneur. À Dol, une unique rue très large protégeait la foule contre tout écrasement. A Dol, une panique passagère avait seule découragé les paysans, tandis qu'au Mans, un labyrinthe de petites rues portait à son comble un péril déjà latent, du fait de la prostration, de l'hébétement, de l'ivresse, du dégoût des combattants. A Dol encore, l'absence de toute issue avait porté le général à un acte de désespoir. Rien de tel ici, où l'évacuation est prévue, presque annoncée. La foule en est pressentie. Si Monsieur Henri a donné l'ordre de transporter l'artillerie derrière la Sarthe, c'est, Gibert le dit formellement, parce que « c'était cette route qu'à tout événement on devait prendre » or, presque personne ne s'est enquis de cette route quand il était temps, et maintenant c'est à qui se la fera indiquer.

Pontlieue est forcée. Il s'en faut cependant que la ville du Mans soit aux mains de l'ennemi. Henri place le chevalier des Nouhes avec la division des Aubiers dans une tranchée creusée à l'entrée de la rue Basse avec deux canons [1]. La levée est bien défendue [2]. Les Chouans, avec Talmont, se retranchent dans le couvent de la Mission. La nuit venait extrêmement obscure [3], Henri voulait en profiter pour faire sa retraite sur Laval [4]. Sans tarder, il envoya l'ordre d'évacuer la ville [5]. Il était environ cinq heures, d'après Mlle des Chevalleries, qui, bien que prévenue, préférera chercher refuge au Mans que d'aller courir encore l'aventure et « embarrasser l'armée ».

Cette évacuation était-elle impossible ? A étudier attentivement les faits, ni la panique, ni l'obscurité, ni même la coupable négligence de Marigny à transporter le parc derrière la Sarthe (hors de la ville) ne suffisent à expliquer l'épouvantable catastrophe de cette nuit du 12 au 13 décembre 1793. Les Vendéens se connaissaient à « prendre leur déroute », comme ils disaient, surtout la nuit ; plusieurs paysans avaient d'ailleurs « déguerpi » dès le premier moment et filaient les uns sur la route de Laval, les autres sur la route d'Alençon, d'où la hâte de Henri à prendre la

1. Archives du château de Somloire, notes de M. des Nouhes et *Mémoires* de la marquise de La Rochejaquelein.
2. Monnier, *Mémoires*, p. 58.
3. *Ibidem.*
4. Pontbriand, *loc. cit.*, p. 51-52.
5. *Ibidem.*

tête de cette fourmilière qui s'écrasait dans les rues tortueuses et obscures, conduisant au pont sur la Sarthe. Ah ! il les connaissait ces déroutes des Vendéens. Elles se soldaient par une dispersion totale des éléments de l'armée. Les généraux aussi les connaissaient. Quand Monnier était venu leur proposer de faire l'arrière-garde, ils avaient éclaté de rire. En Vendée, elles étaient parfois un avantage. Mais depuis le passage de la Loire, depuis l'échec d'Angers surtout, il en avait une phobie maladive assez compréhensible, la dispersion sur une terre étrangère, c'était l'irrémédiable catastrophe.

Il y a l'artillerie dont s'occupe à présent les canonniers tirés ivres « des cabarets », ivres au point d'atteler des bœufs aux caissons et des chevaux sur les pièces. Il y a des milliers d'hommes qui dorment sur la place d'un sommeil abruti que rien ne peut secouer et ceux qui tourbillonnent en hanneton à l'étourdie, le bloquent, crient, hurlent, sans l'écouter. Il y a ceux qui évacuent. Mais, chose étrange, les heures passent sans que s'établisse le courant d'évacuation. Le Mans a beau être un labyrinthe, il suffit de quelques officiers pour guider la foule, et de cela, il a eu soin. Depuis longtemps, Mme de Bonchamps est prévenue d'avoir à quitter Le Mans et de se porter sur la route de Laval avec ses enfants, Mlle des Chevalleries et combien d'autres. Les rues conduisant au pont ne sont pas si embouteillées à ce moment qu'on ne s'y livre passage. On passe certes, dans un pêle-mêle de piétons, de cavaliers, de canons et d'attelages. On se renverse, on se piétine, mais on passe. Avec Stofflet (les deux chefs ne se quittent presque plus, eux seuls peuvent encore se faire obéir), avec les deux Boisguy, Henri se décide à enfiler résolument la route de Laval avec un peloton. Sans doute veut-il empêcher ses évacués de faire fausse route au sortir du Mans [1], mais surtout entraîner le courant

---

1. La Cartrie, *Mémoires*, p. 148. « J'avais suivi un corps de 6 000 hommes qui s'était engagé sur la route d'Alençon. Je leur

à sa suite. Il faut jeter dehors cette foule et regrouper ses hommes derrière la Sarthe. Mme de Bonchamps, Mme de Lescure passèrent à ce moment. Mais il fallut que la première soit entraînée de force par d'anciens soldats de son mari. « Je craignais, écrit-elle, que mon départ n'achevât de décourager les Vendéens [1]. » Cette phrase est à méditer, à rapprocher surtout de certaines indications fournies par Beauvais et d'Obenheim.

A lire les récits des divers mémorialistes, on demeure surpris de constater que bien peu ont compris la nécessité d'évacuer la ville d'urgence. Dans cette armée indisciplinée, désossée par surcroît, grâce aux propagandes contradictoires d'un état-major anarchique, tout le monde se mêlait de commander, et ceux si nombreux qui répandirent contre leur chef de stupides accusations, comme celle d'abandonner les braves qui voulaient « résister », eussent mieux fait de le seconder.

Ce sont eux qui perdirent tout. Pendant que Henri s'efforçait de dégorger Le Mans, du Chesnier criait « de son propre chef [2] » à la foule qui encombrait la place des Halles, « qu'il y avait défense, de la part du général de La Rochejaquelein, à tout le monde indifféremment, de sortir de la ville, avant que les canons et les caissons en fussent partis ». Voilà comment on exécutait les ordres du généralissime [3]. Absurde initiative qui, loin d'avancer

---

persuadai de revenir sur leurs pas, en leur disant que notre armée devait défiler par la route de Laval et qu'on se rassemblait au pont pour tenir tête à l'ennemi et permettre à nos troupes d'opérer leur retraite avec plus de sécurité. »

1. Marquise de Bonchamps, *Mémoires*, p. 62.
2. Beauvais, p. 215.
3. François Chesnier du Chêne (dit du Chénier), d'une vieille famille bourgeoise de Saintonge (qu'il ne faut pas confondre avec du Chesne de Denant), ancien officier de la marine royale, fils du juge-bailli de l'évêché de Saintes, est l'une des plus héroïques figures de la guerre de Vendée. Agé de vingt-quatre ans en 1793, il combattit en Bretagne après Savenay, puis revint en Vendée se mettre aux ordres de Charette, conspira sous l'Empire, combattit encore en 1815, fut anobli par Louis XVIII. On ne peut que regretter doublement sa malheu-

l'évacuation de l'artillerie, la paralysait, en retenant cette foule dont cet ordre inepte ne pouvait qu'augmenter la panique. Est-ce en corrélation avec cet ordre que des cavaliers furent placés aux issues de la place conduisant au pont, pour empêcher la foule [1] de sortir ? On a peine à croire à tant de présence d'esprit et de discipline de la part de ces cavaliers. Ceux-ci n'étaient-ils pas plutôt les transfuges payés par Kléber lors de leur entrevue avec lui la veille de la bataille de Dol, les transfuges trop heureux de profiter de l'occasion qui s'offrait de lui livrer les royalistes ? Quoi qu'il en soit, indiscipline et trahison se rencontraient à merveille. S'il faut en croire Gibert, des traîtres réussirent à renverser des canons ou des caissons sur le parcours pour obstruer les rues. Ainsi s'explique que quatre heures après l'ordre d'évacuation (il n'en avait jamais tant fallu aux Vendéens dans aucune circonstance pour f... le camp, comme le disait Monsieur Henri), les deux tiers de la population vendéenne restassent encore dans l'intérieur du Mans.

Ce n'est en effet que vers neuf heures [2] qu'« une épouvantable canonnade » partie de la rue du Puits-Quatre-Roues, faisant suite à la rue Basse, apprit à Henri que les premiers barrages de l'entrée du Mans étaient forcés, preuve qu'ils étaient « bien défendus », comme dit Monnier ; si jusqu'à cinq heures, les Vendéens n'ont eu affaire qu'à la seule division de Cherbourg « absolument à nulle autre troupe [3] », sauf Westermann « faisant les beaux bras » en tête de sa colonne de cavalerie, Marceau, arrivé à ce moment et entraîné sitôt arrivé par Westermann à l'attaque

---

reuse initiative du Mans. Le petit-fils de Chesnier, mort en 1889, fut pendant vingt-huit ans administrateur du journal *l'Union*, organe du comte de Chambord.

1. D'Obenheim, *Mémoires* publiés par Baguenier-Désormeaux, dans *Docum.*, p. 236.
2. Pontbriand, *loc. cit.*, pp. 51-52. — La Cartrie, *Mémoires*, p. 148.
3. Vidal, chef d'escadron au 9e hussards. Lettre à Lindet déjà citée.

du Mans, ne fait que l'emporter. Ces bruyantes décharges d'artillerie suspendirent net la marche de Henri, de Stofflet et des Boisguy sur la route de Laval. Elles durent résonner comme un glas dans les cœurs des quatre chefs qui rebroussèrent aussitôt en ville où des officiers faisaient entrer l'artillerie en une danse générale au lieu de l'évacuer à la suite de la population. Cet accès de bravoure fait autant honneur à l'héroïsme de ceux qui conçurent cette résistance, qu'il en fait peu à l'intelligence de leurs cervelles. Il oblige le généralissime à revenir orchestrer cette guerre de rues, dont le coupe-gorge du Mans ne lui avait jamais certes inspiré la folle idée. Ce n'est pas maintenant qu'il fallait résister en masse, « se battre comme des déchaînés », c'était à Arnage, c'était à Pontlieue, lorsque les armées républicaines isolées les unes des autres venaient s'offrir à tour de rôle à leur propre destruction [1] ; à Pontlieue qu'il fallait tenter l'ultime résistance autour du commandant en chef, quand on avait affaire encore à la seule division du général de Tilly, qui est maintenant occupée à tourner la ville à sa droite.

Quand Henri arriva « on se battait de tous côtés », les hommes avaient secoué leur léthargie, et c'est bien la meilleure preuve que la fatigue et la maladie ne sont pas, comme on l'a répété trop facilement, la cause profonde de l'écrasement du Mans. Marceau, arrêté pendant une heure par la barricade de la rue du Puits-Quatre-Roues, hérissée de canons, se heurte à dix heures à un autre barrage plus formidable, infranchissable celui-là, qui interdit l'accès de la place des Halles. Henri va tenter, puisque ainsi le veulent les circonstances, d'écraser Marceau dans la ville. Toute l'armée du jeune général républicain, à peine plus âgé que lui, est engagée sottement dans le long boyau formé par la succession des rues Basse, du Puits-

---

1. D'après Henri Chardon, les Vendéens auraient pu empêcher leur dissolution en se groupant derrière la Sarthe. C'est précisément ce que tenta Henri entre cinq et neuf heures du soir. Cf. La Cartrie, *Mémoires*, p. 147.

Quatre-Roues et Cornet. Il se rend compte à présent qu'il a fait « une sottise », le mot est de Kléber à qui Marceau dépêcha deux ordonnances à cette heure d'angoisse [1]. Malgré les marécages qui flanquaient à cette époque la levée de Pontlieue, il craint d'être tourné par les royalistes dont la droite reste libre. Des maisons de la rue Cornet, des tireurs royalistes font pleuvoir la fusillade sur ses hommes qu'il s'empresse de disséminer dans les rues avoisinantes pour bloquer la place des Halles. Elle est inaccessible. Des canons sont braqués sur toutes ses issues [2]. Dans son affolement il parle d'incendier à coups de boulets rouges les quartiers du Mans occupés par les royalistes. C'est que Kléber est loin, à cinq lieues de là. Il ne pourra se mettre en route qu'à minuit à cause des fuyards de l'armée de Müller qui continuent vers lui leur course éperdue [3].

Tilly vint tirer Marceau d'embarras en attaquant les royalistes à revers, sur les onze heures. Son offensive suffit à provoquer leur déroute dans une effroyable panique [4]. Un frisson de terreur secoua les soldats vendéens ; une houle humaine se rua au-dehors, encombra les places et les rues, entraînant dans son flot ceux qui voulaient mourir à leur poste. « Rien, écrit Pontbriand, ne peut égaler la confusion qui régnait dans la ville ; les rues étaient remplies de canons, caissons, voitures, équipages de

---

1. Savary, II, 428. Kléber, *Mémoires*, p. 326.
2. *Mémoires* justificatifs du général de brigade Westermann, pp. 29-30.
3. Kléber, *loc. cit.*, p. 327.
4. Pontbriand, *loc. cit.* « Mais Kléber, ayant pénétré dans la ville par un autre côté, prend les Vendéens à dos. » Ce n'est pas Kléber, mais Tilly. Cf. encore, *Essais historiques et politiques du chevalier de Solilhac*, p. 40 : « ... nous fûmes attaqués à dix heures du matin, l'ennemi fut d'abord repoussé de plus de deux lieues ; (...) il revint à la charge, notre aile droite était faible et l'armée fut repoussée jusqu'aux retranchements. Le lendemain, la victoire penchait encore de notre côté, lorsqu'un renfort de dix mille hommes la décida en faveur des républicains. » Ce n'est pas le lendemain, mais le soir du 13 décembre.

toute espèce. Une multitude de femmes et d'enfants cherchaient leurs parents et interrogeaient des gens qui ne leur répondaient qu'en les interrogeant eux-mêmes. On ne pouvait même réussir à se faire indiquer la route de Laval. Les hommes, les chevaux morts remplissaient les rues et l'on ne marchait que sur des cadavres. Les cris des blessés placés sur des voitures ou dans les maisons comblaient la mesure de cette scène d'horreur. »

Stofflet, ivre de rage, frappe comme un forcené les fuyards à coups de plat de sabre, puis, se voyant impuissant, suit le flot, en emportant dans ses drapeaux le fils d'une vendéenne blessée.

Et Henri ? On le retrouve au pont sur la Sarthe, s'acharnant à vouloir rallier ses soldats. Un pont large de trois mètres, dont l'issue sur la rive opposée est étranglée par une maison qui lui fait face. Pauvre grand cœur obstiné, entêté à vouloir remplir une impossible et pourtant si indispensable besogne !

« Lâches soldats, fuirez-vous donc toujours ! » Sa voix se perd dans la foule. Il est pris dans un remous, entraîné sur le pont, balayé, jeté hors de la ville, où seuls quelque quatre cents hommes continuent encore à tenir. Toute tentative pour entrer dans Le Mans est impossible à présent.

Il se tint là, aussi près que possible du pont qui vomissait pêle-mêle sur la route ou par-dessus ses parapets le flot humain, les épaves de ce qui avait été son armée. Et « cela » criant, gesticulant, fou, se déversait ensuite au hasard des quatre artères qui de ce pont s'étoilent successivement sur Alençon, Sillé-le-Guillaume, Laval et Sablé.

« Général, vous nous avez abandonnés ! » crient des fuyards qui se rallient enfin à la voix de leur chef. Il bondit sous l'outrage. « Où étiez-vous au commencement de la bataille, quand j'essayais de vous rallier ? » Les héros vendéens de 1793 ne comprirent jamais que le chef est fait pour être obéi, non pour suivre. La réplique de Monsieur Henri situait elle-même la question.

Et l'on songe à la démoralisation de cette foule provoquée par l'incoercible acharnement de chacun « à vouloir gouverner », à la magistrale réussite des difficiles étapes de Baugé à La Flèche et de La Flèche au Mans, avec l'ennemi en tête et en queue ; aux immenses possibilités, clairement entrevues par Henri, de gagner la Bretagne par la route de Laval, libre de toute armée adverse, aux armées bleues s'offrant elles-mêmes à leur destruction. On songe surtout au laps considérable de temps offert aux Vendéens pour évacuer Le Mans, à la coupable négligence de Marigny, à la sotte initiative de du Chesnier, à l'ultime chance de salut, pour tout dire, si clairement entrevue par ce génie précoce, dont la jalousie, les rivalités et l'indiscipline ont brisé les ailes, anéantissant le fruit de ses étonnantes réalisations.

Avec deux pièces de canon, Henri alla s'embusquer avec le petit nombre de ceux qu'il put rallier d'abord au bois des Pannetières, puis dans les landes de Maisons-Rouges, à deux lieues du Mans, pour protéger la fuite des débris de son armée. On sait qu'il parvint à rejeter les premiers poursuivants de l'armée républicaine. Il put, par Allard, demeuré dans les derniers au Mans, avoir quelques échos de la bacchanale crapuleusement sanglante qui y commençait. Se replia-t-il devant Westermann qui se lançait au matin du 13 à la poursuite des royalistes ? C'eût été une belle occasion de se faire tuer... sans aucune utilité. Lui avait-on fait comprendre que le chrétien ne peut attenter même indirectement à ses jours ? Il était trop religieux pour ne pas le sentir. Puis il fallait pourvoir au salut des malheureux échappés à l'horrible souricière du Mans.

A trois lieues de Laval, il trouve Mme de Lescure et aussitôt ce court dialogue : « Quoi, vous êtes sauvée ? » — « Je vous croyais mort, puisque nous sommes battus ! »

Cet élogieux reproche se fiche dans le cœur de Henri comme une flèche brisée. Ses yeux se remplissent de larmes. « Ah ! je voudrais bien l'être ! »

5

LE DRAME D'ANCENIS

A Laval, il put mesurer l'étendue du désastre. De toute cette population tant bien que mal protégée au cours de sa pérégrination de près de deux mois, il ne restait qu'un lambeau. Dix à quinze mille de ses membres — d'après les historiens — étaient demeurés enfermés dans Le Mans, dont ni Marceau, ni Westermann, ni Tilly n'avaient poursuivi l'attaque passé minuit, et dont Kléber même n'osa compléter la conquête qu'au lever du jour. Les deux tiers des Vendéens avaient donc pu s'échapper, mais trop tard, par bandes échevelées et successives, et disséminées sur une telle longueur que Westermann avait au cours de sa furieuse chevauchée de trente-deux kilomètres — il y en a quatre-vingts du Mans à Laval — horriblement déchiqueté ce ruban humain immensément étiré. De combien de cadavres avait-il « jonché » sa route ?

Plus d'alliés. Les derniers Chouans ont regagné leurs forêts ou leurs landes. Jean Cottereau, sur l'ordre de Talmont, est reparti pour Misedon ; le prince est resté, conservant les Boisguy, Pontbriand et quatre-vingts Chouans. Plus d'artillerie. Des quelque quarante pièces qu'on possédait au Mans, on n'a sauvé que neuf canons et deux caissons pas même pleins [1]. C'est tout ce qui reste du parc perdu par la faute de Marigny. De misérables épaves.

---

1. Six canons seulement, d'après La Cartrie.

Les reproches toutefois étaient vains à cette heure, où il fallait aviser d'urgence à cette épouvantable situation. Henri n'en adressa aucun à personne. S'il avait le cœur arraché de n'être pas mort au Mans, il avait la volonté de sauver au moins les survivants. Les traits ravagés, les yeux pleins de larmes, il conservait un calme extraordinaire, embrassant les derniers arrivants qui venaient lui conter comme Jacques David leur ultime résistance pour protéger la déroute. Quand Beauvais, qui n'avait quitté Le Mans que tard, afin de ne pas être écrasé sur le pont, arriva vers minuit, il le trouva en conférence avec Lyrot. « Nous allons jusqu'à Ancenis pour y effectuer le passage de la Loire s'il est possible ; nous n'avons plus que cette issue... ou la guillotine ! » lui dirent-ils. On aimerait savoir lequel des deux ajouta les trois derniers mots, ainsi séparés dans le texte de Beauvais du reste de la phrase. Tous deux, le sexagénaire et l'adolescent, également braves, également incapables de rendre leur épée, désiraient d'une même chaleur la mort du champ de bataille et devaient réussir à la trouver. Cependant, chez l'adolescent qui la cherchait plus avidement encore, et depuis si longtemps, la pensée du couperet devait se faire, semble-t-il, plus précise, plus hallucinante. Après avoir vu tomber tant de ses compagnons d'armes : Dommaigné, Cathelineau, Baudry d'Asson père et fils, Sapinaud, Bonchamps, Lescure, Royrand [1], et désespéré de voir son tour venir, le chrétien devait commencer à se demander si les champs de bataille ne refusaient pas au soldat cette mort tant désirée qu'en prévision d'une autre !

Est-il possible de sauver encore ce qui reste de la Vendée errante ? Ce n'est pas le manque de barques pour passer la Loire qui le tourmente le plus, ni les armées bleues. La route est libre, on ne peut plus libre. L'idée de Lyrot, inexécutable en son temps à cause de la fou-

---

1. Mort de ses blessures d'Entrammes pendant le trajet de Baugé à La Flèche.

droyante arrivée des troupes républicaines à Angers, est seule à présent réalisable ; il s'en saisit donc avec cette promptitude qu'il a toujours eue à saisir la solution du moment, mais avec quel scepticisme inhabituel ! Il y a dans cette phrase adressée à l'ancien magistrat quelque chose de douloureux et de désabusé, car ce serait erreur que d'attribuer à Lyrot seul tout ce corps de mots formé en réalité des réflexions entremêlées de chacun, où les retenues sont accumulées : « ... S'il est possible..., il ne nous reste plus que cette issue... ou la guillotine. » Quels termes dans la bouche de Monsieur Henri !

Que de facilités pourtant cette fois ! Des fuyards dévalaient déjà vers la patrie adorée. Envolée la fatigue ou la maladie. Les rescapés du Mans avaient trouvé la force de franchir en un jour et une nuit la distance du Mans à Laval. A ce train, on était sûr de gagner assez d'avance sur les armées républicaines pour passer la Loire sans être inquiété, fût-ce sur des radeaux de fortune. Une terreur horrifique donnait des ailes aux Vendéens...

Qu'on ne s'y trompe pas, c'était là précisément que résidait le péril, dans cette terreur, dans cette effroyable surexcitation, car le féroce « quant-à-soi » qui en résultait ne risquait rien moins que de transformer cette tentative en une catastrophe.

Le départ général de Laval s'effectua le 14, de grand matin, sans qu'on puisse en fixer exactement l'heure, trois heures d'après les uns, cinq heures d'après Beauvais, dix heures d'après Mme de Lescure, midi d'après La Cartrie. Il semble en réalité s'être effectué par vagues successives et même par des itinéraires différents. C'est ainsi que Talmont et Piron auraient pris par Château-Gontier, Le Lion-d'Angers et Segré, d'autres utilisé les traverses, soixante fugitifs gagné même directement Ancenis au sortir du Mans, de leur propre chef, par Vallon,

Loiré et Château-Gontier, où ils se retrouvèrent avec Talmont [1]. Mais la principale colonne, menée par Henri, suivit l'itinéraire de Cossé-le-Vivien, Craon, Pouancé, Saint-Mars-la-Jaille.

A présent, la pluie fait place à la gelée. Boisguy a pris congé avec ses quelque quatre-vingts Chouans de la foule redevenue exclusivement vendéenne. Des quantités de gens sont à peine vêtus, et combien vont pieds nus, à l'instar de Jacques David et de dom Jagault.

Toute la matinée, Henri veille à ce pitoyable départ. Des traînards arrivent toujours. Entre dix heures et midi, Mme de Lescure, qui avait fait demander un prêtre pour se confesser et s'était hâtée de partir aussitôt après, parce qu'on avait crié « Voilà les hussards ! », le trouva à la sortie de la ville.

Il lui dit qu'il venait d'arrêter cette espèce de déroute, qu'il n'y avait pas d'apparence de hussards, qu'elle pouvait continuer son chemin sans alarmes, qu'il allait lui-même déjeuner tranquillement à Laval, faire ensuite l'arrière-garde.

Jacques David aussi le trouve à la sortie de Laval. Plus tard, il racontait à l'abbé Deniau que Stofflet, en proie à un accès de colère, déchirait son écharpe et la jetait dans la boue en criant aux soldats qu'ils n'avaient qu'à chercher d'autres chefs puisqu'ils avaient abandonné leurs généraux au Mans et ne voulaient plus se battre, que, pour sa part, il ne voulait plus les commander ; et qu'alors, lui, David, outré de ces reproches, mit Stofflet en joue, mais qu'entendant le généralissime jurer à tous qu'il ne les abandonnera point, il s'apaisa.

Monsieur Henri ne se mit lui-même en route que le lendemain avec Beauvais. L'ancien magistrat écrira :

« Quant à nous, nous ne sortîmes que vers les six heures du matin, le 15 décembre, et lorsque nous fûmes quelques heures en avant, sur ce qu'on nous dit que les

---

1. Baron de La Jugannière, *Le Général de Lyrot*.

habitants désarmaient nos soldats, La Rochejaquelein, suivi de quelques personnes, y retourna au galop, traversa la ville jusqu'à la route du Mans et revint en disant à chacun que s'ils continuaient à enlever les armes, il ferait mettre le feu à leurs maisons [1]. »

Westermann arrivait le soir du même jour, vers six heures, à Laval, y faisait halte, puis prenait à son tour la route de Craon avec sa seule cavalerie et un unique canon [2], laissant la place à Marceau qui y arrivait lui-même le 15 au soir. « Bientôt la fin du monde, écrivait Westermann, le nombre des morts d'hier et de ce matin est inexprimable. Les deux coups de feu que j'ai reçus me font grand mal et je n'en peux plus... » Au fond, ce sanglant détraqué s'égayait prodigieusement à la pensée « que les marquises abandonnaient leurs voitures et barbottaient dans la crotte, les canonniers leurs canons et les charretiers leurs caissons », et, malgré sa fatigue, il trouvait moyen de rejoindre à Craon la queue de la colonne vendéenne qu'il commença de harceler.

Rien — on le sait — ne démoralisait les Vendéens comme cet aiguillonnement des hussards. Leur ardeur de fuite ne s'était pas ralentie depuis Laval. Dans la nuit du 15 au 16, la tête, déjà rendue au-delà de Saint-Mars-la-Jaille [3], fonçait à tout allure sur Ancenis, ayant parcouru déjà cent cinquante kilomètres en deux jours et deux nuits, par le vent, la pluie ou le gel. Le gel, une fois encore, fait place à une pluie torrentielle [4]. Il n'importe. On ne s'est arrêté à Craon que pour prendre un hâtif repas, de même à Pouancé. La queue suit avec très peu de retard, et le même jour, dès huit heures du matin, décampe à son tour de Saint-Mars-la-Jaille. Là, six lieues seulement séparent les paysans de leur pays que le vallonnement continu du terrain s'étendant de Saint-

---

1. Beauvais, *Mémoires*, p. 217.
2. Chassin.
3. Id., V. P., III, 426.
4. La Cartrie, *Mémoires*, p. 149.

Mars jusqu'à la Loire permet d'apercevoir à l'horizon dès le village de Pouillé.

L'armée vendéenne avait deux jours d'avance sur l'armée républicaine [1]. La queue de la colonne dont le train s'était ralenti depuis Saint-Mars s'accordait des haltes nombreuses, mais qui ne l'empêchaient pas d'arriver le soir du même jour 16 décembre à une lieue d'Ancenis. Henri, rassuré sur son compte, l'avait laissée pour galoper à toute bride vers la tête ; et, au matin du 16, entrait avec les premiers fuyards dans Ancenis.

Que n'a-t-on pas écrit sur l'attitude de Henri de La Rochejaquelein à cette heure où il ne cherchait qu'à assurer le salut des siens ! Bonnemère, Lenotre et jusqu'à l'éminent académicien Pierre de La Gorce, l'ont accusé ou tout au moins soupçonné de « désertion » et « d'abandon de son poste ». C'est que les circonstances, les apparences les plus trompeuses y prêtent, si l'on ne se livre à un minutieux examen des faits et plus encore des lieux. Quel étonnement de voir Monsieur Henri qu'avait rejoint Stofflet traverser un des premiers la Loire « comme un petit sous-lieutenant s'en allant en éclaireur » ! Tout d'abord il y a lieu d'observer que Henri n'agit pas autrement ici qu'à La Flèche où il traversa le premier le Loir, pas autrement qu'à Dol où il a sondé lui-même le terrain, le premier. Rien n'est plus dangereux d'autre part que de considérer l'armée vendéenne sous l'angle d'une armée ordinaire ! Il est vrai que M. de Donissan a vécu la même erreur, d'où ses mécomptes...

Joseph Clemanceau, ancien juge au tribunal de Beaupréau, qui durant sa détention en Vendée observa gens et choses, a noté que les chefs, par l'indiscipline de leurs hommes, en étaient réduits à faire tous les métiers, depuis

---

1. Lettre de **Marceau**.

celui de général, de soldat, de sentinelle, jusqu'à celui de recruteur. Il aurait pu ajouter, et d'éclaireur.

A la rapidité de la course Laval-Ancenis accomplie par les paysans en une seule étape, on peut juger de l'état de surexcitation nerveuse où en étaient arrivés ces malheureux.

L'apparition des coteaux de Bouzillé et de Liré, soudain surgis à l'horizon, du haut des collines de Pouillé, dans la blanche lumière matinale, avait provoqué de délirants cris de joie chez plusieurs de ces pauvres gens. Mais avaient-ils dans leur hallucination calculé l'obstacle qui leur barrait l'accès du pays bien-aimé : la Loire ?

Quelques chefs s'en étaient souciés. Gibert et La Ville-Baugé avaient, à leur passage à La Chapelle-Glain, près de Saint-Mars-la-Jaille, découvert sur l'étang de la Motte une petite barque qui, d'après Mme de La Bouëre, aurait été chargée sur une charrette par ordre de Stofflet, sans qu'à vrai dire on sache exactement si ce fut par ordre de Stofflet ou de Lyrot [1]. Henri y songeait aussi durant cette course échevelée, d'où sa hâte à rejoindre la tête de la colonne. Certes, il était possible, sinon facile, à défaut de bateaux, de passer le fleuve à l'aide de moyens de fortune. La difficulté résidait principalement dans la maîtrise d'un point sur la rive opposée, d'où les premiers débarqués assureraient la liaison avec l'embarcadère, en renvoyant les esquifs une fois vides à Ancenis, et se tiendraient sous les armes prêts à repousser toute opposition ennemie au passage.

Henri, sitôt arrivé à Ancenis, avait appris que les Bleus étaient maîtres du Montglone, ci-devant Saint-Florent [2], mais aussi que M. d'Hauterive avait encore des troupes dans le pays et même, qu'en chassant une patrouille républicaine, il était venu jusqu'au bord de l'eau.

---

1. D'après M. de La Jugannière, il aurait été trouvé deux batelets.
2. Décret du directoire de Maine-et-Loire, du 7 février 1793.

Le passage n'était pas aisé. La Loire assez resserrée à Ancenis n'y est divisée par aucune île, à l'exception de l'île Delage légèrement en amont de la ville et du port et à peine détachée de la rive droite. Gonflé par les pluies diluviennes de l'automne, le fleuve roulait avec rapidité des flots jaunâtres dont une partie débordait de son lit dans les proportions d'une crue que Mme de Lescure jugea médiocre. Il est vrai qu'en juillet 1783 elle était montée à plus de sept mètres au-dessus de l'étiage [1]. Mais si la proximité du coteau ne permet pas au fleuve en crue d'étendre considérablement ses eaux sur la rive droite, il n'en est pas de même sur la gauche où le coteau sur le versant duquel s'étage le petit bourg de Liré ne se dresse qu'à deux kilomètres de la berge. Depuis la Loire jusqu'à ce coteau s'étendent des prairies basses coupées de fossés et de haies (de talus de terre à cette époque) qu'une crue de quatre mètres seulement suffit à transformer en un vaste étang, d'où émerge au bord même de la Loire le village des Léards avec ses fours à chaux, étroite et longue presqu'île en bordure de la Loire, dont la largeur n'atteint pas trois cents mètres en direction de Liré.

La levée, qui de nos jours relie le pont d'Ancenis à Liré à travers les prairies, n'existait pas alors. Un chemin creux bordé d'arbres joignait Liré aux Léards où (en temps normal) on trouvait un des innombrables services de bacs qui assuraient à cette époque le passage du fleuve que ne franchissait aucun pont entre Nantes et Angers.

D'étranges bateaux que ces bacs, ces toues comme on les appelait, avec leurs larges bords et leur fond plat.

La petite garnison d'Ancenis composée de trois cents hommes, qui avait évacué la ville la nuit même vers deux heures du matin [2] en direction de Nantes, n'avait pas eu, en raison de la précipitation de l'événement, le temps de

---

1. E. Maillard, *Histoire d'Ancenis*, p. 104.
2. E. Maillard, maire d'Ancenis, *Ancenis pendant la Révolution*, Ancenis, 1880, p. 139.

mettre hors de service tous les esquifs. Quand la colonne vendéenne vint s'agglomérer au bord de la Loire, entre sept et dix heures du matin [1], elle découvrit sur la berge quelques-unes de ces toues. Mme de Lescure les réduit à une. C'est erreur. Beauvais qui n'était pas dans les retardataires à l'arrivée à Ancenis en vit « plusieurs ». Et de fait, si l'on s'en réfère aux témoignages vendéens, il y en avait au moins trois, sinon plus, à demi ensablées, prenant l'eau [2], mais non inutilisables.

L'armée arrivait par vagues successives, se répandait dans la petite ville et ses alentours. Monsieur Henri mit en observation un fort détachement sur les hauteurs qui dominent la ville du côté d'Angers, pour se préserver de toute surprise. De l'artillerie fut placée sur le château pour maintenir à distance les canonnières républicaines échelonnées sur le fleuve. Puis, sans tarder, il se mit en devoir d'établir le passage.

Commença-t-il par envoyer des éclaireurs sur l'autre rive (dans une des vieilles toues), comme l'affirme l'abbé Deniau qui recueillit bien des témoignages de survivants de la guerre ? Ni Beauvais, ni Mme de Lescure, ni Gibert, ni Langevin n'en font mention. Il est possible que ces divers mémorialistes soient arrivés trop tard pour assister à l'opération. Cette tentative, si elle eut lieu, ne produisit pas le résultat attendu. Les éclaireurs s'enfoncèrent dans les terres, disparurent. Des coups de feu retentirent et ce fut tout.

Qu'elle ait eu lieu ou non importe peu à la question. La Rochejaquelein, qui ne doutait pas qu'un service de patrouilles régnât sur l'autre bord, savait que la première condition du passage était « de former un corps avec lequel il pourrait faire tête aux cavaliers républicains qui battaient

---

1. Beauvais donne sept heures, Maillard dix heures. Il est bien évident qu'il se produisit à l'arrivée les mêmes phénomènes qu'au départ.
2. Cf. Renée Bordereau, *Mémoires*, p. 25.

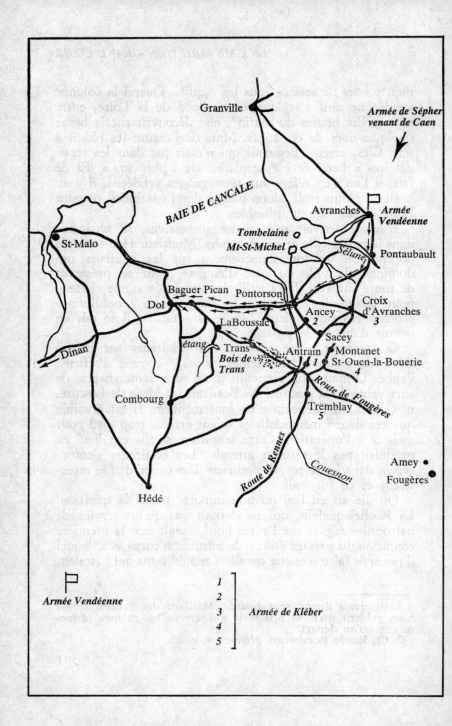

Granville

Armée de Sépher venant de Caen

BAIE DE CANCALE

Avranches   *Armée Vendéenne*

St-Malo

Tombelaine
Mt-St-Michel

Sélune

Pontaubault

Baguer Pican   Pontorson

Croix
d'Avranches
3

Dol

Ancey
2

LaBoussac

Sacey

Dinan

étang   Trans
Bois de Trans

Antrain
1

Montanet
St-Ouen-la-Bouerie
4

Route de Fougères

Combourg

Tremblay
5

Amey

Fougères

Route de Rennes

Couesnon

Hédé

Armée Vendéenne

1
2
3
4
5

Armée de Kléber

la campagne de ce côté[1] ». Là précisément résidait la plus grosse difficulté. Quels chefs, dans l'état actuel des cerveaux en folie, auraient assez de poigne ou d'influence pour maintenir sous les armes les premiers débarqués ? Lesquels sinon Stofflet et lui-même ? Car à cette heure, le danger n'est pas derrière les Vendéens. Il est là, terrible, et mille fois plus que l'armée de Marceau trop en retard pour joindre assez tôt les Vendéens. Danger dûment souligné par Beauvais et Gibert. Et c'est parce qu'il sait que l'échec du passage serait dès lors irrémédiable que Henri emmène avec lui Stofflet. Nous avons pu observer que les deux chefs ne se quittaient presque plus depuis Le Mans.

Sur la rive gauche, la besogne va être double. Henri a aperçu, amarrées au port des Léards, des péniches chargées de foin, d'où l'obligation de partager la petite troupe en bateliers et en éclaireurs. Au cas où l'un des deux chefs serait tué en débarquant, l'autre assurera la maintenue des hommes à leur poste.

Ils s'embarquent donc, non pas dans le petit bateau de Saint-Mars-la-Jaille, mais dans une barque trouvée sur la grève[2]. Le départ a lieu à l'extrémité de l'île Delage où se trouve le port d'Ancenis. On desselle leurs chevaux dont on leur passe la bride. Les bêtes suivront à la nage. Dans une ou deux des toues s'empilent cent hommes[3] avec Langevin et La Ville-Baugé, chef de la division de Monsieur Henri qui depuis son élection n'exerce plus de commandement particulier, ce qui donne à penser qu'il a dû embarquer des Poitevins de son ancien corps d'armée.

---

1. Gibert, p. 124. Il s'agissait en d'autres termes d'établir une tête de pont comme à Varades lors du premier passage. Il est stupéfiant qu'un historien comme M. de La Gorce (sans parler des autres) ne se soit pas rendu compte de cette opération première que nécessite le franchissement d'un fleuve par une armée.
2. Cf. Monnier, p. 60 ; Beauvais, pp. 218 et suiv. Ce n'est pas Henri, mais Beauvais qui se servit de l'esquif trouvé sur l'étang de la Motte.
3. Journal d'Anne-Henriette de La Rochejaquelein.

La traversée se passe sans encombre. Déportés par le courant, les expéditionnaires abordent au port des Léards.

Les voici sur l'autre rive. D'Ancenis, on voit les hommes se diriger vers les péniches et se mettre en devoir de les « dégager [1] », cependant qu'avec d'autres, un des chefs qu'on croit être Henri inspecte la rive le long de la berge. Puis, c'est la scène rapide cent fois décrite : des coups de feu éclatent, suivis de l'apparition d'une patrouille de hussards ; une vive agitation d'hommes affolés. Travailleurs et éclaireurs s'égaillent, disparaissent.

Les malheureux Vendéens atterrés dévorent des yeux le coin de terre que leur interdit cette eau maudite. Les minutes, les heures s'écoulent. Un atroce désespoir envahit la foule. Son chef adoré est mort. Marigny le dira brutalement le lendemain à ces infortunés dans l'espoir de les arracher à cette berge. Tous le croient. Ne leur avait-il pas juré dans la marche sur Ancenis de ne pas les abandonner ?

Au soir de leur vie, Jacques David et quelques autres racontaient au vénérable curé du Voide que les travailleurs avaient achevé de débarrasser les bateaux et qu'ils les avaient amenés au rivage. Ce récit tardif né de souvenirs embrouillés est formellement contredit positivement ou indirectement par tous les mémorialistes : Mme de Lescure, Pontbriand [2], Beauvais, Monnier, Gibert, Westermann même. Les seuls bateaux dans lesquels se ruèrent les hommes et les femmes après la disparition des deux chefs n'étaient autres que les vieilles toues qui restaient amarrées sur la rive bretonne, d'où la confusion de Jacques David, ou peut-être simplement de l'abbé Deniau. Une seule chose est attestée unanimement, c'est la hâte des hommes à se

---

1. Marquise de Lescure. Note de son manuscrit.
2. « Il [Henri], attaqué au débarquement, ne put envoyer les bateaux qu'il avait vus sur la rive droite. » Pontbriand, *Mémoires*, Plon, 1897, p. 54. « Ils cherchèrent à dégager quatre grandes barques chargées de foin qui se trouvaient sur la rive opposée, mais les républicains survinrent et les forcèrent à s'éloigner. »

jeter sur les barriques, les planches, les madriers, les portes, les cordages pour fabriquer des radeaux sur lesquels passèrent dans la journée plusieurs centaines de personnes, douze cents d'après Gibert.

Ce qu'étaient devenus Henri et Stofflet ? Beauvais, envoyé la nuit suivante par l'état-major pour le savoir, devait seul l'apprendre. Une enquête ! Il était à son affaire. Le fameux bateau recueilli sur l'étang de la Motte fut mis par Lyrot à sa disposition [1]. Bien avant le lever du jour il passa sur l'autre rive, avec son domestique Imof, le prieur de Sainte-Marie de l'île de Ré qui devait « revenir rendre compte de ce que lui, Beauvais, aurait vu ou appris » et une vingtaine d'hommes [2]. C'est cette enquête minutieuse, claire, longuement détaillée dans ses *Mémoires*, qui va nous permettre de retrouver la trace de Monsieur Henri.

Encore qu'on ne sache rien de précis sur la poursuite dont il fut l'objet, l'état des prairies basses — elles « étaient couvertes d'eau » — dut rendre sa fuite fort pénible dans cet étang où l'on enfonçait jusqu'à mi-jambes et parfois jusqu'au cou.

Le chemin menant à Liré était impraticable. Beauvais, qui, sitôt débarqué, avait eu à traverser une nappe d'eau de vingt mètres pour gagner ce qu'il croyait être « le plein pays », fut désagréablement surpris à la sortie du village des fours, de trouver devant lui la grande nappe liquide. Il voulut suivre le tracé du chemin qu'indiquait une rangée d'arbres, son cheval « tomba à la nage ». Il crut « se noyer ». Obligé d'aller à travers les prairies où étaient établis des sortes d'appontements, il perdit son

---

1. Beauvais, *Mémoires*, pp. 218 et suiv.
2. Il fallait donc que ce « petit bateau », comme l'appelle Beauvais, fût de dimensions assez importantes. Il est vrai qu'en comparaison des toues...

cheval tombé dans un fossé ; et, se servant de son sabre comme d'une canne, il gagna ainsi le village de Liré. Les vingt hommes de son escorte avaient détalé comme des lièvres, « l'un à droite, l'autre à gauche », aussitôt à terre, sans même lui laisser « le temps de seller son cheval ». Le prieur s'était perdu. Mais Beauvais d'ailleurs protégé par les ténèbres n'était pas poursuivi.

Henri et ses compagnons le furent jusqu'à Liré et au-delà[1]. Une tradition locale veut qu'il se soit réfugié à la Turmelière sise à un kilomètre et demi au sud-ouest de Liré. Eux aussi avaient perdu leurs chevaux. On peut juger de l'acharnement de la poursuite, si l'on songe que les deux chefs étaient encore reconnaissables à leurs écharpes blanches. Les trois cents hussards avec lesquels se trouvait l'administrateur du district de Montglone, le citoyen Lehélin[2], continuèrent leur battue jusqu'à cinq heures du matin[3]. Quand ils virent se continuer le débarquement, ils se replièrent par prudence en direction du ci-devant Saint-Florent. Que se passa-t-il alors ? Henri et Stofflet qu'aucun de leurs hommes n'avait accompagnés[4] furent-ils avertis du départ des hussards par les honnêtes métayers qui leur avaient donné asile ? Tentèrent-ils de rallier les fuyards ? Gibert le dit formellement. « Tout fut mis en œuvre[5] pour se procurer de faibles embarcations à l'aide desquelles il passa peut-être douze cents hommes.

1. « Je m'informe (aux Léards) de La Rochejaquelein et de Stofflet ; on me dit qu'on suppose qu'ils sont au bourg de Liré, parce qu'on y a entendu une fusillade ; que s'ils n'y sont pas, il est à croire qu'ils ont été repoussés. » Beauvais, p. 220.
2. Lettre de l'administrateur du district de Montglone, citée par Chassin. Vend. Pat.
3. Beauvais, *loc. cit.*, pp. 221-222.
4. Id., *ibid.* A rapprocher ce détail de l'enquête de Beauvais du passage suivant du journal d'Anne-Henriette de La Rochejaquelein : « Henri, mon neveu, repassa la Loire avec une centaine d'hommes pour reconnaître le local ; au bruit du canon, il fut abandonné de tous, même des bateliers, et revint au pays seulement avec trois. »
5. Après la disparition de La Rochejaquelein et Stofflet.

MM. de La Rochejaquelein et Stofflet auraient au moins désiré en former un corps avec lequel ils auraient pu faire tête aux cavaliers républicains..., mais ces insensés se dispersaient aussitôt... pour se rendre chez eux, en sorte que les deux chefs furent obligés de chercher leur salut dans la fuite. »

Tout était fini en effet. A huit heures du matin, le détachement républicain qui s'était aperçu n'avoir affaire « qu'à de petits pelotons qui se dispersaient d'eux-mêmes » reprenait le poste de Liré[1]. Il ne restait plus à Monsieur Henri et ses trois compagnons qu'à s'enfoncer à leur tour dans le pays. Le passage ne continuait plus que faiblement, si ce n'est isolément, au moyen de planches, de portes, de barriques, de madriers. Les hussards s'en donnaient à cœur joie et leur battue coûta la vie à plusieurs de ces malheureux[2].

Henri avait passé la nuit du 16 au 17 aux abords de Liré, seul avec ses trois compagnons, dans la ferme d'où il avait espéré rallier ses hommes, et Beauvais qui s'y fit conduire le lendemain y eut confirmation de son séjour de la bouche des braves cultivateurs qui l'avaient recueilli. Le garçon de la métairie l'avait conduit au matin ainsi que ses compagnons « dans une autre maison sûre » d'où, lui dit-on, il devait gagner « de métairie en métairie » la région de Châtillon.

Espérait-il trouver en chemin la petite troupe vendéenne dont on lui avait parlé à Ancenis ? Ce n'était pas, ainsi qu'on lui apprit, M. d'Hauterive qui la commandait, mais Pierre Cathelineau, frère de l'ancien généralissime. A Liré, on croyait Pierre Cathelineau à Champtoceaux. Beauvais le crut. Henri ne s'arrêta point à cette idée. Comment supposer que, si près de Liré, elle ne fût pas accourue déjà ! Il avait raison. Cathelineau était avec sa

---

1. Beauvais, *loc. cit.*
2. Cf. Gibert, p. 124, et lettre de l'administrateur du district de Montglone.

petite troupe au Fuilet dans les Mauges où Monnier la découvrit. Il y avait bien une troupe à Champtoceaux, mais une troupe de Bleus.

Regagner la rive droite ? Il eût d'abord fallu retraverser les prairies liquides à travers la patrouille des hussards ; puis, avoir les moyens de retraverser le fleuve. Or, aucun débarqué ne consentait au moindre mouvement rétrograde. Beauvais ne put même pas trouver un seul homme qui consentît à aller jusqu'à Champtoceaux sur la même rive s'y assurer de la présence de Pierre Cathelineau. Les moyens de transport, bateaux ou radeaux abandonnés, sitôt le débarquement, partaient à la dérive. Ainsi avait disparu jusqu'au petit bateau qui avait amené Beauvais. Ceux qui voudraient que Henri eût à tout prix regagné son armée feraient tout aussi bien d'exiger de lui qu'il soit allé bien docilement se constituer prisonnier au poste de Liré.

A présent, sous la conduite d'un jeune garçon de ferme, encadré de ses trois compagnons, tous déguisés en paysans, il allait vers son pays natal, foulant un sol qu'avaient si longtemps défendu les phalanges de héros, aujourd'hui évanouies, fondues, mortes sur une terre étrangère, après cinquante-sept jours d'une glorieuse mais inutile équipée. Quelle frappante analogie entre ce retour et le départ de Clisson au soir du 2 avril !

L'ennemi avait reconquis la noble terre privée de ses défenseurs, et comme pour mieux marquer sa prise de possession avait effacé sur les bornes des routes les fleurs de lys remplacées désormais par le bonnet phrygien. C'était bien la même campagne, avec ses chemins creux, ses haies touffues flanquant les champs au contour capricieux ; seulement, il y régnait un silence de mort.

Petit sous-lieutenant du Roi, insurgé, général, chef suprême de la Grande Armée catholique et royale, il n'était plus qu'un proscrit, qu'une fatigue intense saturait dans tout son corps. Après tant de nuits blanches, brisé, anéanti, il se laissa tomber dans une grange, sans plus de souci des Bleus, « laissant à Dieu, comme il disait au paysan qui le pressait de fuir, le soin de le garder ».

Ce soir-là dormirent, de l'autre côté du tas de paille, des Bleus qui ne se doutèrent jamais que non loin d'eux gisait, avec une tête blonde chavirée sur le même et rustique oreiller, une fortune que nul d'entre eux ne gagnerait jamais.

Cependant, un jeune homme, l'air égaré, hors de lui, fou de douleur, traversait à cette heure la Loire sur des barriques et se jetait dans la campagne des Mauges, à la recherche de son général [1], Allard, le fidèle, l'inséparable Allard que le drame d'Ancenis avait brutalement et pour toujours séparé de son ami [2].

---

1. Le père Morineau, piqueur de la Durbelière, ne voyant pas revenir son maître, passa également la Loire sur des barriques.

2. Des quatre rescapés, Monsieur Henri devait mourir le premier, tué le 28 janvier 1794, suivi par Langerie le 8 février suivant. Puis ce fut Stofflet, pris et fusillé en février 1796. Seul survécut La Ville-Baugé.

CHAPITRE VII

LE HEROS DE LEGENDE

1

LE FOYER VIDE

Tandis que le lendemain 18 décembre, Monsieur Henri continuait sa marche vers le Bocage, une forte troupe de paysans s'apprêtait à partir de Pouzauges où elle venait de prendre un repos de quatre jours. Encadrant son chef dont la toilette rutilante contrastait avec leur misérable tenue, elle s'ébranlait le 19 en direction de ces régions du Poitou privées de chefs depuis le passage de la Loire.

Charette, car c'était lui, n'avait pas la même manière de combattre que les chefs de la Grande Armée. Sans artillerie, sans convoi de vivres, sans femmes ou presque, hormis les belles amazones qui composaient sa cour, il avait si bien harcelé l'ennemi avec ses moutons noirs, vainqueurs ou vaincus, sans cesse dispersés, mais toujours reformés, que le général Haxo, après cinquante-sept jours de lutte contre ce grand brigand, se trouvait bredouille comme au premier.

Echappé le 5 décembre des griffes du général Dutruy qui avait cru le tenir cerné dans l'île de Bouin, et craignant de voir son territoire exposé à une action générale, Charette, auquel parvenait plus ou moins confusément de mauvaises nouvelles de la campagne d'outre-Loire, avait jugé prudent de s'éloigner de ses quartiers habituels. Elu, par les chefs de sa région, général en chef du Bas-Poitou, aux Herbiers le 12 décembre, il se dirigeait vers le pays de Lescure et de La Rochejaquelein dans l'espoir d'y relever l'insurrection et de prendre la tête d'une entreprise générale dans tout l'ancien pays insurgé.

Lui non plus ne trouvait pas âme qui vive dans ce pays terriblement silencieux, mais partout en revanche des cadavres à demi rongés[1].

Le 20, il est à Châtillon-sur-Sèvre incendié. Rien que des femmes dans les très rares maisons restées debout. Il s'attarde dans ce pays pour faire des recrues. Il en recueille cinq à six cents et pousse jusqu'à Maulévrier. On est au 22 décembre. Il s'apprêtait à partir pour Cholet quand tout à coup quatre hommes à peine reconnaissables se présentent à lui. L'armée d'Haxo l'eût moins commotionné que cette extraordinaire apparition. Eux. C'étaient eux : La Ville-Baugé, Stofflet, Monsieur Henri. Par quel hasard ?

Henri était devant lui, avec ses compagnons[2], hâves et déguenillés, regardant l'élégant Charette qui, en train de se restaurer, ne daignait même pas lui offrir quelque chose de sa table. Autour de lui, plusieurs gars de Monsieur Henri demeurés au pays, dont Michel Coulon, de Maulévrier, que révoltait « la dureté » du général des Paydrets, Pierre Devaud, également de Maulévrier.

Tout en mangeant, Charette demandait quelques détails

---

1. Lucas-Championnière.
2. Eugène Veuillot a situé cette entrevue au 29 décembre. D'autres la placent après l'entrevue de Monsieur Henri avec sa tante. G. Lenotre la place au 17, date à laquelle Henri était à Liré. Elle dut avoir lieu le 21 ou le 22. De fait, Charette était de retour aux Herbiers le 23. Cf. Savary, II, 481. La date du 22 donnée par Beauvais est donc la plus près de la vérité sinon la seule recevable.

sur la campagne d'outre-Loire, alla jusqu'à se permettre (a-t-on dit) des plaisanteries piquantes sur ses résultats, puis déclara aux arrivants « qu'il partait attaquer Cholet ». Henri, qui venait de rôder aux abords de la ville, lui donna des renseignements qu'il avait recueillis en cours de route sur sa garnison et les renforts que celle-ci attendait. « Eh bien, je pars pour Mortagne ! » répliqua Charette avec humeur.

Au fond, il se rendait compte qu'il n'était plus rien dans ce pays du moment que Henri s'y retrouvait, et la désertion de quelques Paydrets, pris du mal de leurs marais, commençait à l'inquiéter. Au moment du départ, Henri se joint à lui, malgré cet outrageant accueil, et le suit jusqu'à Mallièvre [1] situé à quelque quatre lieues au sud-ouest de Maulévrier. Non pas qu'il eût l'intention de le suivre jusque dans le Pays de Retz, mais il cherchait une entente, une collaboration avec Charette. A Mallièvre, il demanda une réponse définitive. Elle fut dédaigneuse et cassante. Charette se considérait comme le chef de toute la Vendée [2]. « Quelle va donc être en ce cas mon occupation ? » questionna Henri. « Je vous offre une place dans mon armée. » Un frisson de colère vite réprimé secoua Henri. « Je vous remercie, monsieur ; accoutumé à donner des places, je n'en recevrai pas aujourd'hui. » Et tournant le dos à Charette, il reprit avec ses compagnons le chemin de son pays, suivi de toutes les recrues angevines et poitevines de Charette. Nous voilà loin du « Commandez, j'exécuterai » et des attitudes de petit garçon dans lesquelles certains historiens ont représenté La Rochejaquelein.

*
* *

---

1. Michel Coulon. Notes sur les événements de la Vendée, publ. par Baguenier-Désormeaux.
2. Beauvais, *loc. cit.*, p. 236.

Boisvert-de-Combrand. Une ferme du Poitou perdue dans le vallon de la petite rivière de l'Ouin, entre Châtillon et Cerizay, aux environs de la Petite Boissière. C'est là que s'est réfugiée Anne-Henriette de La Rochejaquelein, cette parente extraordinaire de Monsieur Henri aussi originale que brave, qui semble de par son énergie et morale et physique n'avoir de la femme que le sexe. Vêtue, par ces temps troublés, d'un casaquin blanc, d'une robe également blanche, « la grande blanche », comme l'appelaient les paysans, vivait dans ce refuge provisoire (en attendant de connaître celui des toits à porcs et des huttes de fagots), quand vers la Noël se présentent à elle quatre proscrits dans le plus grand desquels elle reconnaît son neveu.

Sale, hirsute, défiguré par une barbe inculte, son état physique n'était rien auprès de l'affreux état de son âme. Jusqu'alors, une activité intense avait constitué une sorte de dérivatif à sa douleur morale. L'énergie farouche qu'il avait déployée avait été soutenue jusqu'au passage de la Loire par l'espérance d'échouer au moins en Vendée les débris de son peuple martyr. Puis la fatigue était venue, tenaillante, presque annihilante de tout l'être.

Les trois jours qu'il passe avec sa tante reposent son pauvre corps excédé, mais pour mieux aviver les plaies de l'âme. Vouloir décrire sa douleur serait tomber dans le roman. Anne-Henriette a gardé pour elle les confidences de son neveu. On sait seulement que deux visions lui étaient insupportables : le désastre du Mans et le drame d'Ancenis. Les spectres sanglants de tous ces pauvres êtres qui l'adoraient et qu'il n'avait pas pu protéger se dressaient à présent devant ses yeux en une scène de cauchemar. Marceau disait que quand il rêvait à la Vendée, il n'était plus de sommeil pour lui. Ah ! celui-là avait bien réussi sa vie malgré tout. Cette guerre répugnante contre des femmes et des enfants que protégeaient quelques milliers de paysans épuisés lui avait valu le grade de général de division. Il avait bien, dans un moment de faiblesse où il craignit pour son grade et sa vie (car l'homme très brave et très ambitieux n'était pas un caractère) souillé de boue ses lauriers dégouttants de sang français, en associant son œuvre toute militaire à la besogne immonde de Carrier [1]. Qui donc y songerait ? La guerre sur les frontières laverait ses lauriers et lui mériterait cette gloire théâtrale qui couronne indistinctement aux yeux de la foule ignorante les défenseurs de la patrie. Henri se sentait déshonoré. Qui donc croirait au noble dessein qui l'avait seul poussé à traverser la Loire, à la désertion des hommes qu'il avait emmenés avec lui pour tenir sur la rive gauche le point de débarquement et qui l'avaient « abandonné » lors de l'arrivée des hussards ? « Il fut abandonné de tous », note simplement Anne-Henriette dans son bref journal. Qui donc a guidé ici la main de la vieille demoiselle morte en 1810, sinon les véhémentes affirmations de Henri qu'on devine entrecoupées de sanglots ? Et qui donc, sinon La Ville-Baugé, seul survivant de cette équipée, a pu répéter à Bournisseaux, cette phrase d'Anne-Henriette entendue au moment des adieux : « Si tu meurs, Henri, sache que tu emporteras mon estime avec mes regrets. »

Mais Anne-Henriette n'était point mère. Jugeait-elle toute l'étendue du désespoir de son neveu ? Elle le grondait de sa tenue négligée. Cette barbe surtout, pourquoi ne pas la raser ? La réponse venait, sombre comme l'âme du jeune homme : « Ma tante, à quoi bon ? Une balle va bientôt me faire la barbe. »

---

1. « Ma reconnaissance et mon amitié sont sans bornes pour toi. Conserve-moi toujours celle que tu me témoignes... Conserve ta santé, c'est une chose précieuse, car comme il est encore des conspirateurs, il faut de bons gaillards pour les détruire, c'est-à-dire des hommes comme nous. Oui, mon ami, nous servirons ensemble la République et nous pouvons compter sur le succès tant qu'elle sera servie par des hommes purs... Adieu, je t'aime et vive la République. Marceau. » Noël Parfait, *Le Général Marceau*, p. 330. Lettre du 18 janvier 1794 du général Marceau à Carrier.

C'est en de tels moments que la pensée d'un homme, quelque nom qu'on lui donne, se porte vers sa mère ; parce que seules les mères ont le don d'apaiser certaines détresses infinies.

Dans l'importante correspondance que possédait le colonel vicomte de Beaucorps, entre la marquise de La Rochejaquelein et sa fille Anne, la dernière lettre où elle parle de Henri [1] est du 15 novembre. « J'ai la très grande satisfaction, écrit-elle, d'entendre parler [2] de notre Henri d'une manière bien heureuse pour nous. Si Dieu nous le conserve, nous serons trop contents. Je ne peux pas te dire des nouvelles de Louis ; il ne m'écrit point... »

Avec quel bonheur, lui, Henri, correspondrait avec sa mère !

Au lendemain de Noël, il quitte sa tante. Le voici à la Durbelière [3]. En son absence, les Bleus y ont à nouveau porté la torche. Comme elle est dure à brûler ! Il faudra s'y reprendre à cinq fois. C'est à petit feu qu'on en viendra à bout, comme de celui qui erre présentement dans ses ruines, ainsi qu'une ombre. La haute futaie, le long miroir du grand étang qu'encadrent ses allées de tilleuls lui prodiguent le sourire familier des choses inanimées. Il pleure. Ce foyer vide, mort, en évoque un autre : le Bocage poitevin. Il s'agrandit jusqu'à la Vendée entière, sa Vendée, ravagée, ensanglantée, vide des plus braves de ses fils.

Que sont devenus ses compagnons d'armes ? Il n'en sait rien. La pensée des lourdes responsabilités de ses collègues qui calmerait une âme vulgaire n'entre même pas dans son esprit. « Pourquoi, mais pourquoi suis-je en vie ? répète-t-il à travers ses larmes. Que ne suis-je

---

1. Quand il est encore en vie. Les archives du colonel de Beaucorps ont été détruites par un incendie allumé par les Allemands dans son château en février 1941.
2. Par les journaux.
3. Journal d'Anne-Henriette.

mort ! » Horrible crise de douleur d'une âme chavirée dans la triple souffrance de sa conscience délicate, de son grand cœur et de sa prestigieuse intelligence.

2

L'INSAISISSABLE

Les autorités républicaines se préoccupaient de savoir ce qu'était devenu « ce redoutable ennemi ». Benaben, qui avait ramassé dans les rues du Mans un beau chapeau à plumes blanches qui n'était autre que celui de d'Autichamp, l'envoyait à la Convention comme étant celui de La Rochejaquelein. Marceau le croyait noyé dans la Loire, Westermann « fusillé en débarquant sur la rive gauche ». Quant à Lehélin, l'administrateur de Montglone qui l'avait poursuivi sur cette rive, il eût été bien embarrassé de dire où était passé ce « gueux de Rochejaquelein » dont « la bande scélérate était foutue ».

L'équivoque ne pouvait durer longtemps, sur son sort. Trop de gens l'avaient vu dans la Vendée. Naturellement, la fouille commença par les ruines de la Durbelière. Henri ne « les » avait pas entendus venir. Il est trop tard pour fuir.

Avec cette agilité de chat qu'il apportait dans son enfance à grimper aux arbres, il s'agrippe à un pan de mur, se hisse jusqu'à l'entablement, s'y couche à plat ventre. Les Bleus après avoir fouillé les ruines en tous sens se retirent pour aller chercher ailleurs.

On le cherche partout avec acharnement. Le 26 frimaire (16 décembre), l'adjudant-général Biot, commandant de la place de Fontenay, s'était empressé d'écrire au général Chalbos : « On m'assure que La Rochejaquelein est pris et conduit à Nantes [1]. » Le 20 nivôse (9 janvier), le chef de brigade Dufour mande à Duval, autre général : « Le général Bard m'apprend que le général Macret tient cerné La Rochejaquelein, il ne m'apprend point dans quel lieu [2]. » A Donissan, arrêté le 7 janvier avec Désessarts près d'Ingrandes-sur-Loire [3], le représentant Félix demandait : « Pouvez-vous nous dire ce qu'est devenu La Rochejaquelein ? » — « Je n'en sais rien », avait répondu laconiquement Donissan plein d'une admirable dignité en face de la mort. « Et vous ? » en s'adressant à Désessarts. « Chacun s'est sauvé comme il a pu. »

En Vendée, rapports et dénonciations s'entassaient, plus ineptes les uns que les autres. Pour faire prendre patience aux ministres, les généraux s'efforçaient de leur donner des nouvelles du « gibier » comme ils disaient, en attendant qu'ils le découvrissent. Le 4 janvier, Commère écrit : « Le général Grignon vient de battre cinq à six cents hommes formant le rassemblement de La Rochejaquelein. Ces brigands ne servent plus que comme assassins de grand-route. Je prends des mesures... ils n'iront pas loin. » Mais Grignon, pressé par son supérieur, a beau battre bois et buissons avec ses collègues Boucret et Caffin, sur « une étendue de vingt lieues de terrain [4] », la proie demeure introuvable ; aussi bien le 13, se décide-t-il à avouer sa piteuse déconvenue : « Il ne paraît plus y avoir de rassemblement depuis que j'ai donné la déroute complète à La Rochejaquelein... Le jour où j'ai mis La Rochejaquelein en déroute, il a perdu son cheval tout harnaché. » Son cheval ? Monsieur Henri n'en avait plus. Ce trophée mythique pouvait aller rejoindre le chapeau trouvé par Benaben. Le rapport de Boucret est plus piteux encore : « Trois paysans m'ont dit que La Rochejaquelein était caché dans une métairie, qu'il changeait tous les jours de

1. Archives des Deux-Sèvres, L. 177.
2. *Ibidem*, L. 173.
3. Archives de Maine-et-Loire, L. cote D *bis*, n° 12.
4. Savary, *Guerre des Vendéens et des Chouans*, III, p. 13-14.

logement et qu'il était très malade. Voilà tout ce que j'en sais. » Le général Turreau, qui venait de prendre la succession de Marceau, dut trouver que c'était peu.

Mais surtout, c'était faux. Monsieur Henri n'était pas malade comme Marceau qui devait soigner à Rennes une affection de vessie, ni comme Westermann à qui ses efforts « d'exterminateur » avaient valu deux hernies [1] que les adversaires de son ami Danton l'envoyèrent guérir le 5 avril 1794 sur l'échafaud. A lui, trois jours de repos ont suffi à remédier à ses fatigues et tant de résistance pourrait étonner dans un corps de si frêle apparence, si l'on ne se souvenait de l'endurance qu'il acquit dès l'enfance.

Chaussé de gros sabots, vêtu d'une blouse de bure, coiffé d'un bonnet de laine brune, il circule dans ses paroisses sous la garde de Dieu suivant son mot.

Il a porté le clinquant uniforme de Royal-Pologne, celui de garde du Roi, sauté dans l'épopée sous une redingote verte et un chapeau de haute forme piqué d'une belle plume blanche. Et voici que sous la bure paysanne, il entre de plain-pied dans la légende. Il est l'Insaisissable, le Chevalier aux cent exploits enlevé brusquement à la scène des grandes batailles, ravi comme par la volonté d'une puissance supérieure à l'heure des inéluctables destins à ceux qui ont trop longtemps dédaigné le héros providentiel dont une main protège l'introuvable retraite. Evanouie, la jeune et fière silhouette de cavalier que l'on voyait « partout » et dont la vision remplissait à la fois de haine, de terreur et d'ivresse ; évanouie, mais en laissant intacts les sentiments qu'elle provoquait. Sa disparition en a seulement fait naître un autre : le regret. Jamais plus qu'en

---

1. Lettre de congé délivrée par Marceau à Westermann, le 9 nivôse sur le vu du certificat de l'officier de santé constatant que « cet officier est attaqué de deux hernies qui le menacent de l'estropier pour toujours, s'il ne cesse de monter à cheval ». Archives nationales, VV, 1 *b* 342, n° 648, citée par Baguenier-Désormeaux, *Documents*, p. 246.

ce moment il ne fut désiré par la haine et l'amour, et son apparition tant souhaitée à des titres opposés n'est donnée qu'à un petit nombre de privilégiés de l'un et l'autre parti. Le privilège des Bleus comporte toujours les mêmes risques. Ceux qui se heurtèrent aux Cerqueux le 31 décembre à son rassemblement effectué dans le bois de Boissière purent s'en apercevoir ; mais ce privilège cause encore des déceptions. Attaquée le lendemain par des forces accourues de Bressuire et d'Argenton [1], l'armée du brigand légendaire s'évaporait dans un éparpillement prompt comme l'éclair et lui-même disparaissait à la manière d'un fantôme.

Mais quel bonheur pour ceux qui le possèdent ! Dans le bois du Moulin-aux-Chèvres, un léger pétillement se fait entendre, une faible lueur surgit dans la nuit, filtre à travers les arbres environnants. Un bivouac ? Que non pas ! Une désobéissance dont l'auteur n'est autre que Joseph Bonnin, de Saint-Amand-sur-Sèvre [2]. Il fait si froid que, malgré la défense d'allumer du feu, on n'a pu résister au désir de faire griller du lard. On a fabriqué des brochettes et tous les bras sont à présent tendus vers la flamme. Alors des pas précipités ont bruissé. Un homme, Stofflet, est déjà sur le pauvre feu de camp, dont il disperse les tisons à grands coups de pied. Les figures se font tristes sans être résignées cependant, car, sitôt Stofflet parti, on rapproche les tisons et les brochettes reprennent leur position. Des pas encore. Les figures un instant inquiètes s'éclairent, vite rassérénées. C'est Monsieur Henri. Lui ne se met « jamais » en colère. Il ne donne pas de coups de pied dans les tisons, ne punit pas, ne frappe pas. Il gronde, mais si gentiment : « C'est mal, ça, mes enfants ; vous pouvez compromettre notre posi-

---

1. Pierre Devaud, *loc. cit.*, p. 53. Le manuscrit de Pierre Devaud offert au comte de Chambord fut déposé à la bibliothèque du château de Frohsdorf.
2. Une blessure à la cuisse avait empêché Bonnin de prendre part à la campagne d'outre-Loire.

tion avec votre farce. Comment, toi, Bonnin, que je croyais un modèle de discipline, tu t'oublies ainsi ? »

Bonnin qui dévore des yeux Monsieur Henri a une forte envie de rire en voyant les regards concupiscents que son maître ne peut s'empêcher de jeter sur le lard : « Oh, tenez, Monsieur Henri, vous me faites l'effet d'avoir aussi grand faim que nous ; ne grondez pas si fort, nous allons partager avec vous. » Un sourire détendit les traits jeunes si précocement creusés par la douleur et l'amertume : « Tu me prends par mon faible, car depuis trois jours je n'ai guère avalé que la fumée de la poudre ; c'est égal, éteignez votre feu. Les parts sont déjà faites, il n'y en a pas pour moi. » — « Soyez sans inquiétude, protesta le bonhomme, ce qui est partagé n'est pas mangé, nous allons diminuer nos rations pour faire la vôtre. »

Ainsi fut fait et Monsieur Henri mordait à belles dents dans le pain et le lard. Bonnin était ravi. Le repas englouti, le feu éteint, la jeune voix qu'on aimait tant entendre reprit joyeuse : « Merci, mes enfants, vous m'avez rendu la vie. Vous n'y perdrez pas. On est allé chercher du pain à la Durbelière et quand il sera venu, je vous en donnerai. » Puis, sur le ton d'un collégien pris en faute : « Mais ne dites rien, car je serais blâmé si l'on savait ce que je viens de faire [1]. »

Ce trait charmant qui peint Monsieur Henri sur le vif est typique de la mentalité d'un siècle au long duquel on sut éminemment pratiquer « l'art de vivre ». Jusque dans l'affreux deuil de son âme, Henri reste tel que ses hommes l'ont connu, doux et familier, sans jamais se départir de cette dignité qui, nous dit Beauvais, « lui était naturelle », accessible au milieu même de sa souffrance qu'il sait parer d'un sourire.

**

---

1. Comte de Chabot, *Paysans vendéens*, p. 11.

La trêve dont jouit alors la Vendée ne fait que raréfier encore les apparitions de « l'Intrépide » devenu « l'Insaisissable », épaissir davantage le voile de mystère qui l'entoure. La guerre est virtuellement terminée dans la haute Vendée, où l'on chercherait en vain dix hommes rassemblés et en armes. Savary affirme que La Rochejaquelein lui-même ne réussirait pas à la ranimer à cette heure [1]. Ce n'est pas lui qui consentirait à troubler la passagère tranquillité des paysans. Caché dans la forêt de Vezins, en compagnie de ses trois compagnons, avec pour tout gîte des cahutes en branchages, il disparaît, s'efface dans une retraite quasi complète d'où il ne sort — croit-on — que pour faire la chasse à de petits détachements, enlever des convois à l'ennemi qui pille son pays sur une grande échelle, attaquer de petits postes, car on ne sait que retenir des anecdotes qu'on lui prête [2].

Un groupe le cherche cependant, et avec quelle ardeur ! Non pas d'ennemis, mais de ses anciens soldats. Des rescapés d'outre-Loire. De ceux-là qui, toujours au fort du danger, ne pourront jamais oublier le chef qu'ils ont contemplé dans l'épanouissement de ses talents et de sa gloire. Beaucoup le croient mort ; la plupart se lassent, ne sachant où le trouver ; seul un petit groupe d'une quinzaine d'hommes s'était lancé avec acharnement à sa recherche, décidé à le trouver coûte que coûte. Il était, il est vrai, entraîné par une femme, la fameuse Renée Bordereau dite Langevin, que sa laide et rude figure, ses manières masculines ne distinguaient pas du reste des soldats sous son accoutrement de cavalier, mais à laquelle il ne fallait rien moins que le cœur passionné de son sexe pour lui inspirer pareille tâche.

Après avoir passé la Loire sur des barriques, son cheval suivant à la nage, la « Jeanne d'Arc vendéenne », c'est le

---

1. Savary, *loc. cit.*, II, 484, et Beauvais, p. 233.
2. Selon une tradition de famille (archives du colonel de Beaucorps), il fut caché pendant un certain temps par un nommé Merle sous des « mouches de bois » (tas de fagots).

surnom qu'on lui a donné, s'était jointe à la troupe de
Pierre Cathelineau rencontrée à La Chaussère ; une bande
de six cents hommes déçus d'être arrivés trop tard au
bord de la Loire face à Ancenis pour secourir les rentrants
de galerne [1]. La prompte dissolution de la troupe de Cathelineau n'était pas de nature à refroidir l'ardeur de cette
fille et des gaillards qui la suivaient. Auprès d'eux, les
hommes de Pierre Cathelineau n'étaient que des anciens,
des territoriaux casaniers, déshabitués des grands chocs,
presque déjà refaits à la vie familiale, d'où ne les déran-
geait plus qu'une petite guerre de broussailles. Ils n'étaient
pas comme eux de la partie légendaire. Et tandis que ceux-là
se dispersaient, eux poursuivaient leur marche à travers
les Mauges, faisant sur leur passage des coups de main
insensés. Un peu avant le 21 janvier, leur étoile les
amenait dans la forêt de Vezins qu'ils commençaient à
fouiller.

« Qui vive ! » Monsieur Henri qui a vu des ombres
s'approcher de son campement a vite épaulé son fusil,
couché en joue les importuns. « Républicains ! » crie
Bordereau épaulant à son tour. Le mensonge eût pu coûter
cher. Mais Monsieur Henri avait reconnu la voix. Le
nom jaillit de ses lèvres : « Langevin ! » Son passé de
gloire dut lui remonter au cœur. Langevin était de cette
phalange de héros envoyés par lui à son passage à Dol
pour délivrer les prêtres enfermés au Mont-Saint-Michel. Il
s'avança vers les arrivants : « Qu'est-ce que vous voulez ? »
— « Vous-même, que nous cherchons, nous voulons faire
un rassemblement. » — « Vous êtes trop braves, mes
amis, je ne veux pas vous sacrifier, il n'est pas temps. »
Toujours le même laconisme, mais où, toujours, se reconnaît
l'homme « né pour être chef », le mot est de Mgr de Cabrières. « Nous vous soutiendrons avec courage jusqu'à la

---

1. Monnier, *loc. cit.*, p. 63 ; Pauvert, *loc. cit.*, p. 34 ; comtesse
de La Bouëre, *loc. cit.*, p. 135. La troupe de Cathelineau portée
à trois mille hommes (!) par Monnier est plus raisonnablement
ramenée à six cents hommes par Langevin.

mort [1]. » L'Insaisissable était forcé dans sa retraite, saisi, entraîné par les survivants de son épopée. « ... Et il s'en est venu avec nous », ajoute simplement Langevin au terme de son récit. Mais les lueurs rougeoyantes qui le 21 janvier embrasaient l'horizon lui prouvèrent « qu'il était temps ». « Les six divisions de l'armée de Turreau, partagées en douze colonnes infernales marchant toutes à la même hauteur et poussant l'ennemi du côté de la mer », imposaient le ralliement des condamnés à mort [2].

3

L'HEURE DE DIEU

2 pluviôse. En ce premier anniversaire de l'exécution du « tyran », la Vendée est ceinturée d'un rideau de flammes allumé par l'armée de l'Ouest enfin victorieuse. Elle a tant de défaites à venger ! Son heure est venue d'entreprendre à travers le pays des vaincus d'outre-Loire sa marche triomphale. Plus de « chocs » à craindre, plus d'attaques de masses, plus d'offensives meurtrières. Son action à elle-même en tant qu'armée sera une occupation pure et simple du terrain au cours de cette promenade

---

1. R. Bordereau, *Mémoires*, pp. 27-28.
2. De ceux qu'abritait le château de Clisson en mars 1793. Lescure disparut le premier, le 4 novembre 1793. Puis ce fut Mme de Durfort, l'abbesse de Saint-Auxonne faite prisonnière lors de la retraite d'Angers et fusillée avec sa servante le 5 décembre ; et ensuite M. d'Auzon pris à Blain avec son domestique et tous deux fusillés le 22, dans le même temps que périssait fusillé à Fégréac, près de Redon, Désessarts le père ; après lui, le marquis de Donissan et le jeune Désessarts pris à Ingrandes et guillotinés à Angers avec Angélique Désessarts le 8 janvier 1794. Enfin c'est Henri qui disparaît à son tour, tué le 28 janvier 1794. Marigny — assassiné par ses frères d'armes le 10 juillet suivant — clôt la liste de cette hécatombe. Seules survécurent (avec La Cassaigne), Mmes de Donissan et de Lescure mortes respectivement en 1839 et 1857.

qui enivre d'une joie monstrueuse la plus abjecte solda-
tesque, celle qui n'est bonne qu'à piller, violer, torturer,
brûler.

Car c'est seulement maintenant qu'on va brûler le pays
des brigands. Le tract fameux répandu à profusion sur
le passage de la grande armée brigantine d'outre-Loire
roulant vers le nord, « braves soldats vous avez mis tout
à feu et à sang sur le territoire des brigands... », n'était
qu'un mensonge destiné à détourner ceux-ci de revenir dans
leur pays, un piège dans lequel étaient tombés Talmont,
Bernier et avec eux quantité de paysans. Les effectifs
d'occupation étaient insuffisants, juste capables de tenir
les bourgs d'ailleurs vides de rebelles, ceux des insurgés
qui étaient restés se cachant dans les forêts ou les landes.
Impossible de songer au châtiment général tant qu'on
avait affaire à la redoutable masse qui parcourait la
Bretagne.

Ces flammes crépitant sur la périphérie du territoire
indiquaient que cette fois, on en avait fini avec ceux
d'outre-Loire. A Monsieur Henri, elles venaient rappeler
— douloureuse évocation — la justesse de ses prévisions,
sa clairvoyance, lorsqu'au soir d'Entrammes, il avait voulu
ramener dans ses foyers son peuple d'émigrants.

Tout un passé d'espoirs trompés, d'élans brisés, devait
lui apparaître à cette heure, rehaussé de couleurs violentes,
depuis les pitoyables capitulations du Roi au 10 août, le
refus du conseil d'entraîner sur Paris les vainqueurs de
Saumur, les longues semaines de juillet et d'août 1793,
gaspillées en besognes inutiles ou absurdes, jusqu'à l'anéantissement, par un entourage intrigant et jaloux, des magni-
fiques possibilités offertes par ses victoires en Bretagne
et en Normandie. Une existence de déceptions à laquelle
rien n'avait manqué, pas même « cette persécution incessante des gens qui ne comprennent rien » que Lacordaire
appelle « le crucifiement du chrétien ». Il avait tout sacrifié
au salut commun, sans songer à soi, sans rien sauvegarder
pour lui, fût-ce certaines apparences dont l'homme est si

jaloux. On l'accuserait — il n'en doutait pas — d'avoir abandonné son armée au Mans et Ancenis, violé la promesse faite à Bonchamps mourant de veiller sur ses orphelins et sa veuve, et le reproche serait d'autant plus infamant qu'il avait naguère déconseillé à sa protégée de tenter le passage du fleuve ailleurs qu'à Ancenis. C'était vraiment bien la peine d'avoir pratiqué jusqu'aux extrêmes limites le mépris de la mort « ce principe de la force morale [1] », d'avoir donné tant de preuves de ce sublime mélange de raison et d'exaltation qui sacre les grands conducteurs d'hommes, pour en arriver à subir, à la faveur des plus trompeuses apparences, les condamnations les plus injustifiées.

La mort. Plus que jamais il la désire. Mais il sait « que l'homme ne peut pas au moment où il le veut se sacrifier, qu'il est obligé de subir une foule de maux, qu'il doit attendre l'heure de la Providence... » Aussi, quoi qu'en prétende Gibert et tant d'autres, loin qu'il ait jamais « cherché partout » la sombre libératrice, l'a-t-il fui chaque fois qu'elle eût pu compromettre son honneur et son âme, « ces deux grands biens de Dieu ». Mais elle venait enfin, il la sentait inévitable cette fois ; il percevait son frôlement. Dès son retour dans ce pays vendéen, « prévenu près d'un mois à l'avance par des officiers bleus honnêtes gens, que des colonnes devaient passer pour tout brûler [2] », il l'avait pressentie certaine. Il l'avait dit à sa tante, et cette perspective de la prochaine délivrance illuminait l'immense *taedium vitae* qu'il traînait depuis si longtemps. Son âme saturée de dégoût allait donc rejoindre l'innombrable armée des saints de France dont cette horrible époque venait d'enrichir incroyablement le martyrologe. Etait-elle digne de les rejoindre, assez baignée dans les épreuves ? Avait-il assez mérité la suprême récompense ? Lui, le chef de tous ?

1. Lacordaire, 3e Conf. de N.-D., 1854.
2. Beauvais, *Mémoires*, p. 232.

Il ne reste à Monsieur Henri qu'à défendre et venger des foyers dépeuplés. Pauvre débris de son rêve gigantesque. A cette tâche, il emploiera toutes les ressources de son habituelle ingéniosité, de ce même génie toujours tendu vers le même but victorieux. Dominant les catastrophes et les deuils, il s'agrippe aux occasions, aux moindres espérances, aux difficultés même, afin d'être toujours à la hauteur des événements.

L'effrayant incendie allumé par les colonnes infernales tendait une fois encore vers lui toutes les pensées. De la forêt de Leppo, sise au nord-ouest de Beaupréau, à moins de seize kilomètres du bourg de Liré, Beauvais, terré en compagnie de plusieurs paysans qui n'osaient plus rester chez eux, avait surgi le 22 janvier avec une escorte « de quatre hommes des plus braves » décidés à savoir « ce qu'étaient devenus La Rochejaquelein, Charette ou d'Elbée, etc. » Mais c'est vers le Bocage qu'il dirigeait instinctivement ses pas. « Après quelques marches », il découvrait le gîte de son cousin La Bouère, de Cathelineau et de Beaurepaire, déguisés comme lui en paysans. Cette rencontre, de nature à le réconforter, se transformait vite en conseil de guerre. On s'empressa de rédiger des convocations, ordonnant un rassemblement général à la poterie de Tilliers, au sud de Leppo ; puis, les quatre officiers se séparaient pour aller procéder à des rassemblements partiels, Beauvais à Leppo, Cathelineau du côté du Pin, La Bouère vers Jallais et les Cabournes. Non loin de Beauvais, à trois lieues de son repaire, les frères de Bruc en faisaient un autre au bourg de La Regrippière ; d'autres se formaient dans le Bocage à Cerizay, sous Richard, au Voide sous le capitaine Aubé, à Gonnord sous Binet. Une fourmilière de petits rassemblements s'ignorant merveilleusement « les uns les autres ». Dans son suprême soubresaut, la Vendée mourante reproduisait les phénomènes, les réflexes de sa grande insurrection de mars à laquelle Beauvais n'avait point assisté. Oui, la Vendée mourante, car que peuvent apparemment contre les six divisions de l'armée de l'Ouest ces pauvres résistances isolées ?

Turreau l'a si bien compris qu'il a poussé d'une traite dans la journée du 21 janvier, de Doué-la-Fontaine jusqu'à Cholet, à la tête de sa seule cavalerie, sachant bien qu'il n'avait rien à craindre. Mais, si épaisse que fût sa cervelle, il n'en connaissait pas moins la nécessité d'agir rapidement s'il voulait empêcher l'agglomération des rassemblements.

La Bouëre et Pierre Cathelineau ne perdaient certes pas leur temps. Le 23 janvier, ils arrivaient prendre possession de recrues en lisière de la forêt de Saint-Lezin dans la lande des Cabournes. Quel ne fut pas leur étonnement d'apprendre la présence toute proche du Chevalier de légende, là, dans le bois de Saint-Lezin ! Une joie folle les poigna. Sur-le-champ, ils renvoyèrent leurs hommes : « Allez racoler tout ce qui est en état de se battre, hurlaient-ils ; ici, aux Cabournes, demain, vous verrez à votre tête celui qui a commandé la Grande Armée. » Comme si le nom du héros, clamé, répercuté aux quatre coins des Mauges eût été capable de faire surgir encore des forêts et des landes d'innombrables soldats.

Le héros, lui, s'applique comme naguère à tirer parti des ressources. Dès la vision de ce ciel embrasé, il s'est employé avec ardeur à recruter, à rassembler les paysans épars en vue d'une rapide agglomération. Comme toujours, il a saisi d'instinct l'urgente nécessité de l'heure.

Au sortir de la forêt de Vezins, il a couché dans une ferme des environs de Trémentines, tout habillé avec Stofflet, sur le lit du fermier, ses hommes étendus par terre autour de lui [1]. Le lendemain, il a rédigé force convo-

---

1. Sapinaud de Bois-Huguet, *Nouvelles notices sur la Vendée. Récit écrit sous la dictée du capitaine Bloin, de Trémentines*, p. 46. Bibl. de Nantes.

cations pour les Cabournes et Vezins [1]. Il est soucieux
d'éviter l'éparpillement mortel des rassemblements par la
création de deux centres de ralliement. Mais il faut agir
avec rapidité, si l'on veut devancer les colonnes infernales.
Aussi les deux chefs ont promptement foncé dans leurs
zones respectives de Saint-Aubin et de Maulévrier, secondés
par leurs hommes transformés en recruteurs. C'est au cours
de cette tournée que Monsieur Henri a fait sa dernière
visite à la Durbelière. Il a exécuté, dans ses ruines encore
visitées par la torche, le chef des incendiaires, est remonté
en hâte vers le nord-est jusqu'à Saint-Paul-du-Bois, où
Stofflet ne tardait pas à le rejoindre. Il est allé en
l'attendant abattre de sa propre main d'un coup de fusil
le curé constitutionnel de la paroisse — espion acharné —
dans le jardin de son presbytère. Et vite on s'était porté sur
Vihiers, d'où les deux chefs expulsaient la garnison laissée
par Turreau le 21 janvier. Enfin, le 23, ils étaient parvenus
dans le bois de Saint-Lezin, pour y rallier leur rassemblement des Cabournes fixé au 24. C'est ainsi que les
hommes de La Bouère, convoqués au même lieu par une
extraordinaire coïncidence, avaient appris la nouvelle de
la prochaine venue de Monsieur Henri. Saint-Lezin est
tout proche de La Jumellière où parvenait le jour même
de l'arrivée de Henri à Saint-Lezin la colonne incendiaire
numéro 5 commandée par le général Cordellier [2].

Le 24 janvier au soir, devant un rassemblement évalué
à un millier d'hommes, le paladin si violemment désiré
par les « condamnés à mort » apparaît enfin. Comme au
jour fameux du départ pour l'épopée, il est à pied [3]. Il
est affublé « d'un habit bleu couvert de galons [4] », d'une
culotte également bleue garnie de peau ; l'uniforme d'un

---

1. Sapinaud de Bois-Huguet, *loc. cit.*
2. Savary, III, 65.
3. Et non à cheval comme l'écrit M. de La Bouère qui prend
souvent ses désirs pour la réalité. Cf. Pauvert, *Souvenirs*
publiés par le comte de Saint-Saud, p. 35.
4. Rapport de Moulin à Turreau.

officier de la République, avec sa coiffure, mais sans la cocarde. Avec ferveur, les oreilles et les cœurs écoutent les adjurations de leur archange. Les yeux le dévorent avec amour et personne sans doute ne songe plus à l'armée de Cordellier toute proche. Qu'importent les brûleurs, les bourreaux, les bandits ! « Il » est là.

A cette heure, la colonne numéro 2, celle de Grignon, est désespérée de ne pas « le » trouver, après avoir fouillé méthodiquement, soigneusement, le pays du « scélérat ». Grignon est navré. « Nous ne pouvons pas découvrir La Rochejaquelein ! » écrit-il à Turreau. Le mieux est que Cordellier n'aurait pas été en mesure de lui « en » donner des nouvelles, bien qu'il en fût tout près et que Monsieur Henri se pavanât même dans l'uniforme d'un de ses officiers. Mais il eût en revanche trouvé Cordellier furieux, et il y avait de quoi. Prévenu le 23, par deux patauds de Chemillé, « qu'il existait des rebelles dans le bois de Saint-Lezin », il avait pris bonne note du renseignement, renvoyé les deux espions dont l'un n'était autre que le curé Thubert, l'intrus de Chemillé, sous la garde de deux hussards. Puis, il avait vu Thubert revenir seul, affolé, en racontant que son compère venait d'être arrêté par vingt-cinq hommes en armes, dans la partie du bois bordant la route, « sans qu'il ait été tiré un coup de fusil ». Cordellier dut ouvrir de grands yeux. Et les deux hussards ? Tout ça n'était pas clair. « Mettant de côté le citoyen Thubert dont le compte lui semblait bon », il avait aussitôt envoyé une patrouille avec deux officiers. De la patrouille rien n'était revenu, ni officiers ni soldats. La farce tournait au sortilège. Un sortilège dont l'auteur n'était autre que Monsieur Henri qui, embusqué avec son meilleur tireur, avait fait rouler simultanément les deux officiers de leur monture et provoqué par cette double suppression la fuite de leurs hommes vers Jallais. C'était l'uniforme de l'un des deux morts qu'il avait revêtu, à la demande de ses hommes navrés de voir leur chef bien-aimé vêtu comme eux en paysan.

Cordellier devait chercher en vain la clef de l'énigme. Le matin du 25, « au jour perçant », Monsieur Henri entraînait sa nouvelle armée vers Neuvy-en-Mauges, à l'ouest, traversait le bourg de Saint-Lezin deux heures avant l'arrivée du général républicain, puis gagnait le moulin de Grouteau, sur la petite rivière de Jeu, où venait l'attaquer un bataillon de la sixième division républicaine, celle de Moulin, en station au bourg voisin de Sainte-Christine. Une fausse attaque. Les bandits détalent vers Saint-Laurent-de-la-Plaine dès qu'ils voient charger Monsieur Henri. Saisi de cette escarmouche, le général Moulin, en station à Saint-Aubin-de-Luigné, se hâte de pousser vers Saint-Laurent, aussi vite qu'il lui est possible. Mais Monsieur Henri, revenant sur ses pas, jusqu'à Sainte-Christine, s'est de là rabattu vers l'est en direction de La Jumellière, d'où Cordellier vient justement de partir après l'avoir vidée de ses vivres, puis incendiée. Dans un pré voisin gisent pêle-mêle les cadavres du maire, le citoyen Catrou, des municipaux en écharpes tricolores, de l'espion Thubert et de plusieurs paysans, femmes, enfants, soixante victimes en tout. Henri n'arrête sa troupe qu'à l'entrée des bois de Chemillé « dans une clairière [1] ». Il est à présent derrière la colonne de Cordellier qui continue sa marche vers le sud par Saint-Lezin, les Cabournes et Jallais, sans aucun soupçon.

Les hommes, exténués, mais ravis, suivent leur chef ; on vient de battre les bandits, on les battra encore. Se battre est leur affaire. Ils ne voient que le détail, si l'on en juge par la lecture des Mémoires de Pauvert, de Bordereau ou de Monnier. M. de La Bouëre lui-même ne paraît pas avoir saisi le but de La Rochejaquelein qui vient, avec ses douze cents hommes, de se glisser entre deux colonnes.

Dans cette nuit du 25 au 26, des recrues inattendues se présentent à son bivouac, une centaine d'hommes, tous

---

1. Comte de Quatrebarbes, *Une paroisse vendéenne sous la Terreur*, Chanzeaux, p. 283 ; Bordereau, p. 28 ; Pauvert, p. 35.

armés de fusils et conduits par un enfant de dix-neuf ans, le jeune Vallée de Chanzeaux, un des expéditionnaires d'outre-Loire, ou rentrant de galerne, mais qui, lui, revient de Savenay. C'est un témoin du désastre final consommé le 23 décembre, l'un des glorieux acteurs de la dernière bataille d'outre-Loire, car il fallait qu'avant de mourir, Monsieur Henri connût dans ses détails le sort de son autre Vendée, l'errante, écrasée après deux heures d'une lutte sublime, massacrée, dispersée, raflée sauvagement. Oh ! cette rafle infernale des femmes et des enfants !... Un nom entre tous dut lui déchirer le cœur. Qu'étaient devenus Mme de Bonchamps, Hermenée ? Que de spectres durent lui apparaître au cours de ce bivouac « silencieux » comme une veillée funèbre. Ni Vallée, ni Pauvert, ni Langevin ne disent cependant qu'on l'ait vu pleurer. La lutte nouvelle l'absorbait tout entier, elle avait pris le meilleur de lui-même, captivait son âme et son esprit insensibles à cette heure à tout ce qui n'était pas sa tâche. La tâche voulue par le devoir et par les morts.

Et le lendemain matin, dès l'aube, ce fut Chemillé. Chemillé emporté avec ses six cents républicains de garnison et ses huit postes confiés par Cordellier au commandant Richard, l'escadron de l'avant-poste de Salbœuf, décimé, huit cents femmes qui devaient être massacrées à huit heures du matin, délivrées à sept heures et demi [1], les assassins poursuivis trois lieues sur la route de Cholet. C'est Henri qui a tué la première sentinelle, emporté Salbœuf en tuant à la file huit à dix dragons, lui qui a poursuivi les fuyards, suivi seulement de Stofflet et des deux frères Loyseau. Sa victoire sur la souffrance morale en le rendant à lui-même le restitue inaltéré aux siens. La Grande Armée n'est plus, la terre natale est envahie, son peuple décimé, mais sa tâche n'est pas finie puisqu'il vit et qu'il y a les survivants.

Enfin le voici monté. Il a une cavalerie. Trente chevaux de dragons ; pas plus. Par son ordre, on a coupé les

1. Bordereau, loc. cit., p. 29.

jarrets aux autres bêtes pour les mettre hors d'état de servir. Puis, vers quatre heures, il a entraîné sa troupe vers la forêt de Vezins par Saint-Georges-du-Puy-de-la-Garde et Trémentines [1].

Au passage à Vezins, une lumière brille dans une maison. Le corps de garde républicain est là, en train de souper. La porte s'ouvre, livrant passage à un officier de hussards, de haute taille. « Bonjour, vous mangez la soupe. » Le caporal, en train de porter sa cuiller à sa bouche, n'eut pas le temps de répondre, il s'écroulait foudroyé. Une irruption de quinze à vingt brigands suivie d'une fusillade assourdissante. Les Bleus qui occupaient les maisons voisines accourent au bruit. Ils ne trouvent que des cadavres. Les brigands se sont évanouis avec la promptitude de l'éclair. Pendant deux jours, on ne les verra plus.

Mais le coup est porté. La prise de Chemillé a produit l'effet voulu sur Turreau, dont la chasse faite aux brigands par ses colonnes « dans une immense circonférence » ne faisait d'ailleurs que les « ramasser par la chasse qu'on en faisait » et contribuait à les réunir « par l'effet même du mouvement en une masse qui devait être terrible [2] ». A Cholet, Turreau est rempli d'inquiétude. « Les rassemblements sont donc agglomérés ? »

Monsieur Henri s'est transporté dans son autre centre de mobilisation, celui de la forêt de Vezins. Cette région est de beaucoup la plus éprouvée par les colonnes infernales, littéralement embrochée, enlacée de toutes parts. Les petits rassemblements ont été repoussés et dispersés. Il lui faut pourtant des recrues quand il reviendra là-bas vers le

---

1. Rapport de Hentz et Francastel.
2. Lettre de Chaud, chef de bataillon du 67e de ligne en station à Chemillé, datée du 27 janvier : « Les brigands sont partis d'ici hier à quatre heures. » Cf. aussi Pauvert, *loc. cit.*, p. 35 et Monnier.

nord-ouest. En hâte il a dépêché Vallée vers les Mauges avec mission de dénicher les petits rassemblements demeurés épars entre Saint-Florent et Beaupréau. Qu'est devenu Beauvais avec son rassemblement dans son repaire de Leppo ?

Il avait hâte d'accourir à nouveau vers le nord des Mauges, pressentant que c'est de là que partirait la délivrance du pays martyr. Stofflet s'obstinait, espérant des recrues d'Yzernay et de Maulévrier, sans même voir que ces recrues étaient coupées par la colonne de Grignon échelonnée sur la route de Vezins (l'état-major campait même à Maulévrier) et dans l'impossibilité de rejoindre. Deux jours et deux nuits très fatigantes dans ce séjour épouvantable, sous une pluie torrentielle. Le jeune Nicolas, fils d'un capitaine de paroisse, racontait plus tard que « l'eau qui ruisselait sur la figure de Monsieur Henri semblait de grosses larmes qui coulaient de ses yeux » ; et pas moyen d'allumer du feu ; puis le 27, il fallait se garer d'une patrouille envoyée par Grignon pour fouiller le bois, se retirer dans le taillis de la Valonnerie. On était découvert.

Enfin, le 28 janvier au matin, la petite troupe, augmentée « d'un renfort » à qui cette longue attente a permis d'arriver, s'extrait péniblement de la forêt de Vezins à travers les ruisseaux gonflés d'eau, pour aller rejoindre le rassemblement de Poirier de Beauvais qui — elle vient de l'apprendre par ses coureurs — a pleinement réussi du côté de Tilliers. Précédée d'éclaireurs qui l'avaient avertie qu'un groupe de Bleus ravageait le bourg de Nuaillé, elle débouche sur la « grand-route » de Saumur à Cholet, un peu en avant de Nuaillé, s'y engage, la dévale en direction de ce bourg « où l'on ne doit absolument que passer » pour prendre ensuite à travers champs vers Saint-Macaire[1]. Il faut faire vite. On est sur « une voie dangereuse où les Bleus circulent sans cesse », une voie sanglante

---

1. Lettre adressée en juin 1840 par la comtesse de La Bouëre à la marquise Louis de La Rochejaquelein. Archives de Clisson.

surtout, jonchée qu'elle est « depuis Vihiers jusqu'à Cholet, de cadavres... Partout les champs voisins du grand chemin étaient couverts de victimes égorgées. Dans les maisons éparses, à moitié brûlées, des pères, des mères, des enfants de tout âge et de tout sexe, gisaient baignés dans leur sang, nus, et dans des postures que l'âme la plus féroce ne pourrait imaginer [1] ». C'est un républicain qui a écrit cela. On devine la fièvre de colère envahissant Monsieur Henri tandis qu'il galope sur cette route. Quelle saisissante évocation des massacres du Mans !

La petite troupe arrive en trombe dans Nuaillé, s'y heurte à « une escouade d'incendiaires » que cette irruption saisit d'épouvante. Les Bleus qui se trouvaient dans les rues fuient à toutes jambes, vers Cholet, poursuivis par « les éclaireurs » de la troupe royaliste. La scène avait été si rapide que La Bouëre en entrant dans le bourg n'aperçut qu'un fuyard, de la quinzaine que poursuivait l'avant-garde. Henri s'est élancé à la suite de ses cavaliers, suivi de La Ville-Baugé, laissant à Stofflet et La Bouëre le soin de nettoyer le bourg. Plus tard, M. de La Bouëre devait écrire, dans les notes publiées par sa belle-fille (si différentes des explications données dans le privé à la veuve de Lescure [2]) : « M. de La Rochejaquelein, impatient de faire quelque chose, nous quitta pour les suivre. » Un peu de réflexion suffit pour comprendre le geste de Henri, soucieux de ne pas laisser échapper un seul des fuyards. Qu'un seul réussisse à gagner Cholet, à donner l'alarme au grand quartier général républicain tout proche,

1. Rapport de Beaudusson, agent en chef des subsistances militaires. Chassin, IV, 261.
3. Peu de récits des circonstances de la mort et de l'inhumation de Monsieur Henri sont aussi sujets à caution que celui publié par Mme de La Bouëre dans les *Souvenirs* de sa belle-mère (Plon, 1890). J'ai pu le constater à la lecture des sept lettres écrites à ce sujet par M. et Mme de La Bouëre à la marquise de La Rochejaquelein (l'auteur des *Mémoires*), devant toutes les contradictions que comportent les explications embrouillées fournies par les deux époux aux questions précises de leur correspondante.

sa petite armée est écrasée, et d'autant plus facilement que, de l'aveu même de La Bouëre, elle cherchait à éviter tout combat en raison même de sa fatigue.

Devançant ses fantassins, il pousse son cheval vers la tête de la colonne que mène d'un train d'enfer le cavalier Piquet, un ancien déserteur bleu. Les fuyards rejoints, traqués, tombent les uns après les autres. Bloin [1], le capitaine de Trémentines, en tue deux pour sa part, Loyseau, du même village, également deux [2], et se lance à la poursuite d'un troisième qui saute dans un champ bordant la route.

Monsieur Henri près de qui galope La Ville-Baugé s'attache au dernier, un grand diable de grenadier qui file comme le vent. La Ville-Baugé soutient ses foulées, car Henri a échangé « son cheval qui était petit, mais qui semblait voler, avec le sien » qui n'a d'autre avantage que de convenir mieux aux grandes jambes de Henri, mais se trouve en revanche « équipé d'une manière plus brillante [3] ». Le grenadier, « exténué de fatigue » et sur le point d'être rejoint, franchit la haie, se jette à son tour dans un champ « moitié pré et moitié ensemencé », court se réfugier sous des arbres. Il se heurte à Loyseau en train d'y « exploiter » son « troisième » et dernier fuyard. Il se retourne pour voir déboucher ses poursuivants dans le champ : Monsieur Henri, La Ville-Baugé, La Guéronnière, d'autres encore. Il est perdu.

Mais Henri vient d'élever la voix : « Rends-toi ! rends-toi ou tu es mort ! » Loyseau a entendu le cri de grâce, l'ordre... suprême du chef, non seulement lui, mais Bloin, Braud, Menier ainsi que tous ceux qui étaient présents, et les prétentieuses dénégations de « l'absent » La Bouëre sur ce point n'y peuvent rien. Tous ont suspendu leurs coups. Le grenadier s'avance, faisant « semblant de se

---

1. Bloin, *Récit dicté à Sapinaud de Bois-Huguet,* p. 48. Nouv. Not.
2. Monnier, p. 66.
3. Bloin, *loc. cit.*

soumettre [1] ». En face de lui, le héros légendaire, l'archange vengeur, demeuré pitoyable jusqu'en cet enfer de meurtre, vient de « s'arrêter [2] », respectueusement imité par La Ville-Baugé [3]. « L' » a-t-il deviné, lui le soldat de la Haine ? D'un geste brusque, il épaule son fusil, « paraît viser d'abord La Ville-Baugé et tout à coup dirigeant le canon vers La Rochejaquelein tire [4]... » Une giclée de sang éclabousse La Ville-Baugé [5]. Le corps de Henri chancelle, se renverse dans les bras de La Guéronnière [6]. Le meurtrier n'aura pas la cruelle satisfaction de cette culbute hideuse des exécutés. Pour l'archange la mort se fait majestueuse, comme si elle voulait corriger sa brutale accolade par un redoublement d'égards.

Doucement, La Ville-Baugé et La Guéronnière l'ont descendu de cheval. Ils le soutiennent dans leurs bras. Une blessure horrible. La balle a crevé l'œil droit, fait éclater le pariétal par où s'échappent des débris de cervelle. Et du sang, du sang qui s'échappe en quantité de cette tête fracassée, inonde les mains, les vêtements des deux chefs..., avant de couler sur la terre. Non. Ni les morts glorieuses de Bonchamps, de Sapinaud et de Baudry d'Asson, ni les morts dolentes de Cathelineau, de Lescure et de Royrand, ni les morts de martyrs de d'Elbée, de Donissan et de Talmont, plus tard de Stofflet et de Charette, ne peuvent soutenir la comparaison avec cette mort ni glorieuse ni dolente, à peine celle d'un martyr, celle d'un héros des légendes épiques.

Dans le bourg de Nuaillé où Stofflet achevait de vider « par les fenêtres » les quelques maisons infestées de Bleus, un cheval — c'est Coulon qui rapporte le fait —

---

1. Monnier, *Mémoires*, p. 66 (qui tient le fait de Loyseau). Pauvert, *Souvenirs*, p. 36 ; Bloin, *Récit dicté à Sapinaud de Bois-Huguet*, loc. cit.
2. Bloin, *loc cit.*, p. 48.
3. *Ibidem.*
4. *Ibidem.*
5. Note du petit-fils de La Ville-Baugé.
6. *Le Courrier de la Vendée.*

venait d'apparaître sans cavalier, les étriers ballants. Le cheval du mort. « Monsieur Henri est tué ! » s'écria Stofflet. Les messagers n'arrivèrent qu'après le cheval.

Stofflet sanglotait comme un enfant. Quand il arriva [1] la féerie de la mort avait pris fin. Le cadavre gisait appuyé contre une haie, sa tête sanglante atrocement coiffée de son chapeau auquel on avait mis une cocarde tricolore. La tragédie avait revêtu son hideux réalisme.

Qui Stofflet trouva-t-il autour du mort ? Loyseau et ses camarades avaient couru à la poursuite du meurtrier ; puis après l'avoir mis « en morceaux [2] à coups de sabre » étaient partis sur le bruit de l'arrivée d'une colonne républicaine. La Ville-Baugé tournait les talons à la seule présence de Stofflet qu'il détestait. Les témoins de la mort s'étaient retirés ou se retiraient devant Stofflet comme on fait place aux hommes chargés de rendre les derniers devoirs à ceux qui ne sont plus. Mais que faire ? Les Bleus tout proches pouvaient survenir. Il y avait l'armée qu'on ne pouvait laisser plus longtemps à Nuaillé. Il y avait le mort, le mort que Stofflet entendait arracher aux profanations possibles. Sa décision fut vite prise. Il ordonna de dévêtir vite le cadavre [3] qui fut étendu nu dans le champ même où il avait été tué, contre la haie. Pauvert a raconté que Stofflet lui barbouilla la figure de terre pour le rendre méconnaissable. La vérité est plus affreuse. Avec son sabre, il taillada la figure du mort, « si bien qu'un de ses hommes survenant à ce moment ne put le reconnaître ».

... Vers une heure et demie, les postes avancés de la troisième colonne entendant battre la charge prévenaient Grignon qui se portait aussitôt sur les routes d'Argenton et de Vezins, sans rien découvrir. Le même jour des espions

---

1. La Bouëre ne l'avait pas accompagné.
2. Monnier, *loc. cit.*, p. 66.
3. Pauvert, *loc. cit.*, p. 36. Témoignages recueillis sous la Restauration par la marquise Louis de La Rochejaquelein. Notes manuscrites, t. I, p. 322. Arch. de Clisson.

l'avertissaient « que La Rochejaquelein et Stofflet étaient dans le bourg de Trémentines sur les deux heures et qu'on ignorait sur quel point ils devaient se porter ». L'armée d'Anjou continuait sa marche vers Saint-Macaire, vers Tilliers, vers le nord des Mauges ; ceux qui savaient, raidis dans leur douleur par une consigne implacable de silence [1]. Ainsi l'exigeait Stofflet ; le silence gardé sur ce mort, terreur des Bleus, devant servir le plus longtemps possible, disait-on, à gagner des batailles...

... Et à protéger son corps, pensait Stofflet à part soi : à le protéger jusqu'à mon retour victorieux [2]. Un mystérieux accord, un concours de soutien mutuel venait de s'établir entre le mort et son armée. Lui, d'autres morts, ceux qu'il avait vengés, le protégeaient à condition que fût tenue la consigne de silence. Il n'était pour les Bleus qu'un cadavre comme tant d'autres dans cette jonchée de « victimes égorgées et nues » qu'il avait pu contempler dans sa course rapide sur Nuaillé ; pour Stofflet, une dépouille sacrée dont il avait fallu lacérer la belle tête pour la rendre méconnaissable, mais à laquelle ce frère en héroïsme promettait en son cœur de rendre les derniers devoirs. Le sort du mort comme le sort de l'armée, indissolublement liés l'un à l'autre, ne dépendaient que d'un secret religieusement observé, sacré comme un serment.

Monsieur Henri pouvait mourir après sa victoire de Chemillé. En effet. « A la nouvelle de ce succès le général républicain ordonnait aux quatre colonnes de sa droite de s'arrêter, laissait les quatre du centre à Cholet,

---

1. Le silence fut d'autant plus facile à garder que sa mort avait eu peu de témoins.
2. En 1840, la comtesse de La Bouëre écrivait à la marquise de La Rochejaquelein : « Ce qu'il y a de certain, c'est que dans le moment même, il (Monsieur Henri) ne put être inhumé. »

se portait avec deux de la gauche sur Tiffauges et poussait Cordellier avec deux autres sur Gesté. La marche du général en chef n'éprouva pas d'obstacles du côté de Tiffauges, mais Cordellier dut livrer trois combats (nous le verrons bientôt) avant de parvenir au point assigné. Après quoi « Turreau ayant refoulé les Vendéens entre Loire et Cholet perdait son objectif de vue et ordonnait à Duquesnoy de faire volte-face vers Charette. C'est ce qui laissa à Stofflet le temps de se reconnaître ». Telle est l'appréciation du général Jomini, ancien chef d'état-major du maréchal Ney, dans son *Histoire critique des guerres de la Révolution* [1], l'un des plus éminents tacticiens de son temps, sur les conséquences de la journée de Chemillé.

Ainsi le généralissime d'outre-Loire, si étrangement soustrait et contre son gré au sort de son armée, déchiré de n'avoir pu partager le sort des derniers de ses braves, avait fait œuvre plus grande et plus humaine que s'il eût cherché un trépas inutile au-delà du fleuve.

4

LES HOMMAGES D'UN TRIPLE AMOUR

A Mme de Bonchamps qui n'avait pas suivi les débris de l'armée d'outre-Loire, lors de son départ d'Ancenis, était réservé un douloureux calvaire. Etrange destinée que celle de cette veuve héroïque dont s'était épris — nous dit Mme de Lescure — le Chevalier de légende, errante sur les bords de la Loire entre Ancenis et Saint-Herblon. Tour à tour hébergée par une de ses anciennes femmes de charge, un fermier compatissant, puis réduite à l'asile d'un creux

---

1. T. IV, p. 266.

d'arbre, elle avait, dans ce dernier réduit, gardé deux jours dans ses bras le cadavre de son fils mort de la variole noire, avant de réussir à l'enterrer dans le cimetière de Saint-Herblon. Enfin, des hussards la ramassaient dans le courant de janvier, pauvre chose douloureuse, échouée dans un fossé, sa fille entre ses bras, et l'amenaient à Ancenis. En quel état ! Pas si méconnaissable toutefois que les sept « officiels » chargés de l'interroger ne la reconnussent.

Aucune injure à son adresse. Nul ne cherchait « à approfondir la conduite » de celle qui avait semblé être l'élue du paladin. Seulement une « curiosité » intense. C'était elle. La « protégée » de l'Insaisissable. On ne pouvait se priver de lui pousser une pointe et celle-ci vint : « La Rochejaquelein est un lâche de vous avoir abandonnée, après la promesse qu'il avait faite à votre mari mourant ! » La réponse jaillit de ses lèvres, digne de celui qui l'avait aimée : « M. de La Rochejaquelein ne m'a point abandonnée, mais les soins indispensables qu'exigeait son armée nous ont forcés de nous séparer. » Puis, crânement, simplement, comme si tout l'héroïsme de son protecteur eût passé dans son âme, elle laissa tomber « ces propres paroles [1] » : « Au reste, si M. de La Rochejaquelein était ici, lui seul vous ferait trembler tous les sept. »

Devant elle s'ouvrait la prison, la condamnation à mort, la mort même à laquelle elle ne devait échapper que par miracle. Elle aussi savait être à la hauteur de sa tâche... comme celui dont elle venait de défendre l'honneur au péril de ses jours.

Aux soldats de Monsieur Henri incombait le soin d'accomplir la suprême volonté exprimée par le mort neuf mois plus tôt dans la cour de la Durbelière : « Si je meurs, vengez-moi ! » Le venger, non par de cruelles représailles,

---

1. Marquise de Bonchamps, *Mémoires*, p. 62.

mais, comme il voulait l'être, par des victoires libératrices.
Dès le lendemain 29 janvier, ils en commençaient l'exécution, en battant à Saint-Macaire la troupe du chef de
bataillon Dreulhe. Le 30, ils étaient à Tilliers.

Une victoire venait au-devant d'eux. Pierre Cathelineau
et Beauvais qu'ils ralliaient en ce lieu s'étaient rendus
maîtres de Gesté. Une véritable armée est à présent
constituée. Stofflet l'entraîne à Gesté, l'y laisse un instant
pour aller, le 1ᵉʳ février, à La Regrippière prendre le
rassemblement des frères de Bruc (plus de six cents
hommes). Une fusillade éclate en son absence. La colonne
de Crouzat vient de chasser les royalistes de Gesté. Stofflet
les ramène à l'assaut, repousse Crouzat, met en fuite sa
colonne jumelle. Cordellier survient par-derrière et
reprend Gesté. O désespoir ! Comment faire face à tant
d'ennemis. « Il faut vaincre ou mourir », rugit Stofflet.
Avec la fureur d'un lion, il arrache Gesté à l'ennemi, le
rejette sur Beaupréau, bondit vers La Regrippière. Trois
victoires en un jour, pour lesquelles le nom du mort a
plus fait que « les hurlements » des vainqueurs dépourvus
d'artillerie, beaucoup même de fusils. Le 4 février, on
emporte Beaupréau, le 5, on est à Chemillé. Chemillé !
Dernier jalon de gloire de celui à qui sont dues toutes ces
victoires. Demain, ce sera Coron. On ne fera que passer
par Vezins. Mais au soir de cette victoire, ce sera... pour
Stofflet : Vezins... Nuaillé. Les derniers devoirs rendus au
mort.

Ce n'est pas une hypothèse. Les faits sont là, concordants, implacables dans leur enchaînement ; réunis, conju-
gués, pour ce qui s'appelle, en justice comme en histoire :
faire preuve.

Le terrible secret ne peut plus être gardé davantage.
Le mensonge s'émousse. Le mensonge. Car Stofflet à son
retour à Nuaillé, après l'affreuse « toilette » du mort, n'a
pas craint de déclarer officiellement à l'armée « que Monsieur Henri n'était que blessé et qu'on le verrait bientôt
reparaître ». Il a fallu redire ce mensonge à ceux qu'on a

ralliés à Tilliers, puis à La Regrippière. Mais on chuchote. Les chuchotements ont commencé le 31 à Tilliers entre La Bouère et son cousin Beauvais. Et Stofflet ne se doute pas que ces deux hommes, également mal disposés à son égard, ne projettent rien moins que de « Le » faire enterrer. Rien de plus comique d'ailleurs que ce complot de l'inhumation, soigneusement tu de ses auteurs — tous deux mémorialistes — par respect pour leur amour-propre, et que Mme de La Bouère ne livra qu'en 1840 à la marquise de La Rochejaquelein. La Bouère, qui à l'arrivée de Tilliers avait conté à Beauvais en grand secret ce qu'il savait de la mort de Henri [1], lui avait suggéré d'en parler à Anne-Henriette de La Rochejaquelein. Beauvais, plein d'importance, avait répliqué qu'il fallait « le faire enterrer aux Aubiers » et déclaré qu'il se chargeait de l'affaire avec une « telle assurance » que M. de La Bouère croyait plus tard que cela avait eu lieu. Mais au soir de sa vie, La Bouère pensait que la mission dont s'était chargé son cousin n'avait « probablement pas été accomplie entièrement [2] ». Piteux désaveu de la solennelle affirmation qu'a publiée sa belle-fille concernant le transfert du corps aux Aubiers « dans le cours de l'été 1794 ».

Les pieux conspirateurs connaissaient mal Stofflet, ce Lorrain aussi passionné que dur, rustre parfois, mais dévoué jusqu'au fond de son âme de fer que troublent peu les chuchotements et les questions indiscrètes. Seulement, il ne peut plus différer la tragique révélation. Au cours de la marche sur Coron, il lui faut trouver un nouveau mensonge, en réponse aux pressantes questions des Bruc. « On va bientôt rejoindre M. de La Rochejaquelein. » Le

---

1. Le récit de la mort de La Rochejaquelein par Beauvais n'est qu'un récit de troisième main, calqué sur celui de son cousin La Bouère.

2. Archives de Clisson, lettres de la comtesse de La Bouère à la marquise de La Rochejaquelein déjà citées. Il est visible que la publicatrice des *Souvenirs de la comtesse de La Bouère* a totalement ignoré cette correspondance de sa belle-mère.

rejoindre ! Ceux qui savent hochent la tête. Le 6, en passant près de Nuaillé pour marcher sur Coron [1], Bérard tire Monnier par la manche, le mène dans un champ... près du corps [2]. « Toute la tête est mangée, ainsi que le bas-ventre. » « Comment laissons-nous manger aux loups un corps si précieux ? » s'indigne Bérard. Monnier accroche un soldat, le charge d'aller chercher une couverture « pour " L' " envelopper, " Le " porter à son château », puis s'esquive. On peut être assuré que le « commissionnaire » fit de même.

Le 6 février au soir, après avoir ramené son armée de nouveau victorieuse dans la forêt de Vezins, Stofflet disparaît de son bivouac avec Grégoire, son domestique. A-t-il emmené d'autres hommes ? Et lesquels ? « Dans la nuit... il fait enlever le corps de Monsieur Henri, le fait enterrer un peu plus bas... » Ces détails sont dus à Pauvert [3]. Le matin, il donnait l'ordre de marcher sur Maulévrier. Les frères de Bruc, Rostaing, Fleuriot n'y peuvent plus tenir. A l'arrivée à Maulévrier le 7 au soir, un monde d'officiers assiège Stofflet. Mais on s'éloigne du pays de Monsieur Henri « qu'on allait rejoindre » ! Pressé de questions, prié, supplié, Stofflet éclate en sanglots : « Ce n'est que trop vrai, Monsieur Henri est mort. J'ai perdu mon meilleur ami. »

Mais la notification officielle à l'armée ne se fera que demain, dans la forêt de Vezins, où il ramène sa troupe, demain, au moment de lancer ses hommes sur Cholet. Instant solennel que celui où Stofflet rompt l'étouffant secret et avec lui le pacte mystérieux conclu avec le mort désormais à l'abri des outrages : « Soldats ! je ne puis plus

---

1. Monnier, p. 90, ne s'est trompé que sur la date, ce qui n'a rien d'étonnant quand on sait que les Vendéens étaient alors brouillés avec le calendrier. L'attaque de Coron eut lieu le 6, à dix heures du matin. Cf. Savary, III, 155.
2. *Ibidem*.
3. Pauvert situe l'inhumation la nuit qui suivit la mort. Date impossible, puisque cette nuit-là, Stofflet était du côté de Saint-Macaire.

vous le taire, M. de La Rochejaquelein, notre général, est réellement mort. Mais abandonnerons-nous notre cause parce qu'il n'est plus [1] ? » Les pleurs jaillissent des yeux. Un deuil à crever le cœur. Farouchement, Stofflet entraîne les soldats vers Cholet par Nuaillé ! C'est sur le chemin de sa mort que Monsieur Henri sera vengé. Tous ont compris. Il n'en a pas fallu davantage pour sécher les yeux et gonfler les cœurs d'une effroyable colère.

Une toile du musée de Cholet commémore ce carnage du 8 février où périt le commandant de la place, le général Moulin jeune — Turreau avait quitté Cholet le 1er février — dans cette rue des Vieux-Greniers où le « sang coula comme la pluie, par un temps d'orage ». En réalité, c'est rue du Pont-Joly que le lieutenant de Turreau, ce monstre à la culotte de peau humaine, évita la capture en se brûlant la cervelle. Le désordre de la poursuite devait permettre à Cordellier accouru de Tiffauges de reprendre la ville. Les paysans, sur le point d'être coupés de leur ligne de retraite, se replient promptement sur la route de Chemillé. « Plutôt mourir que de se couvrir de honte ! » crie la comtesse de Bruc en barrant la route aux fuyards avec son cheval. Beauvais l'entraîne vers Trémentines. Le petit Langerie a été tué. On emporte à la hâte Pierre Cathelineau mortellement blessé. On bat en retraite, poursuivis par Caffin pendant une lieue. Le 9 au soir, les vengeurs de Monsieur Henri, accablés de douleur et de dépit, sont à Chemillé.

Des larmes brûlantes coulent des yeux des vaincus, à qui cette victoire ratée rend plus matérielle encore la perte de Monsieur Henri. « Ah ! pourquoi faut-il avoir

---

1. Langevin situe cette scène avant la seconde bataille de Cholet. Mais si l'on prend soin d'observer le récit qu'elle donne de cette bataille, « l'ennemi ayant reçu du renfort, nous fûmes repoussés », p. 34, on constate qu'il s'agit bien de la première, les royalistes s'étant maintenus trois jours dans Cholet la seconde fois. Dans sa mémoire, la date de la mort d'Henri de La Rochejaquelein s'est même confondue avec celle de cette notification officielle.

perdu un si bon général ! » Le découragement semble avoir gagné jusqu'à Stofflet, dont la pensée se porte vers Charette. Mais sur tous, la grande ombre reconnaissante continue de veiller. Ce jour-là, 21 pluviôse, Turreau a pris sa plume pour confier ses inquiétudes au Comité de salut public. Quelle lettre ! « ... Les rassemblements deviennent chaque jour plus nombreux et plus inquiétants ; j'ai cru devoir diminuer le nombre de mes colonnes et de mes postes pour renforcer les uns et les autres. Les routes étant coupées... la correspondance chaque jour plus difficile, j'avais quitté Cholet [1]... J'avais quitté Cholet, et j'avais attaqué Tiffauges... La marche des rebelles, sous les ordres de La Rochejaquelein du côté de cette ville, me causait la plus grande inquiétude [2]... » Et il terminait en demandant l'autorisation d'incendier Cholet, « tombeau de nos soldats », disait-il.

Le jour suivant, Stofflet quittait Chemillé où Cordellier pénétrait le surlendemain de son départ. Les citoyennes du bourg accourent à lui : « La Rochejaquelein est tué et enterré à Trémentines. Elles en sont sûres, elles le tiennent de la bouche des rebelles qui viennent de partir d'ici. » Cordellier ne se possédait plus. Sur-le-champ, il l'écrivit à Turreau qui, à cette même heure, lui écrivait de son côté « de s'attacher à La Rochejaquelein et de le poursuivre sans lui donner un moment de repos ».

Le lendemain 13, avec la lettre de Cordellier, « trente rapports sur l'événement » s'entassaient sur la table de Turreau qui s'empressa de faire connaître l'énorme nouvelle — elle valait bien dix victoires — au Comité de salut public. Si des doutes subsistaient encore dans son esprit, ils tombèrent complètement le 19 février, à la réception du fameux rapport de Poché, le nouveau commandant de la place de Cholet. Ce rapport lui apportait

---

1. Le 1er février, à la suite de la prise de Chemillé par Monsieur **Henri.**
2. Savary, III, 167-169.

d'ailleurs une déception. Poché, bien que dûment instruit par un espion — lui-même trop tardivement renseigné des circonstances de cette mort — n'avait pu trouver le lieu de la sépulture qui n'était pas à Trémentines. C'était l'exécuteur du grenadier qui était de Trémentines ; le mort, lui, se trouvait enterré « aux environs », enterré « nu », mais où ? « Les recherches ne m'ont pas réussi », concluait Poché [1]. Il ignorait (et beaucoup d'historiens semblent l'avoir ignoré comme lui) que les Vendéens avaient coutume de labourer sitôt un champ devenu détenteur d'un trésor. Où fouiller dans tous ces champs labourés ou non ? Près de qui se renseigner surtout ? Car le champ des recherches est trop vaste, celles-ci non sans danger par surcroît. Jusque dans la tombe, le Chevalier de légende demeurait l'Insaisissable.

Stofflet restait impénétrable, et l'on se doute que les hommes choisis par lui pour enterrer Monsieur Henri furent liés dans un serment. Les Vendéens chuchotaient vainement des noms : Langevin ! proclamera La Bouëre avec son incoercible manie de jouer à l'agent (méconnu) d'information. Un paysan seul, le métayer du Bois d'Ouin nommé Fortin, ayant rencontré Stofflet vers le 7 février [2], avait eu la curiosité de le questionner. La réponse avait été laconique : « J'ai fait enterrer Monsieur Henri [3]. » Mais le bonhomme était tenace et « quelque temps après » cet échec, trouvait l'occasion de récidiver, non plus près de Stofflet, mais de son domestique Grégoire, sans doute vers le 7 mars, lors du séjour de Stofflet dans Cholet évacué. Quel mobile poussa Grégoire à violer l'inviolable

1. Le rapport de Poché a été publié par Savary, t. III, p. 270.
2. Sur l'interprétation des déclarations capitales de Fortin lors de l'exhumation, cf. ma conférence faite aux Antiquaires de l'Ouest, le 15 octobre 1936, « Les ossements de La Haye-de-Bureau sont-ils ceux d'Henri de La Rochejaquelein » déposée aux archives de la Vienne.
3. Il serait intéressant de savoir si Fortin du Bois d'Ouin est le même que ce Fortin qui était courrier de confiance de Stofflet, ce qui expliquerait la confidence de Grégoire.

secret que Stofflet devait emporter dans l'autre monde ? Songeait-il aux hommages futurs que méritait la glorieuse dépouille du paladin, à ses obsèques triomphales en un jour lointain de triomphe définitif ? Eut-il le sentiment d'avoir trouvé le sûr dépositaire d'un si précieux secret ? Fortin sut-il émouvoir son interlocuteur ? Toujours est-il que Grégoire parla : « Je vous assure qu'Il a été enterré près de plusieurs cerisiers, près La Haye-de-Bureau. »

Ni la libération temporaire des Mauges ni la fallacieuse pacification de 1795 ne devaient desserrer les lèvres de Stofflet. La Révolution ne durait-elle pas toujours avec ses mœurs de chacal[1] ? Ne disait-on pas que le corps de Bonchamps avait été exhumé du cimetière de Varades et sa tête envoyée à la Convention ? Il fut sage de garder ce silence. Son propre corps à lui-même jeté au charnier en 1796, après avoir été séparé de sa tête (qui en 1803 était encore la propriété du docteur Nepveu), en est la preuve la plus affreusement péremptoire. Grégoire avait désobéi. Mais ne fallait-il pas que fût constitué un dépositaire officiel du secret de « Sa » tombe ?

20 avril 1794. Môle-Saint-Nicolas.

« ... Les nouvelles que tu me donnes de ton frère (Henri), quoique de vieille date, me font plaisir... O mon cher Henri ! que de grâces nous aurons à rendre à Dieu, si nous sommes assez heureux pour nous revoir tous[2]... »

Réfugiée sur ce point de la côte de la grande île Saint-Domingue que protège le pavillon du corps expéditionnaire anglais, car les colons comme les Vendéens escomptent le secours de l'allié britannique du Roi de France, la marquise de La Rochejaquelein écrit à sa fille Anne, la

---

1. La mutilation d'un cadavre (surtout de celui d'un chef) était, écrit La Sicotière, *La Mort de Jean Chouan*, p. 11, « une abomination assez commune ».
2. Archives du colonel de Beaucorps.

« petite maman » de toute la bande demeurée en Angleterre. Elle a été débarquée six mois plus tôt sur la côte
de Jérémie, tout près de sa propriété du Baconnais où son
mari espère toujours revenir ; l'installation dans cette
région jusque-là épargnée par les infernaux destructeurs
de l'île n'a même pas pu être conservée. Il a fallu revenir
à l'ombre du pavillon anglais.

Dans cette retraite, la mère douloureuse caresse un
rêve très cher qu'elle confie à sa fille le 29 mai : « Si
tu pouvais me donner des nouvelles de ton frère Henri et
lui en faire donner des nôtres, ce serait bien fait, ma
chère Anne. » En attendant la flotte des Anglais, occupés
à s'emparer pour leur compte de la Martinique, cette
idée ne cesse de la poursuivre ; et le 15 juin, de Port-au-
Prince où elle est venue rejoindre le corps expéditionnaire
devenu maître de cette ville, elle relance sa fille : « Tu es
plus à même d'avoir des nouvelles de notre cher Henri, j'en
suis toujours dans la plus grande inquiétude, quoique j'en
entende faire le plus grand éloge. Sa position est bien
effrayante pour nous. » La sienne était précaire, miséreuse,
dans cette ville encombrée de colons français, sous une
chaleur torride. La marquise n'exhale pas une plainte. Elle
ne songe qu'à diriger par correspondance, seul moyen
qu'elle possède, l'éducation de ses enfants. Le 10 avril,
nouvelle lettre dans laquelle elle conseille à Anne de faire
d'Auguste (le dernier des garçons) un officier de marine
comme son grand-père. Le marquis à cette lecture a pris
la plume et rajouté : « Fais-en plutôt un bon négociant
ou un banquier pour qu'il puisse aider ses sœurs et ses
parents dans leur vieillesse. » Mais il a lu aussi ces lignes
angoissées de son épouse : « ... Et mon pauvre Henri !
quelle inquiétude il me cause. Les gazettes en parlent
toujours, mais si souvent elles le disent tué que cela me
désespère. O mon Dieu, mon Dieu, quelle position ! » Aussi
le 20 août, le marquis rajoute-t-il à la fin de la lettre de sa
femme, muette cette fois sur Henri, ces quelques lignes, de
sa grande écriture aiguë, aux jambages en coups de sabre :

« Sois exacte à nous donner de vos nouvelles et si tu peux en avoir de certaines d'Henri, n'oublie pas qu'il est ton frère et que nous avons le plus grand intérêt à le savoir en bonne position. Dieu veuille l'y maintenir et finir nos malheurs ! »

Le 6 octobre, une lettre encore, toujours muette sur Henri, seulement sabrée dans son travers de la même écriture masculine : « Si vous savez par quelque ricochet des nouvelles d'Henri, n'oublie pas de nous en donner. » Ce n'est que le 12 novembre qu'elle se reprend à parler de son fils en deux pauvres lignes fugitives, qui sont une réponse à la lettre de sa fille l'avisant qu'elle a écrit à Henri le 1er avril par le vicomte Armand de G..., un émigré français rentrant en France. La marquise en est tout attendrie de bonheur. « Notre pauvre Henri, tu as bien fait de lui écrire, ô comme il nous est cher ! » Mais durant les mois qui suivent, elle rentre dans ce long silence à peine interrompu qu'elle ne rompra plus de dix mois. Elle a rejoint à Kingston, en Jamaïque, son mari qui, récemment nommé colonel de la légion britannique, essaie de trouver des collaborateurs, écrit à son gendre Guerry, à son beau-frère Suzannet (demeuré à Londres), obtient pour son fils Louis un brevet de capitaine. Ce n'est que le 20 juillet que la marquise brise enfin cet héroïque silence. « Ton pauvre frère, je n'en entends plus parler. On n'en dit plus rien dans les gazettes... Si tu entends dire quelque chose, dis-le-moi, ma chère Annette. » Et livrant le pourquoi de son silence : « Je me cache toujours de votre père pour vous écrire, il ne me croit pas aussi affligée que je le suis. » Mais c'est que le pressentiment s'insinue dans son esprit, s'y installe progressivement à la lecture des nouvelles venues de France qu'elle dévore de ses yeux avides sur les gazettes. On sait qu'elle ignorait l'anglais. Elle a eu le temps de l'apprendre assez pour déchiffrer les feuilles publiques.

Puis soudain, le 9 août 1795, à la suite d'on ne sait quelle nouvelle apportée par les journaux anglais, le pressentiment éclate en certitude, lui arrache dans un déchirement de tout son être le cri d'une douleur qu'elle avait jusqu'alors baignée dans une fragile espérance.

« J'ai bien reçu ta petite lettre, ma chère Annette, par le dernier packet, je ne sais pas quand il partira, mais je commence ma réponse, afin qu'elle soit prête. Je crois bien qu'elle ne sera pas longue aussi, car mes idées sont toujours les mêmes et encore plus enveloppées d'un nuage noir. Les gazettes nous parlent toujours de la perte que nous avons faite de notre cher Henri. Les apparences sont toutes que ce n'est que trop vrai. Ah ! mon Dieu ! Je n'aurai donc pas la satisfaction de lui témoigner combien sa conduite avait été précieuse pour moi. Oh ! je suis bien malheureuse, ma chère Annette, je n'ai pas la force d'écrire, c'est un coup mortel pour moi, ma vie ne sera plus qu'un chagrin continuel. Mes chers enfants, vous partagez souvent mes peines. Si je pouvais pleurer avec vous, je serais soulagée ; je demande sans cesse à Dieu d'avoir pitié de moi, mais qu'ai-je fait pour qu'il m'écoute ! Votre innocence et vos prières le toucheront peut-être.

« J'avais jusqu'ici conservé quelques espérances, mais je vois bien que je n'en peux plus avoir. Que de mères aussi affligées que moi, mais il y en a peu qui pleurent un fils comme celui-là !... Ma chère Annette, nous avons perdu toute espèce de satisfaction, puisque nous ne pouvons pas secourir les malheureux. Ton père et moi nous nous portons assez bien. Je ne comprends pas comment notre santé se conserve. Il faut bien que Dieu ait pitié de nous. »

Le 11, elle rajoute ces lignes : « Le packet ne part que le 17, mais il faut mettre les lettres à la poste, je finis donc celle-ci, mes chers enfants, en vous embrassant de tout mon cœur qui est bien déchiré. »

Et le 22 : « Le packet n'est pas encore paru. Nous partons lundi 24 pour Jérémie. »

Elle s'embarquait en effet ce jour-là pour Saint-Domingue, son dernier voyage, comme si la mère de celui qui avait été Monsieur Henri n'eût pu décemment mourir qu'en terre française.

La formation de la légion de l'ancien maréchal de camp de Louis XVI n'avançait pas. Au mois de septembre, elle ne comptait pas plus de cinquante et un hommes [1]. Le général anglais qui commandait à Port-au-Prince, homme charmant en société, affectait de demander conseil au marquis, « mais ne donnait sa confiance qu'à des intrigants, même à des scélérats qui avaient largement contribué aux malheurs de la colonie [2] ». Les troupes arrivées au mois d'avril et cantonnées dans les villes où régnait une chaleur torride, livrées à des gens sans aveu trop facilement décorés d'un grade d'officier, avaient presque disparu par mortalité.

Le marquis et la marquise de La Rochejaquelein abordèrent sans encombre malgré les corsaires « carmagnols » qui infestaient les abords de l'île.

Ce fut d'abord la vie à Jérémie chez la bonne Mme de Spechbach, qu'on revit avec joie ; mais le recrutement de la légion faisait fiasco, et le marquis se rendait vers la fin de novembre à Port-au-Prince, la position de Jérémie devenant dangereuse. Il fallut parvenir jusqu'à la ville à travers les patrouilles de brigands qui en occupaient les abords, puis repartir en janvier 1796 pour ce quartier de Jérémie avec un corps de six cents nègres que le marquis avait à grand-peine obtenu du général Williamson. Quatre fois déjà le père de Henri s'était vu donner puis retirer un commandement. L'épouse continuait à suivre son mari. Peu s'en fallut qu'elle ne fût tuée au cours de ces pérégrinations : un jour deux cent cinquante brigands attaquèrent et prirent une habitation dont elle était partie depuis huit jours.

Alors on donna au marquis le commandement du camp

---

1. Archives mss. du colonel de Beaucorps.
2. Vicomte Ch. de Beaucorps, archiviste paléographe, *loc. cit.*, pp. 15-16.

des Rivaux, à quinze lieues de Jérémie, en pleine montagne, un camp peuplé d'officiers les plus grossiers, la lie des Français. Tous les soldats sont des nègres et pas une femme blanche chez qui la marquise « pût aller ». Pour foyer, une mauvaise habitation où l'on s'estime heureux d'être à l'abri des coups de fusil. Pour jardin, une cour minuscule. Rien qui offre la moindre aisance. Elle, son mari et son fils Louis sont resserrés dans une chambre qui tient lieu de salon et de cuisine, et un petit cabinet. Pendant que son mari est à son occupation, Louis à donner la chasse aux brigands à travers les bois, la marquise tricote et raccommode le linge des siens — c'étaient ses dernières joies familiales.

LIVRE SECOND

LOUIS ET AUGUSTE
DE LA ROCHEJAQUELEIN

1777-1815 et 1784-1868

CHAPITRE PREMIER

L'HÉRITAGE

Le 8 mai 1814, cinq jours après l'entrée de Louis XVIII à Paris, un voyageur quittait la capitale vers sept heures du matin et prenait la route d'Orléans. Il arrivait le lendemain à neuf heures du soir dans la petite ville de Thouars (chef-lieu d'arrondissement des Deux-Sèvres) où il passa la nuit. Ce voyageur était Louis, marquis de La Rochejaquelein.

Le but de ce voyage ? Une mission, officielle et des plus ingrates, toute d'information et d'action morale. Le Roi s'inquiétait de la Vendée.

Le 4 mai, elle s'était à nouveau agitée. « Soulevée », disait-on à Paris, pour s'en prendre aux acquéreurs de biens nationaux. En fait, raconte d'Andigné (le chevalier de Sainte-Gemmes), le bruit s'était répandu qu'une troupe de brigands ne voulant pas reconnaître le Roi marchait sur la Vendée. L'alarme avait gagné de proche en proche, provoquant en vingt-quatre heures une levée de vingt-cinq mille hommes en armes. Puis chacun, s'apercevant que l'alerte était fausse, était rentré chez soi, mais l'oreille aux aguets. Quelques bandes continuaient d'ailleurs à battre la campagne comme en temps d'insurrection.

Le Roi dépêchait donc aujourd'hui à la chère insoumise ses propres chefs : La Rochejaquelein, Suzannet, d'Autichamp, en attendant d'envoyer, le 24, aux régions chouannes du nord de la Loire, le chevalier de Sainte-Gemmes.

La plus gracieuse des attentions, en vérité, si ces messieurs n'eussent été réduits, chacun dans sa zone, au rôle d'assagisseur et d'informateur, et placés sous les ordres du général Ruty, comte de l'Empire, commandant supérieur des 12ᵉ et 22ᵉ divisions militaires, qui est seul investi de pouvoirs.

C'était commettre une singulière erreur que de prétendre réduire un La Rochejaquelein, un Suzannet, un d'Andigné à ce rôle de fonctionnaire-inspecteur-otage naturel des populations qui n'ont cessé de les considérer comme leurs fondés de pouvoirs. Ils vont se trouver, bon gré mal gré, les commissaires de celles-ci autant que du Roi.

Si, à Thouars, où Louis est salué dès le lendemain 10, de grand matin, par le maire et l'archiprêtre, tout se passe selon le rite purement officiel, la scène change dès qu'il atteint avec Pierrefitte, après deux lieues de parcours en voiture, les frontières de la Vendée. Ici, le maire se tient à l'entrée du bourg avec une garde vendéenne « sous les armes ». C'est que le maire est lui-même un ancien combattant de 1793. Une foule se presse sur la place de l'Eglise. Et ce sont aussitôt des « Vive le Roi ! », des salves de mousqueterie.

Louis descend de voiture.

« Je viens de la part du Roi pour vous assurer de son affection paternelle et de l'estime que Sa Majesté fait de votre bravoure, vous inviter à la paix et, en même temps, à payer vos contributions dont Sa Majesté a le plus grand besoin. »

« Vive le Roi ! Vive le Roi ! » On continue de crier, de tirer des salves ; on prie La Rochejaquelein d'allumer le feu de joie. Louis fait saluer à ce peuple le drapeau qui flotte à son clocher, puis remonte en voiture vers sa prochaine étape. Le soir, quand vers six heures il arrive au château de Clisson en Boismé, ancienne demeure de Lescure à présent sienne, il s'y trouve noyé dans « une foule immense affluant par toutes les avenues du château ».

« Je suis envoyé vers vous par Sa Majesté pour terminer toutes les dissensions et vous assurer que le Roi est satisfait de votre zèle et de la constance de votre dévouement. » C'est tout ce qu'il a, cette fois, la force de dire.

Et, tandis que crépite le feu de joie, que Louis fait servir des rafraîchissements, des couples se forment, dansent et chantent. Ne demandons pas à cette foule si elle fête La Rochejaquelein ou le Roi restauré. Ne dissocions pas ce qui est indissociable pour elle. Si toute une partie de la France est en ce moment désarmée par l'écroulement du grand rêve de 1792, ce peuple n'a pas varié. Et c'est sa victoire qu'il fête avec l'héritier de l'inoublié Monsieur Henri, celle qu'il poursuit depuis 1793.

A cette fête, prolongée « bien avant dans la nuit », succède un lendemain tout vendéen. Dès le matin du 11, en effet, des hommes venus de Chanteloup, Terves, Courlay, de toutes les communes « de six lieues à la ronde », dévalent en armes à Clisson. « Pourquoi ces armes ? » questionne La Rochejaquelein. « Pour votre défense », jettent plusieurs voix. Rien de surprenant dans cette réponse. L'instabilité politique a entretenu en Vendée une psychose d'état d'alerte perpétuel ; d'où le maintien de son organisation de guerre.

Louis remercie ces braves gens, les rassure, leur expose l'objet de sa mission. Et, tandis que se succèdent toute la journée les députations populaires, il répète : « Le Roi, plein d'affection pour vous, vous sait gré de tout ce que vous avez fait pour son service, il ne faut plus songer maintenant qu'à la paix et payer les contributions parce que les déprédations de Bonaparte ont ruiné les finances. »

Ceux-ci répondent en promettant d'obéir *religieusement* au Roi. C'est, à vrai dire, assez vague ; et, de fait, ils ne sont point disposés du tout à verser leur argent dans la

357

caisse des percepteurs ex-impériaux. Louis s'en apercevra sous peu.

Mais quel métier Louis XVIII lui impose ! L'homme est superbe, avec son teint basané de colonial, sa carrure d'athlète, des épaules de lutteur. Il a cette bonté du cœur sur la main de tous les La Rochejaquelein. Sa nature, un peu enfant par certains côtés, bien « incapable d'intrigue et de méchanceté », nous dit sa femme, n'est qu'une flamme de dévouement et de franchise à son idéal.

Dès le soir de son arrivée, il a narré minutieusement au duc de Berry son voyage, ses observations, ses contacts avec un luxe de détails qui font de ces lettres comme autant de tableaux reconstitutifs. Le Prince ne peut désirer informations plus complètes et plus franches. Le ton même, un peu naïf, de ces lettres reflète une âme droite aussi ignorante du langage diplomatique que de cette forme épistolaire que doit revêtir la correspondance officielle. Ainsi avise-t-il Son Altesse du « très mauvais esprit » qui règne dans les troupes rencontrées par lui entre Paris et Saumur, de l'absence presque générale de cocardes blanches et aussi de l'absence de solde, de l'attitude du général Lefèbvre-Desnouettes, alors à Saumur. « Sa conduite doit être surveillée », écrit-il. On s'en apercevra dans quelques mois.

C'est que Louis de La Rochejaquelein ne nage pas, il s'en faut, dans l'euphorie. Il est inquiet de la fragilité du Trône, inquiet de l'avenir de cette royauté ligotée par ses ennemis tant de l'extérieur que de l'intérieur. La Vendée, pivot de l'Ouest fidèle, a été trop tardive. Et lui-même n'arrive point à temps.

Un souvenir vieux de quinze ans s'impose à cette heure à sa mémoire. C'était en 1799, à Londres, chez les princes. Il sortait de leur salon, ayant reçu l'inconsistante promesse qu'il ne serait pas oublié en cas de descente sur les côtes de Vendée. La pression d'une main sur son épaule lui avait fait tourner la tête. Un homme, un athlète corpulent, aux bras et aux poings énormes, le dévisageait avec émotion. Il n'oublierait jamais ses paroles :

« Jeune homme, je suis charmé de vous voir, j'ai servi sous votre brave frère que j'aimais tant ; votre ardeur me plaît beaucoup mais elle sera inutile. Retournez à votre régiment [anglais], n'espérez pas recevoir des ordres : les Princes ne comprennent pas et vous ne savez pas vous-même l'effet de votre nom dans la Vendée ; mais il ne manque pas ici de gens qui le savent et qui trouveront bien moyen d'empêcher qu'on ne vous y envoie. Allez, allez, bon jeune homme, vous verrez la vérité de ce que je vous dis. Je suis le général Georges Cadoudal. »

Chacun des propos du célèbre Georges devait acquérir, jusqu'au terme de l'existence de Louis de La Rochejaquelein, la valeur d'une prophétie, notamment cette emprise quasi mystique du nom de La Rochejaquelein sur la scène vendéenne, cette survivance de Henri à travers Louis puis Auguste.

Né à la Durbelière le 30 novembre 1777, cinq ans après Henri, emmené en exil à quatorze ans après des études cahotées de Niort à Paris, l'enfant s'est mué en homme au milieu d'une vie de misères et d'aventures. Arrivé au seuil de l'adolescence à Saint-Domingue, en pleine révolution noire, il a donné libre cours à ses fougueux appétits d'héroïsme et d'amour. L'assagissement de ses passions, tôt survenu vers vingt ans à la suite de l'affaire dite « de la Redoute rouge » où il n'échappe à la plus horrible des morts qu'au prix de glissades de plus de quarante mètres dans un ravin, n'a pas éteint celle de son cœur demeuré droit. Quatre ans de campagne contre les Noirs révoltés comme capitaine dans l'armée anglaise, deux de garnison en Angleterre, la lutte pour la vie jusqu'à sa rentrée en France ont formé son tempérament qui a conservé de son aventureuse adolescence le goût du risque — ce goût que son aîné, Henri, possédait au plus haut point. Une âme communicative mais dont l'idéalisme naturel porté à un rare dynamisme par la chaleur du sang est en partie tempéré par un jugement sain et discipliné, par un sens pratique de la vie que révèle la lecture de ses lettres d'affaires.

S'il n'hésite pas à rembourser, sur la présentation de la seule copie, bien suspecte, d'une créance, une dette contractée par son père en 1752, il demeure dans le privé rigoureux, économe. C'est un terrien, un campagnard. Il en a la tenue négligée au chagrinement de sa femme, mais aussi cette comptabilité méthodique qu'il apportera demain dans la gestion de la caisse des grenadiers de la Garde royale.

En 1802, après dix ans d'absence, il peut revoir enfin sa terre. Emouvant retour de celui qui recueillait l'héritage si lourd de feu « Monsieur Henri ». Les métayers, les garçons de ferme avaient empli la cour de la vieille Durbelière. Quelle fête ! Et qui évoquait dans cette même cour un tableau héroïque si récent encore ! Et le frère de Henri écoutait tous les récits. En Poitou encore, est venue le trouver la veuve de Lescure, aujourd'hui sa femme. Elle éprouvait quelques scrupules à recevoir par la grâce du nouveau code cette terre de Clisson qui aurait dû, suivant la règle successorale régissant jadis les biens nobles, revenir aux La Rochejaquelein. En se remariant avec Louis, le 1ᵉʳ mars 1802, elle résolvait la question au gré de sa conscience. Peut-être à travers Louis se rapprochait-elle aussi de la personnalité de Henri qui l'avait tant séduite ?

Sa terre et son Roi. Tel est son double culte.

Son Roi ! C'est en Guyenne qu'il a servi sa cause, à Bordeaux près de Citran. La réussite royaliste du 12 mars, en cette ville, est en partie son œuvre. « C'est à lui que je dois le mouvement de ma bonne ville », a dit Louis XVIII au duc de Duras à Hartwell au moment de le recevoir... Cependant, en 1813, le Roi avait dit : « Je compte sur La Rochejaquelein pour la Vendée. »

Louis était allé y faire un sondage puis avait regagné Citran. Un décret d'arrestation le chassa de Citran (6 novembre). Il songea de nouveau à la Vendée. Décembre arriva, la Vendée en effervescence ne se soulevait toujours pas. Ses chefs disaient ne rien vouloir faire « d'incomplet ». Louis, étant recherché en Vendée plus qu'ailleurs, resta donc à Bordeaux, rongeant son frein. C'est alors qu'il reçut la visite du maire de cette ville, le comte Lynch. Celui-ci revenait de voir les Polignac récemment évadés de prison. Jules lui avait dit : « Voyez La Rochejaquelein. » Cette entrevue devait décider du succès de la journée du 12 mars. Louis prend sur lui d'aller trouver le duc d'Angoulême. Il a gagné Rouen où un marin royaliste l'a caché dans la tille de sa chaloupe pour gagner son bateau, le *Regulus*. Puis ce fut la traversée par une forte tempête, le port espagnol de Renteris, où l'on débarqua, Saint-Jean-de-Luz, quartier général du Prince, Garris, quartier général de Wellington, enfin la lutte vaine pour vaincre à la fois les résistances de l'Anglais qui ne croit pas au succès de la légitimité en France et se refuse à détacher des troupes vers Bordeaux, et les préventions du duc d'Angoulême.

Le 10 mars au soir, Louis était de retour à Bordeaux ; les troupes anglaises le suivaient. Le 12 mars, le Fils de France entrait à Bordeaux aux acclamations de tout un peuple. Vingt et un ans, jour pour jour, après le grand soulèvement de la Vendée...

Mais que faisait-elle donc, la Vendée ? Louis chercha en vain à s'y rendre. Les côtes, comme l'intérieur, étaient verrouillées par les troupes impériales. Il réussit néanmoins à rencontrer le messager envoyé vers lui, de Vendée, par son cousin Suzannet. « Tout est prêt », fait dire Suzannet. Mais il est trop tard. Le 10 avril, les cloches des églises de Bordeaux sonnaient avec l'*Alleluia* de Pâques la proclamation de Louis XVIII roi de France par le Sénat.

Quelle est donc au juste la mentalité de la Vendée en cette aube de restauration du Roi ?

La Vendée avait acquis la mentalité d'une nation qu'une longue résistance, tour à tour active et passive, a rendu consciente de ses droits autant que de ses devoirs. Décimée, pillée, saccagée, persécutée par le vainqueur, elle n'avait jamais été soumise. Cette province, dans sa joie tumultueuse du retour de son Prince, demeurait étonnée de voir encore là cet appareil administratif et tracassier du dernier régime instauré.

De l'arrivée de Louis de La Rochejaquelein, on attendait tout : l'obtention de la justice du Roi et la « libération » du pays. Libération, car la présence d'une armée policière sur son sol attestait la maintenance du pays dans cet état de siège où l'avait mis l'Empire expirant. La cessation de cet état de choses s'imposait d'urgence. La Rochejaquelein en avertit le duc de Berry. Le 12, il précisa que le bien général exigeait que les gendarmes extraordinaires fussent retirés du pays.

Mais le général Ruty, chef de la mission dont Louis n'était jamais qu'un membre, était loin de tenir ce langage. Pour Ruty, sa mission consiste à seconder les fonctionnaires publics dans les efforts qu'ils doivent faire pour assurer l'exercice de l'autorité légitime, calmer les agitations... et prévenir celles qui « donneraient lieu de craindre, par la suite, toute exaltation d'opinion qui ne recevrait pas une utile et raisonnable direction ».

Ruty est l'homme de l'ordre administratif, en dehors et au-dessus de toute contingence extra-légale. Avec un pareil état d'esprit, il est tout de suite heurté par la mentalité vendéenne. L'incompréhension étant faite ici de l'abîme qui séparait la France administrative, issue de la Révolution, de la France patriarcale, patronale, féodale dont la Vendée restait en partie, par un émouvant anachronisme, une survivance.

Mais cette incompréhension ne se limitait nullement aux

fonctionnaires. Entre le Roi et la Vendée qui l'avait pourtant si chèrement défendu, la confiance passait mal. Pendant toute sa mission, Louis de La Rochejaquelein s'efforcera de rétablir la confiance des deux côtés. Aux Vendéens, il adresse le 13 mai 1814 la proclamation suivante :

« Le Roi m'a fait l'honneur de me choisir pour venir parmi vous afin de vous faire connaître ses intentions paternelles... Il connaît votre attachement, votre fidélité et vos nombreux sacrifices et il m'a chargé de vous témoigner sa satisfaction pour votre noble conduite passée... De longs malheurs sont effacés par la présence de votre bon Roi : au lieu des guerres les plus désastreuses vous jouirez de la paix durable. Acquittez vos contributions arriérées et prouvez à la France que vous n'avez voulu, depuis vingt ans, combattre que pour Dieu et le Roi et non par intérêt et que, si vous avez refusé de payer les impôts, ce n'était que pour diminuer les ressources de Bonaparte et en conserver au Roi. Je vous recommande la réunion des parties et l'oubli des offenses. »

De l'autre côté, il engage tout le poids de son nom pour défendre la Vendée et son peuple. Il s'adresse d'abord au duc de Berry. Puis, le 22, dans son rapport au Roi, il tend à dissiper les rumeurs alarmistes que l'on faisait circuler à Paris sur l'état de la Vendée, suspectant sa fidélité et son dévouement.

« La Vendée est plus que jamais attachée à son Roi, écrit La Rochejaquelein. On ose faire un crime aux Vendéens d'être peu disposés à payer les contributions... » Et d'expliquer au Roi les raisons de cette attitude. « Sire, lors de la première pacification, on a promis à ce peuple une exemption de contribution pendant cinq ans et on ne lui a pas tenu parole ; à la seconde pacification par Bonaparte, celui-ci promit de ne pas faire payer les contributions arriérées et de ne pas ordonner de levées d'hommes pendant cinq ans : rien de tout cela n'a eu son effet. Voici la cause, ajoute La Rochejaquelein, que dans ce moment ils espèrent obtenir ce que les gouvernements de la Révolution leur avaient promis. » En attendant une décision à ce sujet, il assure le Roi que « les Vendéens, dont la méfiance était le fond du caractère pour avoir été longtemps trompés, sont entièrement disposés à satisfaire aux charges publiques ». A la fin de cette même lettre, il dresse, d'une plume exaltée, le tableau des sacrifices et des épreuves de la Vendée au cours de ces dernières années : la pauvreté du peuple, les vexations des agents impérialistes, les confiscations, les emprisonnements, les dépenses pour les remplaçants, les sacrifices exigés clandestinement et souvent répétés en matière de conscription, les énormes réquisitions, enfin, effectuées pour l'armée d'Espagne ; tous les obstacles, en un mot, que rencontre la rentrée des impôts.

A partir du 5 juin, l'insistance de Louis devient plus ardente, au fur et à mesure que lui parviennent les avis des maires sur la rentrée des impôts. « Voilà des preuves incontestables de soumission et d'obéissance, écrit-il à cette date au duc de Berry. Plus j'obtiens de succès, plus j'espère que le Roi voudra avoir égard à mes demandes. » Celles-ci demeurent invariables : changement des percepteurs, renvoi des gendarmes à pied, sans oublier bien sûr la réparation des exactions commises par les premiers et aussi par les seconds.

En fait, les revendications vendéennes revêtaient au regard de la politique royale une divergence de point de vue beaucoup plus profonde. Ici, plus que partout ailleurs, on avait conservé le souvenir très vif des libertés de l'Ancien Régime et la prétention de la Vendée à réclamer le droit, commun à toutes les provinces avant 1789, d'être gouvernées, jugées, policées par les hommes du pays, sonnait désagréablement aux oreilles d'hommes du gouvernement du XIXe siècle.

C'est là que réside le conflit entre la Vendée et le gouvernement de Louis XVIII. Cette mésentente sera l'une des causes de l'échec de l'insurrection de 1815.

Louis de La Rochejaquelein nommé capitaine-lieutenant dans la Maison du Roi va s'installer pour huit brefs mois à Paris. Pour lui, ce séjour s'inscrit un peu comme un entracte à sa carrière vendéenne : une veillée d'armes avant l'orage de mars 1815.

Dans ce milieu nouveau pour lui, Louis, qui ne cesse de songer à ses Vendéens, est absorbé par de multiples tâches dont la première concerne la formation de sa compagnie. Ce travail est fait par chaque capitaine-lieutenant en tête à tête avec le capitaine — c'est-à-dire avec le Roi. Pas d'intermédiaire. Quand le Roi a signé, la copie du travail certifié par le capitaine-lieutenant est envoyée aux ministres de la Guerre et de la Maison tenus de s'y conformer sans objection « ni pour les gardes ni pour quoi que ce soit ».

Louis de La Rochejaquelein fit large accueil aux volontaires de la Grande Armée. De tous les capitaines-lieutenants, c'est le frère de Monsieur Henri qui probablement fit la part la plus belle aux anciens soldats de Napoléon, si l'on songe qu'une quinzaine d'émigrés seulement furent admis par lui dans le corps des grenadiers. Voilà un choix de nature à surprendre jusqu'à l'ahurissement quand on a vu l'intransigeance de Louis à l'égard des fonctionnaires ex-impérialistes des Deux-Sèvres et que l'on connaît la mission de la Maison du Roi qui était de mettre la vie du Roi à l'abri des dangers qu'elle peut courir.

C'est qu'ici la situation est toute différente. Louis, soldat dans l'âme, ne confondait pas les fonctionnaires caméléons ou haineux, beaucoup sans grande conscience, avec des braves privés d'un droit acquis au prix de leur sang. Que tous fussent fiers de servir sous « un La Rochejaquelein », on n'en peut douter, car il n'eut à en réformer que très peu. Marmont a d'ailleurs noté dans ses Mémoires qu'aux heures sombres de mars 1815 les « grenadiers de La Rochejaquelein » sortis de la garde impériale n'hésitèrent pas un instant à faire leur devoir.

Mais cette fonction de capitaine-lieutenant était aussi une

365

charge de Cour. Peu après son arrivée à Paris, un billet du duc de Piennes avertissait Louis qu'il était autorisé à assister tous les jours au déjeuner du Roi sans y être obligé, ce qui suscita bien des jalousies au sein de la vieille société. On murmure et on répète qu'il doit sa haute position à la gloire acquise par son aîné. Même si cette appréciation permet de justifier la faveur royale et sa propre popularité en Vendée, elle ne doit pas faire oublier la participation importante de Louis au soulèvement de Bordeaux — ce qui lui attirera la faveur royale ; non plus que l'attachement de chacun de ses maréchaux des logis-chefs (c'était le grade qu'avait chaque grenadier). C'est que Louis joignait à cet entrain extraordinaire qui le faisait acclamer en Vendée, cette sorte de séduction, selon le mot d'un de ses intimes, qui attirait à lui le militaire. Un grand nom n'est pas si facile à porter que d'aucuns le pensent et maintenir son prestige n'est pas aisé.

En arrivant à Paris, il était descendu 130 rue du Bac, où nous le trouvons encore au 1er août, fort préoccupé du logement malsain donné aux chevaux de la compagnie, elle-même casernée à Sèvres où il ne tarde pas à se fixer lui-même, bientôt rejoint par Mme de La Rochejaquelein.

En effet, cet esprit même hardi et aventureux est avant tout un grand consciencieux. Sa femme nous le dit minutieux dans l'administration de la caisse de la compagnie à une époque où les panneaux étaient remplis de plaintes relatives aux gaspillages nés de la négligence et de la paresse des chefs. Dès la première séance d'administration, il a prévenu ses officiers qu'il n'hésiterait pas à les déshonorer s'ils se permettaient les moindres profits avec les fournisseurs et ajouté au témoignage de sa femme : « Je vous permets d'en faire autant si je m'en rends coupable. »

Le 4 août 1814, il fut breveté maréchal de camp par Louis XVIII sur sa représentation que tous les capitaines-lieutenants qui l'avaient précédé à la tête des grenadiers à cheval, dans l'ancienne France, étaient lieutenants généraux et que Sa Majesté ne voudrait pas aujourd'hui un simple colonel pour son lieutenant dans sa compagnie. Le Roi, qui avait sanctionné à Calais, en touchant le sol de France, le 27 avril 1814, sa nomination comme colonel par le duc d'Angoulême, écrivit le jour même : « Bon », en marge de la demande, et signa.

La Rochejaquelein était vraiment en faveur. Mais Louis, qui avait en outre reçu la croix de Saint-Louis, ne cherchait pas à en user, l'intrigue n'étant pas son fait. Sa femme nous dépeint ainsi ses journées :

« Il lui fallait être à dix heures au château pour déjeuner avec le Roi. Il emportait une quantité de demandes et d'avis, sans crainte d'user son crédit ou de se faire des ennemis. Uniquement poussé par son zèle. Il courait de là chez les ministres, les chefs de bureau ou à Sèvres jusqu'à dîner. Après, il ne sortait plus s'il dînait chez lui tant il était accablé de fatigue, car il employait une partie de ses nuits à lire les ordonnances de cavalerie (lui qui n'avait jamais servi que dans l'infanterie) et à prier... » Sa ferveur d'enfant avait ressaisi son âme depuis le jour où Napoléon avait lancé contre lui un ordre d'arrestation. Une piété simple, ardente, partie du cœur, de son grand cœur resté enfant, qui se traduisait plus par de longues prières que par des lectures. « Je ne comprends pas qu'on n'aime pas de tout son cœur la Bonté même », disait-il à sa femme. La Bonté même. Dieu. Aussi, la première messe du Roi à laquelle il assista l'incommoda-t-elle, cette piété « tendre et sincère » ne trouvant pas son compte à cet office déroulé dans un bruit de musique et de chuchotements. Son parti fut aussitôt pris. Il se leva désormais plus tôt le dimanche matin pour avoir une première messe aux Missions étrangères. A son épouse, il expliqua : « Beaucoup de personnes me parlent à la messe du Roi, cela me distrait ainsi que la musique. Je ne peux pas la suivre avec assez d'attention. »

Cet homme apparemment comblé a des heures de tristesse. On en veut pour preuve certain tableau de lui en grand uniforme où ses traits reflètent une indéniable expression de désenchantement.

Quelles visions intérieures obscurcissaient donc son regard ? Un fardeau écrase ses épaules : l'héritage à lui légué par un martyr inaccessible, son frère, Monsieur Henri. Ces vivats, ces embrassements, ces cris de joie chargés d'espoir et si lourds de souffrances et de larmes, ah ! peut-il en avoir oublié la poignante signification ?

En vain Louis poursuivra la réalisation du rêve de Monsieur Henri, la libération de la Vendée, comme si l'histoire n'avait pas changé.

Cette Vendée, il ne cesse d'ailleurs d'y penser et d'essayer d'obtenir gain de cause auprès du Roi. Mais tout est long, désespérément long.

Ce n'est que peu avant son départ pour Bordeaux (27 février, nous disent ses amis Queyriaux et Clabat, alors qu'il est requis par le duc d'Angoulême) qu'il peut entretenir l'espoir d'en finir avec les malversations des percepteurs. Le pouvait-il plus tôt ? Hélas, le duc d'Angoulême l'a écarté de sa personne en juillet, lors de son voyage en Vendée angevine, et n'a pas daigné paraître dans les Deux-Sèvres.

Qu'importe puisqu'il est sur le point d'aboutir auprès du Roi. En attendant il va refaire en sens inverse cette route qu'il parcourut voici près d'un an, lorsque le Prince l'envoya porter ses dépêches à Paris au comte d'Artois.

La veille, le 26, un autre homme s'est mis en route pour refaire en sens inverse, lui aussi, son trajet de l'an passé. Et, sur un brick au nom fatidique, *l'Inconstant,* escorté de six felouques chétives, il a pris la mer pour le cap d'Antibes, et de là gagné Grenoble, Lyon, Paris... la France.

CHAPITRE II

L'APPEL AUX ARMES

5 mars 1815. Le cortège de Leurs Altesses Royales le duc et la duchesse d'Angoulême fait une entrée triomphale dans Bordeaux. Le 9, un grand banquet est offert à Leurs Altesses par le commerce de la ville, et un bal pour le soir. Brusquement toute cette joie s'évanouit car, dans l'après-midi, arrive de Paris au palais Rohan un courrier du maréchal Macdonald : Bonaparte est débarqué en France. Le 12, jour du fameux anniversaire, un nouveau courrier apporte à la princesse les instructions du Roi la concernant. Elle charge aussitôt La Rochejaquelein d'aller porter sa réponse à Paris comme si elle n'avait attendu que l'occasion de le remettre à la disposition du Roi. Le 16 mars, Louis touche Paris. Sitôt sa mission remplie, il a, tout à ses grenadiers, couru à l'Ecole militaire où Gibon, son second, les a ramenés depuis le 7.

Après trois jours d'hésitations, Louis XVIII se décide le 19 mars à quitter la capitale. Nous retrouvons Louis de La Rochejaquelein à la tête de ses fidèles grenadiers, attendant sur le Champ-de-Mars. Le Roi a donné l'ordre au maréchal Marmont, venu lui annoncer dans la matinée que Napoléon était entré l'avant-veille à Auxerre, de réunir sa Maison à deux heures. Il doit sortir par la barrière de l'Etoile, affecter de passer la revue, puis, arrivé aux Champs-Elysées, continuer sa route. La Maison prendra la direction indiquée par la voiture royale. Mousquetaires, chevau-légers, gendarmes, grenadiers stationnent depuis quatre heures lorsque débouche au Champ-de-Mars l'attelage traditionnel à six chevaux. Marmont s'approche pour prendre les ordres de son souverain et reçoit cette réponse :

— J'ai changé d'avis. Je ne partirai que cette nuit. Faites rentrer les troupes et venez à sept heures.

Louis XVIII a choisi Lille. Lille ! Mais c'est l'exil à brève échéance ! A Saint-Denis, où se transportent la Maison et les princes sitôt le départ du Roi sous la seule protection de son cortège ordinaire, Auguste de La Rochejaquelein, frère de Louis, Ludovic de Charette et des gardes du corps en grand nombre demandent leur congé pour aller servir en Vendée. Enfin, sous une pluie torrentielle, la Maison se met en marche vers le nord, couvrant la retraite du Roi plus qu'elle ne l'escorte car le souverain se trouvera, lors de son arrivée à Lille, la précéder de quarante-huit heures.

Louis de La Rochejaquelein marche à l'avant-garde avec ses fidèles grenadiers qu'il rêve d'utiliser pour conserver au Roi quelques places du nord de la France. Après une étape le 23 à Saint-Pol, la Maison emprunte le 24 la petite route conduisant à Lille et vient bivouaquer devant Béthune ; le lendemain elle entre à Béthune. Demain, elle aura gagné Lille, rejoint le Roi. Une estafette brise cet espoir. Le monarque n'est plus à Lille, il a franchi la frontière... Après un arrêt à Ostende, Louis XVIII s'installe à Gand, qui lui avait été désigné comme résidence par le roi des Pays-Bas. C'est là que Louis de La Rochejaquelein, escortant les princes, le rejoignit. Il ne se sentait pas le goût de cette existence mesquine de Cour en exil, tout empoisonnée d'intrigues, de projets chimériques et d'aigres discussions, ce fils de la « terre », né à la fois pour l'action, parce que peut-être sa jeunesse s'est écoulée au milieu des périls et des aventures, et pour l'activité rurale. Une voix montait en lui dont l'emprise se faisait irrésistible, la voix de ce peuple fidèle que lui avait légué son frère. La faillite de la politique royale apparaissait avec une clarté évidente à cet esprit tout chevaleresque et par là même sans grandes nuances, à cette nature toute de premier élan, facilement baignée dans un enthousiasme puéril ou sublime suivant le plan sur lequel on le juge.

Dans le Conseil des ministres exilé, on se préoccupait, un peu tardivement, d'armer les résistants de l'intérieur. Le Sud-Ouest retenait surtout l'attention de Jaucourt, qui gardait la mémoire du soulèvement de Bordeaux. D'autres rêvaient la conquête du Midi. La Rochejaquelein, lui, irait porter des armes aux Vendéens. Il avait dû avoir fort à faire pour arracher son consentement au monarque, et d'autant plus de mal que dans l'accablement général du premier moment, seul de tous, Blacas, farouchement opposé à une tête de pont en Vendée, s'était senti tout ragaillardi de se retrouver dans sa position d'émigré.

Qu'avait obtenu au juste le tenace La Rochejaquelein ? Son ami de cœur, le Bordelais Louis-François de Queyriaux, qui devait le rejoindre en Vendée, nous dit : une lettre du Roi pour le prince régent d'Angleterre, une autre de Blacas l'accréditant auprès du ministre anglais « afin d'obtenir des secours en armes et en munitions pour la Vendée ». Cette mission formait à merveille le correctif de la plainte un peu naïve, adressée le 25 au souverain par le duc de Bourbon, la veille de son départ, en une lettre jamais parvenue à son destinataire et où Louis XVIII eût pu lire : « La Vendée est animée d'excellents sentiments, mais depuis un an je ne comprends pas comment il se fait que l'on ait complètement oublié d'armer ces provinces. »

D'ailleurs la première pensée du Roi n'avait pas été d'envoyer Louis en Vendée mais dans le Sud-Ouest, théâtre de ses exploits de l'an passé. Il s'était ravisé par la suite, avait cédé aux instances du fougueux frère de Monsieur

Henri et finit même par reconnaître, a-t-on dit, la justesse de ses arguments.

A Londres, le « fanatique » — on lui avait jeté un jour ce mot comme une injure — avait fini par obtenir ce qu'il voulait : des armes. La perspective du « fonds précieux » que constitueraient des milliers de Français fit céder le gouvernement britannique. Tout en laissant les Français libres de choisir leur régime et sans prétendre s'immiscer dans leurs affaires intérieures, le cabinet de Saint-James « fournirait tous les moyens nécessaires pour seconder les efforts des Français qui voudraient se montrer pour Louis XVIII ».

Au négociateur vendéen furent ainsi alloués 24 000 fusils, 14 canons, 6 000 sabres et mousquetons, des selles, des souliers, des munitions. On offrait même de porter les fusils à 40 000. Des bâtiments de transport et quelques frégates. Pas de troupes de débarquement. Pas d'argent, du moins pour le moment. Le plus difficile était de recruter un embryon de corps expéditionnaire. Les Français d'Angleterre, peu nombreux, renâclaient devant l'aventure, car c'en était une. Ils eussent coopéré avec des troupes de débarquement ; il n'y en avait pas. « Attendez donc les hostilités prochaines », conseillaient les Anglais. Louis s'était obstiné. Il caressait un vieux rêve dont Queyriaux a livré la confidence : « Montrer dans sa terre natale le pays de la fidélité et du dévouement. »

A son cousin Suzannet, qu'il sait en Vendée, il a dépêché deux messagers, MM. de Lion et de Mazin, pour prévenir la province de son arrivée et de son apport. Chevalier d'un autre âge, il va vers le pays de légende, la féerique *genitrix heroum*, l'ivresse au cœur, la confiance dans l'âme, tout enflammé d'amour et d'héroïsme.

Et, le 30 avril, il était parti.

Le capitaine Edward Kittoe, commandant de la frégate *The Astrea,* attendait à Portsmouth M. de La Rochejaquelein. Avec cette frégate, le ministre avait donné « un brick et un transport contenant 24 000 fusils, 800 000 cartouches, de la poudre, du plomb, du papier, prélude, avait-il dit, des transports qui suivaient ce premier » (notes manuscrites de Queyriaux). A Portsmouth, Louis retrouva les Français qu'il avait pu réunir, minuscule phalange de vingt-six très jeunes gens, tous officiers.

Devant Plymouth, la frégate fut rejointe par un brick, puis par un autre encore, et le bateau de transport devant Falmouth, mais les vents étaient contraires. Etait-ce un présage ?

Il eût pu le croire au soir de ce 8 mai, quand, après avoir louvoyé toute la journée le long de la côte poitevine, *The Astrea* revint mouiller devant l'île d'Yeu. Depuis la veille au matin, jour de l'arrivée près des côtes, rien, aucun signal n'avait paru sur la dune. Sans doute, c'était dimanche. Mais la journée de lundi, au cours de laquelle la frégate avait « fait » la côte jusqu'aux Sables, n'avait procuré que la venue d'un pêcheur qui avait accepté de revenir la nuit chercher deux des Français pour les conduire à terre.

Or, la nuit avait passé sans que revînt le pêcheur, et pour cause. Il avait été arrêté. Le 9, rien non plus. Ce morne éphéméride devenait torturant. Le 10, l'un des bricks capture enfin une barque. Le patron, un Vendéen, accepte de conduire à terre M. d'Annoville et le fidèle Jacquet, le domestique de Louis. Ils seront tous deux arrêtés en débarquant. Le 11, un bateau vendéen vient crier à la frégate cette fâcheuse nouvelle. La Rochejaquelein tente de se faire jeter lui-même à la côte la nuit suivante. L'état de la mer empêche l'opération. Pour La Rochejaquelein, il n'est guère douteux à présent que le Lion et Mazin ont échoué dans leur tentative pour joindre les chefs vendéens. Sinon pourquoi cette incompréhensible atonie de la Vendée qui se prolonge les 13, 14, 15 mai, ce nouvel obstacle ajouté aux autres, tous d'un si funeste présage ?

Que fait donc la Vendée ? Telle est la question que se

pose sans cesse Louis pendant les neuf jours de son attente.

***

Pour le savoir, il nous faut retourner en arrière, au moment de l'arrivée triomphale de Napoléon à Grenoble.

Le 15 mars, on peut lire dans le *Journal politique et littéraire* de Maine-et-Loire : « S.A.S. Monseigneur le duc de Bourbon est arrivé hier dans notre ville. Toutes les autorités ont été lui présenter leurs hommages et ont été accueillies avec la grâce et la bonté qui caractérisent la famille de Bourbon. »

En fait, le Prince est arrivé dans la nuit du 14 au 15 à Angers. Il est chargé par le Roi d'organiser la résistance dans l'Ouest.

Le 16 mars, le général d'Andigné arrive à Angers. Fortuné d'Andigné qui, en 1795, a succédé à Scépeaux dans le commandement suprême des régions chouannes comprises entre la Loire, le Maine et l'Océan. L'évadé célèbre des forts de Joux et de Besançon, le chevalier de Sainte-Gemmes, comme on l'appelle dans le Ségréen, son pays, se trouve en disgrâce à la suite de rapports malveillants envoyés au souverain. N'étant d'aucune utilité à Paris où le spectacle de l'apathie du gouvernement a crispé ses nerfs, il accourt se mettre à la disposition du duc de Bourbon, avec l'autorisation du comte d'Artois. Ce grand chef a jugé d'un coup d'œil la situation. Les levées de volontaires sont sans objet. D'abord la mesure administrative est trop lente. Puis ces hommes, sans instruction militaire et ne se connaissant pas ne manifesteront aucun esprit de corps. Il n'y a pas un instant à perdre. Le pays est saigné par la conscription de sa jeunesse la plus vigoureuse. Soult a, pendant son passage au ministère, fait réquisitionner, au nom du Roi, tous les fusils de calibre, de sorte que les ex-insurgés sont dans un dénuement qu'ils n'ont jamais connu. En conséquence, il faut appeler tout de suite les paysans en masse. Ils formeront un noyau auquel se rallieront beaucoup d'officiers de l'armée « qui désiraient rester fidèles ». Des corps entiers reviendront probablement au Roi. Il faut, en même temps, s'emparer « sans tarder » des armes, des munitions et des caisses publiques qui sont encore à la disposition de Son Altesse, promue gouverneur des cinq divisions militaires de l'Ouest, mais peuvent, d'un moment à l'autre, passer aux mains de ses adversaires.

Par malheur, le duc de Bourbon est parti de Paris sans attendre ses pouvoirs. D'où deux jours de perdus.

Le 18, les pouvoirs de Son Altesse sont arrivés et d'Andigné vient voir le prince avec le général d'Autichamp, commandant les départements de Maine-et-Loire et de la Mayenne.

Cette entrevue ne débouche sur rien, en raison de l'opposition de d'Autichamp activement secondé par l'entourage du prince, notamment son premier aide de camp, le comte de Maulessus de Rully.

D'Autichamp se retranche derrière les ordres de Louis XVIII, « formation de douze bataillons nationaux » amalgamant pour moitié les anciens combattants vendéens avec des éléments nouveaux, et « défense de faire quelque chose sans son ordre exprès »... D'Andigné, qui n'était revêtu d'aucune fonction officielle, ne pouvait s'opposer ouvertement au commandant d'Angers.

Le lendemain, 19 mars, l'entrée de Napoléon à Paris changeait radicalement la situation. Mais jusqu'au 22 on ne prit aucune disposition efficace. Pour réussir il aurait fallu auprès du duc de Bourbon et aux postes de commande des hommes d'énergie et de prompte décision sachant biaiser avec les instructions du gouvernement. Or, autour de sa personne, déjà paralysée, emprisonnée par cet entourage de soixante personnes, sa Maison amenée avec lui à Angers, ruche bourdonnante et malfaisante férocement jalouse de l'influence des chefs chouans et vendéens sur leurs populations, Louis-Joseph de Bourbon, ce prince de cinquante-sept ans, brave, il l'avait montré en 1793, ne trouvait pour le seconder que des fonctionnaires bornés et incapables. Le duc de Bourbon essaie bien d'agir. Il fait tenir au général Rivaud, comte de la Raffinière, commandant la 12ᵉ division militaire, l'ordre, d'ailleurs exécuté, d'expédier des fusils de La Rochelle et d'Angers, 10 canons et 4 000 cartouches. Il manque toutefois les mesures essentielles : ce noyau polarisateur d'un millier de paysans préconisé par d'Andigné, l'armement de volontaires qui regarde d'Autichamp ; les mesures à prendre pour saisir le courrier aux limites des départements de la Mayenne et de Maine-et-Loire au jour fatidique, de manière à pouvoir déclencher la résistance des provinces de l'Ouest à la faveur de cette conspiration du silence, si magistralement menée par le gouvernement. Elles seules peuvent permettre au prince, libéré demain des entraves ministérielles de par le départ du monarque, de maintenir dans l'Ouest l'autorité royale, de neutraliser Travot laissé si imprudemment à Nantes. Ce dernier est à présent chevalier de Saint-Louis et a même envoyé son serment de fidélité au Roi.

Le 22 mars, la nouvelle se répand que le duc de Bourbon a quitté la ville et s'embarque pour l'Angleterre. Le prince a déclaré « formellement » au général d'Autichamp que le Roi ne veut pas qu'il y ait de prise d'armes et l'a chargé lui, d'Autichamp, de notifier à tous ceux qui se présenteraient qu'ils devront rentrer dans leurs foyers afin de rassembler le plus d'armes et de munitions qu'il leur sera possible, de recruter en sous-main les paroisses afin d'être prêts à se lever au premier appel. En fait, le prince était parti vers Beaupréau dans la nuit du 21 au 22, quelques heures après avoir reçu la nouvelle du départ de Louis XVIII et de la prochaine arrivée de Napoléon à Paris.

Mais il ne se résignait pas complètement à abandonner Angers. Il avait enjoint à d'Autichamp, contre le désir de celui-ci, d'y demeurer. Le commandement devait rester entre ses mains pendant toute la nuit. A huit heures, le général ayant pris connaissance de la nomination de son remplaçant au commandement de la subdivision, le colonel Noireau s'est rendu au domicile de celui-ci pour lui remettre ses pouvoirs.

Ce transfert effectué, d'Autichamp a dépêché à Beaupréau un homme « sûr » pour aviser le prince qu'il a cessé ses fonctions et prier Son Altesse de le rappeler près de sa personne. Depuis, « il se tient assez renfermé chez lui », il attend le retour de son messager.

Celui-ci reviendra le lendemain 23, porteur d'une réponse identique à celle du 21 : « Restez à Angers pour me tenir au courant. »

A présent que le duc lui refuse pour la deuxième fois la permission de se rendre près de lui dans les Mauges, il se décide à déterminer le départ définitif du prince qui s'obstine à y demeurer sans lui. N'a-t-il pas recueilli la succession de Stofflet ? N'est-ce pas lui qui a aiguillé Son Altesse sur Beaupréau, alors que peut-être l'entourage optait pour Nantes ?

C'est ici que l'apparente incohérence de sa conduite peut prêter à équivoque. Quel but peut bien poursuivre celui qui désire une fin en prenant les moyens contraires ? N'écrit-il pas qu'il escomptait les plus heureux effets de la présence du prince sur l'esprit des habitants et sa sécurité au milieu d'une population fidèle ? Et ceci à la date du 21-22 mars.

Incohérente, son attitude ne l'est pas pour qui veut bien se référer à sa scrupuleuse observation de la lettre royale du 17 à lui-même adressée. Qu'il ait envisagé l'insurrection sérieusement après le départ de Louis XVIII, il a donné trop de preuves de son non-vouloir à cet égard pour qu'on puisse le croire. Qu'il entende se cantonner dans la passivité absolue est autre chose. Comme d'Andigné, il a son plan : prouver l'existence d'un parti du Roi. En gros, il consiste à entretenir l'effervescence de la

Vendée ou plus exactement mettre la province en état d'insurrection larvée.

Cette agitation de forme, cette petite guerre de velours ne dépasse pas les bornes de ses instructions, évite l'effusion de sang — les Vendéens n'ont pas d'armes — et correspond aux exigences de la méticuleuse politique de Louis XVIII. Au fond sa position est très forte et c'est bien à tort que Crétineau-Joly l'accusera d'avoir servi la cause de l'Empereur. Il n'aura pas de peine à prouver à ses détracteurs royalistes qu'il a mieux qu'eux tous compris et surtout respecté les intentions du Roi.

C'est alors qu'il prit l'initiative d'une démarche qualifiée par lui-même de « hasardeuse » ; retournant chez Noireau, il lui révèle le lieu de résidence du prince, se met en confiance et en confidence avec lui. Le 23 au soir, en possession d'un sauf-conduit pour lui-même et de la lettre de Noireau, proposant un passeport pour le prince et sa suite, d'Autichamp, en petite veste et chapeau rond, sans décoration, monte à cheval à onze heures et demie pour prendre la route des Ponts-de-Cé, seul avec son « ombre » le marquis d'Escayrac.

La justification d'une telle démarche tient peut-être au refus du prince de faire venir d'Autichamp près de lui.

En entraînant le dernier des Condé dans les Mauges angevines, cœur de l'insurrection de 1793, dans la nuit du 21 mars, d'Autichamp voulait-il lui fournir, avec un asile sûr, le moyen de faire quelque chose qui ne dépasserait pas le cadre de ses instructions, faute de moyens matériels pour les dépasser ? En ce cas il est certain qu'en refoulant d'Autichamp qui prétendait non le pousser mais l'entraîner, au moment de franchir la frontière vendéenne, le duc de Bourbon jetait à bas l'échafaudage de d'Autichamp et se privait d'un collaborateur indispensable.

Ceci peut expliquer la démarche du général auprès de Noireau. Ce qui est sûr, c'est qu'en acceptant de venir à

Beaupréau, le prince n'avait entendu consentir qu'à un transfert de son quartier général.

Lorsqu'il eut abandonné son plan de soulèvement des provinces de l'Ouest, ce dessein demeurait si présent à sa pensée que sitôt son arrivée il avait décrété une levée en masse des hommes de dix-huit à cinquante ans. Les jours suivants, il lance ordre sur ordre ; à Canuel alors à Loudun, de réunir des volontaires et de marcher sur Châtellerault ; au sous-préfet de Saumur d'assurer la subsistance des Vendéens du Bressuirais qu'Auguste de La Rochejaquelein reçoit mission de réunir et de diriger sur cette ville. Le but assigné à Canuel et à Auguste est identique : s'emparer des munitions. Trompé par les adresses de fidélité qui, jusqu'à la veille du 20 mars, affluaient vers lui à Angers, le prince n'aperçoit pas que l'occasion qu'il a laissé échapper à Angers recule l'échéance. Il ignore qu'à cette heure la population nantaise fait décharger les bateaux remplis de munitions destinées à la Vendée et que Travot rétrograde le convoi de La Rochelle envoyé par Rivaud, qu'il est trop tard enfin pour nationaliser le soulèvement de l'Ouest. Ce n'est pas la mission de d'Autichamp qui semble avoir précipité le départ de l'Altesse, mais plutôt la fatigue et la lassitude. Le duc dédaigna le passeport offert par Noireau et préféra disparaître dans la nuit de Pâques, tandis que les membres de l'entourage profitaient, eux, des facilités consenties par l'officier bonapartiste. Le 25 mars au matin, le comte de Maulessus déclarait à d'Andigné que son maître avait jugé indigne d'un prince du sang « la vie errante et vagabonde »... Coup sur coup, des ordonnances apportaient des nouvelles fâcheuses ou leur confirmation. Deux cents hommes venus de Nantes, quatre cents venant d'Angers marchaient sur Beaupréau.

Les troupes sont à Saint-Lambert. On ne prend même pas la peine de contrôler ces nouvelles demain reconnues fausses qu'inventent une maréchaussée ennemie, soucieuse de promouvoir la désinformation au rang de stratégie. Le

379

prince fait déjà ses adieux. Il engage les chefs vendéens à prendre les armes comme ils pourront, signe à d'Andigné les pouvoirs que par son ordre le chef de la chouannerie a préparés pour commander le Maine-et-Loire, la Loire-Inférieure, la Mayenne, la Sarthe.

C'est alors, raconte M. de Quatrebarbes qui le tenait du fils de M. du Doré, que le prince, apercevant sur les pouvoirs présentés la mention de la seule partie nord du Maine-et-Loire, voulut y ajouter la partie sud, jusqu'ici départie à d'Autichamp. Du Doré plaida pour d'Autichamp, le prince s'entêta. Du Doré aussi. Finalement, d'Andigné trancha en refusant par délicatesse autant que pour ne pas froisser les susceptibilités locales.

En cédant à ce sentiment de solidarité ici plus social que militaire, le vieux lion commettait deux graves erreurs. La première, que répétera d'ailleurs Louis de La Rochejaquelein, est de ne pas comprendre que dans certaines circonstances le désir chevaleresque doit s'incliner devant l'intérêt général. La seconde, c'est de ne pas avoir vu qu'en laissant le commandement de l'armée d'Anjou à d'Autichamp, il laissait le champ aux querelles et aux graves dissensions qui allaient surgir entre Louis de La Rochejaquelein et celui-ci, alors que lui, d'Andigné, partageait plus les vues de Louis de La Rochejaquelein. Aussi les refus de d'Andigné et du prince de demeurer en Vendée contenaient en germe l'échec de l'insurrection et, par voie de conséquence, la mort de Louis de La Rochejaquelein.

Que la tentative de La Rochejaquelein fût trop précipitée selon la casuistique de M. d'Autichamp, tel n'est pas l'avis de M. d'Andigné. Les Vendéens devaient à leur ancienne gloire, à l'honneur de la France, de se prononcer avant que les étrangers eussent agi, déclare Sainte-Gemmes qui ajoute : « Ils auraient rougi de ne pas se lancer les premiers. »

Qu'elle fût vouée à l'échec comme tendent à le faire croire Mémoires et précis de MM. d'Autichamp et de

Suzannet qui ont contribué à accréditer la version d'un soulèvement plus artificiel que naturel, les rapports des généraux gouvernementaux apportent une impression contraire. Préoccupé d'ailleurs par les premiers succès vendéens, l'Empereur se résignera bientôt à faire passer immédiatement dans la province des forces importantes dont une brigade de la jeune Garde et deux batteries. Belle-Ile, Noirmoutier, Aix, Ré durent se démunir de leurs garnisons. De plus le général Delaborde, malade et sans activité, dut céder la place au général Lamarque, chef plein de vigueur très au courant de la guerre de chicanes qu'il venait de mener avec maîtrise en Calabre et en Catalogne. Dans le concert de la prise d'armes de l'Ouest, la Vendée demeurait « le point le plus vulnérable de l'empire », selon les propres termes de Lamarque, et, d'Andigné, bien que Chouan, n'en savait pas moins qu'elle était le pivot du mouvement et jugeait qu'un débarquement d'armes l'eût mise sur un pied qu'il juge « très formidable ». C'était voir juste. Travot, on le verra, ne pensait pas différemment.

Ce n'est pas « à une froideur relative des masses », comme l'écrit Roger Grand, que s'est heurté l'élan juvénile de La Rochejaquelein, mais plutôt à une tiédeur des chefs vendéens qui freinèrent et finirent par briser l'élan des paysans alors qu'il ne fallait à la Vendée de 1815, écrit d'Andigné dans son rapport daté du 30 juin, que des chefs habiles, des armes et des munitions pour former à l'instant une armée nombreuse.

Pourtant d'Andigné, qui avait déjà tenté de retenir en Vendée le duc de Bourbon, jeta les bases d'une action commune chouanno-vendéenne.

Dans les derniers jours d'avril 1815, il prenait le chemin de Chavagnes-en-Paillers et allait frapper au château de la Chardière. C'est là qu'habitait Suzannet, le successeur de Charette.

Mais Suzannet n'était pas chez lui. D'Andigné n'y trouva que sa mère, son beau-frère Jean de La Ville-Gille et Louise de La Rochejaquelein, sa cousine germaine. Il leur exposa son désir de s'aboucher à Melay chez La Béraudière avec les chefs « les plus influents de la Vendée » avant de regagner sa zone. Des deux invités, Suzannet et Auguste de La Rochejaquelein, seul le premier s'y rendit. Auguste, prévenu par sa sœur, ne put y venir mais fit savoir qu'il adhérait d'avance aux décisions prises dans cette réunion.

Elles étaient d'importance. Il s'agissait de préparer ces régions au soulèvement et de réunir toutes les munitions possibles en prévision d'une action collective unanime de toutes les provinces jadis insurgées.

D'Autichamp fut-il convoqué à Melay ? Ni d'Andigné ni d'Escayrac n'en soufflent mot dans leurs Mémoires. Après le 27, d'Autichamp avait gagné en voiture, « à petites journées » par Saumur et Poitiers, sa terre de la Rochefaton. Il éprouvait au fond le plus grand embarras de la situation dans laquelle il s'était mis.

Couvert de fleurs par la presse bonapartiste qui exaltait son attitude patriotique, il écrivit au Roi un rapport pour se disculper des accusations portées contre lui et lui exprimer sa conviction que les Vendéens se lèveraient s'ils recevaient des armes et des munitions. Il chargea M. de Boisbertrand de porter son rapport à Gand, mais celui-ci le déchira à la frontière.

L'ex-commandant de la subdivision d'Angers semble avoir été plus que jamais pénétré de prudence. Sa lettre adressée au Roi atteste cette volonté de n'agir qu'en scrupuleuse conformité avec ses vues.

La majorité des Vendéens cependant jugeait plus opportun de prendre les armes avant que les renforts dont Bonaparte disposait contre leur pays ne se fussent rendus maîtres de quelques points importants. Tels sont les motifs de la réunion de La Chapelle-Basse-Mer le 10 mai.

En outre, dans ces derniers jours d'avril, M. de Romain avait reçu de Suzannet « une lettre à faire passer à d'Autichamp » dans laquelle il lui faisait part de nouvelles reçues d'Angleterre ; Louis de La Rochejaquelein devait arriver très prochainement avec un convoi d'armes sur la côte du Poitou.

Voilà, comme l'a souligné M. Bertrand Lasserre, le vrai mobile de la réunion à laquelle assistaient d'Autichamp, Suzannet, Auguste de La Rochejaquelein, Chantreau et d'autres dont on ignore les noms. La nouvelle de l'arrivée de La Rochejaquelein avait d'ailleurs transpiré. Il en était résulté chez l'adversaire aux aguets l'envoi vers la côte des quelques forces qui empêchaient à cette heure le débarquement de Louis.

Qui le croirait ? Des trois chefs de corps qui se rencontrèrent le 10 : Suzannet, d'Autichamp et Auguste de La Rochejaquelein, ce fut ce dernier qui montra le plus d'hésitation.

Son frère, à l'entendre, arrivait trop tôt du fait que les hostilités n'étaient pas commencées et que Bonaparte enverrait des « forces majeures » contre les insurgés s'il en avait le temps. Suzannet, qui croyait, comme on le disait, que les hostilités commenceraient le 15 mai, répliqua qu'il n'y avait pas lieu de retarder le débarquement et trancha : « Je me charge de le protéger. »

Ce bel enthousiasme n'exclut point la lenteur. Alors que Louis est depuis le 7 devant les côtes poitevines, que Mazin est arrivé dans les derniers jours d'avril, on ne s'assemble que le 10 mai pour délibérer de l'affaire et repousser encore au 15 le lever du rideau. Et cela sans parler des retards qui suivront et se multiplieront après cette date. Au fond, Suzannet n'avait guère plus de goût que d'Autichamp pour cette quatrième prise d'armes. Brave il l'était, mais il était en même temps désabusé, peut-être hanté par l'échec des précédents soulèvements. Quatre corps d'armée sont formés qui ont respectivement à leur tête :

1er corps d'Anjou - général d'Autichamp ;
2e corps centre - général Sapinaud ;
3e corps marais et Bas-Poitou - général Suzannet ;
4e corps Haut-Poitou - Auguste de La Rochejaquelein.
Cette conférence contient en germe ce qui sera une des

causes de l'échec du quatrième soulèvement : l'individualité et l'incohérence des chefs vendéens. La question du généralat en chef fut encore cette fois-ci réservée. Si Louis avait obtenu des Anglais des armes pour la Vendée, ce n'était pas sans l'entremise du Roi qui autorise donc la prise d'armes. Louis ayant pour soi l'initiative et la réussite, tous deux, Suzannet et d'Autichamp, se trouvaient *ipso facto* relégués au second plan. Ils le sentirent tout de suite [1]. Louis n'arrivait pas seulement précédé d'un nom chéri des Vendéens. Ils avaient découvert d'instinct chez le frère de Monsieur Henri, notamment en 1814, au cours de sa tournée, le chef selon leur cœur, aussi dévoué aux intérêts de la Vendée qu'à ceux de son Roi.

Le plan adopté à la conférence elle-même s'inscrit dans le prolongement de ces querelles d'amour-propre et d'individualisme. Suzannet seul protégera le débarquement pendant que d'Autichamp et Auguste de La Rochejaquelein, chacun dans sa zone, s'occuperont de nettoyer les arrières du pays.

A son retour de la conférence de La Chapelle-Basse-Mer ce dernier a trouvé à Saint-Aubin le général Canuel qui

---

1. Comme le note très justement M. de Roux : « Les idées égalitaires sont aussi puissantes dans la noblesse que dans la bourgeoisie. Toute inégalité semble une injustice et l'inégalité entre frères la plus cruelle de toutes. » Or, les chefs de la Vendée de 1815 sont par malheur tous gentilshommes et de tous, un seul avait une place officielle à la Cour : Louis de La Rochejaquelein. D'où l'*iracundia* des désavantagés.
Suzannet et d'Autichamp ne voyaient qu'une chose, la brillante destinée de celui à qui la fortune avait souri à moins de frais qu'à eux-mêmes. Ils n'étaient pas les seuls. Cette carrière scandalisait jusqu'aux esprits honnêtes, comme le Chouan Billard de Vaux qui s'en étonne dans son fameux *Bréviaire du Vendéen* : « Personne n'a applaudi plus que moi à la générosité de Sa Majesté envers une famille si digne de ses regards et de sa confiance, mais pourquoi récompenser les services des défunts (Henri) dans les vivants ? » Vers 1831, Achille de Vaulabelle écrira d'une phrase qui éclaire l'énigme de 1815 : « La faveur accordée par la Cour aux membres de cette famille avait excité le mécontentement et l'envie des anciens chefs insurgés. »

a tenté d'obtenir une entrevue avec d'Autichamp. Canuel, futur chef d'état-major de Louis, chargé par lui de l'organisation militaire, est un ancien général de la République en Vendée. Rallié à la réaction bien avant de se rallier aux Bourbons, il a été naguère pressenti par le duc de Bourbon en mars pour commander la Touraine et la Vienne. Auguste l'accueille avec un mot charmant : « Vous m'aiderez de vos conseils et de vos talents, nous partagerons les périls. » Canuel cherche bien à le convaincre qu'il faut entraîner les Vendéens du Bressuirais à la conquête du Haut-Poitou afin de s'assurer la maîtrise de la côte. Auguste n'en fera rien.

Il se contente de faire occuper Bressuire, d'y rétablir le sous-préfet du Roi, M. Ferrand, et de proposer son concours à d'Autichamp pour en finir au plus vite avec le nettoyage de l'intérieur. Il ne reçoit pas de réponse. Pendant près d'une semaine, il se livre à une petite guerre d'escarmouches sans pour cela pouvoir tenter valablement quelque chose, faute de munitions et de renseignements sur l'état de l'adversaire. On est au 22 mai. Toujours pas de nouvelles de son frère et nulle réponse de d'Autichamp.

CHAPITRE III

LES PREMIERES CARTOUCHES

Le 15 mai à huit heures du matin, c'est une barque de pêche sortie de Saint-Gilles qui vint lui apporter le signal du soulèvement, levant et abaissant sa voile tour à tour. La frégate glisse aussitôt à la rencontre de la trop lente embarcation qui grossit, se précise et vient se ranger enfin contre *The Astrea* dont l'échelle est escaladée par le patron de la barque. L'insurrection est commencée, Robert, le capitaine et maire de Saint-Jean-de-Monts, aidé de MM. de Chastenet et Benjamin Ménard, a chassé les douaniers. Robert va venir sitôt ses postes établis. Il vient déjà. Louis le serre contre lui et l'embrasse. Robert, l'héroïque capitaine maraîchin de 1793, lui annonce que « le drapeau blanc flotte dans toute la Vendée ».

Louis s'inquiète. Le prince. Où est le prince ? La réponse tombe, décevante : « Son Altesse a quitté la Vendée après la conférence de Beaupréau. » Louis regagne aussitôt sa cabine pour écrire à la duchesse d'Angoulême en la priant de venir présider à l'insurrection en lieu et place du duc de Bourbon défaillant. L'accueil que reçoit Louis accompagné de son fidèle Queyriaux n'est pas fait pour le dégriser : ce ne sont que cris, vivats. De la côte, il est salué par une foule armée qui agite chapeaux et mouchoirs.

Comme Louis passait en revue les Maraîchins, arrivent avec leurs hommes MM. de Ménard, de Vaugiraud et de La Barre. On le proclame général en chef. D'après Queyriaux, il répondit : « Je ne veux prendre que le titre de commandant en chef d'une des armées royales de la Vendée. » D'autres soins autrement plus urgents le réclament. Sur la plage s'entassent les caisses de fusils et de munitions. Et Suzannet qui n'arrive pas !

Il doit envoyer lui-même des hommes réquisitionner des charrettes près des municipalités et des vivres. Le débarquement interrompu par le reflux reprend avec la montée du flot. Quatre cents douaniers, vers cinq heures du soir, tentent de troubler l'opération de l'autre côté de la Vie. Les assaillants, qui traversaient déjà la rivière, la repassent avec pertes. La nuit seulement oblige à suspendre le débarquement. Laissant un poste à Saint-Gilles-Croix-de-Vie, Louis se replie avec son monde sur Saint-Hilaire-de-Riez.

Le lendemain, le débarquement s'achève quand survient une troupe peu importante : Suzannet. Celui-ci, qu'accompagnent Saint-André et le jeune Ludovic de Charette, a laissé son corps d'armée (4 000 hommes) à trois lieues de là, à Commequiers. Suzannet fait part à La Rochejaquelein de son désappointement devant la modicité du lot : 2 400 fusils ! Vainement celui-ci confirma ses dépêches qui disaient 24 000, en expliquant que le second convoi, de beaucoup le plus considérable parce que comportant même de l'artillerie, des vêtements, des souliers, allait suivre. Il ne parvint pas à dérider Suzannet. Ce dernier, après avoir fait le récit des initiatives déployées par lui et d'Autichamp pour organiser l'insurrection, s'inscrivit contre la proposition de Louis de prendre la ville des Sables et fit adopter l'attaque de Noirmoutier « où se trouvait, disait-il, un dépôt d'armes ». Quand on aborda la question du commandement en chef, Suzannet détermina la résolution générale « en faisant observer que le marquis pouvait seul entretenir les relations avec le ministre anglais qui ne connaissait que lui et dont il importait de justifier et d'augmenter la confiance [1] ».

18 mai. Le partage des munitions est terminé. Le convoi confié à Charette et à Nicollon des Abbayes, l'un des meilleurs divisionnaires de Suzannet, se met en marche vers l'intérieur. Suzannet lui-même remonte au nord-ouest vers Noirmoutier tandis que La Rochejaquelein gagne avec trois cents Maraîchins les landes de Souillans où Suzannet doit le retrouver le soir même. Mais le soir, nulle nouvelle de Suzannet. En revanche il apprend que Travot, sorti de Bourbon-Vendée, se porte sur Saint-Gilles.

19 mai. Toujours pas de nouvelles de Suzannet. A trois heures de l'après-midi, un courrier de Ludovic de Charette annonce que la queue du convoi est attaquée par neuf cents hommes de Travot. Louis, bien que prévenu que toutes dispositions sont prises pour la défense du convoi, vole vers Saint-Christophe. Il arrive quand tout est fini mais il apprend que Suzannet est à Palluau. Renvoyant les Maraîchins, il y court avec les officiers amenés d'Angleterre tandis que le convoi poursuit sa marche sous Nicollon des Abbayes vers Saint-Denis-la-Chevasse où devait le trouver Auguste de La Rochejaquelein.

Louis, qui rejoint Charette à deux kilomètres de Palluau, pénètre dans le bourg. Suzannet n'est pas encore là mais on l'attend.

Le 20 mai à minuit, il arrive à Palluau. La Rochejaquelein lui manifeste un peu de mécontentement d'avoir conseillé un mouvement et de n'avoir pas contribué à son exécution, et lui demande d'avouer franchement s'il se repentait de lui avoir conseillé de prendre le titre de commandant en chef. M. de Suzannet assure avoir envoyé un courrier pour annoncer qu'instruit que les troupes s'étaient portées sur Machecoul et que Travot était à Saint-Gilles, il croyait la prise de Bourbon plus importante que celle de Noirmoutier ; enfin il jugeait utile que le marquis gardât le comman-

---

1. Queyriaux.

dement. La Rochejaquelein insista sur la nécessité de coordonner ses mouvements et de posséder un commandement unique. Ce rappel était tout à fait nécessaire car, sans consulter La Rochejaquelein, ni le général de l'armée du Centre, Sapinaud, arrivé lui-même à Palloven dans la matinée, Suzannet avait lancé à Auguste une invitation à la prise de Bourbon-Vendée : la rencontre avec Sapinaud n'est d'ailleurs pas fortuite. Tous deux ont la même pensée : Bourbon-Vendée. Ce n'est qu'à contrecœur qu'il accepte de marcher sur Aizenay conformément au désir de Louis. « Sapinaud et moi, a-t-il écrit dans son *Précis,* voulions aller sur Bourbon. Louis nous engagea à aller à Aizenay. Je cédai contre mon sentiment. » Pourtant Aizenay est sur la route de Bourbon. Au fond, sa contrariété est visiblement causée par la présence de Louis.

Pourtant, si un peu d'harmonie avait présidé aux mouvements des différents corps d'armée, la position de Travot aurait pu devenir fort difficile comme en témoigne le rappel à Roche des 15e et 26e de ligne en garnison à Cholet. Auguste de La Rochejaquelein, disait-on, marchait sur lui. Suzannet, lui, avait perdu son temps à tergiverser dans des affaires de détail au lieu d'enlever l'un après l'autre les postes de la côte comme convenu. Quant à Sapinaud, cessant de menacer La Roche, il effectue avec ses 2 000 hommes une marche hésitante en zigzag par les Quatre-Chemins-de-l'Oie vers le poste insignifiant de Belleville, sans autre résultat que la chasse aux gendarmes et la capture de leurs chevaux ou de leurs armes. Brave soldat, encore plus brave homme, sans plus d'ambition que d'autorité, s'effaçant avec modestie aujourd'hui devant Louis de La Rochejaquelein comme hier devant Vasselot, acceptant non moins facilement les sollicitations, le dernier chef de la Vendée du Centre apparaît bien tel que l'a dépeint en deux mots Crétineau-Joly. Inoffensif et conciliant. Cet état d'esprit se répercute sur l'armée. L'un des officiers, Durcot de Puytesson, s'inquiète de l'absence d'organisation et de discipline. Les chefs de corps lui semblent dépourvus de prévoyance et de direction et, fait plus grave, ces défauts lui paraissent n'avoir pas échappé aux paysans qui ne marchent visiblement qu'avec une grande défiance. À l'opposé, Travot se montre infatigable. Le combat d'Aizenay va être l'illustration la plus tragique de cette situation.

Le stationnement de Sapinaud, une demi-heure avant Aizenay, suivi de la jonction de Suzannet à ce point donné, avait tout simplement mis Travot sur la piste des deux chefs. Informés de sa présence, Suzannet et Sapinaud envoient des patrouilles. Insuffisamment poussées, elles ne rapportent rien. A Aizenay, nouvel avis. Travot s'avance sur Apremont, dix kilomètres à l'ouest ! Nouvelle patrouille jusqu'à Apremont, à peine plus fructueuse que les précédentes : Travot s'éloigne vers le Marais. Le loup rôdait donc autour de l'essaim des paysans. Tout repos était dangereux. Louis, en station au château de la Maronnière, à un kilomètre au-delà d'Aizenay, déclare qu'on se remettra en marche après avoir pris un peu de repos. Mais au moment du départ, un coup de fusil tiré au milieu de la troupe, par un traître a-t-on dit, y sème le désordre. Au milieu des décharges qui fusent dans toutes les directions, Louis rétablit l'ordre. On se remet en marche.

Le récit de Queyriaux illustre bien l'état de désorganisation de l'armée. « Les soldats fatigués, écrit celui-ci, allument des feux ou rentrent dans les maisons. La plupart des hommes de la division de Legé qui se trouvent dans Aizenay au lieu de se rendre sur la route de La Mothe-Achard comme Suzannet en a donné l'ordre, étaient à boire avant l'alerte sans qu'on pût les faire sortir d'Aizenay ; à présent ils demeurent inquiets, comme frappés. » Puytesson avait vu juste. La défiance gagne les paysans : les hommes de Sapinaud sont mêlés à ceux de Suzannet ; ceux de Charette campent au château de la Maronnière autour du neveu de l'inoublié « roi de Vendée » mais beaucoup sont restés sous les charmilles.

C'est l'instant que choisit Travot, sachant l'incapacité des Vendéens à se garder, pour exécuter contre cette masse, avec son quarteron d'armée, son coup d'audace. Vers minuit, éclate un hourvari. Les « Bonaparteux » soutenus par leurs clairons et leurs tambours hurlent le célèbre *On va leur percer le flanc* [1]. La Rochejaquelein, alors en conférence avec ses collègues dans une maison d'Aizenay, incite M. de Suzannet à porter ses soldats sur les flancs de l'ennemi pour couper la route de Bourbon-Vendée et, avec une partie de l'armée de Sapinaud, vole au secours de Charette vers la Maronnière où crépite la fusillade. Charette, toutes dispositions prises, mais déjà blessé, continue de commander le feu.

Travot donne de sa personne tandis qu'une autre colonne attaque baïonnette au canon par les jardins. Les vieilles ruses de 1796 n'ont pas été oubliées. Elles font toujours fortune. Au qui-vive des sentinelles vendéennes, les bonapartistes ont répondu « Vive le Roi ».

Cependant que La Rochejaquelein et Charette contiennent l'adversaire, Suzannet se montre enfin avec son avant-garde « intacte », sur les hauteurs du château, mais pour disparaître vers la forêt d'Aizenay. Sapinaud, voyant les siens coupés par cette retraite, charge Aimé de Gazeau de porter à La Rochejaquelein un message. Il tombe, criblé de balles, au retour dans la traversée du village. La Rochejaquelein reste seul avec les officiers venus d'Angleterre qui lui ont amené quelques faibles détachements et constitue le dernier îlot de résistance. Il doit vite céder au nombre. Dulandreau et des Nouhes se fraient un passage à coups de sabre. Puytesson, atteint au talon par une chevrotine, se traîne dans un bois. Jacques de Guerry, beau-frère de La Rochejaquelein, tombé dans l'avenue du château, y est achevé à coups de sabre. Saint-André essaie vainement de se rendre aux vainqueurs

1. En réalité : On va leur couper les c... Cf. Ct Henry Lachouque, *Aux armes, citoyens*, L.A.C.

qui veulent le tuer. Il ne doit la vie qu'à l'arrivée de
Travot. Dix officiers sont blessés et La Rochejaquelein,
dont le cheval est atteint, doit se retirer à son tour.
Les paysans ont déjà emporté Charette évanoui vers
Touvois. Il mourra le 31 mai au château de la Forestrie.
Son dernier cri à ses hommes est tout un testament de
fidélité et d'honneur : « Jurez-moi d'obéir à La Rochejaquelein. » Ce dispersement d'Aizenay ne fit illusion ni à
Travot, comme en témoigne son rapport (« les mêmes
hommes reviendront dans trois ou quatre jours sur nos
bras), ni à La Rochejaquelein, fils du pays, pleinement
instruit par les anciens soldats de son frère de la manière
dont on savait « prendre sa déroute depuis 93 ». Aizenay !
Une affaire sans conséquence mais révélatrice ! Il l'écrira
à d'Autichamp et au capitaine Kittoe. Sans conséquence,
certes, s'il ne s'agissait que d'un dispersement comme
tant d'autres, si la confiance régnait parmi les chefs de
corps, si leur habileté garantissait les revanches de demain,
si Suzannet se ressaisissait.

Lui aussi écrit à d'Autichamp et à Kittoe, le 22. Il trace
au premier ces lignes, qu'on ne peut lire sans une impression de malaise : « Je voulus faire marcher l'armée, celle
de Sapinaud se trouve mêlée à la mienne. Alors il me fut
impossible de la faire agir. Je pris seulement mon avant-
garde qui était demeurée intacte au milieu du désordre,
mais elle se trouva arrêtée par la multitude qui refluait.
Il n'y eut pas moyen de s'ouvrir un passage. On n'y
voyait rien. Le feu continuait sans être très nourri. Voyant
que les hommes étaient inquiets de cette confusion, j'ordon-
nai la retraite sur les bois d'Aizenay... Tous mes hommes
avaient été excessivement fatigués par les marches du
débarquement. »

Dans ces mots, à travers toutes ces excuses dont la
maladroite accumulation accuse au lieu d'absoudre, on
sent passer ce besoin de justification qu'éprouve celui
dont la conscience cherche à se rassurer elle-même. Il
semble bien que Suzannet ait été débordé par la situation

et dans l'incapacité d'en assumer la maîtrise. Ses hésitations, son manque d'enthousiasme au combat n'ont fait que renforcer l'inquiétude de ses hommes et créer un mauvais climat.

Voici ce qu'on lit à ce propos dans le mémoire remis à Bordeaux quelques semaines plus tard au duc de Bourbon par Queyriaux : « Le combat était vivement engagé, le général Sapinaud gardait la position avec le reste de son armée. M. de Suzannet ne fit aucun mouvement, chaque fois qu'on lui observait qu'il fallait se porter sur l'ennemi, il arguait que les Vendéens n'aimaient pas se battre la nuit, que ce n'était qu'une fusillade pour amuser l'ennemi et attendre le jour. »

Enfin, pressé par les officiers qui venaient lui reprocher d'abandonner M. de La Rochejaquelein, il intima l'ordre à sa troupe découragée par son inaction de se porter sur la gauche de l'ennemi vers la forêt d'Aizenay. Il emmenait avec lui le reste de l'armée de M. Sapinaud.

Les tours de gamin joués par Suzannet à Soullans, puis à Aizenay, échappent-ils en tant que tels à La Rochejaquelein ? Il semble bien que le motif de toutes ces obstructions ne lui apparaîtra que devant une réalité brutale parce que toute activité n'existe plus pour lui qu'en fonction d'un but à atteindre. La Rochejaquelein adressa peu de reproches à Suzannet qu'il ne rencontra que le « lendemain », persuadé, nous dit Queyriaux, que sa démission amènerait un « grand malheur ».

Le 23, Louis parvient au château du Puy d'Yon, proche de Cerizay, où son frère Auguste est arrivé quelques heures plus tôt avec le convoi de munitions pris en charge le 19. Apprenant coup sur coup le dispersement d'Aizenay et l'arrivée de son aîné au Puy d'Yon, Auguste y sauta avec ses hommes.

Ce fut une fête. « Chacun, écrit Queyriaux, croyait retrouver un père, chacun voulait embrasser Louis : tous ceux qui ont connu le marquis de La Rochejaquelein savent qu'il était impossible de ne pas s'attacher à lui... Les militaires qui passaient un quart d'heure avec lui auraient voulu ne plus le quitter. Sa mémoire était extraordinaire : jamais il n'oubliait un nom. Il reconnaissait, même après plusieurs années, ceux qu'il n'avait pu voir qu'une fois. Le paysan qui s'entendait nommer était dans le ravissement. »

A Cerizay, Louis trouve M. Potard, envoyé d'Angleterre à Bordeaux pour y porter la nouvelle du débarquement, et déjà de retour depuis la veille. Bordeaux. L'idée de Jaucourt n'a donc pas été négligée. La mission de Potard est-elle en corrélation avec les instructions de la cour de Gand ? Quelles sont au juste les instructions données à Louis ? On songe au mystère que renferme la lettre déjà citée du ministre : « M. de La Rochejaquelein va partir pour le Midi. » Là, comme en Vendée, comme en Bretagne, là surtout, le gouvernement de Louis XVIII songeait à faire jeter des armes par les escadres anglaises qui ceinturaient les côtes de la France. Au Puy d'Yon arrivent également le frère cadet de Queyriaux, M. de Griffon et une nouvelle d'un intérêt immédiat : M. d'Autichamp est entré dans Cholet.

Ce dernier eût fait besogne plus utile, comme l'observe Lasserre, en se joignant dès le début, avec Auguste de La Rochejaquelein, aux autres corps ; Travot n'eût pas osé frotter son millier de soldats à quinze ou vingt mille Vendéens. D'Autichamp, toutefois, qui présentait de la suite dans les idées, poursuivait son plan de toujours et en avait commencé l'exécution avec cette prudence qui caractérise tout son comportement pendant ce quatrième soulèvement.

A l'entendre, c'est la lettre d'Auguste de La Rochejaquelein, en date du 18, suivie d'une autre de Suzannet, qui l'a décidé à se diriger vers la mer. Autre motif : les bienheureuses munitions dont sa quote-part, affirmait Suzannet, lui serait livrée au Temple. Il s'est porté jusqu'à la Sèvre, a envoyé aux nouvelles vers Mortagne et Clisson sans trouver personne. Revenant sur ses pas, il a été touché le 21 par un autre pli de Suzannet, daté de Palluau, l'invitant à se joindre à lui, à Sapinaud et à Auguste pour marcher sur Bourbon, avec forces détails sur le débarquement. Mais, recevant ce même jour deux lettres interceptées des colonels du 15e et du 26e de ligne notifiant leur position désespérée au général Delaborde, il a préféré hâter son retour vers Cholet.

Quand, aux abords de Montfaucon, on apprend l'évacuation de Cholet, c'est la ruée générale des paysans qui en embouchent du coup la route de la capitale des Mauges, raconte d'Escayrac « sans qu'il y ait moyen de suivre une autre direction ».

Le 24 mai, d'Autichamp entrait dans la capitale du Bocage aux cris de « Vive le Roi ». Quand Louis, arrivant ce même matin pour se concerter avec d'Autichamp ainsi qu'il l'avait annoncé la veille, « parut pour la première fois au milieu des Angevins », le nom chéri des Vendéens qu'il porte, écrit Romain (écho fidèle de d'Autichamp), et les souvenirs glorieux qui s'y rattachent ont suffi pour attirer vers lui les hommages des Angevins.

C'est d'Escayrac, l'aide de camp de d'Autichamp, qui accroche la question du commandement en chef, après une journée perdue. Pourtant, « l'empressement manqué » et remarqué de d'Autichamp vis-à-vis de Louis et de Canuel, que Louis a amené avec lui, ne fait que mettre la question plus en évidence. Les anciens émigrés guère dans l'habitude à l'instar des Vendéens de voir des républicains venir à eux sont d'abord suffoqués de la présence de Canuel. On se regarde, on chuchote : « M. de La Rochejaquelein en fait grand cas », dit quelqu'un, et les chuchotements cessent.

Le soir, raconte d'Escayrac, la question est mise sur le tapis. « On revient sur ce que La Rochejaquelein a été reconnu en cette qualité de généralissime par MM. de Sapinaud et de Suzannet » ; car d'Autichamp a fait savoir à ces messieurs qu'il paraissait, d'après « sa » lettre, que le souverain « lui » avait donné des pouvoirs très étendus et que Sapinaud et Suzannet « paraissent » avoir déféré jusqu'ici à ses ordres...

Ce n'est qu'au conseil de guerre du matin (25 mai), après vingt-quatre heures de silence, que d'Autichamp qui ne voulait pas « perdre un temps précieux », dit-il, à parler pouvoir et à faire des observations, se décide à donner son suffrage à La Rochejaquelein en faisant valoir que cette qualité de généralissime lui donnera plus de poids outre-Manche pour réussir dans ses démarches.

Il accepte la date du 17 mars comme celle du rassemblement en vue d'un mouvement convergent vers la côte, mais il est « décidé » qu'en attendant, écrit d'Escayrac, d'Autichamp se portera sur le pont Barré pour faire diversion et cherchera à forcer les Bleus à repasser la Loire.

Canuel nous révèle que cette décision-là n'a pas été adoptée sans résistance. Elle fut littéralement arrachée à Louis par d'Autichamp qui pouvait ainsi demeurer dans sa quasi-résidence. Ce moratoire est pour celui-ci l'échappatoire qui lui permettra de se maintenir dans sa position favorite de bascule. Le compromis adopté lui fournit en effet des raisons également plausibles de se tenir à l'écart du mouvement d'ensemble et de se porter sur la côte, voire de revenir en arrière, une fois amorcée la marche vers Soullans.

Avant midi, l'aspect change. La Rochejaquelein et Canuel repartis sitôt la messe entendue, d'Autichamp licencie les quelque dix mille hommes réunis à Cholet et s'éloigne rapidement avec quinze cents combattants vers Pont-Barré. Le soir, après avoir parcouru vingt-deux kilomètres en un après-midi, il est à Chemillé.

C'est là que doit aller le chercher, le 26 au matin, une estafette de La Rochejaquelein envoyée sitôt le retour de Louis aux Aubiers lui porter à Cholet un important message disant en substance : « Trois frégates nous apportent des munitions et Travot est en posture favorable pour les insurgés. Le cours des choses est changé... Réunissez-vous le 27 aux Essarts à Sapinaud et Suzannet. » Romain nous donne l'explication du contrordre du 26 : il s'agit de la nouvelle, d'ailleurs fausse, parvenue à d'Autichamp lui-même, d'un renfort de 8 000 fantassins et de 600 chevaux qui seraient venus se réunir au petit corps commandé par Travot et dont Lamarque se disposait à prendre le commandement. L'arrivée de ces troupes changeait le cours des choses convenues. D'Autichamp confie sa troupe à Cady, se rend lui-même au nord de Cholet en faisant savoir à La Rochejaquelein qu'il ne réunira les Angevins que le 28 pour se porter sur la côte.

Sans récriminer, Louis lui demande par retour du courrier de se porter alors le 29 sur Saint-Fulgent, de manière à être le 30 à Belleville, orientant ainsi sa démarche dans l'axe du trajet que vont parcourir les 2ᵉ et 4ᵉ corps. Parti des Essarts le 28 de grand matin avec les cinq mille hommes de Sapinaud et de son frère Auguste, Louis continue sa route par des chemins affreux sous des averses continuelles vers l'objet même de la mission dont il se sait chargé par le Roi d'armer la Vendée. Le généralissime a raison de ne songer qu'à la côte.

La victoire à remporter présentement est une course de vitesse sur Lamarque que nous voyons le 2 juin écrire au ministre : « Il faut que l'Empereur connaisse le danger... Si avec la Garde, quatre régiments étaient arrivés au poste du général Travot, les deux autres se seraient portés avec la Garde sur Cholet, et le nouveau débarquement n'aurait pas eu lieu. Aujourd'hui, ce nombre d'hommes sera insuffisant... la position centrale des ennemis, précise-t-il, leur donne un immense avantage, ils peuvent se porter en masse et à leur choix sur Nantes, sur *La Rochelle* (ainsi souligné), sur Tours et sur Poitiers. » Au ministre de la Guerre qui lui a conseillé de faire jeter sur la côte les 2 000 hommes de la Garde et les 300 cavaliers de Brayer, il répond que ce serait abandonner tout le littoral de la Loire et toutes les communes patriotes... Ce qui produirait l'effet d'une bataille perdue et que d'ailleurs ces troupes n'arriveraient pas à temps. Ce même 2 juin, il insiste encore : « Je n'étais pas à temps d'empêcher les mouvements de tous les corps de la Vendée... » (Sapinaud, Suzannet, Auguste.) On conçoit ses inquiétudes. Qu'il dégarnisse la Loire, c'est la liaison virtuellement facile entre la Vendée et la rive gauche, soulevée, elle, depuis le 23. « Monseigneur, je le répète, le mal va toujours croissant. » Certes, et grâce à la promptitude de décision de Louis de La Rochejaquelein. Tout ce qu'aura pu faire Lamarque à cette date du 2 juin, c'est une marche sur Chemillé pour dégager « un peu » Travot. Et voici sa conclusion : « Si le mouvement (de Chemillé) n'a pas le résultat désiré et que le général Travot... soit pressé (*sic*), je me mettrai en marche avec les deux régiments de la Garde et le 47ᵉ. J'irai rejoindre le général Travot. Nous formerons une seule colonne de 6 à 7 000 hommes et nous chercherons l'ennemi, mais ce parti ne terminera rien. J'ai l'expérience de cette espèce de guerre [1]. »

Lamarque a, de fait, passé cinq ans de sa vie militaire, de 1807 à 1811, en Italie dans les Calabres toujours révoltées. A lire ce rapport nous pouvons constater que les positions vendéennes n'étaient pas si mauvaises. Un peu d'enthousiasme et d'harmonie, de soutien mutuel au sein du commandement aurait rendu la situation de Lamarque très délicate.

Mais que devient M. de Suzannet ? Le soir du 29 mai, il est à Beaufon d'où il écrit à M. d'Autichamp : « D'après ce que me fait dire La Rochejaquelein, tu dois être à Montaigu pour y arriver ce soir pour te porter sur Legé, aussi nous serons près les uns des autres car La Rochejaquelein va à Commequiers... »

Seulement Edouard de Sapinaud, frère du général chargé de faire parvenir ce billet, ne sait où joindre d'Autichamp. Ce 30, ses ordonnances rentrent bredouilles. Pas de d'Autichamp à Montaigu ni aux alentours. « Je viens d'apprendre d'une manière un peu vague que vous êtes à Tiffauges, lui écrit-il. Sur ce simple bruit, je dépêche un nouveau courrier... » Suzannet, à qui est départie la zone

---

1. Archives de la Guerre C¹⁵₇.

clef des opérations, va-t-il au moins corriger la réticence de son collègue dans cette course de vitesse à gagner sur Lamarque ? Le 25, il a prié le comte du Chaffault — de l'état-major de Sapinaud — de prendre le commandement de la division de Montaigu, son pays natal. Le 27, il lui ordonnait de prévenir La Rochejaquelein que Travot était entré à Bourbon-Vendée avec ses 1 200 hommes.

Ce même 27, à dix heures du matin, Suzannet enjoignait à du Chaffault de se tenir prêt à le seconder dans sa marche vers Machecoul et dépêchait son divisionnaire de Mornac vers d'Autichamp — car il croyait Travot sorti de Nantes et sur la rive droite de la Loire — aux fins de connaître la position de l'armée d'Anjou et celle de Louis. Mais voici que dans la journée du 27 à sept heures du soir, tout est changé. Au même du Chaffault, il écrit : « Je vous prie de prévenir La Rochejaquelein que Travot est rentré aujourd'hui à Bourbon-Vendée avec environ 1 000 à 1 200 hommes. Prévenez-le que je me porte demain sur Rocheservière et me rapproche de Legé. Nous serons à même de nous réunir. Marchez pour nous rejoindre avec Le Meignan à Vieillevigne. La Rochejaquelein se rend demain à Belleville. Il est instant et pressant qu'il soit prévenu que Travot est rentré à Bourbon. A la réflexion, je pense qu'il vaut mieux que vous vous portiez sur Belleville, au sud, ou sur la route que prendra La Rochejaquelein... »

C'est cette communication qui a déterminé le second contrordre donné par le généralissime à d'Autichamp : « Nos mouvements doivent être une conséquence de ceux de l'ennemi. Il faudra que vous vous portiez lundi sur Montaigu. » Ces fameux contrordres ont souvent été reprochés à La Rochejaquelein. Ses collègues y voient le signe d'un esprit irréfléchi et brouillon, mais on oublie un peu vite qu'avec le développement des voies de communication, cette guerre reposait essentiellement sur une grande mobilité des troupes.

Qu'est-ce qui a pu faire changer Suzannet du matin au soir ? Simplement la nouvelle de la rentrée de Travot à

Bourbon-Vendée (La Roche-sur-Yon). En fait, c'était Estève, le lieutenant de Travot, qui avait reçu de son chef, demeuré à Nantes mais en vue de retour, la mission de se porter sur Bourbon-Vendée à sa rencontre. Les différentes hésitations de Suzannet marquent bien l'anxiété de cet homme écrasé par des responsabilités qu'il n'est pas en état d'assumer. En effet, comment n'éprouve-t-il pas un doute sur la personnalité du général ennemi rentré à Bourbon alors que le matin même il le croyait parti sur la rive droite ?

Louis de La Rochejaquelein, cependant, après avoir rallié du Chaffault dans la matinée du 28, continue sa marche sur Le Poiré où il campe le soir même.

Un peu avant d'y arriver, un courrier lui apporte un paquet avec un billet sans signature mais de l'écriture de Suzannet : « Près Legé (9 kilomètres au sud-ouest de Rocheservière). Le 28 mai à huit heures et demie du soir. Je viens de recevoir des lettres qui viennent de la côte. Je t'avouerai que la lettre du commandant de l'escadre va singulièrement déranger nos projets s'il est parti, comme il l'annonce... »

De ces lettres de la côte, Suzannet n'en communique qu'une seule. Une lettre en anglais datée du 26, la fameuse lettre du « commandant de l'escadre » qui est tout bonnement le brave Kittoe, la vieille connaissance de La Rochejaquelein, toujours au mouillage et en correspondance avec « son ami » le marquis. C'est à lui qu'est d'ailleurs adressée cette lettre : « Monsieur, ayant été informé de vos revers par vos amis dans deux communications que j'ai été capable d'avoir avec eux... comme aussi de leur doute sur vos succès à moins que vous ne soyez soutenu par des troupes anglaises, je ne pourrai me justifier en différant plus longtemps l'ordre positif que j'ai reçu de renvoyer les transports en Angleterre et de retourner moi-même immédiatement à Plymouth avec tous les bâtiments sous mes ordres ainsi que j'ai eu l'honneur de vous en informer par ma lettre du 23 courant... »

Cette lettre ne revêt nullement l'importance que d'Autichamp a prétendu lui donner. Tout au plus établit-elle et les efforts de Suzannet pour décourager les Anglais et la méconnaissance des affaires anglaises du généralissime. Il tombe sous le sens que l'ordre de départ — de son départ à lui — dont Edward Kittoe a déjà avisé Louis le 23, n'a rien à voir avec le second convoi qu'amène un amiral (sir Henry Hottam) et ne concerne que le seul Kittoe de même que le renvoi des navires sous *ses* ordres n'affecte que les trois vaisseaux partis le 1er mai avec *The Astrea*.

Le billet arraisonneur de Suzannet qui témoignait de manigances insolites avec Kittoe ne pouvait que précipiter la marche du marquis. Repartant du Poiré le 29 « de grand matin », il touchait Soullans, point de jonction assigné à Suzannet, le soir même vers quatre heures, après avoir franchi trente-cinq kilomètres en une étape et fait effectuer « l'une des meilleures marches d'ensemble qu'aient exécutées les Vendéens en 1815[1] ». Là, laissant la troupe se reposer, il s'élançait au galop avec quelques cavaliers vers la côte distante de trois lieues. De son côté, Suzannet arrive le 30 au matin à La Motte-Foucrant. Encore un kilomètre et il rejoindra à Soullans les corps de Sapinaud et d'Auguste mais il ne va pas plus loin et il installe à La Motte-Foucrant ses 4 000 piétons et ses 300 chevaux — et envoie à quatre heures et demie de l'après-midi l'ordre de déménager son bivouac. Quand Louis rentre de sa chevauchée, il trouve son camp en proie à l'agitation. Il apprend qu'on rassemble les deux corps (Sapinaud et Auguste) pour les ramener sur La Motte-Foucrant. Motif, M. de Suzannet vient d'être avisé de la présence toute proche de l'ennemi.

Canuel intervient. Il est « impossible que l'ennemi ait eu connaissance de notre opération assez tôt pour arriver sur nous avec autant de rapidité ». Louis, bonne pâte, hausse les épaules. S'il ne faut que ça « pour ne pas déplaire à mon cousin » ! La Motte-Foucrant ou Soullans, c'est

---

1. Lasserre.

tout comme... D'un point de vue stratégique oui, mais d'un point de vue psychologique, non. Et Louis, ici, se montre trop flexible. Il laisse faire et rentre à son quartier général. Pas longtemps. Du Chaffault arrive : « Le général de Suzannet désire que vous veniez auprès de lui pour pouvoir vous communiquer des dépêches urgentes. » Il laisse donc Canuel et suit du Chaffault. Mais le temps passe et le généralissime ne revenant pas, Canuel se décide à pousser à son tour jusqu'à La Motte-Foucrant, se fait présenter à Suzannet et s'enquiert près de lui des nouvelles de l'extérieur. Suzannet lui communique des lettres de Nantes lui annonçant « que dix mille hommes sont en route de Paris vers la Vendée »... La teneur de ce billet le classe avec ceux, innombrables, dont sont assiégés généraux et officiers vendéens par *la cinquième colonne* de Fouché. D'ailleurs Romain écrit dans une lettre à sa femme, le 26 mai : « Les troupes de Bonaparte étant insuffisantes pour contenir la Vendée, il paraît que les agents du gouvernement ont eu l'ordre d'employer les moyens de séduction en attendant les renforts qu'ils ont demandés. Nous venons d'en avoir la preuve dans des lettres assez singulières qui ont été adressées à plusieurs officiers de marque de notre armée par leurs parents et par des personnes d'une opinion contraire à la nôtre et qui ont des relations avec les employés du gouvernement... » Et il précise : « On nous annonce » l'arrivée d'un renfort de 8 000 hommes et de 600 chevaux qui viennent se réunir au « petit corps » que commande Lamarque.

Suzannet est-il plus naïf que Romain ?

Toujours est-il que son argumentation roule sur la nouvelle du renfort qui se monte ici à dix mille hommes — d'où déduction de Suzannet : la disproportion des forces, la nécessité d'attendre l'entrée en guerre des coalisés, l'inquiétude du sort de d'Andigné « qui, peut-être, dans ce moment a licencié son monde ». Louis, resté à l'écart, appelle Canuel pour le calmer : « Je connais Suzannet, il est mon parent, il est incapable d'une lâcheté...

Je réponds qu'il fera son devoir... Je sais ce qui cause son embarras... » et le généralissime lui révèle que Suzannet a reçu des propositions de paix immédiate. C'était la mission Malartic, composée du gentilhomme de ce nom, lui-même ancien chef des Chouans du Bas-Maine, de Victor de La Béraudière, ex-officier de l'armée des Princes, et de Flavigny, naguère secrétaire de Polignac. Ils sont les mandataires officiels du ministre de la Police, Fouché. Au cours d'une entrevue à Tiffauges, ils avaient déjà fait tenir à d'Autichamp une proposition de paix qui, moyennant le licenciement des troupes paysannes, promettait l'amnistie pleine et entière. D'Autichamp les avait renvoyés sur Suzannet. Voilà donc ce qui s'est passé entre dix et quatre heures ! C'est la lettre adressée de La Chardière à Suzannet par les envoyés de Fouché qui a provoqué cet ordre de reflux, et Louis vient, sans le soupçonner, d'accomplir une première étape en arrière. Comme on l'a vu dans les mots adressés à Canuel, il ne pense pas que son cousin puisse accepter de telles offres et le trahir. Canuel, plus méfiant, revenant à Suzannet, le questionne hardiment et entend l'énoncé des motifs invoqués pour justifier cette mission : « L'insurrection a commencé trop tôt. Cette imprudence peut se réparer. Refuser serait perdre gratuitement car des forces considérables marchent contre les insurgés. Il est presque certain que les Puissances ne se mêleront pas de cette affaire. » Somme toute, le contenu est plutôt réconfortant car on ne fait pas des ouvertures de paix en guerre civile à un ennemi qu'on est sûr de vaincre du moment que les Puissances — c'est écrit — ne se mêleront pas de son affaire. Suzannet a déjà tenté de faire agréer son opinion par son cousin, mais Louis ne veut pas en entendre parler. Il tente à présent sa chance près de Canuel en le priant de faire entendre raison à La Rochejaquelein. C'était mal connaître Canuel. Il s'attire une algarade et Canuel laisse tomber quelques précieuses nouvelles qui ramènent la discussion sur le terrain des possibilités de l'heure présente : « Les Anglais sont sur la côte, je connais la position de l'ennemi dont les forces immédiates ne pourront arriver à nous que le 2 juin au soir, et les renforts envoyés de Paris que dans huit jours. D'ici là, le débarquement sera fait et les Vendéens qui sont à huit contre un seront armés. » C'était revenir à la seule question importante. Qu'en était-il du débarquement et un convoi était-il en vue des côtes comme semblait ne pas le croire Suzannet ?

La troupe avait bien aperçu, au loin, les voiles anglaises. Elle savait que les Britanniques allaient lui apporter des armes et ne désirait que « marcher ». Mais le débarquement était-il prêt à s'effectuer ? Que rapportait Louis de son voyage de la côte ? D'après le colonel Duchesne de Denant, ancien aide de camp du prince de Talmont, qui prit part à cette chevauchée, il était parti pour Saint-Jean-de-Monts le 29 au soir. Le 30 au matin, découvrant une large escadre, il faisait hisser du haut de la dune le drapeau blanc. D'une frégate qui n'était autre que *The Astrea* se détacha une chaloupe qui se mit en devoir de gagner la côte. On embarqua dans celle-ci le capitaine Robert tandis que Louis écrivait à Kittoe. Dès le retour de Robert rapportant qu'il s'agissait bien du second convoi promis, Louis avait embarqué un aide de camp, Carcouët, avec son rapport, puis était reparti pour Soullans où il était tombé à quatre heures du soir pour assister à la scène qu'on a vue.

Tandis que Louis s'essaie à calmer les « inquiétudes » perpétuellement renaissantes de Suzannet, que des patrouilles envoyées par Canuel même à Challans (où il fait commander quatre mille rations de pain) rapportent des nouvelles rassérénantes, l'ombre de la main de Fouché profilée sur la lettre de Malartic se prolonge derrière d'autres billets suspects pour infuser dans les corps mêmes de l'armée le poison du doute et de la méfiance.

Au matin du 31, l'ordre stupéfiant fut donné par La Rochejaquelein de rétrograder de dix kilomètres sur Saint-Christophe. « Ce ne fut que murmure et mécontentement

404

général. » Sans doute cet ordre est-il extorqué au généralissime « lassé des importunités de Suzannet et sur l'assurance que celui-ci a donné au marquis qu'on trouvera d'Autichamp à Saint-Christophe » (attestation de M. du Chaffault qui ajoute : « Et ceci s'est passé par-devant moi. ») Mais pour s'être embarrassé de considérations familiales de bonne entente, le généralissime a désaxé l'armée, tout en commettant une faute majeure de psychologie vis-à-vis de Suzannet qui, après ce premier succès, va continuer à suivre son plan à lui : l'acceptation des propositions Fouché-Malartic. Pour convaincre Louis, M. de Suzannet a objecté *in extremis* les devoirs de confraternité envers le chef du premier corps. Son dessein est clairement avoué dans la lettre qu'à son passage à Challans, à six heures du matin, il écrit à d'Autichamp : « Je viens de recevoir ta lettre, mon cher d'Autichamp, nous allons nous rapprocher de toi. Nous sommes excessivement gênés pour les vivres. Nous avons deux officiers à la flotte où il y a neuf bâtiments, dit-on, apportant des armes et des munitions. Il n'est pas question de troupes. On espère un prince, mais nous n'avons aucune donnée certaine, car l'on n'a point eu de communications directes à raison des vents contraires depuis l'arrivée des cinq derniers bâtiments. Nous avons cru que nous serions attaqués hier soir, parce que l'on vit quelques hommes armés entre Challans et Machecoul. Nous nous éloignons un peu, car nous ne pouvons faire vivre tant de monde ensemble, cela est essentiel pour différentes choses. J'ai eu une lettre de Malartic et de Flavigny, je désire les voir et te voir afin de nous concerter pour cet objet et les autres. Je suis accablé de fatigue. Ton ami, le comte de Suzannet. »

Que La Rochejaquelein n'ait pas aperçu le côté dangereux de sa concession, nul ne peut l'admettre. En dépit de son ordre du jour explicatif de ce recul — « nous effectuons ce mouvement pour aller au-devant de M. d'Autichamp et pour chercher l'ennemi » — cette rétrogradation donne consistance aux doutes émis par Suzannet, et chaque

paysan en traduit l'expression par cette interrogation :
« Puisque la flotte est là, pourquoi nous éloigne-t-on ? »
Alors, raconte du Chaffault, la déduction vint spontanément à l'esprit de chacun : « C'est que les voiles aperçues
au loin ne sont pas celles qui nous apportent des secours ! »

D'après Saint-Hubert, la mer était « mauvaise », et il
fallait attendre un « temps plus calme » pour opérer l'atter-
rissage. Seulement, les hommes, tous tenus dans l'ignorance, et avec eux nombre d'officiers, ont tôt fait
d'imaginer qu'il faudra attendre les secours pendant huit,
dix jours, peut-être plus, et que, pendant ce temps, l'ennemi
aura le loisir « d'arriver en force ». C'est d'ailleurs la
disposition d'esprit de du Chaffault tenu, ô stupeur ! dans
l'ignorance des choses. Il est vrai que Suzannet semble
avoir eu soin de l'éloigner en l'envoyant assurer des
patrouilles.

A Saint-Christophe où l'on parvient à huit heures, M. de
Suzannet se jette sur un lit et s'endort sans plus de
souci du mécontentement de l'armée dont l'agitation
s'exprime en rumeurs grandissantes. Au sein de cette
troupe inquiète d'une manœuvre insolite, l'énervement
causé par la recherche d'introuvables ennemis qu'on dit
être partout et qu'on ne découvre nulle part se change
vite en une irritation croissante ; à quoi bon s'assembler
pour ne rien faire ? Des cris fusent : « On voit bien que
Charette est mort ! »

Ces actions et nouvelles contradictoires provoquent
le mécontentement général, mais non la répugnance à
pénétrer dans le Marais où seul doit opérer d'ailleurs
le 4e corps. A ce sujet, Saint-Hubert, commandant en
second de l'armée de Sapinaud, a laissé dans ses notes
cette véhémente mise au point : « Il est de la dernière
injustice de dire que les soldats vendéens répugnaient
à entrer dans le Marais, ils ne désiraient que marcher
[...] au lieu de débarquement, pour pouvoir s'armer et
prendre des munitions. »

Vers midi, la situation devenant intenable, La Rochejaquelein, qui ne voulait pas « renoncer aux armes et munitions dont la Vendée avait si grand besoin, se décida donc à entrer dans le Marais ». En conséquence, il réveilla Suzannet qui, depuis quatre heures, reposait ses nerfs sur sa victoire (diplomatique) de La Motte-Foucrant tout en fermant les yeux et les oreilles à un spectacle attendu et désiré : la dispersion des paysans.

Qui a pu faire changer La Rochejaquelein d'idée ? demande d'Autichamp dans son mémoire, avec un accent de fausse candeur. Son propre texte nous fournit la réponse : « Cette nécessité absolue de ménager la confiance de ses hommes, jointe à cette impossibilité pour un chef vendéen d'avoir une volonté indépendante d'eux. »

Alors, s'engage une discussion dramatique. Raidi dans une résistance désespérée, Suzannet, soutenu par quelques-uns de ses officiers, tâte à son tour de l'ironie, du ton supérieur de la persuasion (« Alors, tu crois que les Anglais... Ne sais-tu pas que les Anglais... »), allègue sa fatigue, celle de ses hommes, le manque de vivres, la nécessité de reculer encore, jusqu'à Falleron cette fois. En quelques mots, Louis pulvérise ces pauvres arguments. « Le débarquement est prêt ! Prends position sur place, à Saint-Christophe si tes hommes sont fatigués. J'ai fait commander à Challans six mille rations de pain, il y a des bœufs gras, tout le pays offre des ressources infinies. » (Notes de Saint-Hubert.)

Un personnage doté d'une nature plus franche eût déclaré nettement : « Je ne veux pas marcher parce que moi, j'ai décidé de traiter avec les envoyés de Fouché. » (Nul ne saurait, de bonne foi, en disconvenir.) Il ne le voulut ou ne l'osa pas, préféra céder, sous condition d'un ordre écrit qui lui fut immédiatement donné, nous dit Canuel. La version contradictoire de d'Autichamp, faisant état du refus des officiers (lesquels ?) de marcher et des mauvaises dispositions du troisième corps, n'est — comme l'a fort bien noté Lasserre — que le reflet de la correspondance de M. de Suzannet « où entre chaque ligne perce l'espoir d'une justification ». On a parlé d'un conseil de guerre au cours duquel La Rochejaquelein se serait heurté à une opposition unanime à son projet de se diriger vers le Marais. D'après d'autres, il se serait décliné cette réunion. En quelques mots, M. Lasserre a rejeté ces assertions ; il ne pouvait pas y avoir refus de marcher de la part des officiers ou des hommes de Suzannet puisque jamais il ne fut question de les faire entrer dans le Marais.

Sans doute n'y avait-il pas à faire grand fond sur un acquiescement si péniblement arraché, mais Suzannet était seul affecté de cet esprit de morbide défection. Sapinaud se montrait disposé à seconder le généralissime et Saint-Hubert, son lieutenant, proposant « de retourner dans son canton et de lui ramener sous peu de jours tous les hommes en état de porter les armes », Louis pouvait espérer mener à bien son entreprise. Saint-Hubert l'engageait lui-même à ne pas différer en disant que toute la population lui était dévouée. Elle l'était de fait dans sa majorité.

Pour lui, les circonstances se présentaient plus favorablement que jamais. Comme l'observe le colonel de Malleraye, « les troupes impériales se trouvaient disséminées, Brayer immobilisé sur le Layon contre Cady, Travot encore partagé entre Nantes et La Roche-sur-Yon ». Le même historien militaire qualifiera de « décision judicieuse » l'ordre qu'en s'en allant Louis laissa à Suzannet de prendre position à Saint-Christophe.

« Je n'abandonne point La Rochejaquelein, dit Suzannet, soyez tranquille. Je me retire seulement jusqu'à Falleron où M. d'Autichamp doit se rendre pour se concerter avec moi. »

Jusqu'à Falleron d'abord, puis... Touvois. Tandis que les La Rochejaquelein s'éloignent vers la côte, les hommes restent autour de leurs généraux respectifs, Sapinaud et Suzannet. Ce même jour du 31 mai, vers deux heures de l'après-midi, d'Autichamp arrivait à Legé venant de Vieillevigne quittée le matin même. Là, « on » l'instruisit que les corps de Suzannet, de Sapinaud, « s'étaient portés sur Falleron et Touvois » et qu'ils « licenciaient leurs hommes faute de vivres ».

Vers six heures, Suzannet et Sapinaud, le second « entraîné » par le premier, arrivent avec leurs hommes. D'Autichamp se présente après eux, mais sans son armée, avec, selon son habitude, un seul aide de camp, en l'occurrence Charbonnier. Devant le refus de d'Escayrac qui a déclaré préférer rester avec les soldats, le général, avant de partir pour Falleron, a ordonné « un mouvement rétrograde de quatre kilomètres dans la lande de Legé où il viendra les rejoindre ». Mouvement à « faire avant la nuit ». C'est la lande de Chauffertières indiquée par Suzannet. Les trois mille Angevins exécutent en maugréant l'ordre reçu.

La nuit tombe, « nuit très pénible, écrit d'Escayrac, tant à cause d'une pluie violente que du mécontentement de nos hommes qui, partis pleins d'espérance de rapporter des armes et des munitions, revenaient sur leurs pas sans en concevoir les motifs ».

D'Autichamp se retrouvait avec Suzannet comme en 1799 pour régler le sort de la Vendée. Et avec son sort, l'issue de l'insurrection de l'Ouest tout entière.

Il est facile de dire que d'Autichamp et Suzannet ont été conduits au *pronunciamiento* de Falleron par des raisons de méfiance envers les capacités du marquis de La Rochejaquelein et le désir de se concerter tous ensemble pour une opération « si importante ». Il n'est pas moins aisé d'attribuer le refus de marcher de Suzannet à la hantise qu'il aurait gardée de la catastrophe de Quiberon. La grande faiblesse de ces sortes d'explications est qu'elles n'éclairent rien et contraignent d'ajuster les faits à la conception qu'on veut imposer.

Comment en est-on arrivé à cet arrêté ou à cette note

explicative de Falleron suivant les versions ? En parvenant à Falleron, Suzannet apprend à d'Autichamp que le général en chef est parti sur la côte avec mille deux cents hommes après avoir donné l'ordre à tous les commandants de corps de suivre le mouvement convenu et assuré que le débarquement est prêt. Suzannet et d'Autichamp manifestent leur scepticisme devant cette assertion. Les vents sont contraires, il pleut et les voiles n'arriveront pas à la côte. « Beaucoup de gens m'abandonnent », dit Suzannet (ce qui était faux). « Les miens en feront autant », répond d'Autichamp. On en vient ainsi à mettre en doute la réalité des pouvoirs reçus du Roi pour commander en chef.

La substance de la conversation nous est rapportée par du Chaffault, divisionnaire de Suzannet, « un homme plein de franchise et de loyauté qu'on doit aimer quand on vit avec lui et respecter quand il est ennemi », dira de lui Lamarque, près de qui ce gentilhomme sera envoyé comme plénipotentiaire. D'Autichamp propose aux trois généraux de se réunir et de prendre un arrêté. D'Autichamp niera toujours que ce fut un arrêté, tout au plus — dira-t-il — une note explicative.

A ce mot d'arrêté, tous les officiers se retirent, laissant seuls les trois généraux. Qui est le véritable inspirateur de ce texte où se reconnaît l'écriture caractéristique de Suzannet ? Nous le transcrivons sans respecter son orthographe, sa ponctuation, ses ratures.

« Faleron, ce 31 mai 1815.

« Messieurs de Sapinaud, d'Autichamp et de Suzannet s'étant réunis pour aviser aux moyens de soutenir Mr le marquis de Larochejaquelein. dans la situation qu'il a pris dans le marais pour protéger le débarquement s'il s'effectue.

« ont été unanimement d'avis qu'ils ne pouvaient se porter sur le point indiqué d'abord à raison des mouvements de troupes des républicains — qui ne permettent pas de porter sur ce point des soldats qui ne veulent pas marcher après les fatigues qu'ils viennent d'éprouver. — Les rassemblements de Mr de Sapinaud et de Suzannet diminuent a vue d'œil. Ils ne peuvent sans faire de nouveaux rassemblements se remettre en marche. La Division de Legé n'a pu être levée ni celle des Sables alors il faut lever des hommes plus loin. Ces rassemblement seront douteux. Dès que les républicains auront commencé leur mouvement qui sera sur la côte. Des avis authentiques et positifs font connaître l'arrivée de 2 500 à 3 000 hommes anantes. Il en est encore arrivé à Angers. Les pays déjà paralysés depuis l'échafourée d'aizenay = vont l'être encore davantage par l'arrivée connue de ces troupes — Mrs de Sapinaud et de Suzannet ne peuvent répondre malgré leur désir de coopérer à ce plan, de pouvoir porter des troupes à la mottefoucrand, ils pensent que cela est impossible.

« Mr d'Autichamp étant très éloigné du point indiqué ne peut garder ces hommes. il a partout été sans vivres, il ne pouvait rester sans compromettre le sort de son armée et de son pays. Dans la position delamotte la troupe vendéenne ne pouvant être considérée comme des troupes régulières — on ne peut les tenir réunies plusieurs jours de suite. Toutes ces considérations déterminent messieurs de Sapinaud, d'Autichamp, de Suzannet à — engager Monsieur de La Rochejaquelein — a revenir dans son pays et de contribuer par sa présence à rallier tout à une défense commune du pays qui est absolument nécessaire vu les circonstances présentes et attendre que le commencement des hostilités permette de déployer toutes les forces de La Vendée, ou qu'un corps de troupes ou un prince de la maison de Bourbon vienne rallier tous les Vendéens — qui sont tous dévoués au Roy, mais sont dans ce moment paralysés par les événements. »

Revenons un instant à l'orthographe originelle de ce précieux document :

« Aretté afalleron. pour être — envoyé à Mr lemarquis

delarochejaquelein afin qu'il fasse ses dispositions pour opérer sa retraite du marais. et revenir dans sonpays ou sa présence serait utile pour [1] les interest du Roy et celui dupays.

> « De Sapinaud
> « Le Cte Charles d'Autichamp
> « Le Cte de Suzannet »

La rédaction de l'arrêté de Falleron n'avait demandé qu'une demi-heure. Sapinaud, après avoir signé, se retira aussitôt et les laissa à leur conciliabule. Saisi et questionné par du Chaffault à la sortie dans la cour même du presbytère, il prit un air « embarrassé ». Il y avait de quoi !

« L'acte de Falleron fut et demeure, écrira le colonel André de Malleraye, une décision non seulement mauvaise mais encore monstrueuse », prise à la fois sous l'effet de « l'instinct de rébellion » au mépris d'une décision judicieuse du marquis (le placement en observation à Saint-Christophe des 2e et 3e corps) et au rejet d'une situation favorable par rapport à l'adversaire, une décision mauvaise suivie elle-même d'un acte « aussi incohérent dans la forme que dans le fond : le reflux vers le Bocage des contingents vendéens ».

Arrivé dans la nuit à Chauffertières où est stationné son corps d'armée, d'Autichamp lui annonça, note d'Escayrac « que nous repartirions au point du jour pour revenir du côté de Beaupréau ». De son côté, Sapinaud a mené ses gens coucher à Touvois. Suzannet est resté seul à Falleron avec ses hommes, seul en face de sa conscience et de ses responsabilités. Il se sent un peu écrasé par sa fonction comme tous les sensitifs dont les scrupules sont les corollaires obligés des responsabilités. Désabusé de la gloire des armes, il n'a pas cependant renoncé à jouer un grand

---

1. Ici les mots *tous* et *pour* successivement rayés. Un tiret entre ces deux mots supprimés.

rôle mais il est hanté par la crainte de sacrifier inutilement des vies humaines.

Le lendemain matin, tandis que son corps d'armée toujours intact reflue sur Touvois « mais murmurant de ces reculs répétés » il disparaît. Du Chaffault et Sapinaud vont le découvrir dans un grenier en compagnie des trois plénipotentiaires de Fouché, Malartic, Flavigny et La Béraudière.

Vers dix heures du matin, Suzannet reparaît pour assister aux obsèques de Ludovic de Charette, mort la veille des suites de sa blessure d'Aizenay. Quelqu'un l'aborde ; une colonne ennemie sortie de Nantes se dirige vers la Vendée. Il ne donne aucun ordre. La nouvelle, qui est exacte (Travot a quitté Nantes le 31), n'est pas neuve pour lui si on en croit certains témoignages recueillis par du Chaffault. Il en a été averti la veille au soir. L'ennemi se porte en effet dans sa direction. Les quelque quinze mille Vendéens des trois corps allant vers le nord-ouest ont régressé, sans s'en douter, sur Travot qui, regagnant La Roche-sur-Yon (pour lui Napoléon-Vendée et pour ses adversaires Bourbon-Vendée) à la tête de quinze cents hommes et croyant les quatre corps sur la côte, tombait en plein et de jour dans la fourmilière des insurgés.

Un demi-tour de d'Autichamp qui, dans sa retraite, ne fait qu'atteindre Rocheservière, le mettrait sur le flanc gauche de Travot, une légère inclinaison à l'est de Suzannet sur son flanc droit, un simple arrêt de Sapinaud à Legé sur son centre. Occasion trop belle... que Suzannet ne saisit pas malgré l'insistance de du Chaffault. Avec quatre cents soldats, du Chaffault, Marans, Le Maignan de l'Ecorce, du Tressay, Charbonnel foncent cependant sur la queue de l'adversaire, lui tuent dix-sept hommes, en blessant quatre-vingts et ne se replient qu'au moment où l'ennemi, s'étant précipité dans Legé (que l'arrière-garde de Sapinaud — celui-ci n'a pas été prévenu — est en train de traverser), se retourne contre eux. La petite troupe est forcée de se replier sur Vieillevigne où elle retrouve Suzannet et son état-major. Travot s'était trouvé en fort mauvaise posture. Un peu de coordination entre les chefs vendéens aurait permis l'anéantissement de la brigade impériale.

Avant de quitter Touvois, Suzannet a enfin chargé un paysan de remettre à La Rochejaquelein, toujours dans l'ignorance de sa situation, la décision de Falleron auquel il joint une lettre de commentaire. Après avoir évoqué le désir des hommes « qui veulent absolument retourner chez eux »... il revient aux propositions de la mission Malartic auxquelles il semble favorable. « Sont arrivés là Victor, La Béraudière et Malartic. Ils ont été chargés comme tu l'as vu par leur lettre de faire connaître que le gouvernement désirait, pour éviter une guerre civile, traiter avec nous, qu'on évacuerait le pays, qu'on ne nous demanderait ni hommes ni argent... » Sa lettre se termine par ces mots : « Tout le monde est d'avis de faire une suspension d'armes... qui pourrait être utile par la suite pour s'organiser et marcher... » Au même moment, Louis adresse (véritable réponse anticipée) à Suzannet ainsi qu'à ses collègues son ordre du jour.

« MM. les généraux feront connaître au général en chef tout ce qu'ils pourront savoir des mouvements de l'ennemi. Je leur recommande surtout de ne pas se laisser aller au découragement, de ne pas croire avec autant de facilité qu'on le fait aux rapports exagérés et aux bruits faux qu'à chaque instant on se plaît à répandre dans l'armée. C'est par la contenance et la fermeté qu'on en impose à ses ennemis. Certes, si MM. les généraux le veulent franchement, jamais la Vendée n'a été aussi forte qu'elle l'a été dans ce moment. »

Louis poursuit : « Des fusils, des canons, des munitions de guerre de toute espèce vont débarquer... Montrons-nous dignes du nom Français et repoussons avec indignation toutes propositions qui tendraient à une transaction avec le monstre qui veut gouverner la France.

« Si j'apprends qu'aucun chef de l'armée prête l'oreille aux séductions de l'ennemi, justice prompte en sera faite.

414

Il en sera de même si mes ordres ne sont pas exécutés. Songeons que, hors l'état de guerre, nous marchons quant au rang sur la même ligne et qu'il n'y a pas de suprématie mais que, dans l'état où nous sommes, on doit obéir. C'est le premier devoir de l'homme d'honneur. Quiconque s'en écarte est indigne de rester parmi nous. »

De tous les ordres émanant de Louis en 1815, c'est le seul qui revête cette note autoritaire, provoquée par les scènes de La Motte-Foucrant et de Saint-Christophe.

L'ordre du jour s'achève en ces termes : « Faites sonner le tocsin dans toutes les paroisses de vos commandements et rendez-moi compte de l'exécution du présent ordre. Il faut que tout le monde soit debout et en armes... Faites-moi donner par les maires des certificats qui attestent que cette mesure a été prise... Les rassemblements partiels seront dirigés sur les positions des divers corps d'armée auxquels ils appartiennent. Le général en chef de la Grande Armée du Roi. Signé : le marquis de La Rochejaquelein, maréchal de camp. »

C'était, suivant l'expression de d'Andigné, mettre les Vendéens « sur le meilleur pied » et les rendre « très formidables chez eux » puisqu'on pouvait — et sur les deux rives — avoir « la quantité d'hommes qu'on eût voulu » si on avait de quoi les armer.

A cet ordre du jour était jointe une copie de la lettre de Kittoe qui levait tous les doutes quant à la réalité du débarquement et des secours en armes et munitions. Kittoe annonçait en outre la présence de l'amiral sir Henry Hottam qui avait pris le commandement.

C'est un appel empressé à d'Autichamp que provoquèrent chez Suzannet lettre et ordre du jour parvenus le 3 à sa retraite de Maisdon :

« J'attends, mon cher Charles, la copie de la lettre du commandant de la frégate anglaise, à l'arrivée d'une escadre (?). Ainsi, il n'est pas douteux que nous aurons tous les secours possibles. Je te prie, au nom de notre ancienne amitié, de ne pas balancer à envoyer un fort

détachement de ton armée... Il n'y a pas à balancer, c'est
pour nous la vie ou la mort. L'ordre de La Rochejaquelein
est d'un ton affirmatif ; je lui ai fait demander en vertu
duquel il nous le donne. J'aurai sûrement demain les officiers que j'ai envoyés à la flotte. Je me mettrai en marche
mardi matin pour me porter par Vieillevigne et Rocheservière, Legé, etc. Suis ma marche, ne balance pas. Il faut
faire céder à la nécessité nos sentiments particuliers, car
il est instant que nous allions tous ensemble. La lettre
du commandant de l'escadre n'est pas douteuse. » Faire
céder à la nécessité nos sentiments particuliers. Quel aveu !

Malgré son désir d'aider le marquis, on sent Suzannet
toujours travaillé par la légitimité des pouvoirs de Louis.
« Je lui ai demandé en vertu duquel (l'ordre) il nous le
donne. »

Rien de plus simple que la vérification des pouvoirs de
Louis de La Rochejaquelein. Elu selon les règles les plus
certaines de la procédure vendéenne, il tient ses pouvoirs
bien moins de Suzannet et de ses collègues de même grade
que de leurs officiers. Il n'est pas d'exemple en Vendée
d'une élection de généralissime sans la participation des
officiers assemblés en conseil. La Rochejaquelein a été
investi les 18, 20 et 25 mai à Saint-Hilaire-de-Riez par les
officiers de Suzannet ; à Palluau par ceux de Sapinaud respectivement assemblés en conseil, investissement
confirmé par le conseil de Cholet sur la proposition de
M. d'Autichamp. La légalité de sa nomination, s'il est
permis d'employer ici ce terme, est donc hors de doute.
Louis XVIII néanmoins se comporte un peu légèrement,
en n'envoyant pas à Louis le brevet de généralissime. C'est
ce brevet que réclame Suzannet. Semblable document eût
ruiné toute manœuvre dilatoire. Il n'en reste pas moins qu'à
défaut du brevet royal, l'élection de Louis apparaît aussi
légale que celles de d'Elbée et de Monsieur Henri. Si
l'on veut bien se souvenir qu'en 1804 les conseils vendéens ont été reconnus par les princes, elle est même plus
légitime.

Lorsque le général Clarke, duc de Feltre, écrit à Louis en réponse à sa lettre du 2 juin : « Le Roi ne peut approuver que vous ayez *pris,* même provisoirement, le commandement en chef », ce serviteur de tous les régimes fort ignorant des choses de Vendée ne peut tomber plus à côté de la vérité. On n'en peut déduire que deux hypothèses : ou Louis, dans la préoccupation de la situation où le mettait Falleron, s'est mal exprimé, ou bien plus vraisemblablement Clarke, qui avoue implicitement dans cette réponse avoir reçu dans le même temps un rapport de d'Autichamp, a donné la préférence à la version du second. Il est vrai que le terme de traître que La Rochejaquelein applique aux acteurs de Falleron ne peut que choquer les oreilles d'un monde plus vite scandalisé des mots que des choses et fort éloigné du théâtre des opérations et de la réalité vendéenne.

Cette réaction violente d'une âme droite et ardente n'a pu que desservir sa cause. Le seul côté répréhensible de son obstination réside dans son acharnement à ne pas croire qu'il serait abandonné. Non qu'il barbotât en pleine illusion — les menaces incluses dans son ordre du jour attestent du contraire — mais il était encore baigné par le souvenir de 1793 et l'héritage de Monsieur Henri. Son seul tort est de ne pas avoir vu que, en douze ans, les conditions avaient changé. Il s'est décidé trop tard à faire taire en lui le parent dans ses rapports avec son cousin. C'est là sa faute majeure. On ne dirige pas une insurrection en gants blancs. Si, à Saint-Christophe, il eût jeté en pâture à la meute des insurgés l'objet de sa discussion avec Suzannet, il l'aurait « tué » en tant que chef. Louis répugnait à ce moyen dont usa Stofflet lors du conseil d'Antrain en 1793. C'était sacrifier l'intérêt commun à un homme.

CHAPITRE IV

UNE PLAIE AU CŒUR

Challans à l'est, Saint-Jean-de-Monts à l'ouest, Croix-de-Vie au sud délimitent le triangle au centre duquel va se jouer le drame du 4 juin. C'est sur sa base entre Challans et Saint-Jean-de-Monts que le bourg du Perrier blottit ses maisons basses autour d'un clocher effilé. Alors « entouré de fossés d'une largeur considérable, nous dit l'un des acteurs du drame, M. de Griffon, on n'y pénétrait que par deux chaussées conduisant l'une à Saint-Jean-de-Monts, l'autre à Saullans ».

On a greffé depuis sur l'ancien chemin de Saullans, à quelque deux kilomètres au sud du Perrier, la route qui conduit à Saint-Hilaire-de-Riez et dont le sinueux remblai construit à travers les polders de cette petite Hollande prend fin aux Mattes, petit hameau situé lui-même à l'entrée du Marais. Passés les Mattes, en allant vers Saint-Hilaire, on laisse en effet le Marais derrière soi. A la chaussée fait place la route ordinaire, dans un décor de dunes et de vallonnements sablonneux. Si ce n'est pas encore la terre ferme, du moins la circulation redevient-elle aisée grâce à la disparition des étiers, ces barrières d'eau qui sont aussi des routes à condition d'avoir une yole. Or la chaussée actuelle du Perrier aux Mattes n'existait pas en 1815. Un étier, la voie liquide, prolongeait

418

jusqu'au Perrier la route venant de Saint-Hilaire-de-Riez. La disposition des lieux est à retenir.

*

Le général en chef et le 4e corps, après avoir passé la nuit du 31 au Perrier, ont quitté ce bourg pour les Mattes le 1er juin vers deux heures du matin.

Vers midi, la troupe arrive à Saint-Hilaire-de-Riez où Louis établit son quartier général tandis que Canuel se porte avec un détachement à Croix-de-Vie où se tient déjà Robert avec trois cents Maraîchins. Auguste de La Rochejaquelein, dont le corps compte douze à quinze cents hommes, pousse des reconnaissances jusqu'à Apremont (dix-sept kilomètres à l'est) au-delà de la rivière de Vie. Dans l'après-midi, sur la nouvelle que la flotte anglaise a répondu aux signaux qui lui ont été faits, Louis se rend au bord de la mer où il s'embarque avec son cousin de Pommiès dans une chaloupe envoyée par l'amiral sir Henry Hottam. En son absence, et sur son ordre, Canuel prend, de concert avec Auguste, les mesures propres à couvrir le débarquement. Trois cents hommes sont envoyés pour garder le passage du Fenouillé sur la rivière de Vie au sud de Riez, d'autres pour couvrir « tous les points dangereux ».

La nuit du 1er au 2 s'écoule sereinement. Les « nombreuses » reconnaissances ne rapportent aucune découverte alarmante. Au matin du 2, l'escadre envoie quelques chaloupes dont le contenu, fusils et balles, est immédiatement distribué. Les expéditions, interrompues un court instant par les Anglais indécis devant l'état de la mer « très grosse », reprennent cependant vers dix heures à marée haute avec le concours de toutes les chaloupes de l'escadre. Leurs apports, chargés au fur et à mesure sur des charrettes à bœufs, sont aussitôt acheminés « provisoirement » sur Saint-Hilaire-de-Riez.

Le transbordement battait son plein quand arriva

419

l'envoyé de M. de Suzannet, un simple paysan, fort pressé. En l'absence du général en chef, demeuré à bord du *Superbe,* Canuel ouvrit les dépêches qu'il apportait. C'était l'arrêté de Falleron avec la fameuse lettre explicative allongée de son *post-scriptum* du 1er juin.

Rien n'est cependant perdu pour la cause vendéenne si Louis survit au péril où le met cet abandon, tout en assurant l'armement de la Vendée sans lequel on ne saurait rien faire.

Ce problème ardu, mais non insoluble, faisait appel à toutes les ressources d'ingéniosité des isolés. Il réclame d'abord la plus entière possession de la confiance des quinze cents hommes du 4e corps affolés d'apprendre, vraisemblablement par la bouche du messager de Suzannet, qu'ils sont livrés à eux-mêmes. Louis était assuré de cette confiance. Il a pris soin, au moment de pénétrer dans le Marais, d'instruire les paysans de l'écrasante disproportion de forces existant entre les Vendéens et leurs adversaires. Il ne fallait rien moins que le prestigieux ascendant du nom de La Rochejaquelein pour préserver la cohésion, à présent que les proportions se trouvaient complètement inversées de par le retrait des troupes de protection.

Ce point essentiel lui était acquis. Le plus difficile était de tenir le poste en attendant l'arrivée des renforts qu'il avait chargé sur l'heure des officiers d'aller chercher. Le Meignan et Carcouët sont dépêchés vers du Chaffault et d'Autichamp, Dupérat vers Sapinaud et jusqu'à Saint-Aubin-de-Baubigné. Louis a décidé de remplacer d'Autichamp par son cousin Civrac de Beaupréau, Suzannet par du Chaffault et Sapinaud par Dupérat et il a envoyé Robert sonner le tocsin dans le Marais. Il ne reste donc plus qu'à s'organiser et à se retrancher dans ce Marais. Dans une lettre envoyée ce même jour, le démissionnaire maraîchin Nicollon des Abbayes lui déconseille de faire effectuer des ouvrages de fortification au « pont » (sans doute le pont des Mattes). Il semble répondre à un projet de retranchement dans le Marais déjà ébauché par Canuel.

C'est le vétéran Nicollon qui a raison. L'impressionnable soldat qu'est le paysan vendéen, fonceur hors ligne dans les chocs de masse, est impropre à la défense comme à la guerre de siège.

Le problème, on le voit, était loin d'être simple et l'on s'explique le rugissement de colère de Louis :

— On a juré ma perte. Eh bien, je périrai, mais je sauverai l'honneur de la Vendée !

Cependant la réception et le règlement du grave événement de Falleron n'avaient pas ralenti le débarquement.

Deux obusiers, deux pièces de campagne étaient à terre. Toujours pas d'ennemis, mais voici que soudain des civils placés sur la hauteur qui domine Saint-Gilles, dont Croix-de-Vie n'est séparé que par la rivière de ce nom, font des signes « qui semblent indiquer une correspondance établie avec ce qui se trouve placé au-delà ». Faute de bateaux tous « menés de l'autre bord » par les douaniers avant l'arrivée de Robert, quelques Vendéens recherchent un gué, finissent par aboutir, se répandent dans Saint-Gilles d'où ils emportent avec les embarcations deux livres de balles et quatre petits canons en fer. Ils y retournent. Ceux de Croix-de-Vie leur font signe de revenir. Ils viennent de s'en apercevoir : la hauteur s'est garnie soudain de troupes qui descendent « tambour battant ». A peine les expéditionnaires sont-ils rembarqués que l'ennemi fait irruption sur les quais, ouvre le feu sur les fuyards, mais s'arrête, aussitôt stoppé par une grêle de balles qui pleut des fenêtres des maisons du quai de Croix-de-Vie ; des Vendéens y sont postés, protégeant la retraite de leurs camarades. L'ennemi les imite en se retranchant dans les maisons du quai de Saint-Gilles.

C'est alors que commence par-dessus la Vie cette fusillade de quelque vingt-quatre heures. Elle serait absolument sans effet sur le débarquement effectué sur une plage, en arrière des quais, s'il n'en était une dirigée du haut du clocher de l'église de Saint-Gilles. Vainement les Vendéens tenteront d'y envoyer un obus. On manque d'artilleurs. Ni Boutaut ni quelques officiers anglais eux-mêmes ne parviendront à pointer convenablement obusiers ou canons. Demain, en revanche, un fin tireur maraîchin « descendra » dans ce clocher le général Grosbon penché à une lucarne, lunette à l'œil.

Louis n'avait point attendu cet exploit pour pourvoir à la mise en lieu sûr de son matériel.

Dès la veille, le 2, à sept heures du soir, il avait donné l'ordre à Griffon de transférer tout le dépôt provisoire de Saint-Hilaire-de-Riez dans l'intérieur du Marais. C'est le bourg du Perrier qu'il choisit comme entrepôt général, en raison de sa position. Le transport par chariots jusqu'aux Mattes, et de là, par voie d'eau jusqu'au Perrier, occupe la nuit entière de Griffon. A l'aube, sa besogne achevée, il était de retour à Croix-de-Vie.

Là, rien à signaler, sinon la poursuite de la vaine fusillade et une tentative de l'ennemi pour franchir la rivière. Les bateaux étant désormais en la possession des Vendéens, Auguste a pu, sans difficulté, dénicher trois cents hommes pour neutraliser la tentative. La matinée du 3 est « très propice », la mer « magnifique ». Les chaloupes continuent leur va-et-vient avec « la plus grande activité ». Les caisses s'entassent, chargées tantôt de mousquetons, de sabres et de pistolets, tantôt de buffleteries, de gibernes, de brides et de souliers. On hale encore à terre des pièces de campagne et « une quantité étonnante de barils de poudre », nous dit Griffon. Enfin voici qu'accoste Edward Kittoe en personne. Acueilli au débarcadère par Louis de La Rochejaquelein, il visite avec lui les postes, prodigue ses compliments aux Vendéens, reste un long moment sur le quai exposé aux balles des bonapartistes qui blessent un paysan à ses côtés, pointe plusieurs fois un obusier, puis retourne à son bord.

Grâce à Canuel, on percera l'objet de cette visite. « Kittoe, écrira-t-il, voulait se rendre compte de la position des bonapartistes. » En d'autres termes, il ne se souciait pas de voir son apport tomber entre les mains de ces derniers.

On comprend qu'il ait, en conséquence, décidé de borner là ses envois.

Il est possible cependant que la cessation des envois ait été déterminée par La Rochejaquelein lui-même, avisé dans le même temps par son frère (qui ne cessait de faire éclairer les environs aussi loin que possible) que des renforts arrivaient à l'adversaire. Queyriaux, par qui on le sait, ajoute : « Le corps de M. Auguste et la division du Marais n'étaient pas assez forts pour protéger le débarquement et faire face à trois ou quatre mille hommes qu'on s'attendait à voir en tête. »

Il était environ quatre heures du soir, quand M. de Griffon reçut la mission de réunir toutes les voitures et de les diriger sur Le Perrier avec cent hommes d'escorte placés sous les ordres de Jacques de Cathelineau, fils du généralissime de 1793. Sa retraite serait couverte par celle des occupants de Croix-de-Vie sur Saint-Hilaire-de-Riez.

C'est ici que les opinions allaient différer. On en était arrivé à l'épineuse question non encore résolue des moyens de se maintenir dans le Marais, pour être à la fois près de la flotte et en mesure de protéger le précieux dépôt.

Griffon témoigna de l'inquiétude pour son convoi. Mais comment concilier sa protection avec la sécurité du 4ᵉ corps qui risquait d'être écrasé en restant à Saint-Hilaire ?

Sur proposition de Canuel, Louis de La Rochejaquelein décida de replier le 4ᵉ corps sur Saint-Jean-de-Monts, point naturellement retranché, donc facile à défendre.

La solution n'était pas mauvaise. Compte tenu de l'heure à laquelle le reflux de la mer rendrait accessible le passage du Pas-Opton, Griffon disposait du temps nécessaire pour parcourir les onze kilomètres séparant Croix-de-Vie des Mattes où devait attendre la flottille des yoles. Le Pas-Opton était infranchissable, à présent, et jusqu'à huit heures du soir au plus tôt. Ce gué une fois passé, il fallait encore se rabattre sur la gauche, le long de la Vie, pour atteindre Saint-Hilaire, distant encore de cinq kilomètres, en raison des étiers parallèles au chemin des Mattes. Or, le temps qu'on procédât à l'évacuation de Croix-de-Vie, celle de Saint-Hilaire ne devait pas être effectuée avant huit heures.

Celle de Croix-de-Vie commença à cinq, à l'abri d'un rideau de tirailleurs qui ne quitteront la place que tard dans la nuit.

On encloue l'obusier pris à Saint-Gilles, tandis que sur la route de Saint-Hilaire s'allonge la file des pesantes voitures. Là on entraîne huit canons vers Saint-Jean-de-Monts. Réussira-t-on à se maintenir, tout en sauvant le matériel ?

A la tombée de la nuit, le 4e corps est à Saint-Jean. Louis prend logement chez Robert, à la fois maire de la commune et capitaine de la paroisse. De là, il envoie Gourbillon porter au Roi ses dépêches et expédie Potard à Bordeaux chercher des canonniers. Il fait distribuer des carabines anglaises aux Maraîchins qui viennent s'offrir. Peu de recrues à espérer ici, en raison de la propagande contre la prise d'armes menée par le curé Bruneteau. Tout inverse est la situation au Perrier, avec un maire ennemi et un curé tout royaliste. Le recrutement y gagne, en conséquence, autant qu'il perd à Saint-Jean.

Louis ne s'en émeut pas. Il donne des ordres pour que demain « la marche soit continuée le long de la mer ». En se couchant, il déclare à Queyriaux :

— Nous nous battrons demain, et cette journée va décider du sort de la Vendée.

Et « il dormit tranquillement ».

Travot, échappé du guêpier de Legé le 1er juin, et parvenu à Bourbon-Vendée le lendemain, avait aussitôt dépêché Grosbon à Saint-Gilles avec trois cents hommes. Reparti lui-même le 3 à deux heures du matin avec Estève, que le rassemblement de Suzannet avait fait rentrer à Bourbon après sa tentative pour aller au-devant de son supérieur, il était arrivé d'assez bonne heure au Pas-Opton. Il le franchit dès que le jusant l'eut rendu accessible.

A neuf heures il était à Saint-Hilaire-de-Riez où le rejoignirent les trois cents hommes de Saint-Gilles, dès que le rideau laissé par Louis à Croix-de-Vie se fut replié à son tour. Renfort superflu. Lamarque a confié hardiment à Travot « toutes les forces vraiment en état d'entrer en campagne ».

Au fait, Travot parvenu à Saint-Hilaire n'en est pas plus avancé. Sinistre, le Marais l'est surtout pour lui. Disparu, La Rochejaquelein. Evanouies, les armes convoitées. Ici la terre et l'eau aussi bien que les habitants sont les alliés du marquis retranché là-bas, à Saint-Jean-de-Monts.

Seulement, le voyage du convoi ne s'était pas passé sans incident.

Griffon avait été retardé à six kilomètres de Saint-Hilaire par la rencontre de Nicollon des Abbayes survenu à la tête d'une troupe de cavaliers pour réclamer des armes. Un temps fou perdu. Tant et si bien « qu'il était déjà nuit » quand Griffon put repartir, et « très tard » quand il toucha les Mattes.

Aux Mattes, pas de flottille. Griffon, après avoir garé les voitures dans des hangars sous la garde de Cathelineau et de sa centaine d'hommes, a dû aller en yole chercher au Perrier le plus de bateaux possibles. A son retour, la nuit est « très avancée ». Vite, il fait charger d'abord toutes les poudres, ensuite tout ce qu'il peut d'armes. Poussées à grands coups de ningles [1], les yoles surchargées disparaissent dans les ténèbres, non vers Le Perrier, à cause de l'hostilité du maire, mais vers une métairie.

Le jour pointait déjà quand la flottille repartit à vide vers les Mattes chercher le restant.

Elle voguait depuis une heure quand, venant de cette

---

1. Perches destinées à franchir les obstacles et à manœuvrer les embarcations plates.

direction, éclata une « forte fusillade » à laquelle répondit le son bruyant d'une corne. Tout Le Perrier s'ébrouait. On vit, raconte Griffon, les Maraîchins munis de leurs armes et de leur ningle courir vers le bourg. Griffon, qui y courait lui-même, y rencontra le chevalier de Clabat, ordonnateur de l'armée, arrivant de la mission dont l'avait chargé La Rochejaquelein. Les conducteurs des embarcations revinrent quelques instants après, annonçant qu'une colonne de quinze cents ennemis au plus était aux Mattes, qu'on soupçonnait quelques guides des charrettes convoyantes de les avoir conduits, que Cathelineau se repliait sur Saint-Jean-de-Monts après une « bonne résistance » tentée avec sa centaine d'hommes, mais que M. de La Rochejaquelein, averti du mouvement des Bleus, avait été à sa rencontre et ne tarderait point à attaquer.

Comme pour confirmer cette dernière assertion, une nouvelle fusillade éclata au loin. Ce qui fit présumer que les deux parties étaient aux prises. M. de Griffon se mit à la tête des Maraîchins qui s'étaient réunis au Perrier et qui, au nombre d'une centaine, se transportèrent vers les lieux où ils pensaient trouver l'ennemi. Le chevalier de Clabat du Chillou l'avait précédé de quelques minutes avec un premier contingent.

Effectivement, on se battait aux Mattes.

C'est à six heures du matin, d'après Queyriaux, compagnon de chambre de Louis, qu'une ordonnance de Cathelineau vint annoncer que la colonne Estève venait d'arriver aux Mattes et avait surpris quatre voitures.

Louis fait « aussitôt » prévenir son frère et donne ses ordres pour attaquer l'ennemi avant qu'il ne ressorte du Marais.

Des officiers proposent une retraite précipitée sur Soullans. Louis secoue la tête. Peut-il abandonner son entrepôt ? S'éloigner de la flotte ? Décourager les Vendéens ?

Quinze cents contre quinze cents, duel égal. La partie n'est pas pour lui déplaire. Une retraite ? Allons donc !

Et la valeur vendéenne, voyons ! Il saute à cheval, plein d'entrain :

— Mes enfants, nous n'en avons pas pour notre déjeuner !

Il est huit heures quand on s'ébranle. Et « lentement » on tourne le Marais vers le sud, pour aller prendre Estève en queue. Lentement. Pour donner aux Maraîchins chargés d'attaquer en tête le temps d'arriver. Des cavaliers sont partis éclairer les environs de Saint-Hilaire. A dix heures, ils reviennent annoncer que « l'ennemi approche ». L'ennemi, c'est ici Estève et non Travot, Estève, qui vient de quitter les Mattes pour s'engager dans le chemin de Saint-Jean-de-Monts.

Et l'on songe qu'il y était depuis environ cinq heures du matin. C'est donc bien l'approche des Bocains qui l'a fait se porter en avant, à la rencontre de Louis qu'il n'attendait pas. Griffon le constatera d'ailleurs en arrivant aux Mattes, rien qu'au spectacle probant des traces de l'interruption du déjeuner d'Estève.

Louis, sitôt prévenu de son mouvement, a fait retrancher ses hommes dans les fossés du chemin de Saint-Jean. Il n'a pas achevé ses préparatifs quand Estève paraît. Dès la vue de l'ennemi, le paysan, nous dit Queyriaux, « sans attendre que Louis ait fini ses dispositions, prend sa course aux cris de *Vive le Roi* et fond sur l'ennemi, s'arrête à cinquante pas et commence le feu..., alors que les Maraîchins devaient donner le signal ».

Estève, surpris de ce choc, retranche aussitôt ses hommes dans les fossés. Les paysans les en délogent. Il forme ses gens en colonne, les fait charger par trois fois à la baïonnette, sans autre résultat que de ralentir l'avance des Vendéens et de se faire ramener à quatre cents mètres des Mattes. Il est là en terrain solide, certes, mais c'est pour s'y voir adosser au Marais et aborder « à vingt-cinq pas par ses adversaires qui se couvrent derrière les talus », de sorte que « les rangs des Bleus s'éclaircissaient, cependant que leurs balles passaient presque toutes par-dessus les têtes vendéennes ».

Au moment où les royalistes allaient charger à la baïonnette se produisit un de ces incidents lourds de conséquences. Un capitaine de paroisse, placé aux premiers rangs du centre, est blessé. Ses hommes, en le secourant, mettent « du trouble dans la compagnie ». L'ennemi s'en aperçoit. C'est le moment qu'il choisit pour charger avec la fureur du désespoir. Le désordre augmente. Les plus avancés reculent, effraient leurs voisins. Comme le centre plie, Auguste de La Rochejaquelein s'y porte, abandonnant pour un instant le commandement de la gauche. Son cheval est tué sous lui, lui-même est blessé au genou. La frayeur gagne les paysans. Le marquis maintient la droite. Son frère retourne à l'aile gauche où Allard tient encore ferme. C'est dans ce moment que Griffon et le major Fortin, enfin arrivés, prennent les Bleus à dos. Trop tard. Les Bocains ne tiennent plus ; et ceux qui restent, embarrassés par leurs baïonnettes, ne chargent pas assez vite. La déroute commence. Louis envoie Canuel rallier les Vendéens en fuite.

En fuite, au moment où le renfort leur arrivait ! Comment parvenait-il si tard ? Quatre kilomètres séparent Le Perrier des Mattes. On a incriminé le défaut de célérité de Robert entêté à vouloir rassembler toute sa compagnie. Le fait est que Griffon n'a pas reçu d'ordre de soutenir l'attaque du marquis. Il a, suivant l'expression consacrée, marché au canon.

Enfin, les Maraîchins arrivent après avoir sauté à la ningle « les nombreux fossés ». Les voici dans le lieu où le convoi avait été déposé. La métairie des Mattes est pillée. Pillées aussi toutes les maisons des alentours.

« A un petit demi-quart de lieue, dans la plaine qui, du Marais, s'étend à Riez, Griffon distingue l'ennemi », les Bleus qui, « dans ce moment, ont en tête M. de La Rochejaquelein ».

Griffon dispose ses hommes — son monde s'est « beaucoup augmenté durant le trajet » — en tirailleurs, et les lance à l'attaque d'un groupe de moulins occupé par plusieurs compagnies d'élite, qui, se repliant aussitôt vers leur colonne, « lui apprennent qu'elle est attaquée sur ses derrrières » et aussi sur ses flancs, car Robert et Forbin, survenus à leur tour, viennent d'ouvrir à droite, à gauche « un feu très vif ».

De l'autre côté de la ligne de bataille, Louis de La Rochejaquelein a aperçu les arrivants. Il a dépêché Queyriaux annoncer la nouvelle aux fuyards. Le renfort, mais c'est la victoire ! Arrachant son chapeau, il l'élève à bout de bras « pour rappeler d'un même signe la troupe qui fuit, et montrer son panache aux Maraîchins qui arrivent. Il ne pense pas qu'il est seul ».

Griffon aussi a distingué ce cavalier et cru reconnaître le cheval du général en chef. Griffon suit du regard cette silhouette qui « a l'air » de vouloir courir après les fuyards, et se rapproche ensuite bien près de l'ennemi que ne contient plus que faiblement, et en se repliant, la gauche des Vendéens. Brusquement, un nuage de fumée, consécutif à une décharge, dérobe à ses yeux le cavalier. Quand le nuage se dissipe, la vision s'est évanouie.

Griffon continue à pousser ferme son attaque, découvre Estève en personne près de deux charrettes du convoi. « se dépêchant de les faire décharger de leurs caisses qu'il fait briser par ses sapeurs pour pouvoir y placer ses blessés ». Estève, expulsé de sa position qu'il « quitte au plus vite », se hâte de battre en retraite en faisant exécuter sur ses assaillants des feux de peloton « bien inefficaces contre des hommes disposés en tirailleurs, dont il ignorait le nombre, et devait croire plus nombreux aux pertes qu'il faisait [1] ».

Griffon le « reconduisit » jusqu'à une lieue de Riez. Aux dires de Lamarque, les bonapartistes accusèrent 15 tués et 58 blessés. Aucun doute, ces chiffres sont sous-

---

1. Relation inédite de M. Griffon. Arch. de Clisson.

évalués. De son côté, Canuel évalue les pertes impériales à 480 tués et blessés. Queyriaux, le plus proche de la vérité, à 150 tués et 300 blessés dont le chef de bataillon.

Où est le général en chef ? Telle est la question que se posent à présent, et les Bocains rentrés à Saint-Jean-de-Monts avec Auguste, et les Maraîchins revenus aux Mattes. Chacun l'espère vivant chez l'autre. Auguste, que sa troupe impressionnée par l'issue de son aventure a entraîné vers Beauvoir, vient de détacher aux nouvelles le fidèle Allard, quand survient à la nuit tombante un courrier de Robert annonçant son succès sur Estève et demandant des ordres. Des ordres ? O Ciel ! Il n'est donc pas avec les Maraîchins ! Canuel et Queyriaux, sautant à cheval avec quelques officiers, s'élancent sur l'heure vers les Mattes.

Ils y parvinrent le 5, de bon matin, sans avoir appris « aucune nouvelle », au cours de leur chevauchée. Plus un cadavre, plus un blessé ne gisait sur le champ de carnage de la veille. Griffon avait tout déblayé.

Cependant du cercle des fossoyeurs assemblés par Queyriaux, qui leur dépeint le généralissime, une voix s'est élevée : « Je crois le reconnaître ! » Le paysan qui a lancé le cri les mène à une fosse, la rouvre. Elle « nous découvre, raconte le fidèle Bordelais, tout ce que nous redoutions de trouver ».

Il s'agenouille, examine ce corps qui n'a plus, pour tout vêtement, qu'un gilet de laine à ses initiales, trouve « la plaie auprès du cœur », embrasse « ce qui n'était plus qu'une figure », coupe une mèche de ses cheveux et fond en larmes.

Autour de lui, comme lui « sans voix ni paroles », Canuel, Pommiès, Fourcaud regardent, comme anéantis par la stupeur, ce visage inanimé et cette unique blessure faite par la balle. Une seule. Louis joignait dans la mort Monsieur Henri dont l'ombre ne l'avait jamais quitté.

CHAPITRE V

POUR L'HONNEUR

Le jour du 5 juin se lève sur un vaste tableau synchronique dont les différentes scènes contribuent à former l'épilogue du drame des Mattes et qui pour la plupart convergent vers le bivouac de Gabriel du Chaffault.

Ce jour, en effet, épand sa lumière grisaillée de pluie sur la retraite du corps d'Auguste de La Rochejaquelein et le départ de M. de Suzannet en direction de Saint-Christophe ; sur le retour au Perrier et la chevauchée vers Saint-Christophe en vue de la mission Canuel que nous avons laissée autour du corps exhumé de Louis de La Rochejaquelein et, enfin, sur une scène à la fois touchante et révélatrice dont Lucie de La Rochejaquelein est l'héroïne.

La veille, à la nuit tombée, Dupérat arrive à Saint-Aubin portant les ordres de La Rochejaquelein. Les deux sœurs de La Rochejaquelein le reçoivent au Rabot. Sans tergiverser, elles décident de faire sonner le tocsin. La plus jeune, Lucie, saute aussitôt à cheval et parcourt les paroisses.

L'enfant est la fille spirituelle de la fameuse Henriette morte en 1810, la tante passionnée, au bon sens paysan et à l'humeur guerrière. Au temps de la terreur rouge de 1794, on l'avait vue tout occupée de ravitailler les défenseurs de la Vendée. Lucie, emmenée à trois ans en Angleterre et séparée de sa mère, est rentrée en France le 6 août 1797 après quatre ans d'exil. Son adolescence a été baignée par les exaltants récits de l'épopée vendéenne et elle a grandi dans le culte de Henri. Au matin du 5, devant les hommes accourus à Chatellau, on lit sa proclamation : « Mes amis, braves Vendéens, nous venons de recevoir des ordres de mon frère qui ordonne de réunir les paroisses pour aller chercher les armes et les munitions envoyées à l'armée du Roi. » Lucie est là, à cheval, impatiente, elle parle aux soldats, les engageant à suivre les chefs envoyés par son frère. « Vous ne les connaissez pas tous, moi je les connais. »

Les hommes secouent la tête. La confiance est morte. « Il nous faut un La Rochejaquelein, mademoiselle... » Alors, la jeune fille de vingt-sept ans, contrefaite par suite d'une légère déviation de la colonne vertébrale, prend la tête de la troupe. Et les paysans suivent la frêle amazone, ce « général Lucie de La Rochejaquelein » dont Dupérat est devenu l'aide de camp. Ils la suivent uniquement parce qu'elle est la sœur de Monsieur Henri, de Louis, et d'Auguste, un membre de la famille dont le nom seul inspire confiance. C'est pourquoi ce tableau pittoresque demeure l'un des plus émouvants mais aussi un des plus révélateurs de la dernière grande guerre de Vendée.

A quelques lieues de là, et ce même matin, Auguste joint le premier du Chaffault. Celui-ci, arrivé le 4 à sept heures du soir à Saint-Christophe-du-Ligneron, y avait installé son campement avec ses quelque quinze cents à deux mille hommes hâtivement rassemblés. A peine y était-il qu'une vingtaine de rescapés des Mattes blessés étaient venus tomber dans son bivouac y apportant les plus folles nouvelles : « Désastre ! Le généralissime est mort. Non ! Seulement blessé ! Son frère aussi ! » Du Chaffault, sitôt averti de l'approche d'Auguste, se porte spontanément au-devant de lui pour soutenir sa retraite. Aucune décision ne peut être prise tant qu'on ignore le sort du marquis et on conserve encore quelques espérances. Les Bocains d'Auguste, réconfortés par la présence de cette troupe, passent la nuit du 5 au 6 septembre à Saint-Christophe. Nuit calme comme la précédente. Aucun ennemi n'a été signalé.

Au matin du 6, après l'arrivée de Canuel, de Queyriaux et de leurs compagnons, il n'est plus possible de cacher aux Bocains la mort de Louis. « Des larmes coulent de tous les yeux » quand Canuel et les siens font aux Bocains le récit de leur triste découverte. Aussitôt une clameur impérieuse réclame Auguste. Refoulant son chagrin, le dernier frère de Monsieur Henri paraît et adresse quelques mots aux paysans. Autour de lui ce n'est que sanglots : « Voilà le seul qui nous reste, mais il se fera tuer comme ses frères ! Qui nous mènera combattre pour le Roi ? » Cette fois, Auguste ne peut retenir ses larmes. Au nom du Roi, il reprend cependant la parole : « Oui, mes amis, vive le Roi quand même ! » Du Chaffault, sans perdre de temps, entraîne Auguste vers le nord-est en direction de Legé et Rocheservière, vers Suzannet. Legé, Rocheservière, ce n'est pas le chemin du Bressuirais. Mais visiblement, du Chaffault a son idée, il espère faire proclamer Auguste de La Rochejaquelein général en chef.

En trois heures de marche on est à une demi-lieue de Legé. Une troupe y fait halte, celle de Suzannet. Les indécisions de celui-ci avaient cessé et, pris de remords, il accourait au secours de son cousin à la tête de quatre mille des siens bien disposés. Minute poignante, d'un pathétique intense. Auguste veut à tout prix l'éviter. De son côté Suzannet, qui sait déjà la mort de son cousin, manifeste une émotion si visible « en apercevant la colonne du 4e corps que La Roche-Saint-André l'entraîne dans un chemin à l'écart. Les officiers des deux corps l'y suivent. Mais Auguste se refuse à toute entrevue. Ce n'est qu'à force d'insistance « après bien des difficultés » que, se faisant violence, il se laisse aborder par Suzannet. Le plus dur était fait, la nouvelle de la mort de Louis, tenue secrète encore

433

dans l'armée de Suzannet et soudain répandue comme une traînée de poudre, soulevait chez ses propres hommes un torrent d'imprécations contre lui, cependant que les officiers se réunissant en plein champ proclamaient Auguste général en chef [1]. C'était là le but auquel tendait du Chaffault. Reprendre au plus tôt avec Auguste l'œuvre de Louis. Et là encore, comme avec Lucie, la magie du nom de La Rochejaquelein était bien le plus puissant levier pour combattre l'abattement et réveiller l'enthousiasme. D'après Canuel, Auguste aurait déclaré n'accepter le commandement en chef qu'autant qu'il y serait appelé par tous les corps de l'armée. Comme son cousin lui demandait :

— Que dois-je faire ?

Auguste répliqua seulement qu'il n'avait qu'à aller sans perdre de temps chercher les munitions au Perrier. Sur ce il prit congé de Suzannet et de du Chaffault.

A peine était-il de l'autre côté de Legé qu'il se voyait rejoint par les hommes de Suzannet. Encore licenciés après avoir été dérangés une fois de plus pour rien, ils sont en proie au plus extrême mécontentement. Et Suzannet d'expliquer à Auguste après l'avoir rattrapé :

— Ils ont refusé de me suivre et puis j'ai réfléchi que j'étais à court de vivres, qu'il était nécessaire que je sois soutenu par les autres corps d'armée et, en conséquence, qu'il faut conférer avec Sapinaud et d'Autichamp.

On se serait cru revenu à Saint-Christophe.

Auguste écoutait sans colère, affectant d'approuver sous le regard étonné de Canuel. Conviction réelle ? Lassitude ? Volonté de conciliation ? Ou bien se rendait-il compte que l'Histoire se répétait et qu'il ne pouvait en changer le sens.

Il laissa les deux chefs à Saint-Etienne-de-Corcoué, après avoir accepté le principe d'une prochaine rencontre à la Gaubretière sur le territoire de l'honnête Sapinaud, puis s'en alla coucher à Rocheservière. C'est de là que le

---

1. Queyriaux, *loc. cit.*, p. 70.

matin du 7, Auguste de La Rochejaquelein, fort de la confiance des Vendéens et de l'appui du comte du Chaffault, essaie de renouer avec l'escadre. La lettre qu'il écrit poursuit un double objectif. Après avoir annoncé la mort de son frère « dans une affaire que nous avons eue avec les troupes de Bonaparte le 4 courant », il cherche en effet à s'assurer du soutien anglais. « J'espère que Votre Seigneurie voudra bien continuer à nous accorder l'appui et les secours qui sont encore à votre disposition. » Il en profite aussi pour informer de sa nomination : « Une partie des officiers de la Vendée m'ont nommé au commandement qu'avait mon frère. »

La lettre, adressée à sir Henry Hottam, sera renvoyée par lui à l'amiral lord Keith.

« Cette mort me met au désespoir », écrit-il dans cette même lettre. Cette phrase, adressée à un étranger, laisse transparaître dans quels sentiments Auguste recevait la succession de son frère. Un écrasant fardeau. On songe à Henri quand il fut proclamé généralissime après le passage de la Loire.

Il était tout son portrait, a-t-on dit, la comparaison vaut aussi bien du point de vue physique que du point de vue moral — bien qu'il eût, nous dit sa belle-sœur, les yeux bruns et non bleus d'ailleurs beaucoup moins fendus, et une taille plus élevée encore, il avait comme Henri hérité de cette réserve et de cette délicatesse que leur avait infusées à tous Constance de Caumont. En 1808 un intime traçait ce portrait achevé. « M. Auguste de La Rochejaquelein a un beau nom, joint (à) une tournure noble, une figure distinguée, une taille haute et bien prise et des idées à lui. Il a un caractère très prononcé, écoute beaucoup, réfléchit toujours, juge tout et ne condamne que fort peu de choses parce qu'il a le bon esprit de croire qu'à tout âge, et surtout à vingt-quatre ans, ce qu'on sait n'est rien en comparaison de ce qu'on ignore. Il sent vivement et paraît souvent impassible. Jamais il ne cède au premier mouvement, aussi ne connaît-il pas la honte de revenir sur ses pas. La nuance dominante est en lui une indépendance, une singularité, une originalité qu'on ne peut pas appeler bizarrerie. Il possède toutes les qualités qui appartiennent à une âme élevée. Ce qu'il a d'imposant dans l'extérieur est adouci par ce qu'il a de bon dans le regard et d'attachant dans le son de sa voix, enfin on l'aurait trouvé mieux qu'un autre, mais il est impossible de le comparer, il ne ressemble à personne. » Un esprit réservé mais observateur joint à une indépendance farouche, ces deux traits dominants de son caractère permettent de mieux comprendre les décisions et le comportement d'Auguste pendant les derniers événements de Vendée mais aussi dans les années qui suivront.

Auguste, emmené en Angleterre à sept ans et aussitôt séparé de ses parents, est comme ces fleurs privées de soleil et poussées d'aventure dans un sol ingrat. Sa jeunesse n'a point connu l'épanouissement de celle de ses frères au sein du climat familial baigné d'affection et d'espérance dans les lendemains. « Balance, balance tant que tu voudras », clamait-il à la tempête dans le roulis du bateau qui l'emportait de Belgique en Angleterre aux jours d'exode de 1792. Les balancements de la fortune, au cours du chemin de sa vie, ne lui ont réservé qu'épreuves mais lui ont forgé un caractère inébranlable et à trente ans la maturité d'un homme de cinquante ans.

Orienté vers la navigation au commerce par la volonté paternelle, il ne satisfait, appuyé par sa mère, sa vocation de marin que grâce à l'entremise du baron de Suzannet près de l'amirauté britannique. Rentré en France en 1802, emprisonné au Temple comme émigré non rayé, puis relâché après réclamation et représentation fondée de la municipalité de Saint-Aubin, il se voit intimer l'ordre par Napoléon d'entrer aux Gardes d'Honneur, et, sur son refus, de choisir entre la prison et le grade de sous-lieutenant. Emprisonné de nouveau avec le jeune prince de Talmont dont il épousera la veuve, il a barguigné un moment puis, ivre d'aventure et d'action comme tout La

Rochejaquelein, a cédé sous la force d'une contrainte devenue insupportable à son tempérament. Un coup de sabre russe l'a défiguré pour la vie à la Moskowa sans lui ôter cependant son pouvoir de séduction. Ramassé parmi les morts, sauvé de la fureur des cavaliers russes par le prince Damidov qu'il avait la veille ou presque arraché lui-même à la rage des Français, il est soigné à Kagau où il reste jusqu'au retour du roi de France à Paris. Passé dans la Maison du Roi en 1814, il s'est, dès mars 1815, jeté en Vendée pour se trouver à Beaupréau en présence d'une nouvelle déception... en attendant celle-ci et les autres, 1830, 1848, 1852, l'évanouissement croissant de la fleur blanche à laquelle il restera toujours fidèle.

Impavide, il le restera toujours en apparence seulement car en fait les chocs meurtrissent profondément cette nature qui a hérité de la sensibilité de son frère. Il n'est pas fortifié comme l'était son aîné en octobre 1793 par cette conscience de ses ressources que révéla à l'homme le simple coup d'œil sur les réalisations antérieures. Auguste, à trente ans, traîne déjà un passé de tristesse, nourri par les tragédies de l'histoire vendéenne. Il restera cependant décidé à combattre jusqu'au bout. Il sent combien l'unité du commandement est aussi nécessaire que problématique pour arriver à la victoire. Aussi écrit-il à Louis XVIII pour réclamer un prince qui puisse cimenter cette unité et faire taire les querelles de prestige. Mais de prince il n'en viendra jamais.

Le même 7 juin, M. Allard, avec une garde de vingt-cinq hommes, ramena le corps de Louis au Perrier. Un enterrement de campagne dans une pauvre église mais auquel participe la paroisse entière. Un enterrement militaire où trois cents Maraîchins en armes commandés par M. Robert rendent les honneurs. On a creusé une fosse vis-à-vis de la porte d'entrée de l'église, elle est à moitié remplie d'eau tant l'argile en est saturée. Le cercueil y disparaît. On rabat la terre, on bascule une pierre « grossièrement taillée ». Dans cette fosse du Perrier, vient de disparaître une partie de ce rêve dont la réalisation repose maintenant sur Auguste.

Celui-ci, après avoir chargé son cousin Pommiès d'aller porter ses dépêches, a quitté Rocheservière pour l'Escorce où le rejoint Gabriel du Chaffault. Là, une lettre de Suzannet lui parvient l'engageant à se rendre avec ses officiers à la Mussetière pour régler la question du commandement en chef, Suzannet se chargeant de prévenir Sapinaud et d'Autichamp. A dix heures du matin, Auguste, flanqué de Canuel, arrive le premier à la Mussetière où il accueille froidement Suzannet. Sont présents Sapinaud, Dupérat, renvoyé la veille à l'Escorce par Lucie, Baschet et plusieurs autres officiers. Les trois corps d'Auguste, de Sapinaud et de Suzannet sont représentés.

L'attribution du commandement ne pouvait faire de doute. Auguste est élu, cependant que Sapinaud reçoit la gouvernance générale de la Vendée, poste qu'avait occupé en 1793 le marquis de Donissan. Dupérat est mis à la tête du 4e corps en remplacement d'Auguste et Bertrand de Saint-Hubert de celui de Sapinaud. Enfin le conseil de guerre partageait la zone de Suzannet en deux parties et confiait la plus névralgique — Montaigu, Legé, Palluau, Vieillevigne — entre les mains de du Chaffault [1].

Surprise, Auguste refuse de souscrire « à aucune disposition » avant l'adhésion de d'Autichamp. Quelles furent les raisons qui le déterminèrent à réclamer cet ajournement ? En agissant ainsi, Auguste, instruit par les récents événements, voulait sûrement d'une part ménager la susceptibilité de d'Autichamp et d'autre part recevoir de celui-ci non pas une reconnaissance apparente, mais une confirmation nette et précise de ses pouvoirs.

Suzannet va vers d'Autichamp avec engagement, nous dit Queyriaux, de rapporter une réponse à son cousin alors à Clisson. Auguste, parvenu à Clisson à quatre heures et n'y trouvant rien, pousse jusqu'à Saint-Crépin d'où, sur

---

1. Queyriaux, *loc. cit.*, p. 73.

un pli de Suzannet l'informant que d'Autichamp l'attend, il joint Mautfaucon au matin du 10. Quand les Poitevins des 2ᵉ, 3ᵉ et 4ᵉ corps abordent avec les Angevins l'objet de cette visite, ces derniers déclarent nulles les décisions de la Mussetière. Fureur des Poitevins. Il s'ensuit un brouhaha à la faveur duquel une voix angevine propose aux généraux de passer dans une pièce voisine et de procéder seuls à l'élection d'un généralissime.

Selon les règles observées en Vendée pour les nominations de généraux et auxquelles les princes avaient donné en quelque sorte force de loi en 1804, l'élection de Sapinaud comme généralissime était nulle de plein droit. « Le conseil », à défaut de représentant du Roi, était seul habilité à faire un généralissime.

Cette nomination, il est vrai, avait été grandement facilitée par la renonciation d'Auguste, « dégoûté, nous dit Queyriaux, du funeste résultat des prétentions ». A quoi cela aurait-il servi d'être nommé général en chef, si son autorité n'était pas reconnue ?

Sapinaud avait fait choix d'Auguste de La Rochejaquelein comme major général. Saint-Hubert et Dupérat remplaçaient respectivement chacun d'eux à la tête du 3ᵉ et du 4ᵉ corps. Restait à régler le sort de Canuel. On lui proposa un poste d'adjoint major général mais celui-ci refusa et préféra suivre Auguste en simple particulier. Quant à la dévolution au comte du Chaffault de la moitié du corps de Suzannet, on n'y toucha point mais des divergences d'interprétation ne tardèrent pas à se faire jour. En effet Suzannet considérait du Chaffault comme son second et non pas comme devant partager sa zone. Aussi très vite celui-ci préféra rejoindre le dernier des La Rochejaquelein.

N'anticipons pas sur la suite des événements et revenons à Montfaucon où éclata un coup de théâtre qui allait provisoirement mettre tout le monde d'accord.

Un messager, envoyé par Lamarque, apportait en effet « une lettre lue à haute voix devant tous ces messieurs et dont quelques lignes de la fin semblaient annoncer une réponse à des propositions discutées et presque adoptées par plusieurs de ces messieurs ». L'officier bleu déclara :

— Tout ce que vous avez demandé est accordé.

Auguste indigné — il avait une voix de basse effrayante quand il se mettait en colère — explosa. Le bon Sapinaud ouvrait de grands yeux. C'était à qui « se récrierait avec horreur, nous dit le marquis d'Escayrac, sur ce qui avait pu provoquer cette dépêche », cependant que les coupables présumés niaient éperdument avoir jamais rien voulu ni demandé. En fait c'était la réponse de Lamarque à la lettre envoyée à Malartic par Suzannet, le 1ᵉʳ juin, où il écrivait : « Il aurait fallu que le général en chef de l'armée ennemie fît proposer une suspension d'armes. »

Après une délibération que le messager trouva fort longue, on tira enfin celui-ci de son réduit pour lui montrer le chemin du retour avec ce message « verbal » : « Dites au général Lamarque que nous ne vivons que pour le Roi et que nous combattrons jusqu'à la mort pour lui. »

Sur ce, on se sépara pour préparer les prochains rassemblements. En fait, la nomination de Sapinaud en tant que généralissime et la conférence de Montfaucon, loin de marquer la réunion des chefs vendéens, ne faisaient qu'accentuer leur désunion en deux clans. D'un côté d'Autichamp, Suzannet, Saint-Hubert avec le 1ᵉʳ, le 2ᵉ et le 3ᵉ corps, de l'autre Auguste de La Rochejaquelein, Canuel, du Chaffault, Dupérat et le 4ᵉ corps. Entre les deux groupes : Sapinaud.

Auguste de La Rochejaquelein était en effet décidé à laisser le champ libre à Suzannet et à d'Autichamp qui avaient trop montré leur répugnance à collaborer franchement tant avec lui qu'avec son frère, pour ne plus songer qu'à protéger les frontières du 4ᵉ corps châtillonnais.

C'est ce que nous révèlent les notes de Duchesne de Denant, l'ancien compagnon d'armes de son frère Henri, devenu l'un de ses intimes et investi de sa confiance.

De Saint-Aubin-de-Baubigné où il se retrouva vers le 13 avec Le Meignan après deux jours passés à L'Escorce, il remplirait ses fonctions de major général sans gêner les décisions militaires de ceux-ci.

Sapinaud lui-même n'entraverait pas leur manœuvre. Dès le soir de Montfaucon, il avait essuyé de M. d'Autichamp un refus de marcher immédiatement au secours des Maraîchins avec le corps qui se trouvait rassemblé dans cette ville pour cause de fatigue et de manque de vivres. Aussi avait-il envoyé séparément aux 1er, 2e et 3e corps, le sien placé sous Bertrand de Saint-Hubert, l'ordre de marcher au secours du Marais sous la haute et entière direction de M. d'Autichamp. C'était bien l'unique moyen d'en sortir. Après quoi, il était parti pour le Rabot retrouver Auguste chez les demoiselles de La Rochejaquelein. Alors d'Autichamp, invoquant une remontée de l'ennemi de Nantes sur Angers pour différer sa marche vers le Marais, prie Sapinaud de soutenir ses opérations, se montrant strictement résolu pour son compte à borner son action à ceci : « Se porter sur les derrières de ces messieurs » (Suzannet et Saint-Hubert) pour les appuyer en cas de besoin. Dans son ordre du jour du 13, Sapinaud avait donné ordre à Suzannet de gagner La Garnache et Challans de manière à être près de l'ennemi, le 16 à quatre heures du soir. A Saint-Hubert, il avait enjoint d'être le même jour et à la même heure entre Challans et Saint-Christophe et de s'y mettre en communication avec Suzannet. A Robert, enfin, il avait dépêché M. de Fourcaud, l'un des officiers amenés d'Angleterre, avec mission de lui dire de marcher à l'ennemi si celui-ci pénétrait dans le Marais. Quand d'Autichamp lui demande de modifier la date, trop précipitée du 16, il accepte de repousser au 18 mais sans rien changer aux dispositions générales. Par ailleurs Sapinaud avait expressément proclamé que cette expédition était abandonnée à l'intelligence de MM. les généraux d'Autichamp et Suzannet. Auguste, à qui d'Autichamp avait réclamé, le 12, quatorze paroisses du Choletais habituées à marcher avec les Poitevins, répond favorablement à sa demande mais lui annonce qu'il va de son côté opérer une diversion du côté de Thouars. « Mon armée éloignée et fatiguée ne se portera pas du même côté et nous allons opérer une diversion du côté de Thouars. »

Le 16 juin, Suzannet est au rendez-vous conformément aux instructions de Sapinaud. Le 17 au matin, sans nouvelles de d'Autichamp, Suzannet s'est avancé jusqu'à Saint-Philbert pour se porter sur Machecoul. Un mouvement rapide de Brayer sur Legé, de Fravart sur Palluau l'a ramené à Saint-Etienne-de-Corcoué. De là, il a reflué six kilomètres plus loin à Rocheservière, forte position couverte par le ravin de la Boulogne. Saint-Hubert en marche, lui aussi, vers le point qui lui était désigné, ce bourg de Saint-Christophe, s'est heurté dès Saint-Etienne-du-Bois, aux avant-postes de Travot qui l'ont repoussé très au-delà de la Boulogne jusqu'à La Copechagnière. D'Autichamp arrive, le 17 au soir, à Vieillevigne. Le voici qui gagne un peu après minuit par des chemins affreux, avec La Pommelière, d'Escayrac et Saint-André, une habitation écartée où il rencontre Suzannet. Son retard a pour cause deux jours de démarches près d'Auguste en vue d'obtenir son concours et celui de ses troupes. Il n'est parti qu'après l'obtention de son engagement écrit, donné à l'estafette qu'il a envoyée auprès de lui. Mais Canuel, une fois le messager parti, démontre à Auguste de La Rochejaquelein l'impossibilité d'exécuter cette promesse. Nous sommes en effet le 15 juin et, le temps de former un rassemblement, le départ ne pourra avoir lieu avant le 17 au matin. Comme il faut quatre jours pour couvrir l'énorme distance, Auguste de La Rochejaquelein arriverait au plus tôt le 21 juin, soit trois jours après le rendez-vous fixé. Canuel réussit à convaincre Auguste de La Rochejaquelein.

Revenons à Rocheservière. Le 18 juin se passe dans l'attente de l'ennemi. D'Autichamp a établi Saint-Hubert à Saint-André-Treize-Voies, au sud-est de Rocheservière, dont il se tient lui-même à six kilomètres en arrière, après avoir établi ses avant-postes à la Grolle, trois kilomètres derrière Suzannet.

Au matin du 19, à la Grolle, les avant-postes angevins sont tout surpris d'essuyer le premier choc de l'adversaire, mille huit cents hommes, promptement refoulés d'ailleurs, avec l'appui de la division de Montfaucon. Où est donc passé Suzannet placé en tampon à Rocheservière ? En fait Suzannet avait quitté sa position pour se replier sur Mormaison vers le corps de Saint-Hubert, sans en aviser d'Autichamp. Quel puissant motif avait déterminé Suzannet ? Peut-être le souci, qui tenaillait perpétuellement les chefs, de se ravitailler en vivres, mais aussi et plus sûrement le peu de confiance de Suzannet dans le plan de d'Autichamp, se méfiant de son individualisme et de sa prudence.

A présent avec Saint-Hubert, il harcelait d'Autichamp de messagers sans obtenir d'autre résultat que la même et invariable réponse :

— Occupez Rocheservière, je vous soutiendrai en cas d'attaque.

A onze heures du soir, coup de théâtre, d'Autichamp est averti que les corps de Suzannet et de Saint-Hubert ont franchi la Boulogne, traversé la forêt de Rocheservière et foncent vers Saint-Etienne-de-Corcoué. Par ce geste, ils espèrent entraîner d'Autichamp dans un plan d'attaque plus conforme à la mentalité vendéenne. C'est aussi l'avis de M. d'Escayrac. « Traverser Rocheservière, dès le lendemain de notre arrivée, aller se mesurer avec Lamarque, à mon avis, c'était ce qu'il y avait de mieux puisque les Vendéens, manœuvrant sans ordre, se sont presque toujours montrés capables d'attaque et presque jamais de défense. »

C'est vers quatre heures et demie du matin, le 20 juin, qu'éclate la fusillade. Saint-Hubert, jusque-là établi sur les hauteurs, dos à la Boulogne, avec Suzannet, est allé s'embusquer en lisière d'un bois, à quelque douze cents mètres de la route de Legé à Rocheservière sur laquelle Lamarque s'est lancé à trois heures.

Dès l'apparition de l'ennemi, Saint-Hubert ouvre le feu à travers la lande du Grand-Collet bordant la route. Suzannet demeure en arrière en échelon. Attaquer aussitôt l'adversaire, au lieu de le laisser défiler pour tomber sur ses arrières, était une erreur. Selon certains ce serait Théodore d'Aubespin, commandant de la division de Maisdon, qui aurait commis la faute de se porter au-devant de Lamarque. Refoulé sur Saint-Hubert, celui-ci est contraint d'ouvrir le feu. La fusillade dure une demi-heure au bout de laquelle Saint-Hubert, débusqué de sa position par un mouvement tournant de Lamarque, voit ses hommes lâcher pied et s'enfuir. Suzannet qui arrive à ce moment n'a même pas le temps de charger. Au moment où il met son pied dans l'étrier que lui tient Charles de La Roche-Saint-André une décharge tue son cheval et atteint Suzannet au flanc. Qui donc a mis fin à cette existence ?

Pour certains, Suzannet fut tué par une décharge des Impériaux, mais Lamarque devait assurer plus tard à du Chaffault qu'aucun engagement n'avait eu lieu à l'endroit où fut trouvé le cadavre du cheval. Du Chaffault considérera toujours que M. de Suzannet avait été tué par des balles vendéennes. L'hypothèse n'a rien d'improbable, quand on sait à quel point les rivalités avaient été exacerbées. Néanmoins le mystère reste entier.

Sitôt évacué jusqu'à la ferme de la Haute-Rivière, Suzannet y expirait dans la matinée du 22.

Sur le champ de bataille, les deux corps vendéens refluent en désordre vers Rocheservière. Lamarque de son côté continue sa marche. Avec ses trois brigades il est arrêté à l'entrée de Rocheservière par l'avant-garde angevine, commandée par le brave vétéran Lhuillier, tandis que le corps principal de d'Autichamp se tient en réserve sur le plateau dominant le bourg. Lamarque oppose aux Vendéens le 8e régiment d'infanterie légère en même temps qu'il fait rechercher un passage en amont et en aval du pont. Une fois trouvé, il manœuvre sur ses flancs et franchit d'un côté la rivière à gué et de l'autre sur une chaussée. Incroyable négligence, aucun des deux n'est gardé.

Ce mouvement tournant auquel s'ajoute l'ordre donné à la troisième colonne de franchir le pont brise la résistance de d'Autichamp qui se voit sur le point d'être cerné. Il s'ensuit une déroute « presque générale » dont les conséquences meurtrières sont amorties grâce à Lhuillier qui fait volte-face à diverses reprises pour retarder la poursuite de l'ennemi : il faut cependant dire que celle-ci est dans l'ensemble molle et tardive. D'Autichamp attribue cela au fait que Lamarque hésite à affronter les soldats de sa réserve qui n'ont pas encore été engagés.

Le bilan est cependant très lourd. Outre la mort de M. de Suzannet, on compte quatre-vingt-un morts, trois cents blessés, rien que chez les Angevins.

Pendant que les trois premiers corps vendéens combattaient autour de Rocheservière MM. Auguste de La Rochejaquelein, Canuel, Dupérat et l'armée du Bocage marchaient vers Thouars pour récupérer deux voitures de poudres, douze cents fusils et les caisses des receveurs. Toutes choses, munitions et argent, qui faisaient cruellement défaut. L'expédition ne présentait pas en théorie de grandes difficultés puisque la place n'était défendue que par quinze gendarmes. Suivant le plan établi par Canuel, deux colonnes devaient faire marche sur Thouars, la première viendrait par Argenton-l'Eglise et le pont de Vrines tandis que l'autre aborderait la ville par le faubourg Saint-Jean. Mais, à la suite d'une erreur de Canuel dans la rédaction des ordres, toutes les deux se dirigèrent par l'ouest vers le pont de Vrines, laissant au sud les communications ouvertes avec Parthenay où se tenait le général Delaage.

Dans l'après-midi du 19 juin, un détachement de cavaliers, devançant le gros des troupes vendéennes, se fait enfermer bêtement dans la ville et permet ainsi de prévenir le général Delaage.

Le 20 juin, à huit heures du matin, la ville se rendait cependant au dernier ultimatum d'Auguste, mais les

Bocains, fatigués par cette nuit de veille, négligeaient d'établir des postes de veille. De plus la Garde nationale, qui au terme des accords devait se diriger vers le sud, gagna le pont de Vrines sans éveiller l'attention très relâchée des Bocains. Pendant ce temps, le général Delaage rassemblait à la hâte un demi-millier d'hommes et surprenait vers neuf heures et demie les Vendéens endormis. En outre, deux cents hussards et deux cents gardes nationaux avaient rejoint le pont de Vrines pour encercler complètement les Vendéens. Ceux-ci toutefois, l'alerte donnée, ne tardèrent pas à réagir. Pressés en queue et arrêtés en tête par les gardes nationaux au pont, la situation devenait périlleuse. Grâce au courage des chefs vendéens qui se frayèrent un passage sabre à la main, les Bocains purent faire céder la Garde nationale et s'enfuir vers le Bocage. Là aussi cependant le bilan fut lourd. Cinquante tués et douze prisonniers. Le manque de discipline des troupes et d'organisation de la part de Canuel avait grandement contribué à cet échec.

Dès le 20 juin au soir, Lamarque adresse au général d'Autichamp une lettre à faire suivre aux autres généraux vendéens où il renouvelle son offre de paix. Le lendemain, de peur que sa première lettre ne soit pas arrivée à destination, il envoie de Clisson une copie de son premier message à Sapinaud et à Auguste.

Dans chacune de ces lettres le général Lamarque annonçait d'ailleurs en termes exagérés « l'écrasante victoire » de Napoléon à la bataille de Ligny. Cette nouvelle, beaucoup plus que la défaite de Rocheservière et celle de l'expédition de Thouars, était de nature à inquiéter les chefs vendéens. En effet ils craignaient que cette victoire n'éteigne l'étincelle sacrée des paysans.

MM. de Sapinaud, d'Autichamp, Auguste de La Rochejaquelein et le futur baron Canuel tinrent conseil à Cholet le 22 juin d'où ils envoyèrent leur réponse aux propositions de Lamarque. Dans celle-ci ils demandent une suspension d'armes le temps de faire part « de ses propositions à

tous les généraux royalistes de la rive droite de la Loire ». En fait les chefs vendéens cherchaient à gagner du temps.

Lamarque reçut cette lettre le 23 et il répondit immédiatement. Il annonce aux chefs vendéens une suspension d'armes pendant deux jours, les 23 et 24 juin. En outre il offre à Sapinaud de se rencontrer.

Cette seconde lettre arrive à Cholet en présence de MM. de Sapinaud, d'Autichamp, Canuel, Auguste de La Rochejaquelein et d'autres officiers.

Dans la réponse rédigée par un groupe d'officiers appartenant à d'Autichamp, on se contentait de réaffirmer le désir d'une suspension d'armes de dix jours. La lettre fut signée du seul général de Sapinaud. On se quitta le 23 au soir avec l'accord de se retrouver le lendemain à La Tessouale.

Bien qu'opposé à toute forme de traité, Auguste de La Rochejaquelein ne se prononçait pas contre une suspension d'armes. Dès le 22, de son côté, étant à Châtillon, il avait mandé Danaut pour le charger de découvrir ce qui se passait et de traiter et arrêter avec Delaage, le commandant de Parthenay, les bases d'une suspension d'hostilités qui permît « d'achever l'organisation de l'armée, de former des recrues et d'attendre les événements ». Sentant intensément battre le cœur indompté de la Vendée, il était résolu à combattre jusqu'à la défaite de l'Empereur.

Cette irréductibilité, il la manifeste de nouveau à la conférence de La Tessouale le 24 juin. Tous les chefs vendéens ainsi que les commandants de corps d'armée se trouvent présents : MM. de Sapinaud, d'Autichamp, de La Rochejaquelein, Canuel, Dupérat, Saint-Hubert, du Chaffault, chacun ayant emmené les officiers principaux de son territoire. La conférence débuta par la lecture de la réponse de Lamarque à la deuxième lettre de Sapinaud. Là encore, comme à Montfaucon, quelques lignes de Lamarque : « Si vous refusez ce que vous avez demandé, je mettrai le peuple dans la confidence de vos articles », déchaînèrent de violentes protestations. Dans la fournaise de cette conférence, les vérités les plus cuisantes fusent des lèvres furieuses des Poitevins. Refusant les atermoiements de d'Autichamp, Auguste de La Rochejaquelein défend son point de vue de guerre d'embuscade, et s'entête. Accéder au traité du 7 juin maintenant, ce serait céder à un chantage. Lamarque ne dispose ni des moyens ni du temps de réaliser avec huit mille hommes une occupation comme celle de Hoche. D'autre part, Auguste sait qu'il a pour lui l'opinion publique et trop de tergiversations risquent de troubler l'élan des paysans. D'ailleurs, à Chatellau, le 24, la nouvelle, répandue vers onze heures, qu'on traitait d'amnistie à La Tessoualle a provoqué un grand mécontentement. Auguste a dû intervenir personnellement pour protéger M. d'Autichamp.

Canuel, favorable à la poursuite de la guerre, propose pour en finir un vote à bulletin signé en faveur de la paix ou de la guerre. Il espère ainsi que ceux qui sont secrètement pour la paix n'oseront pas le proclamer publiquement. Sa proposition se retourne contre les partisans d'Auguste de La Rochejaquelein autour duquel se tiennent notamment Saint-Hubert, du Chaffault, Dupérat et lui-même. En effet, le vote aura bien lieu mais à bulletin secret. Par vingt-deux voix contre douze, les partisans de d'Autichamp l'emportèrent sur ceux de La Rochejaquelein.

Furieux, La Rochejaquelein sortit de la conférence en refusant de se soumettre au traité mais comme il était lié par sa parole d'honneur, il manifesta son intention de passer en Angleterre.

A défaut de partir pour la Grande-Bretagne, Auguste semble décidé à se maintenir dans la position qu'il a prise à l'intérieur de sa zone. Lors de son retour à Châtillon il réexpédie Duchesne de Denant au général Delaage avec ce message :

« J'offre l'assurance que mes troupes resteront tranquilles dans les limites du pays soumis au Roi. J'exige la même chose de mes ennemis mais, dans aucun cas, je ne pourrai souffrir leur entrée sur mon territoire. Les deux parties ont un intérêt égal à rester en observation. Ma détermination est irrévocable et je me ferai plutôt tuer que de changer. »

En même temps, après avis de son conseil, il envoie l'ordre aux bourgs et aux villages de couper les ponts, barrer la route avec des arbres et de se battre en tirailleurs si l'ennemi se présente.

Mais l'annonce de Waterloo que, le 25 au soir, lui fit parvenir du Chaffault (envoyée le 24 à Lamarque par Sapinaud après la conférence de La Tessoualle) change soudain ses dispositions. « Donnez-moi des ordres d'après la nouvelle disposition où nous sommes. Dois-je attendre Lamarque (à Cholet) ? Faut-il vous rejoindre ? » écrit du Chaffault. Touché, quelques instants plus tard, par une convocation de Sapinaud qui avait de son côté reçu la réponse de Lamarque à sa lettre, Auguste de La Rochejaquelein répond le 26 à du Chaffault de Saint-Laurent où il a joint Sapinaud.

« Trouvez le moyen de vous ménager une entrevue avec Lamarque... Dites-lui que nous ne cherchons qu'à éviter le sang et les larmes en prenant tous les moyens qui sont compatibles avec l'honneur et notre devoir. »

Il continue en ces termes : « Les événements qui viennent de se passer (Waterloo) nous mettent tous dans une position nouvelle, celui qui ferait encore verser du sang en serait responsable à la nation. Faites entendre cela au général Lamarque, mon cher du Chaffault. Dites-lui que nous ne cherchons qu'à éviter le sang. »

A défaut de grande habileté politique, la position d'Auguste et de Sapinaud atteste un grand sens chevaleresque, beaucoup de sensibilité et de cœur. Du moment que Napoléon est battu, il n'y a pas de raison de combattre mais, ajoute Sapinaud dans sa réponse à Lamarque, plus de raison non plus de signer le même traité que celui présenté le 7 juin à Montfaucon.

« Je vous le répète, écrit-il à Lamarque, restons dans

nos positions réciproques, ne versons pas inutilement le sang. » Cependant, dans un mouvement contradictoire, Sapinaud ajoute qu'étant des hommes d'honneur, ils ne reviendraient pas sur les engagements antérieurs. « Nous avons accédé aux bases qui nous ont été proposées et nous envoyons près de vous Dupérat et du Chaffault pour l'armée de La Rochejaquelein, M. de La Voyerie pour celle du Centre. »

Devant la fermeté de Lamarque, les envoyés d'Auguste de La Rochejaquelein et de Sapinaud acceptent le traité sans modification majeure. La chute de Napoléon, le respect de la parole donnée mais surtout la hantise du sang versé pour un combat incertain l'emportaient chez Auguste de La Rochejaquelein sur le sacrifice d'amour-propre. Dans la journée même du 26 juin, le traité fut signé et envoyé à Châtillon-sur-Sèvre pour y recevoir l'approbation de Sapinaud et de La Rochejaquelein.

Le 28 juin, à La Chapelle-Saint-Florent, M. d'Autichamp adressait une lettre à Lamarque dans laquelle il reconnaissait son adhésion au traité de Cholet. Ce qu'on allait surnommer la quatrième guerre de Vendée était finie, mais le nom illustre de La Rochejaquelein n'allait pourtant pas s'éteindre. Pendant encore plus de cinquante ans, il allait être mêlé aux différents épilogues de l'histoire vendéenne.

CHAPITRE VI

LES DERNIERES FETES

Elles apparaissent déjà comme l'écho d'une époque révolue, plus encore que celui d'une tombe, ces paroles lancées vers les voûtes de Saint-Sulpice de Paris par l'abbé de Quelen, vicaire général du grand aumônier de France, le 23 janvier 1816 : « Quelque part que vous soyez, mon Seigneur et mon Roi, votre serviteur y sera, soit à la vie, soit à la mort ! »

C'est sur ce thème que le futur archevêque de Paris déroule son oraison funèbre de « Monsieur le marquis Louis de La Rochejaquelein, tombé sur le champ des Mattes pour son Dieu et pour son Roi ».

Autour du catafalque, les officiers de l'ancienne compagnie des grenadiers à cheval ; et, dans l'église remplie d'une assistance surtout féminine, SES grenadiers venus lui rendre un suprême témoignage d'affection ne peuvent qu'approuver l'orateur quand il rappelle que l'honneur « n'existe pas seulement dans le courage militaire, mais encore dans l'accomplissement des devoirs de la fidélité ». Souvenez-vous de la déchirante séparation de Béthune !

« Jeune homme, vous ne savez pas l'effet de votre nom dans la Vendée ! »

451

Il l'a su. Il l'a vu. Il a senti aussi, avant de mourir, que certains individus n'avaient « pas intérêt à l'y voir ». Il n'a pas reçu les ordres que tant il avait désiré recevoir. La prophétie de Cadoudal est accomplie.

Une dernière fois encore, pourtant, son nom va remuer la Vendée. Non seulement son nom, mais ce quelque chose de ce qui fut lui-même. Son corps privé de vie.

Saint-Gilles, petit port de l'Ouest, formé par la boucle que la rivière de Vie finissante est contrainte de décrire pour joindre l'Océan, Saint-Gilles s'apprête à pavoiser de noir. Pavoisés de noir également seront tout à l'heure ses bateaux amarrés le long des quais, cependant qu'une foule « énorme » de Maraîchins et de Maraîchines, conviés dès le point du jour par le canon et par les cloches, assiège le bourg du Perrier. On est au 8 février 1816.

A huit heures du matin, en présence du chevalier du Clabat du Chillou, mandataire de la famille, on procède à l'exhumation. Près de Clabat, l'abbé Lambert, curé du Perrier, Robert de Chasteigner, « chef de la division des marais de l'Ouest », le comte Danglars, MM. Delaunay, Aimé de la Roche-Saint-André, « capitaine de la légion de Vendée », Cathelineau, Fortin, « major de la divison des marais de l'Ouest ». A leurs pieds, SON cercueil qu'on vient d'exhumer de la fosse, tout maculé de terre et si lourd de tant d'espoirs trompés !

Le voici enfermé dans deux autres cercueils, le dernier en tôle. Alors seulement a lieu la remise officielle du corps au chevalier de Clabat ; puis la formation du convoi. C'est ici que commence le faste des obsèques de Louis de La Rochejaquelein. La Vendée n'a-t-elle pas acquis la célébrité d'une nation dans la grande France ?

Escortée par « plus de deux cents yoles », la barque funèbre, portant le corps, glisse sur les eaux silencieuses du grand étier tout du long bordé par cinq cents Maraîchins venus spontanément rendre ce suprême hommage au dernier généralissime de la Vendée.

On débarque le corps aux Mattes pour le charger sur

un corbillard. A Saint-Hilaire-de-Riez « où l'on ne devait pas s'arrêter », le vénérable curé de la paroisse « réclame l'honneur de posséder un seul instant dans son église celui qu'il avait admiré peu de mois auparavant ». On accède à sa prière. Il monte en chaire, les larmes l'étranglent et son émotion ne cesse d'interrompre l'oraison funèbre qu'il voulait « en vain prononcer ».

Il fait déjà nuit quand le convoi parvient à Croix-de-Vie éclairé de « mille flambeaux » et se dirige vers le sanctuaire. Une foule immense lui fait à présent cortège, foule que l'église, où se déroule une cérémonie, est bien trop petite pour contenir. Toute la nuit les cloches sonnent à grande volée, tandis que des femmes procèdent à la veillée du corps ; et le lendemain, quand, au sortir de l'église de Croix-de-Vie, le cortège pénètre dans Saint-Gilles, c'est pour y rencontrer des détachements venus de communes éloignées de plus de cinq lieues. Durant tout son parcours jusqu'à Bourbon-Vendée, la route qu'il suit est bordée de Vendéens.

Après le service célébré à Bourbon-Vendée, le vieux comte du Chaffault prononce l'oraison funèbre de Louis en présence du préfet Roussy, de Sapinaud et du général commandant le département puis l'émouvant cortège se reforme.

Sur toute la route, durant le long parcours de Bourbon-Vendée jusqu'à Saint-Aubin, les prêtres viennent recevoir le corps à l'entrée de leur paroisse et avec eux, les maires, cependant que les habitants des communes traversées se relèvent pour l'escorter, sans avoir été commandés, ni invités et que « sur toute la route » accourent les Vendéens « en foule ». Aux Herbiers, ils se mettent même à genoux.

C'est qu'avec ce corps exhumé qu'on transporte des rivages de la mer vendéenne jusqu'en Vendée bressuiraise, ce n'est pas seulement tout le passé d'hier qui revit un instant, c'est encore à quelque chose de leur âme collective que ces êtres éplorés disent adieu. Et en ce mois de février 1816, autour de cette tombe, flotte au cœur de chaque Vendéen le fantôme de Monsieur Henri dont le corps n'a pas encore été retrouvé. Pourtant le 8 février 1816, le permis d'exhumer avait été délivré.

Mais il était fatal que la légende enveloppât Monsieur Henri jusqu'au-delà du tombeau. Les « traditions » de campagne, ces petites légendes, n'avaient pas attendu la Restauration pour éclore. (Gilbert, incarcéré dans les prisons de l'Empire, s'y occupait à rectifier l'historien thouarsais Bourniseaux) ; elles pullulaient, provoquées et multipliées par les récits contradictoires de témoins amnésiques ou douteux, dégénéraient en un foisonnement de commérages, de ragots et de potins incontrôlables. C'est qu'elles trouvaient leur terrain de choix dans ce pays d'Ouest si joliment appelé par Lucien Romier « l'imagination de la France » et à qui « l'Océan qui l'encercle, laisse, écrit Mme Claude Dervenn, toute sa place au rêve ». Aussi bien ne pouvaient-elles qu'embarrasser les pas des enquêteurs de 1816 chargés de retrouver les restes du héros.

Trémentines, les Aubiers, Nuaillé. Ces noms avaient été émis comme lieux possibles de la sépulture de Monsieur Henri. Les enquêteurs, quatre médecins dont deux, Baguenier-Désormeaux et Chénay avaient été chirurgiens de la Grande Armée, ne s'arrêtèrent pas à ces bruits. L'un de leurs collègues, Terrien, exerçait d'ailleurs à Trémentines.

Quel fut leur travail préliminaire entre le 6 février 1816, date de la délivrance du permis d'inhumer, et le 27 mars, jour de leurs premières fouilles ? Un mois et demi n'était pas de trop pour démêler les plus gros fils de cet inextricable écheveau tissé autour de cette sépulture.

L'année précédente, la veuve de Louis de La Rochejaquelein et de Lescure avait reçu la comtesse de La Bouëre, cependant que son beau-frère Auguste recevait Langevin. Les témoins de la mort ne s'entendaient même pas sur ses circonstances. Trémentines n'était pas à retenir, les Aubiers encore moins. Comment un si long transfert eût-il passé inaperçu ? Pas d'acteur, pas d'acte. C'est là une vérité de bon sens. On a vu plus haut que Mme de La Bouëre devait donner en 1840 sur ce prétendu transfert effectué en 1794 toutes explications désirables. On ne saurait reprocher aux enquêteurs de n'avoir pas enregistré en un procès-verbal *in-folio* l'amoncellement de « témoignages » sans fondement, mentionné leurs premières et infructueuses fouilles.

La première eut lieu dans le pré du Genêt, bordant la route entre Nuaillé et Cholet, au milieu d'une foule de Choletais et de survivants de l'épopée. Il y avait là Paineau-la-Ruine, l'ancien tambour-major de la Grande Armée, et aussi la célèbre Langevin qui, pas plus que les autres, n'était d'humeur à se priver de fournir des indications. La timidité était si peu son fait que lors de sa présentation par Auguste de La Rochejaquelein à la Cour, elle sauta au cou du vieux prince de Condé et l'embrassa sur les deux joues. Croit-on qu'elle attendit d'être interrogée pour déclarer que Monsieur Henri « avait été enterré de l'autre côté de la route où il avait été tué » ?

On préféra la tradition. On creusa, bêcha, fouilla toute la journée ce malheureux pré du Genêt au gré des plus contradictoires indications. Le soir, on s'en retourna bredouille. C'était un échec plus que décevant, ridicule, après pareille abondance de témoignages. Le ridicule apparut plus piquant encore avec l'arrivée des deux fermières de la Boulinière venant annoncer à ces messieurs qu'elles les avaient vus travailler toute la journée par la lucarne de leur grenier et qu'elles savaient pertinemment que celui qu'on cherchait n'était point inhumé là.

Les médecins eussent pu leur répondre qu'ils commençaient à s'en douter. Les deux femmes apportaient néanmoins quelque documentation nouvelle. Par cette même lucarne, elles avaient « aperçu » au jour fatidique de 1794 « l'avant-garde à cheval des royalistes s'avancer par le champ du Tremble contigu au pré de La Haye-de-Bureau. Au même instant, elles avaient entendu des coups de fusil. L'infanterie royale était alors à la métairie de la Brisonnière ; le frère de l'une d'elles, Pierre Bernier, parti aux nouvelles, les avait assurées à son retour que Monsieur Henri avait été tué au moment où elles avaient aperçu les royalistes dans les positions ci-dessus ».

Mieux qu'un acteur du drame, on possédait enfin des témoins *de visu* capables d'en présenter, et impartialement, une vue d'ensemble. La ferme de La Haye-de-Bureau est située à gauche de la grand-route qui vient de Saumur et la coupe d'ailleurs d'une partie de ses terres : les prés dits du Grand-Chemin et du Genêt, là même où l'on venait d'effectuer les fouilles. C'était bien dans le pré du Genêt que Monsieur Henri avait été tué. « L'infanterie royale », c'étaient ceux qui, à pied ou descendus de cheval, étaient demeurés près du cadavre ; et, « l'avant-garde à cheval des royalistes », c'étaient les poursuivants du meurtrier à qui l'émoi général avait permis de sauter sur la route, de la franchir et de gagner dans sa fuite à travers champs une avance terrible puisque dans la traversée du champ du Tremble, à cinq cents mètres de là, ses poursuivants, désespérant de le rejoindre, tiraient encore sur lui. Où Loyseau avait-il assouvi sa fureur en le mettant « en morceaux à coups de sabre » ? Peu importe. On possédait enfin une reconstitution panoramique du drame digne de figurer au procès-verbal.

Etant donné la méthode « d'élagages » adoptée par les enquêteurs, on ne saurait assurer que là se borna la déposition des deux fermières. Tout porte à croire le contraire. La surabondance des « traditions » condamnait les quatre médecins à ne mentionner que les témoignages directs. C'était à la fois simplifier leur tâche, agir avec prudence et répondre par avance à la question tant de fois posée depuis quant à l'absence de déposition de la part de tant de survivants.

Qui indiqua aux enquêteurs le fermier du Bois-d'Ouin ? Fortin avait-il attendu si longtemps pour accourir ? Ou plutôt, sa déposition n'avait-elle pas été étouffée par les « traditionalistes » acharnés à désigner le pré du Genêt ? Cette fois, il fut écouté. On le convoqua à la ferme de

La Haye-de-Bureau pour le lendemain, de même que les deux femmes de la Boulinière. Là, le 28 mars, en présence du maire de Cholet, Turpault, après que les deux paysannes eurent répété publiquement ce qu'elles avaient dit la veille, Fortin à son tour prononça publiquement : « Peu de jours après le ... février — le bonhomme comme tous les Vendéens avait vécu sous la Terreur brouillé avec le calendrier — 1794, le général Stofflet m'a dit avoir fait enterrer M. Henri de La Rochejaquelein. Grégoire, domestique de M. Stofflet m'a assuré quelque temps après qu'il avait été enterré près de plusieurs cerisiers, près La Haye-de-Bureau. » Puis, ce fut au tour du docteur Chénay de déclarer publiquement ce qu'il avait dit dans le privé : « Le jour du décès de M. Henri de La Rochejaquelein, j'ai recueilli des dépositions de plusieurs témoins oculaires qui attestèrent que M. de La Rochejaquelein avait reçu la blessure dont il est mort dans la tête, que la balle était entrée par l'œil [1] et avait défoncé le crâne. »

On se transporta dans le pré désigné, situé de l'autre côté de la route par rapport au pré du Genêt (où Monsieur Henri avait été tué). Langevin avait donc dit vrai ! Mais, dans ce pré contigu au champ du Tremble où les deux femmes avaient vu la poursuite du meurtrier, pas un arbre ne se dressait. Le métayer de cette ferme, consulté, répondit « qu'il les avait abattus ainsi qu'un poirier au pied duquel il était de notoriété publique que s'était faite l'inhumation de Monsieur Henri ». Comme tous les paysans dont la mémoire est fidèle sur ce point, il indiqua sans difficulté l'emplacement de ces arbres.

Les terrassiers se mirent à l'œuvre ; et, après plusieurs recherches dans le carré de terre indiqué, découvrirent des ossements. Une tête apparut, portant deux fractures, « la première à la fosse orbitaire droite, avec brisure de l'apophyse montante de l'os maxillaire supérieur du même

---

1. D'après le rapport bien connu de Poché, la balle avait atteint Henri à la tempe droite.

côté, la seconde vers le milieu du pariétal droit dont la table externe avait été emportée ». On imagine sans peine l'émotion des assistants. Les médecins se penchaient sur les autres os, « deux fémurs dont les apophyses sont détruites, un des os iliaques du côté gauche, deux humérus dont l'un est entièrement dépourvu de ses apophyses et dont l'autre a conservé seulement sa tête, plusieurs fragments des côtes du côté gauche, un péroné, une portion de l'os sacrum et plusieurs autres petits os d'ailleurs considérablement altérés ». On nota néanmoins « qu'ils devaient appartenir à un jeune homme de taille élevée en raison de leur longueur et du défaut de consistance ». Un cercueil fut apporté. On y déposa avec précaution les ossements. La bière fut chargée sur un char attelé de chevaux caparaçonnés, puis le cortège se mit en route vers Cholet. Le cortège. Car, de la ville toute proche, une foule de gens était accourue et un détachement d'anciens combattants s'était présenté « spontanément » pour « servir d'escorte » aux restes retrouvés du généralissime. Il était précédé par huit tambours, battant au commandement du vieux La Ruine leurs caisses voilées de crêpe.

Le clergé de Saint-Pierre de Cholet attendait en ornements noirs à l'entrée de la ville les pauvres os du chef vendéen qu'accompagnaient les survivants de la Grande Guerre, fantassins et cavaliers, dans un frissonnement de drapeaux fleurdelisés. A une heure de l'après-midi, les restes de Monsieur Henri reposaient dans l'église Saint-Pierre sous l'autel de saint Sébastien.

Plus tard, on ne saurait dire à quelle époque — la naissance des légendes est comme celle des enfants trouvés — on devait répandre le bruit que deux squelettes avaient été découverts et que, dans l'impossibilité de les différencier, on les avait mis dans le même cercueil. Mme de Lescure, trompée par des informations inexactes, n'avait-elle pas écrit vers 1800, à l'époque où elle rédigeait ses Mémoires, que Henri avait été enterré avec son meurtrier ? Bourniseaux et, après lui, Crétineau-Joly, Eugène

Veuillot, Edmond Stofflet, comme tous ceux que l'éditeur de Savary appelle les copistes de Mme de La Rochejaquelein, ont fidèlement réédité son erreur. Elle était si touchante la légende de Monsieur Henri partageant sa funèbre couche avec son assassin ! En 1895 Mgr de Cabrières devait même dans son panégyrique de Henri de La Rochejaquelein en tirer un des plus beaux mouvements oratoires : « Sur les lèvres du général chrétien, s'écria-t-il, le baiser du pardon ne s'est pas refroidi ! » Il n'y a qu'un malheur, c'est que les restes de Monsieur Henri furent trouvés « seuls » ainsi que l'atteste le procès-verbal.

La marquise de La Rochejaquelein, l'auteur des célèbres *Mémoires* le confirma d'ailleurs à la comtesse de La Bouëre, qui, inquiète de tous ces bruits, lui avait écrit le 5 juin 1839 : « Je ne peux croire qu'il ait été mis dans la même fosse que son meurtrier. » Et la comtesse de La Bouëre rassérénée l'en remerciait en ces termes le 18 juillet : « Vous m'avez fait très plaisir de me dire que les restes de monsieur votre beau-frère avaient été trouvés seuls [1]. » Un La Rochejaquelein a bien partagé sa couche avec un autre, mais c'est Louis-Henri, le second fils de l'auteur des *Mémoires,* tué le 5 septembre 1833 au Portugal au service de don Miguel, enterré avec un de ses compagnons d'armes, et exhumé avec lui le 26 novembre 1843, tant étaient mêlés les ossements des deux cadavres. La légende de Henri reposant avec son meurtrier était touchante aux yeux de certains, révoltante pour d'autres. Il nous faut y renoncer.

La bière apportée le 28 mars 1816 n'avait enfermé que les ossements d'un seul cadavre, des ossements « longs », avec un crâne dont les fractures correspondaient exactement à la description de la blessure faite « préalablement » par le docteur Chénay ; des ossements trouvés nets de tous

---

1. Archives du château de Clisson. On sait que la veuve de Lescure se remaria en 1802 avec Louis de La Rochejaquelein, frère cadet de Henri, de cinq ans plus jeune qu'elle.

débris inconsommables de vêtements, tels que boutons, boucle de ceinturon, agrafes ; les ossements d'un cadavre enterré nu.

Le hasard même avait joué son rôle car, dans ce lopin de terre désigné formellement par Grégoire au paysan Fortin, les os n'avaient été trouvés « qu'après plusieurs recherches », et nuls autres ossements que ceux-ci n'avaient été découverts. Les restes « morcelés » du meurtrier enfouis on ne sait où, sanguinolents, avec les lambeaux de son uniforme dans quelque fosse anonyme n'avaient pas été mélangés avec ceux de sa victime [1].

La sage méthode des enquêteurs avait bel et bien triomphé des obstacles pour arracher de sa tombe le Chevalier de légende.

Les obsèques ne furent célébrées que le mercredi 7 mai. La veille de ce jour, à sept heures du soir, en présence du maire de Cholet, assisté des docteurs Hocbocq et Chénay, de dom Jagault et de son frère Pierre, archiprêtre de Thouars, et d'Henri Allard, il avait été procédé en l'église Saint-Pierre à la translation des ossements dans un autre cercueil, en zinc, contenu lui-même dans une bière en bois de chêne. A ces misérables restes, considérés à l'égal de reliques, fut mêlé « du charbon pour la conservation ». On ferma le cercueil. La plaque du couvercle portait cette simple mention : « Henri de La Rochejaquelein né le 30 août 1772, tué le 9 février 1794. » En l'absence de renseignements sûrs, la mairie de Cholet avait reproduit la date de l'acte de décès qu'avait dressé la municipalité

---

1. Il est impossible, même en admettant que le corps de Henri de La Rochejaquelein ait été enseveli dans le fond de la fosse et le meurtrier par-dessus — comme le voulait la légende — qu'on ait eu affaire aux ossements du grenadier. On aurait dans ce cas, découvert des débris de son uniforme « destiné à arrêter les investigations des Bleus ».

de Châtillon-sur-Sèvre en 1801 [1]. La cérémonie religieuse avait été fixée à neuf heures du matin. La présence des sous-préfets de Beaupréau et de Parthenay, des fonctionnaires et des autorités « civiles et judiciaires » de Cholet, Beaupréau, Bressuire, lui conférait un caractère officiel, moins émouvant cependant que cette foule de survivants de l'épopée qui pressait le cercueil de son chef bien-aimé, remplissait l'église, débordait sur le parvis et engorgeait les rues où il devait passer pour gagner à l'issue de la cérémonie le foyer familial de Saint-Aubin-de-Baubigné.

En dépit de la grotesque abondance d'inscriptions à la gloire du héros — il y en avait partout, à la porte du sanctuaire, au-dessus de l'autel (le catafalque à lui seul en était submergé), et jusque sur le corbillard — les obsèques étaient vraiment triomphales. Quand le char funèbre qui portait les restes de Monsieur Henri s'avança entre les deux haies formées par ses anciens soldats, ceux-ci le saluèrent d'une salve de mousqueterie. « Nous désirons, devait écrire le samedi suivant le maire Turpault à Mme de La Rochejaquelein, que ceux de la capitale disent à tous les Français que ce que nous avons pu faire pour honorer la mémoire de notre héros est infiniment au-dessous de ce que nous aurions désiré. »

C'est que peu de figures symbolisent mieux que lui la guerre des géants. Sur l'horizon rougeoyant des incendies et des massacres des années 1793-1794, sa figure se détache en vision souriante et protectrice, comme l'incarnation même de la sublime résistance ; et les fervents auteurs de ce triomphe posthume ne s'y trompent pas dans la fièvre de leurs transports et de leur attendrissement quelque peu débridé — on est au XIXᵉ siècle, il ne faut pas l'oublier.

---

1. La documentation de Savary ne fut publiée qu'en 1825. Elle est précieuse, car au moins l'une des pièces reproduites par Savary, le fameux rapport de Poché, a disparu depuis des archives publiques. Il en est de même du procès-verbal de l'élection de Gigost d'Elbée, que Benjamin Fillon a dû avoir en main, et de l'ordre de rassemblement de la Grande Armée à La Châtaigneraie en mai 1793.

L'indéfinissable sentiment d'affection passionnée qui explose en un évohé de confus éloges à l'adresse de « l'Achille de la Vendée », de « l'Intrépide », du « valeureux Henri », de « l'orgueil des siens », comme écrit Turpault, et secoue tant d'êtres en des crises de larmes maladives, ne puise pas sa seule source dans le souvenir matérialisé de cet adolescent moissonné dans son essor ; c'est à une « sorte de héros national destiné à personnifier devant l'Histoire l'âme de la Vendée royaliste [1] » que s'adresse l'hommage de ce sentimentalisme confus qui n'est d'ailleurs pas sans danger pour les futurs jugements de l'Histoire.

Au milieu de ce concert d'éloges célébrant l'héroïsme, la douceur et la bonté du disparu, tout ce que l'Histoire devait retenir de lui, l'oraison funèbre du bénédictin Jagault ne pouvait acquérir toute sa portée. L'heure n'était pas aux analyses. On entendait. Le dérèglement des nerfs empêchait d'écouter. Bien peu retinrent les saillantes remarques de l'ancien secrétaire du conseil vendéen qui, non content de souligner « l'amitié particulière et jamais démentie dont s'étaient liés Bonchamps et Monsieur Henri », ne craignit pas d'ajouter : « L'expérience donnait à Bonchamps dans les conseils une prépondérance que La

---

1. Lieutenant-colonel de Malleraye, commandant de la place de Cholet en 1914, tué à Verdun en 1916, *Les Cinq Vendées.*
Il serait absurde de prétendre compléter ou même rectifier ici le colonel de Malleraye, de même qu'il est absurde d'établir une distinction entre la foi religieuse et la foi monarchique des Vendéens. Comme le disait Jean Yole le 4 septembre 1938 à Fonteclose devant vingt-cinq mille personnes, « les deux fois n'en faisaient qu'une dans le cœur de l'homme qui ne songeait même pas au partage possible ». Et il précisait avec justesse : « Les Vendéens ont lutté pour un pouvoir qui représentait un millénaire d'âge... La Révolution a été chez nous un changement imposé dans les croyances — dans toutes les croyances. Dès lors, l'insurrection qui lui a répondu est née d'un drame de conscience — de toute la conscience. Elle a réagi avec toute son âme et avec toutes ses fidélités : fidélité à Dieu, à la famille, aux maîtres, au Roi. »

Rochejaquelein aimait à reconnaître, quoique lui-même, par une illumination subite, vît toujours ce qu'il y avait de mieux à faire. »

**

Les responsabilités du terrible désastre d'outre-Loire, personne ne songeait à les établir pour flétrir quelque mémoire, encore moins à en charger Henri de La Rochejaquelein. La radieuse figure de vingt ans disparue par une grise matinée de l'an d'épouvante 1794 continua de hanter les âmes des vivants, poursuivit sa route à travers les méandres de l'Histoire, traînant dans le sillage de sa gloire immarcescible les mille prouesses de tout son peuple, tout comme au temps où elle lui frayait son douloureux chemin au cours de la campagne d'outre-Loire.

A Sorèze, Lacordaire érigeait le buste de Monsieur Henri comme un objet de haute méditation pour les générations formées dans cette maison. Le 8 juillet 1828, la duchesse de Berry posait la première pierre de la chapelle funéraire destinée à abriter ses restes. Il fallut arracher autour de sa tombe des touffes de cette herbe nommée fleur d'Achille. En décembre 1857, on exhumait son corps pour le transférer dans un caveau creusé sous la nouvelle église. Ce fut une nouvelle occasion de rouvrir le cercueil. Ouvrard, le grand-père du garde actuel de la Durbelière, a laissé aux siens le souvenir de l'émotion avec laquelle il contempla le crâne brisé du héros. En 1883, Tancrède de Guerry dépliait sur le cercueil du dernier des Bourbons de la branche aînée « son » drapeau troué de mitraille, marbré des taches du sang des braves qui l'avaient porté sur tant de champs de bataille. En 1895, le 25 septembre, vingt mille Vendéens accouraient autour de sa statue, chef-d'œuvre de Falguière, inaugurée à l'entrée de son village natal — les autorités gouvernementales ayant mis leur veto à son érection sur la place du village. L'Eglise de France, représentée par quatre évêques, trois abbés mitrés, trois cents prêtres

— honneur poussé à une ampleur que ne connut nul autre chef vendéen — lui rendait le plus bel hommage qu'il ait jamais reçu. Tout d'ailleurs dans cette fête, le rappel des fortes vertus du héros par l'évêque de Montpellier, sa silhouette à nouveau profilée sur l'horizon vendéen, les agapes monstres, l'illumination des ruines de la Durbelière surmontées d'un H de feu gigantesque, contribuait à créer cette atmosphère où, comme l'exprime Pierre de Nolhac, « l'âme d'un temps se réveille pour parler à la nôtre ».

Jamais la pensée n'est venue qu'il pût avoir besoin de quelque indulgence, au regard même de la plus sévère histoire. Les grandes figures n'ont pas besoin d'apologies, encore moins de plaidoiries mensongères. Les jugements même portés par quelques érudits relativement aux responsabilités n'ont pas trouvé d'écho dans le grand public ; l'âme vendéenne qui enveloppe dans un même sentiment de piété les héros et les victimes du grand soulèvement de 1793 semble fuir d'instinct ce genre de querelles, comme si elle se rendait confusément compte que l'échec de son grand mouvement, la cause profonde de son insuccès résident moins dans les passions humaines que dans le vice mortel de son organisation.

La théorie militaire n'a rien à voir ici. Pas plus que Cathelineau, pas plus que d'Elbée, Monsieur Henri ne fut et ne pouvait être généralissime au vrai sens du mot. Tous trois ne furent, selon l'exacte définition de la marquise de Lescure, que « les coordonnateurs des actions des différentes armées ». Au Conseil, le généralissime disparaissait pour redevenir non pas un égal, mais une sorte de chef de gouvernement parlementaire. Il en était réduit à doser les majorités, à tenir compte des opinions des chefs de « partis » — le mot était couramment employé — de qui il tenait d'ailleurs son autorité, et qu'il ne pouvait sanctionner. On connaît l'abandon dont Charette et Stofflet furent l'objet pour avoir fait fusiller Marigny au nom de la discipline.

C'est que la nécessité d'une insurrection postule une

sorte de discipline volontaire, une véritable abnégation qui, seule, peut suppléer au pouvoir légal absent.

Le général Jomini l'avait saisi, ce prince des tacticiens qui porta d'abord ce hâtif jugement sur Henri : « La Rochejaquelein, actif, entreprenant et brave... se distingua plutôt par des élans passagers que par un génie supérieur. » Puis, revenant de cette première impression au terme de son étude de la campagne au-delà de la Loire et comme pris de scrupule, Jomini rectifia : « Bien que la perte de Bonchamps... laissât un grand vide dans leurs conseils (aux Vendéens), La Rochejaquelein y suppléa souvent ; s'il manquait d'expérience dans l'art des combats, il la remplaça par une résolution forte et vigoureuse, un coup d'œil pénétrant et l'instinct naturel de la guerre [1]. » Et d'ajouter d'une plume finement psychologue : « Il serait difficile de le juger, sans connaître plus précisément les entraves que le Conseil mit à ses desseins, car les grandes opérations s'y décidaient à la majorité, et l'on sait que ses membres étaient rarement d'accord. »

Peut-être l'Empereur, captif à Sainte-Hélène, y songeait-il aussi quand, s'entretenant avec Montholon de celui qui avait été « Monsieur Henri », il laissait tomber de ses lèvres cette exclamation lourde de méditations : « Henri de La Rochejaquelein n'avait que vingt et un ans. Qui sait ce qu'il fût devenu ! »

Il est des noms pour vous grandir, d'autres pour vous écraser. Au soir de ces cortèges funèbres, l'héritage pouvait sembler lourd pour Auguste, le dernier des La Rochejaquelein. Quelle part de gloire restait-il à cet homme de trente-deux ans, d'une vigueur physique exceptionnelle et

---

1. *Histoire critique et militaire des guerres de la Révolution,* par le lieutenant général Jomini, ancien chef d'état-major du maréchal Ney. Pochard, 1820, t. III, p. 393 et IV, p. 850.

aimant autant l'action qu'il détestait les polémiques de salon ?

Le traité de Cholet avait mis fin à la quatrième insurrection de Vendée. Le 4 juillet, Louis XVIII entrait presque clandestinement dans Paris, ayant dû accepter les clauses soumises par les Alliés. Les armées françaises devaient se retirer au sud de la Loire, ce que fit Davout le 5 juillet, et la moitié de la France fut occupée par les troupes étrangères. Cette situation ne devait pas tarder à engendrer un paradoxe. Devant la menace que faisait peser, pour l'intégrité du territoire français, la présence étrangère et devant les escarmouches continuelles des soldats prussiens avec les troupes de ligne françaises, les ennemis d'hier allaient pour un moment faire cause commune. Inquiets, Auguste de La Rochejaquelein et Sapinaud, sans peut-être bien mesurer les conséquences politiques d'un tel geste, adressaient à Delaage le 10 juillet une lettre lui offrant leurs bons services pour la défense du pays. Ils se déclaraient prêts à coopérer avec Lamarque de la façon la plus active si les Alliés montraient les prétentions que leur prêtait le général Delaage. C'est faire preuve d'un zèle patriotique louable mais non d'un bon sens politique au moment même où Louis XVIII s'efforce de convaincre les coalisés que ses amis ne sont pas leurs ennemis, au moment même où son ministre, le maréchal de Gouvion-Saint-Cyr, manœuvre pour obtenir la soumission de l'armée, notamment celle de Lamarque.

Delaage, sentant bien d'ailleurs le profit politique qu'il peut tirer de l'imprudence d'une telle déclaration, lui fait donner une large publicité dans les journaux et sous forme d'affiches.

Cependant Sapinaud et Auguste de La Rochejaquelein, s'apercevant de la manipulation dont leur générosité et leur patriotisme sont l'objet, écrivent une lettre de protestation où ils indiquent qu'en tout état de cause, ils ne marcheraient que sous la bannière fleurdelisée.

Cette attitude n'est toutefois pas sans fondement et le

22 juillet se produit la réconciliation de Vannes où royalistes et bonapartistes s'unissent pour s'opposer aux Prussiens. Ce n'est que le 12 septembre 1815 que prend fin la quatrième guerre et qu'est déclaré le licenciement général.

De 1815 à 1823 s'ouvre pour Auguste une période de tranquillité, troublée toutefois par les violentes polémiques de salon autour des « acteurs » vivants ou morts de cette quatrième guerre, Louis de La Rochejaquelein, Suzannet, d'Autichamp, Lamarque, Canuel, du Chaffault.

Si la guerre est finie, les rancœurs sont loin d'être apaisées, comme en témoigne la virulence des attaques à travers les Mémoires ou les discours prononcés au cours d'oraisons funèbres. Auguste se tiendra toujours dans une position de réserve. Il se contentera de préfacer le livre de Canuel dédié à son frère Louis.

Il met à profit ces courtes années de paix pour se marier, le 14 septembre 1819, avec Félicie de Durfort-Duras. Qui peut-on épouser d'autre quand on est le frère de Monsieur Henri que la veuve de cet autre héros de légende : le prince de Talmont ? L'Histoire se chargeait par ce mariage de démentir les rumeurs colportées sur la mésentente de ces deux grands seigneurs. On eût aimé que cette alliance de deux noms prestigieux fût couronnée d'enfants mais il n'en fut rien...

L'année 1823 devait marquer le retour d'Auguste comme bon nombre de protagonistes du drame vendéen, sur la scène militaire. Nommé colonel des grenadiers à cheval, puis maréchal de camp, c'est à ce titre qu'il prend part à l'expédition des « cent mille fils de Saint Louis » en Espagne, aux côtés de d'Autichamp et du futur maréchal de Bourmont. Il s'illustre à la prise de Trocadéro en compagnie de son neveu, Henri Auguste du Vergier, marquis de La Rochejaquelein, fils aîné de Louis.

Son retour en France coïncide avec l'avènement au trône de Charles X, auquel il voue une fidélité qui ne se démentira jamais.

Infatigable, il bat, toujours en compagnie de son neveu,

les Turcs dans les rangs russes au cours de la campagne de 1828-1829, et revient en France au moment même des journées des Trois Glorieuses qui devaient marquer la fin de la monarchie légitime au profit de la branche cadette. Arrivé à Saint-Cloud au moment de l'abdication de Charles X en faveur de son petit-fils Henri V, duc de Bordeaux, il accompagne fidèlement son roi dans son exil en Angleterre ; à Cherbourg, il donne le bras à la duchesse d'Angoulême. De retour en Vendée, Auguste participe, au cours d'un service funèbre en l'honneur de Monsieur Henri, aux premiers contacts de ce qui allait devenir la « cinquième guerre de Vendée », combat plus pour l'honneur et la fidélité que véritable croyance au succès d'une telle entreprise. Tous les grands noms de l'histoire de la Vendée sont présents : Auguste de La Rochejaquelein, d'Autichamp, les fils Charette, les Cathelineau, Suzannet, le maréchal de Bourmont. Auguste se voit attribuer un commandement important mais il ne participera pas sur le terrain aux échauffourées de cette cinquième guerre. Il part pour l'Angleterre, tout comme son frère Louis dix-sept ans auparavant, afin de chercher des armes et des soutiens. Plus réfléchi et moins exalté que ce dernier et conscient que les temps ont changé, il cherche au contraire à calmer les humeurs belliqueuses de sa cousine Lucie de La Rochejaquelein, toujours prête à s'enflammer et à réincarner l'époque mythique de Monsieur Henri. La cinquième guerre de Vendée devait se clore avant le retour d'Auguste. Condamné à mort par contumace en 1833, commence pour celui-ci et sa femme le temps de l'exil. Toujours aussi actif, il rejoint en compagnie d'un autre de ses neveux, Louis Lescure — ce sont ses prénoms — l'appel du maréchal de Bourmont pour aller combattre, aux côtés de don Miguel, les libéraux aux sièges de Lisbonne. Il a la douleur de perdre ce neveu âgé de vingt-quatre ans devant la capitale portugaise. Acquitté en 1835 pour sa participation au soulèvement de la Vendée par la duchesse de Berry, il peut enfin rentrer en France.

Après 1835, Auguste de La Rochejaquelein allait progressivement s'effacer de la scène politique. Dans les différents courants du légitimisme à l'aube de 1840, il va incarner cette tendance traditionaliste agraire « étrangère au jeu politique, volontiers abstentionniste » et, lorsqu'elle ne l'est pas, « légitimiste pure ». C'est-à-dire hostile aux alliances électorales. Auguste, ne l'oublions pas, était avant tout un homme d'action ; l'âge, l'absence de champs de bataille et... une vie déjà bien remplie le poussent à goûter enfin un peu de tranquillité.

Mais, comme prenant la relève du vieux soldat, un autre enfant de la famille allait marquer de son empreinte le quart de siècle à venir : Henri Auguste du Vergier de La Rochejaquelein. Sorti de Saint-Cyr en 1823, nous l'avons vu déjà s'illustrer auprès de son oncle au cours de l'expédition d'Espagne en 1823 et quelques années plus tard en 1828-1829 contre les Turcs. Entre-temps, en 1825, il avait été nommé pair de France en même temps que le fils de Suzannet par Louis XVIII, celui-ci étant soucieux d'apaiser les plaies des rivalités vendéennes.

C'est l'année 1842 qui marque vraiment l'entrée en politique du marquis de La Rochejaquelein. Elu député du Morbihan, il siège à la Chambre parmi la tendance radicale « royaliste nationale ». Sensible à l'esprit démocratique, il incarne la recherche d'un nouveau contrat avec le peuple, et se sent proche des thèses de Genoude et de son journal la *Gazette de France,* dans lequel il écrit :

« La monarchie nouvelle se fera au suffrage universel et nous relèverons le pacte. »

Est-ce cette opinion très ancrée chez lui, ou son anti-orléanisme irréductible qui l'amène à se rallier à la République et à lancer cette phrase terrible à la duchesse de Nemours quand elle essaie de faire reconnaître son fils en 1848 devant la Chambre : « Vous n'êtes plus rien, allez-vous-en » ?

Paradoxe de l'Histoire de voir le descendant de trois

frères, dont la fidélité au Roi ne s'est jamais démentie, soutenir la République.

Membre de la Constituante, puis de la Législative, le marquis sera toujours fidèle à la ligne politique qu'il s'est tracée. Après les élections du 13 mai 1849, La Rochejaquelein et Genoude font partie de la Montagne blanche qui défend la nécessité de l'appel au peuple et qui encourage une agitation antiparlementaire et populiste. Ainsi le marquis de La Rochejaquelein se refuse à voter la loi électorale du 31 mai 1850 réglementant dans un sens restrictif le suffrage universel. Après le rejet par l'Assemblée du projet de révision de loi autorisant un second mandat à Louis Napoléon, La Rochejaquelein est sollicité par ses amis pour l'élection présidentielle mais tout choix est différé. Le marquis se fait cependant remarquer encore quand Louis Napoléon dépose un projet de loi rétablissant le suffrage universel. Fidèle à ses idées, il vote, seul parmi tous les députés de « droite », ce projet.

Cette prise de position annonce peut-être son ralliement à l'Empire après le coup d'Etat du 2 décembre. Louis Napoléon l'en récompense en le nommant sénateur dès 1852. Ce ralliement n'est pas seulement dicté par la nécessité, il correspond à une conviction plus profonde, comme en témoigne la théorisation de sa position dans *la France en 1853*. Mais l'évolution du régime après 1859, notamment son inflexion libérale, et le soutien accordé aux nationalistes italiens contre le pape éloignent le marquis de La Rochejaquelein de l'Empire.

Comme par une ironie du destin, celui qui s'est rallié à la République, puis à l'Empire, meurt en 1867 avant son oncle, Auguste, dont la longévité symbolise sa fidélité au Roi.

Devancé sur les sentiers de la gloire par ses deux aînés, Monsieur Henri et son frère Louis, Auguste de La Rochejaquelein avait cependant perpétué avec fidélité, constance et bravoure pendant un demi-siècle le nom des La Rochejaquelein au service de la fleur blanche sur tous les champs de bataille.

En 1868, s'éteint le dernier général des guerres ven- déennes. De la naissance du premier et du plus glorieux à la mort du dernier *témoin* cent ans d'histoire vendéenne et royale se sont écoulés.

ANNEXE

Préface du duc de La Force,
de l'Académie française,
à la précédente édition
de *Monsieur Henri*

Voici une biographie émouvante où l'intérêt ne faiblit
pas un instant.

M. le baron de la Tousche d'Avrigny, qui en est l'auteur,
nous y restitue la véritable figure de celui que les paysans
de Vendée appelaient avec une affectueuse familiarité
« Monsieur Henri ». Il rectifie plus d'une bévue, il a
toujours en main la preuve de ce qu'il avance, il sait extraire,
pour notre plus grand plaisir, tout le suc des documents
qu'il a compulsés. C'est d'un œil pénétrant et impartial
qu'il étudie le chef de vingt ans qui disait à ses hommes :
« Si j'avance, suivez-moi ; si je recule, tuez-moi ; si je
meurs, vengez-moi. » Il rend hommage à son intelligence,
à ses talents militaires, qui ne le cédaient point à sa bravoure chevaleresque. Dans les premiers jours du mois de
juin 1793, tandis que Charette reprend Machecoul, ci-
devant capitale du Pays de Retz, La Rochejaquelein, avec
Stofflet, Lescure et Cathelineau, vient de prendre Saumur.
Il préconise au conseil de guerre une marche rapide sur
Tours et Paris. Son historien, à ce propos, cite l'opinion
de Napoléon qui a observé dans ses Mémoires : « Si, profi-

472

tant de leurs étonnants succès, Charette et Cathelineau eussent réuni toutes leurs forces pour marcher sur la capitale après l'affaire de Machecoul, c'en était fait de la République. Rien n'eût arrêté la marche triomphale des armées royales, le drapeau blanc eût flotté sur les tours de Notre-Dame, avant qu'il eût été possible aux armées du Rhin d'accourir au secours de leur gouvernement. »
De même après la victoire que La Rochejaquelein remporte à Laval, sur Kléber, le 27 octobre, M. de La Tousche d'Avrigny met sous les yeux de ses lecteurs ces quelques lignes de la lettre que le vaincu écrivit d'Angers au Comité de salut public : « Nous avions contre nous l'impétuosité vraiment admirable des brigands et l'élan qu'un jeune homme leur communiquait. Ce jeune homme, qui s'appelle Henri de La Rochejaquelein et dont ils ont fait leur généralissime, a bravement gagné ses éperons. Il a montré dans cette malheureuse bataille une science militaire et un aplomb dans les manœuvres que nous n'avions pas retrouvés chez les brigands depuis Torfou. C'est à sa prévoyance, à son sang-froid que la République doit cette défaite. »

L'historien reconnaît qu'au mois d'août précédent, pas plus que d'Elbée, Lescure et Bonchamps, La Rochejaquelein n'avait soupçonné les arrière-pensées des Donissan et des Talmont. Ceux-ci avaient déjà formé le projet de conduire l'armée catholique et royale sur la rive droite de la Loire, afin d'être moins loin des secours que l'Angleterre pourrait débarquer dans quelque port de la Manche. Le gouvernement britannique venait en effet d'envoyer au quartier général des chefs vendéens, à Châtillon-sur-Sèvre, un émigré porteur de ses offres, le chevalier de Tinténiac, mais Lescure avait indiqué pour lieu de débarquement Saint-Gilles ou les Sables-d'Olonne. M. de La Tousche d'Avrigny l'observe fort bien, M. de Tinténiac crut devoir mettre en garde Lescure et La Rochejaquelein contre la duplicité du gouvernement britannique peu intéressé à la restauration d'une monarchie qui ne manquerait pas — elle le fit voir quelque vingt ans plus tard — de réclamer le *respect de son intégrité territoriale. On lira une fois de plus le déchirant appel que les chefs de l'armée catholique et royale adressèrent au comte d'Artois et que Tinténiac emporta le 18 août 1793.*

Ce qui est moins connu, ce sont les impressions du comte de Provence, à qui Tinténiac présenta l'appel le 7 octobre. Le futur Louis XVIII se trouvait alors en Westphalie, dans la petite ville de Hamm. Il écrivit dès le lendemain à sa correspondante habituelle, Anne de Caumont La Force, comtesse de Balbi : « La journée d'hier, Madame, a été fertile en choses heureuses... Il nous est arrivé un gentilhomme breton, appelé M. de Tinténiac, que le gouvernement anglais avait fait passer en Poitou, qui nous a apporté des détails intéressants sur la Vendée, mais mieux que cela, une lettre au comte d'Artois, des commandants de l'armée catholique et royale, qui le demande à grands cris, ou au moins un officier général envoyé par nous pour les commander. Il pleurait en me racontant les transports d'amour pour le Roi et pour nous, que tous ces bons paysans ont fait éclater en sachant qu'il allait nous joindre. Un autre gentilhomme, appelé M. de La Gaudinière, m'apportait une pareille lettre, mais malheureusement, il s'est noyé près de Guernesey. Les principes de cette armée sont purs comme sa conduite : Dieu, le Roi, l'ancien gouvernement, c'est tout ce qu'ils désirent. Je n'en finirais pas, si je vous répétais tout ce que M. de Tinténiac m'a dit : pour vous donner seulement une idée de la pureté des principes de ces gens-là, ils se fâchent quand on prononce seulement le nom de la Vendée et, dans la lettre au comte d'Artois, ils lui rappellent qu'il est comte de Poitou, et vous savez bien que parler d'apanage, c'est le superfin de ce qu'on appelle aristocratie [1]. »

Moins d'une semaine plus tard, l'armée catholique et

---

1. Cette lettre est conservée dans les archives de Mme la marquise de Chabrillan, née Cornudet. Je l'ai publiée intégralement il y a quelques années. Voir *Dames d'autrefois*, pp. 221-223.

royale, battue à Cholet, se retirait sur Beaupréau. Cathelineau était mort le 14 juillet 1793 : ni Bonchamps qui se
mourait, ni Lescure mortellement blessé, ni La Rochejaquelein qui n'était pas encore généralissime ne pouvaient
empêcher le parti d'outre-Loire d'entraîner les Vendéens
à Saint-Florent-le-Vieil, afin de gagner la rive droite du
fleuve. Pourquoi faut-il que le cri héroïque de La Rochejaquelein n'ait pas été écouté : « Ah ! mourons avec eux
dans nos landes, mais ne reculons pas ! »

M. de La Tousche d'Avrigny a vécu sur le théâtre des
événements qu'il met en scène. Naguère il habitait Ancenis,
à quelques lieues en aval de Saint-Florent, presque en face
de ce petit Liré, dont Joachim du Bellay préférait au
mont Palatin la douceur angevine. Ancenis, où après la
déroute du Mans, La Rochejaquelein et Stofflet repas-
sèrent la Loire le 16 décembre 1793. L'historien a parcouru toutes les contrées que parcoururent les combattants
de la « guerre des Géants ». Il a arpenté les Mauges, le
Bocage vendéen, les coteaux jadis coiffés de hauts genêts,
les vallons minuscules et profonds, les chemins creux qui
s'enfoncent entre les haies épaisses et hérissées d'arbres,
par lesquelles chaque champ est défendu. Il connaît la
loyauté, l'indépendance, la noblesse, la foi des habitants.
Ces gens de Beaupréau, de Jallais, de Chemillé, de Saint-
Lezin, de Neuvy, de La Jumellière, une partie de ma
jeunesse s'est écoulée au milieu d'eux : je sais que leurs
bisaïeuls virent La Rochejaquelein terrifier encore les Bleus
alors qu'il errait dans les bois, à la tête d'une poignée
d'hommes, jusqu'à ce fatal 28 janvier 1794 où il fut
traîtreusement assassiné à Nuaillé, près de Cholet, par un
républicain à qui il venait d'accorder la vie.

Cette connaissance des gens et du pays ajoute un charme
particulier au livre de M. le baron de La Tousche d'Avrigny. Nul doute que les lecteurs n'y soient sensibles, nul
doute qu'ils n'apprécient un ouvrage si documenté, si
coloré, si vivant.

La Force.

GÉNÉALOGIE DES LA ROCHEJAQUELEIN

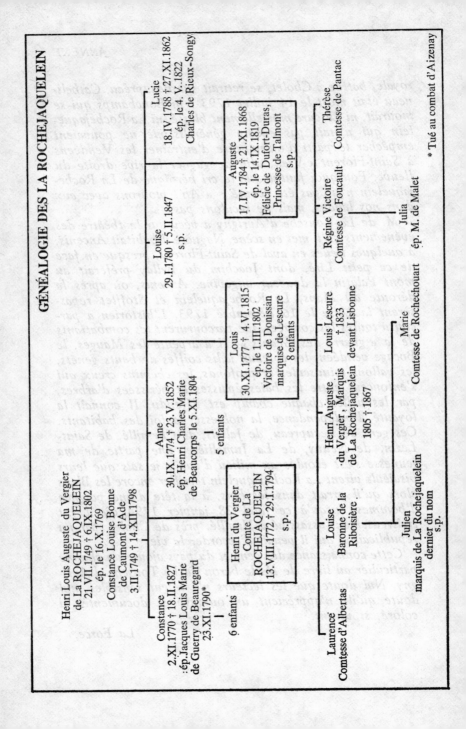

Henri Louis Auguste du Vergier de La ROCHEJAQUELEIN
21.VII.1749 † 6.IX.1802
ép. le 16.X.1769
Constance Louise Bonne de Caumont d'Adé
3.II.1749 † 14.XII.1798

Constance
2.XI.1770 † 18.II.1827
:ép.Jacques Louis Marie de Guerry de Beauregard
23.XI.1790*

Anne
30.IX.1774 † 23.V.1852
ép. Henri Charles Marie de Beaucorps le 5.XI.1804

5 enfants

Louise
29.I.1780 † 5.II.1847
s.p.

Lucie
18.IV.1788 † 27.XI.1862
ép. le 4. V.1822
Charles de Rieux-Songy

Henri du Vergier Comte de La ROCHEJAQUELEIN
13.VIII.1772 † 29.I.1794
s.p.

Louis
30.XI.1777 † 4.VI.1815
ép. le 1.III.1802
Victoire de Donissan marquise de Lescure
8 enfants

Auguste
17.IV.1784 † 21.XI.1868
ép. le 14.IX.1819
Félicie de Dufort-Duras, Princesse de Talmont
s.p.

6 enfants

Laurence Comtesse d'Albertas

Louise Baronne de la Riboisière

Henri Auguste du Vergier, Marquis de La Rochejaquelein 1805 † 1867

Louis Lescure † 1833 devant Lisbonne

Régine Victoire Comtesse de Foucault

Thérèse Comtesse de Pantac

Julien marquis de La Rochejaquelein dernier du nom s.p.

Marie Comtesse de Rochechouart

Julia ép. M. de Malet

* Tué au combat d'Aizenay

TABLE DES MATIERES

LIVRE SECOND
Louis et Auguste de La Rochejaquelein
1777-1815 et 1784-1868